D1401684

# Introduction
## aux probabilités
## et à la statistique

Esther Amiot

# Introduction
# aux probabilités
# et à la statistique

**gaëtan morin
éditeur**

**Montréal □ Paris □ Casablanca**

**Montréal**, Gaëtan Morin Éditeur ltée
171, boul. de Mortagne, Boucherville (Québec), Canada, J4B 6G4, Tél.: (514) 449-2369

**Paris**, Gaëtan Morin Éditeur, Europe
20, rue des Grands Augustins, 75006 Paris, France, Tél.: 33 (1) 53.73.72.78

**Casablanca**, Gaëtan Morin Éditeur – Maghreb S.A.
Rond-point des sports, angle rue Point du jour, Racine, 20000 Casablanca, Maroc, Tél.: 212 (2) 49.02.17

Il est illégal de reproduire une partie quelconque de ce livre sans autorisation de la maison d'édition. Toute reproduction de cette publication, par n'importe quel procédé, sera considérée comme une violation des droits d'auteur.

Révision linguistique: Robert Dolbec

Imprimé au Canada

Dépôt légal 1er trimestre 1990 – Bibliothèque nationale du Québec – Bibliothèque nationale du Canada

4 5 6 7 8 9 0 1 2 3        G M E 9 0        5 4 3 2 1 0 9 8 7 6

**Introduction aux probabilités et à la statistique**
© gaëtan morin éditeur ltée, 1990
Tous droits réservés

À
Gérard,
Marthe,
André
et Paul-André

# Avant-propos

Ce livre, qui s'adresse à des étudiants possédant déjà une certaine formation mathématique, a été écrit dans le but de leur faire découvrir le lien entre la rigueur d'une théorie mathématique et la magie de ses applications concrètes. Son contenu se partage donc entre une présentation théorique minutieuse et une multitude d'exemples concrets et d'exercices. Ces derniers, dont certains offrent de belles situations d'analyse ou de synthèse, aideront les étudiants à bien distinguer les différentes facettes de la matière étudiée.

Bien consciente qu'un tel cours peut s'adresser à des étudiants ne possédant pas tous les mêmes connaissances en mathématiques, l'auteure a identifié par une étoile (☆) certaines preuves et quelques problèmes pouvant présenter un intérêt différent, suivant le degré de formation ou même de curiosité de l'étudiant.

Dans un même ordre d'idées, le chapitre 9, qui fait appel à certaines notions du calcul intégral, pourra, selon la clientèle, être étudié à fond ou retenu simplement pour quelques-unes de ses notions clés.

# Table des matières

# Introduction

En cette ère où l'information est à la base de l'orientation et de l'organisation de notre vie quotidienne, la statistique devient un instrument privilégié que la mathématique met à notre disposition pour combler nos besoins en ce domaine.

Que l'on s'interroge sur le revenu imposable des Canadiens et des Canadiennes pour une année donnée, sur le contenu en goudron d'une variété de cigarettes, sur le temps d'absorption d'un médicament, sur le chiffre d'affaires quotidien d'un magasin ou sur les intentions de vote des Québécois et des Québécoises, la statistique est toujours là pour soutenir cette recherche d'informations.

En effet, celle-ci nous propose une technique d'étude et d'analyse d'une **population** (d'un ensemble quelconque d'éléments) quant à la distribution d'un caractère donné. Les procédés qu'elle nous présente sont relativement simples, mais ils sont basés sur des principes mathématiques précis qui lui confèrent un aspect rigoureux, tout en la gardant applicable à des situations bien concrètes de la vie courante.

Ces procédés s'insèrent à l'intérieur de deux grandes méthodes de travail que nous allons maintenant décrire:
— le recensement,
— l'étude de la population par l'intermédiaire d'un échantillon prélevé à l'intérieur de cette dernière.

## LA MÉTHODE DE RECENSEMENT

Notre objectif étant, rappelons-le, de connaître la distribution d'un caractère donné à l'intérieur d'une population, une première méthode, le **recensement**, consiste simplement à observer systématiquement tous les individus (éléments) de cette population et à noter la valeur du caractère étudié pour chacun de ceux-ci. Une fois ces données recueillies, la statistique propose un mode de classement, un procédé de représentation graphique nous permettant de visualiser rapidement et facilement l'ensemble de cette distribution et, enfin, une technique de calcul de valeurs caractéristiques, définies dans le but de résumer l'ensemble de ces données.

## *LA MÉTHODE PAR LE BIAIS D'UN ÉCHANTILLON*

Bien que l'observation exhaustive de chacun de ses éléments soit la seule technique permettant une connaissance **parfaite** de l'ensemble d'une population, la chose est souvent très difficile ou trop onéreuse, voire impossible, dans la vie courante. C'est pourquoi nous étudions souvent la population par le biais d'un échantillon.

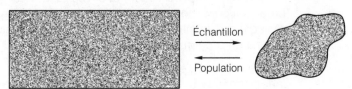

L'objectif reste le même: connaître la distribution d'un caractère donné dans une **population**. Pour ce faire, on prélève au hasard un **échantillon** de cette population et on y étudie la distribution du caractère. Les techniques utilisées sont les mêmes que pour l'étude exhaustive de la population dans la méthode du recensement.

Un échantillon prélevé au hasard dans la population ayant des chances d'en donner un bon « portrait », on utilise les connaissances obtenues de l'étude de cet échantillon pour tirer certaines conclusions sur l'ensemble de la population. Cependant, certaines différences entre la population et l'échantillon sont à peu près inévitables. Les conclusions sont donc accompagnées d'indications de **risques d'erreurs**, lesquels peuvent être calculés de façon précise à l'aide de **modèles théoriques basés sur des lois de probabilité**.

C'est cette méthode qui est la plus fréquemment utilisée lors d'une étude statistique et, bien sûr, c'est elle qui retiendra notre attention dans la majeure partie de ce volume.

# PLAN DE TRAVAIL

Pour développer les méthodes que nous venons de décrire, ce livre se divisera en trois grandes parties.

### *Première partie: statistique descriptive*

Celle-ci présentera un mode de compilation et d'analyse des données recueillies à l'intérieur de la population qu'on veut connaître. (C'est la méthode du recensement, utilisée aussi pour l'étude des données d'un échantillon.)

## Deuxième partie: probabilités

Nous ferons ici l'étude:

— des lois de base régissant le calcul des probabilités d'événements simples de la vie courante;

— des probabilités de ressemblance entre la population et un échantillon prélevé au hasard à l'intérieur de cette dernière.

## Troisième partie: inférences statistiques

C'est ici que nous apprendrons à porter des conclusions sur l'ensemble de la population, tout en y précisant les risques d'erreurs. Ces conclusions seront basées sur l'observation des données recueillies dans l'échantillon, alors que les risques d'erreurs s'appuieront sur les modèles de probabilités établis dans la deuxième partie.

# PREMIÈRE PARTIE

# Statistique descriptive

CHAPITRE **1**

# Classement et représentation graphique des données

Lors d'une étude statistique portant sur un certain caractère à l'intérieur d'une population, la première opération consiste à noter la valeur prise par celui-ci chez chacun des éléments de la population ou de l'échantillon.

Nous nous retrouvons donc devant un ensemble souvent considérable de données et le but de la **statistique descriptive** est d'y « mettre de l'ordre ». Elle servira ainsi à compiler ces données à l'aide de tableaux, à les représenter graphiquement et, enfin, à les résumer à l'aide de valeurs caractéristiques.

Dans ce premier chapitre, nous nous fixerons pour objectif de répondre aux deux premières de ces attentes: la mise en tableaux et la représentation graphique des données.

## 1.1. VOCABULAIRE

### 1.1.1. Vocabulaire de base de la statistique

Précisons d'abord le sens de certains termes fondamentaux pour une étude statistique:

| | |
|---|---|
| — **population** | ensemble des personnes, des objets, des éléments sur lesquels on veut effectuer l'étude |
| — **individu** | chacun des éléments de la population |

7

| | |
|---|---|
| — **caractère** commun | caractéristique relative à chacun des individus de la population et sur laquelle on veut faire porter l'étude |
| — **modalité** | chacune des valeurs **distinctes** prises par le caractère commun |
| — **échantillon** | ensemble d'éléments tirés de la population, au hasard, sur lequel on effectue une étude exhaustive pour ensuite porter certaines conclusions sur l'ensemble de la population |

**EXEMPLE**

Afin de connaître le nombre actuel d'étudiants par classe pour l'ensemble des classes d'une certaine école, on note ce nombre pour 25 d'entre elles choisies au hasard. Ici,

— la population = l'ensemble des classes de cette école;
— un individu = chacune de ces classes;
— l'échantillon observé = l'ensemble des 25 classes choisies au hasard;
— le caractère commun étudié = le nombre actuel d'étudiants par classe;
— l'ensemble des données, des valeurs recueillies = {30, 27, 27, 30, 32, 26, 27, 31, ...};
— l'ensemble des modalités = {30, 27, 32, 26, 31, ...}.

## 1.1.2. Types de caractères

Bien que les différents caractères sur lesquels on peut effectuer une étude statistique varient à l'infini, ils se regroupent en trois types:
— quantitatif discret,
— quantitatif continu,
— qualitatif.

Un caractère est **quantitatif** si l'ensemble de ses valeurs possibles sont **numériques** et **comparables** entre elles par leur grandeur.

Un tel caractère est dit quantitatif **discret** si ses valeurs possibles sont isolées les unes des autres. Par contre, si celles-ci constituent des intervalles de nombres réels, on le dira quantitatif **continu**.

Le nombre de cartes de crédit d'un individu est un caractère quantitatif discret, alors que la taille d'une personne constitue plutôt un caractère quantitatif continu.

> Lorsque les valeurs possibles d'un caractère ne correspondent pas à celles d'un caractère quantitatif, c'est-à-dire lorsqu'elles sont plutôt descriptives ou nominatives, le caractère est alors **qualitatif**.

La couleur des yeux d'un individu, la saveur de crème glacée ou la station de télévision qu'il préfère, ou encore le numéro de dossard d'un coureur sont des caractères qualitatifs.

### Exercices

Faire les problèmes 1 et 2 de la section 1.6., à la fin de ce chapitre.

## 1.2. DISTRIBUTION DES DONNÉES POUR UN CARACTÈRE QUANTITATIF DISCRET OU POUR UN CARACTÈRE QUALITATIF

### 1.2.1. Mise en tableau des données recueillies: table de fréquences

> Lorsqu'on associe à chacune des différentes modalités recueillies au sujet d'un caractère son **effectif** (ou sa **fréquence**), c'est-à-dire le nombre de fois où cette modalité est apparue au moment de la cueillette des données, on présente la **distribution** de ce caractère.
>
> Cette présentation s'effectue à l'aide d'un tableau, dit **table de fréquences**, qui met en parallèle les différentes modalités (placées en ordre croissant pour les caractères quantitatifs) et leur effectif (ou fréquence) respectif.

Une entreprise aimerait établir le profil sociologique de ses 75 employés. Pour ce faire, elle note entre autres le type de domicile et le nombre d'enfants de chacun d'eux. Elle obtient les données suivantes:

| Numéro de l'employé | Type de domicile | Nombre d'enfants |
|---|---|---|
| 1 | Maison unifamiliale | 2 |
| 2 | Logement | 1 |
| 3 | Condominium | 0 |
| 4 | Maison unifamiliale | 1 |
| ... | ... | ... |
| 75 | Maison unifamiliale | 0 |

Cette compilation comporte deux distributions dont voici les tableaux:

### Table de fréquences du nombre d'enfants par employé

| Modalité | Dépouillement | Effectif (ou fréquence) | Fréquence relative (ou proportion) |
|---|---|---|---|
| Nombre d'enfants | | $N_i$ | $f_i = \dfrac{N_i}{N}$ |
| 0 | ++++ ++++ ++++ ++++ ++++ | 25 | 25/75 |
| 1 | ++++ ++++ ++++ ++++ ++++ ++++ ++++ | 35 | 35/75 |
| 2 | ++++ ++++ \| | 11 | 11/75 |
| 3 | \|\| | 2 | 2/75 |
| 4 | \| | 1 | 1/75 |
| 5 | \| | 1 | 1/75 |
| | | $\Sigma N_i = N = 75$ | $\Sigma f_i = 1$ |

### Table de fréquences du type de domicile

| Type de domicile | Dépouillement | $N_i$ | $f_i$ |
|---|---|---|---|
| Condominium | ++++ \|\|\| | 8 | 8/75 |
| Logement | ++++ ++++ ++++ ++++ ++++ ++++ \| | 31 | 31/75 |
| Maison unifamiliale | ++++ ++++ ++++ ++++ ++++ ++++ ++++ \| | 36 | 36/75 |
| | | $N = 75$ | $\Sigma f_i = 1$ |

Tout au long de ce livre, nous considérerons des données portant tantôt sur l'ensemble de la population, tantôt sur un simple échantillon. Afin de bien distinguer ces deux niveaux d'étude, nous devrons utiliser une notation différente pour chacun: pour la **population**, nous utiliserons des **lettres majuscules** et pour l'**échantillon**, des **minuscules**. Cependant, une exception: nous noterons $f_i$ la **fréquence relative** d'une modalité, qu'il s'agisse de la population ou d'un échantillon, et nous réserverons $F_i$ pour la fréquence relative **cumulée** d'une modalité (que nous définirons ultérieurement et que nous noterons en majuscule autant pour l'échantillon que pour la population).

Ainsi, dans nos deux exemples de tables de fréquences, nous avons utilisé les lettres majuscules $N_i$ et $N$, puisque les données recueillies étaient celles d'une population. Nous avons cependant noté en minuscule $f_i$ la fréquence relative (proportion) des différentes modalités.

## 1.2.2. Représentation graphique

### *Pour les données d'un caractère quantitatif discret*

Pour la distribution d'un caractère quantitatif discret, le mode de représentation graphique usuel est le **diagramme en bâtons**. En voici un exemple, illustrant la distribution du nombre d'enfants par employé présentée à la sous-section 1.2.1.

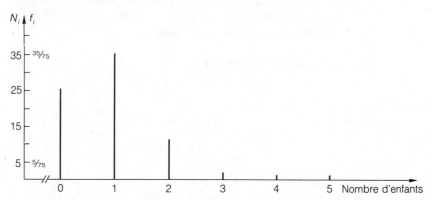

Dans ce graphique, on a fait correspondre aux différentes modalités (placées en ordre croissant sur un axe horizontal) des « bâtons » dont les hauteurs indiquent, au choix, les effectifs ou les fréquences relatives.

### *Pour les données d'un caractère qualitatif*

Pour un caractère qualitatif, deux modes de représentation graphique sont utilisés de façon courante:

— le diagramme en bâtons,
— le diagramme en secteurs.

À titre d'exemple, reprenons la distribution du type de domicile des employés présentée à la sous-section 1.2.1.

*Diagramme en bâtons*

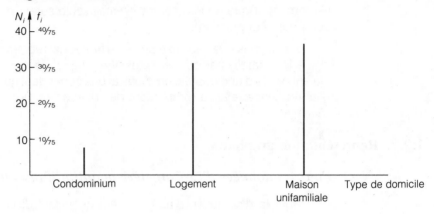

NOTE

Il s'agit du même mode de représentation graphique que celui utilisé pour un caractère quantitatif discret, à une exception près: ici, l'axe horizontal (des modalités) **n'est pas orienté**. En effet, l'orientation ($\rightarrow$) d'un axe implique une relation d'ordre, relation qui n'existe pas entre les modalités d'un caractère **qualitatif**.

*Diagramme en secteurs*

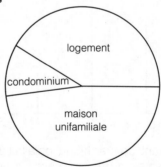

Ici, pour faire correspondre à chaque modalité sa juste part du cercle, il suffit de calculer la proportion des 360 degrés qui lui revient:

| Type de domicile | $N_i$ | $f_i$ | Nombre de degrés |
|---|---|---|---|
| Condominium | 8 | 8/75 | 38,4 = 8/75 de 360° |
| Logement | 31 | 31/75 | 148,8 |
| Maison unifamiliale | 36 | 36/75 | 172,8 |

Il existe un troisième mode de représentation graphique, pour un caractère qualitatif: le **pictogramme**. C'est une forme réservée plutôt aux graphistes, puisqu'elle consiste à décrire la distribution du caractère à l'aide de dessins.

En voici deux exemples, l'un représentant une estimation de la provenance directe des fonds et l'autre, une estimation des dépenses, dans le secteur de l'enseignement, au Canada, pour l'année 1988-1989:

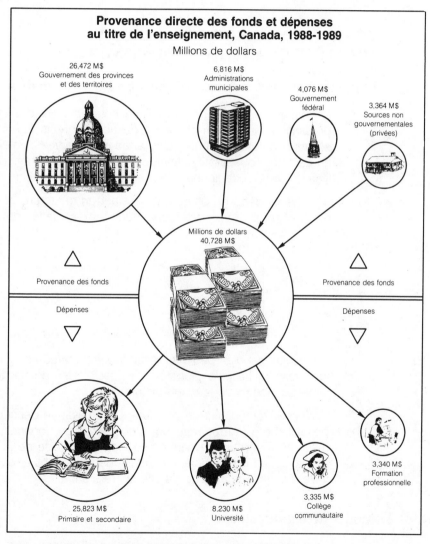

**Provenance directe des fonds et dépenses au titre de l'enseignement, Canada, 1988-1989**

Millions de dollars

26,472 M$
Gouvernement des provinces et des territoires

6,816 M$
Administrations municipales

4,076 M$
Gouvernement fédéral

3,364 M$
Sources non gouvernementales (privées)

Millions de dollars
40,728 M$

Provenance des fonds

Provenance des fonds

Dépenses

Dépenses

25,823 M$
Primaire et secondaire

8,230 M$
Université

3,335 M$
Collège communautaire

3,340 M$
Formation professionnelle

*Source.*— Adaptation de Statistique Canada, *Catalogue 81-220 Annuel, Statistique de l'enseignement — Estimations*, 1988-1989, p. 17.

Cependant, une telle représentation, bien qu'artistique, devra demeurer tout à fait rigoureuse. Ainsi, les différentes formes utilisées pour représenter les modalités devront toujours occuper des surfaces tout à fait proportionnelles à leurs effectifs respectifs.

### Exercices

Effectuer les problèmes 3, 4 et 5 de la section 1.6.

## 1.3. DISTRIBUTION DES DONNÉES POUR UN CARACTÈRE QUANTITATIF CONTINU

### 1.3.1. Regroupement des données autour de valeurs arrondies

Imaginons que nous voulions noter la taille des individus d'une population donnée. Un instrument de mesure précis nous indiquerait alors plusieurs différences entre les grandeurs observées. En effet, la taille est un caractère quantitatif **continu** et, par le fait même, ses diverses modalités peuvent s'échelonner sur l'**infinité** des valeurs d'un intervalle donné.

Le procédé graphique utilisé pour un caractère quantitatif discret nous mènerait, dans un tel cas, à une représentation du type suivant:

Ce résultat est bien peu intéressant pour une étude dont l'objectif est de faire ressortir le plus globalement possible les points de fortes ou de faibles concentrations d'une distribution.

Pour remédier à ce problème, la statistique descriptive nous propose d'abord, au moment de la cueillette des données, d'**arrondir** nos mesures à une unité donnée puis, lors de l'étude de la distribution de celles-ci, de bien associer à chacune des modalités arrondies tout l'**intervalle** des valeurs auxquelles elle fait référence.

### 1.3.2. Modes de regroupement

Il existe deux façons différentes d'**arrondir** une mesure: l'une, réservée uniquement à l'âge, consiste à utiliser une unité entière pour représenter tout l'intervalle des âges allant de cet entier inclusivement à l'entier suivant exclusivement; la seconde, utilisée pour tout autre caractère de type quantitatif continu, est d'arrondir à une unité donnée tous les nombres allant de la demi-unité précédente inclusivement à la demi-unité suivante exclusivement.

EXEMPLE 1

Afin d'étudier la distribution de l'âge des gens qui fréquentent une certaine discothèque, on note celui de 150 de ces individus, choisis au hasard, et on obtient les résultats suivants:

| Âge arrondi (en années) | Effectif |
|---|---|
| 18 | 16 |
| 19 | 27 |
| 20 | 38 |
| 21 | 37 |
| 22 | 19 |
| 23 | 10 |
| 24 | 3 |

Ici, la modalité 18 représente en réalité l'intervalle d'âges [18 , 19), et la lecture « âge: 18 ans, effectif: 16 » doit être interprétée de la façon suivante: « 16 individus de cet échantillon ont entre 18 ans (faits) et 19 ans (non complétés) ».

EXEMPLE 2

Un biologiste effectue une recherche sur la martre d'Amérique. Afin d'établir le poids de cette espèce, il pèse 100 mâles adultes, choisis au hasard. Il obtient la distribution suivante:

| Poids arrondi (kg) | Effectif |
|---|---|
| 0,4 | 1 |
| 0,5 | 0 |
| 0,6 | 2 |
| 0,7 | 5 |
| 0,8 | 10 |
| 0,9 | 13 |
| 1,0 | 19 |
| 1,1 | 18 |
| 1,2 | 15 |
| 1,3 | 9 |
| 1,4 | 5 |
| 1,5 | 1 |
| 1,6 | 1 |
| 1,7 | 1 |

Ici, la valeur arrondie 0,4 correspond à tout l'intervalle [0,35 ; 0,45), la valeur 0,5 à l'intervalle [0,45 ; 0,55), et ainsi de suite.

### 1.3.3. Mise en tableau des données recueillies: table de fréquences

Au moment de la présentation des données recueillies, à l'aide d'une table de fréquences, nous prendrons soin de faire correspondre à chaque valeur arrondie l'intervalle des modalités auquel elle fait référence.

EXEMPLE 1     *Table de fréquences de l'exemple 1 de la sous-section 1.3.2.*

| Âge noté (ans) | Intervalle réel associé | Effectif ou fréquence $(n_i)$ | Fréquence relative (prop.) $(f_i)$ |
|---|---|---|---|
| 18 | [18 ; 19) | 16 | 16/150 |
| 19 | [19 ; 20) | 27 | 27/150 |
| 20 | [20 ; 21) | 38 | 38/150 |
| 21 | [21 ; 22) | 37 | 37/150 |
| 22 | [22 ; 23) | 19 | 19/150 |
| 23 | [23 ; 24) | 10 | 10/150 |
| 24 | [24 ; 25) | 3 | 3/150 |
| | | $n = 150$ | $\Sigma f_i = 1$ |

EXEMPLE 2     *Table de fréquences de l'exemple 2 de la sous-section 1.3.2.*

| Poids noté (kg) | Intervalle associé | $n_i$ | $f_i$ |
|---|---|---|---|
| 0,4 | [0,35 ; 0,45) | 1 | 1/100 |
| 0,5 | [0,45 ; 0,55) | 0 | 0 |
| 0,6 | [0,55 ; 0,65) | 2 | 2/100 |
| 0,7 | [0,65 ; 0,75) | 5 | 5/100 |
| 0,8 | [0,75 ; 0,85) | 10 | 10/100 |
| 0,9 | [0,85 ; 0,95) | 13 | 13/100 |
| 1,0 | [0,95 ; 1,05) | 19 | 19/100 |
| 1,1 | [1,05 ; 1,15) | 18 | 18/100 |
| 1,2 | [1,15 ; 1,25) | 15 | 15/100 |
| 1,3 | [1,25 ; 1,35) | 9 | 9/100 |
| 1,4 | [1,35 ; 1,45) | 5 | 5/100 |
| 1,5 | [1,45 ; 1,55) | 1 | 1/100 |
| 1,6 | [1,55 ; 1,65) | 1 | 1/100 |
| 1,7 | [1,65 ; 1,75) | 1 | 1/100 |
| | | $n = 100$ | $\Sigma f_i = 1$ |

Il est important de bien observer la notation utilisée à l'intérieur de ces deux derniers tableaux. Comme nos deux exemples portaient sur des **échantillons**, les effectifs (ou fréquences) des différents intervalles, de même que les tailles respectives des échantillons ont bien été notés à l'aide de minuscules: $n_i$ et $n$.

### 1.3.4. Représentation graphique

Pour la représentation graphique de la distribution d'un tel caractère, nous devrons bien faire ressortir cet aspect de **continuité** de notre variable. Deux modes de représentation respecteront cette exigence: l'**histogramme** et le **polygone de fréquences**.

À titre d'exemple, illustrons la distribution du poids des martres présentée à la sous-section 1.3.3.:

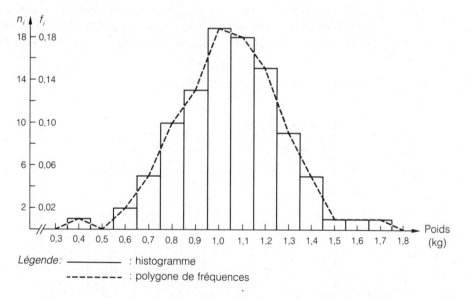

Légende: ——————— : histogramme

- - - - - - - - : polygone de fréquences

Voici quelques points à observer au sujet de ces graphiques:

— Dans l'histogramme, les rectangles sont tous **adjacents** les uns aux autres pour bien traduire la continuité du caractère.

— Le polygone de fréquences est bâti en joignant le milieu des sommets des rectangles de l'histogramme. Pour compléter cette figure, on imagine un premier et un dernier rectangles de hauteur nulle et de même largeur que les autres, l'un précédant le premier intervalle de la distribution et l'autre suivant le dernier.

— Lorsque l'effectif d'un intervalle est nul, la hauteur du rectangle correspondant est nulle aussi dans l'histogramme, et le polygone doit venir rejoindre le milieu du sommet de ce rectangle, sur l'axe des valeurs.

— À cause du mode de construction du polygone de fréquences à partir de l'histogramme, les surfaces totales de ces deux figures sont égales entre elles.

### Échelle mathématique

Parfois, dans certains contextes spécifiques, il sera plus pratique de représenter la **fréquence relative** d'un intervalle par la **surface** du rectangle correspondant à ces valeurs plutôt que par la **hauteur** de celui-ci.

Dans un tel cas, l'usage commun veut qu'on indique les valeurs des fréquences relatives directement à l'intérieur des rectangles sans même, bien souvent, spécifier la valeur des hauteurs de ceux-ci.

Ainsi, en reprenant notre dernier exemple, l'histogramme pourrait être présenté plutôt comme suit:

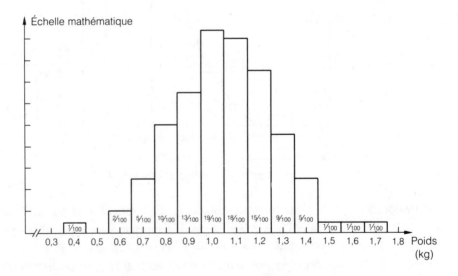

On peut remarquer que l'aspect de notre précédent graphique est maintenu ici, les surfaces des rectangles étant proportionnelles aux hauteurs de ces derniers.

Par ce procédé, la **surface totale** de l'histogramme devient toujours **égale à 1**, puisqu'elle correspond à la somme des $f_i$ de la distribution.

Si toutefois, dans un tel contexte, nous choisissions d'identifier les hauteurs des rectangles de notre figure, l'unité représentée sur l'axe vertical serait celle de l'**échelle mathématique**. Pour le calcul des hauteurs selon cette unité, nous nous baserions simplement sur la formule suivante:

$$\text{surface du rectangle} = \text{base} \cdot \text{hauteur}$$

$$\longrightarrow \quad \text{hauteur du rectangle} = \frac{\text{surface}}{\text{base}}$$

Ainsi, dans le graphique présenté ci-haut, la hauteur du premier rectangle serait égale à

$$\frac{\text{surface}}{\text{base}} = \frac{1/100}{0,45-0,35} = \frac{1/100}{0,1} = 1/10$$

la hauteur du deuxième rectangle de hauteur non nulle serait égale à

$$\frac{\text{surface}}{\text{base}} = \frac{2/100}{0,65-0,55} = \frac{2/100}{0,1} = 2/10$$

et ainsi de suite.

## Exercices

Voir les problèmes 6, 7, 8 et 9 de la section 1.6.

## 1.4. REGROUPEMENT DES DONNÉES À L'INTÉRIEUR DE CLASSES DE VALEURS

### 1.4.1. Contexte

Souvent, lors d'une étude statistique portant sur un **caractère quantitatif discret ou continu**, les données recueillies diffèrent à peu près toutes les unes des autres et sont étalées sur un large intervalle de valeurs. L'objectif de la statistique descriptive étant de résumer de la façon la plus adéquate possible cet ensemble de données, nous procédons alors à un **regroupement de ces dernières à l'intérieur de « classes »**, c'est-à-dire de sous-intervalles de valeurs.

**EXEMPLE**

Voici les valeurs, ordonnées, qu'un rôle d'évaluation attribue aux 40 maisons d'un arrondissement:

| | | | | | | | |
|---|---|---|---|---|---|---|---|
| 45 700 | 46 800 | 50 300 | 50 400 | 53 400 | 54 700 | 54 800 | 56 800 |
| 57 600 | 58 600 | 59 500 | 59 700 | 59 800 | 59 900 | 60 300 | 61 300 |
| 61 400 | 61 400 | 61 400 | 62 300 | 63 700 | 63 800 | 64 800 | 66 100 |
| 67 500 | 68 300 | 68 400 | 68 500 | 69 400 | 69 800 | 69 900 | 71 200 |
| 72 500 | 74 400 | 74 900 | 75 600 | 78 900 | 80 100 | 81 100 | 84 800 |

Pour la présentation de ces données en table de fréquences, nous pourrions procéder à un regroupement en classes, par exemple de la façon suivante:

| Classe de valeurs | $N_i$ |
|---|---|
| [45 200 ; 50 200) | 2 |
| [50 200 ; 55 200) | 5 |
| [55 200 ; 60 200) | 7 |
| [60 200 ; 65 200) | 9 |
| [65 200 ; 70 200) | 8 |
| [70 200 ; 75 200) | 4 |
| [75 200 ; 80 200) | 3 |
| [80 200 ; 85 200) | 2 |

Nous aurions ainsi une juste représentation de nos données, tout en utilisant un mode d'observation globale de cette distribution.

Pourquoi avons-nous décidé de commencer la première de ces classes à 45 200 et de la terminer à 50 200 plutôt qu'ailleurs? Pour répondre à cette question, voyons quelques règles régissant le regroupement des données.

## 1.4.2. Règles régissant le regroupement des données en classes

Lors d'un regroupement de valeurs en classes, la seule obligation est de résumer de la façon la plus fidèle possible l'ensemble des données recueillies. L'habileté et l'expérience sont ici d'un grand secours. Pour y parvenir plus facilement, on peut s'inspirer des règles suivantes:

— Fixer un nombre de classes ni trop petit, ni trop grand (généralement ce nombre se situe entre 5 et 15).

— Déterminer des classes **adjacentes** et, par convention, fermées à gauche et ouvertes à droite.

— Fixer les bornes des intervalles de telle sorte que ces derniers soient d'égales longueurs.

— Choisir les extrémités du classement (la borne inférieure de la première classe et la borne supérieure de la dernière classe) de manière à ne pas créer de distorsion importante avec l'ensemble des données. Dans notre exemple, la plus petite donnée était de 45 700 et la plus grande de 84 800: il aurait été mal indiqué de commencer la première classe avec la borne 45 000 (nombre éloigné de 45 700) et de terminer la dernière classe avec la borne 85 000 (nombre voisin de 84 800) car nous aurions créé ainsi une distorsion à gauche par rapport à l'ensemble des données recueillies.

— Choisir des bornes qui, autant que possible, permettront des calculs simples.

### 1.4.3. Vocabulaire et notation associés au regroupement des données en classes

Dans la pratique, la majorité des distributions nécessitent un regroupement des données en classes. Il est donc important, dès le départ, de bien préciser la notation utilisée dans un tel contexte.

| Nom | Notation pour | |
|---|---|---|
| | la population | un échantillon |
| rang de la $i^{ème}$ classe | $i$ | $i$ |
| nombre total de classes | $I$ | $I$ |
| borne inférieure de la $i^{ème}$ classe | $B_{i-1}$ | $b_{i-1}$ |
| borne supérieure de la $i^{ème}$ classe | $B_i$ | $b_i$ |
| amplitude de la $i^{ème}$ classe | $A_i = B_i - B_{i-1}$ | $a_i = b_i - b_{i-1}$ |
| centre de la $i^{ème}$ classe | $C_i = \dfrac{B_{i-1} + B_i}{2}$ | $c_i = \dfrac{b_{i-1} + b_i}{2}$ |
| effectif de la $i^{ème}$ classe | $N_i$ | $n_i$ |
| fréquence relative de la $i^{ème}$ classe | $f_i = \dfrac{N_i}{N}$ | $f_i = \dfrac{n_i}{n}$ |

**EXEMPLE**     Le tableau suivant présente cette notation en reprenant l'exemple des valeurs de maisons de la sous-section 1.4.1. (pour lequel les 40 données recueillies étaient celles de l'ensemble d'une population).

| $i$ | $[B_{i-1} ; B_i)$ | $N_i$ | $f_i$ | $A_i$ | $C_i$ |
|---|---|---|---|---|---|
| 1 | [45 200 ; 50 200) | 2 | 2/40 | 5 000 | 47 700 |
| 2 | [50 200 ; 55 200) | 5 | 5/40 | 5 000 | 52 700 |
| 3 | [55 200 ; 60 200) | 7 | 7/40 | 5 000 | 57 700 |
| 4 | [60 200 ; 65 200) | 9 | 9/40 | 5 000 | 62 700 |
| 5 | [65 200 ; 70 200) | 8 | 8/40 | 5 000 | 67 700 |
| 6 | [70 200 ; 75 200) | 4 | 4/40 | 5 000 | 72 700 |
| 7 | [75 200 ; 80 200) | 3 | 3/40 | 5 000 | 77 700 |
| $I = 8$ | [80 200 ; 85 200) | 2 | 2/40 | 5 000 | 82 700 |

## 1.4.4. Représentation graphique de données regroupées en classes

Les deux modes de représentation graphique utilisés dans un tel contexte sont les mêmes que pour la distribution d'un caractère quantitatif continu, soit l'**histogramme** et le **polygone de fréquences**. En voici un exemple illustrant les valeurs de maisons présentées ci-haut.

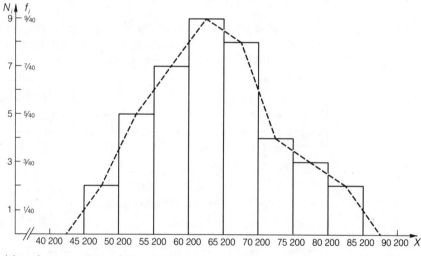

Légende: ——————— : histogramme

‑ ‑ ‑ ‑ ‑ ‑ : polygone de fréquences

## 1.4.5. Mode particulier de regroupement des données à l'aide de classes élargies

On remarque parfois, à l'intérieur d'une distribution, certaines données exceptionnellement petites ou d'autres particulièrement grandes par rapport aux autres.

Dans un tel cas, nous pouvons encore simplement reporter toutes nos données à l'intérieur de classes d'amplitudes égales.

Cependant, toujours dans un objectif de représentation globale, nous pouvons aussi, si nous le préférons, rassembler ces valeurs exceptionnellement grandes ou petites à l'intérieur de classes plus larges que les autres, de classes dites « élargies ».

**EXEMPLE**

Afin de connaître la taille (en cm) des bouleaux blancs d'un an cultivés selon un procédé particulier, on mesure un échantillon de 50 arbres de ce type. Une fois mis en ordre, les résultats obtenus sont les suivants:

| | | | | | | | | | |
|---|---|---|---|---|---|---|---|---|---|
| 4 | 11 | 13 | 14 | 16 | 16 | 16 | 16 | 17 | 17 |
| 17 | 18 | 18 | 19 | 19 | 19 | 19 | 19 | 19 | 19 |
| 20 | 20 | 20 | 20 | 20 | 20 | 20 | 21 | 21 | 21 |
| 21 | 21 | 21 | 22 | 22 | 22 | 22 | 23 | 23 | 23 |
| 23 | 23 | 24 | 24 | 24 | 27 | 29 | 33 | 42 | 47 |

Ici, les valeurs 4, 42 et 47 sont nettement détachées de l'ensemble de la distribution. Nous pouvons donc considérer cette dernière de deux manières différentes:

## a) En considérant toutes les classes d'amplitudes égales

| $i$ | $[b_{i-1} ; b_i)$ | $n_i$ |
|---|---|---|
| 1 | [ 3,5 ; 6,5) | 1 |
| 2 | [ 6,5 ; 9,5) | 0 |
| 3 | [ 9,5 ; 12,5) | 1 |
| 4 | [12,5 ; 15,5) | 2 |
| 5 | [15,5 ; 18,5) | 9 |
| 6 | [18,5 ; 21,5) | 20 |
| 7 | [21,5 ; 24,5) | 12 |
| 8 | [24,5 ; 27,5) | 1 |
| 9 | [27,5 ; 30,5) | 1 |
| 10 | [30,5 ; 33,5) | 1 |
| 11 | [33,5 ; 36,5) | 0 |
| 12 | [36,5 ; 39,5) | 0 |
| 13 | [39,5 ; 42,5) | 1 |
| 14 | [42,5 ; 45,5) | 0 |
| 15 | [45,5 ; 48,5) | 1 |

– représentation graphique:

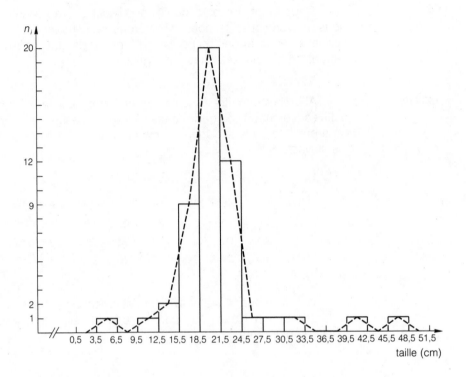

b) *En regroupant quelques classes des extrémités en classes élargies*

| $i$ | $[b_{i-1} \,;\, b_i)$ | $n_i$ |
|-----|-----|-----|
| 1 | [ 3,5 ; 9,5) | 1 |
| 2 | [ 9,5 ; 12,5) | 1 |
| 3 | [12,5 ; 15,5) | 2 |
| 4 | [15,5 ; 18,5) | 9 |
| 5 | [18,5 ; 21,5) | 20 |
| 6 | [21,5 ; 24,5) | 12 |
| 7 | [24,5 ; 27,5) | 1 |
| 8 | [27,5 ; 30,5) | 1 |
| 9 | [30,5 ; 33,5) | 1 |
| 10 | [33,5 ; 48,5) | 2 |

– représentation graphique:

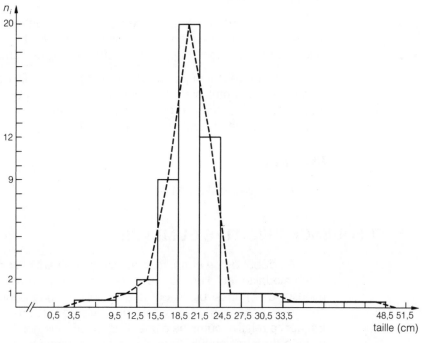

La représentation graphique d'une distribution présentée à l'aide de classes élargies doit traduire l'objectif de cet usage, à savoir d'englober en une classe unique l'ensemble des valeurs exceptionnelles d'une extrémité de la distribution. Pour ce faire, elle doit **partager également** l'effectif total de l'ensemble de ces classes entre chacune de celles regroupées à l'intérieur d'une classe élargie.

Ainsi, dans l'histogramme de notre dernier exemple, comme la classe [3,5 ; 9,5) regroupe **deux** classes et que son effectif est de **1**, nous avons partagé ce dernier en **deux** parties égales pour attribuer au rectangle de cette classe élargie une hauteur de 1/2 (qu'il garde pour chacune des deux classes qu'il regroupe).

De la même manière, comme la classe [33,5 ; 48,5) regroupe **cinq** classes et que son effectif est de **2**, nous avons partagé ce dernier en **cinq** parties égales pour attribuer au rectangle de cette classe élargie une hauteur de 2/5 (qu'il garde pour chacune des cinq classes qu'il regroupe).

Le polygone de fréquences doit aussi respecter cette idée d'effectifs séparés à parts égales. Ainsi, dans notre dernière représentation graphique, le polygone considère bien **deux milieux** de sommets différents

25

pour la classe élargie du début et **cinq** pour la classe élargie de la fin de la distribution.

Il est à noter que ce procédé de regroupement en classes élargies est utilisé exclusivement pour les classes des extrémités de la distribution, celles du milieu devant toujours être définies avec des amplitudes égales.

Enfin, on devra toujours s'assurer que ces amplitudes plus grandes seront bien des **multiples** de celles des classes du centre (ce qui permettra de considérer une classe élargie comme un regroupement d'un **nombre entier** de classes à petits effectifs).

## Exercices

Faire les problèmes 10, 11 et 12 de la section 1.6.

# 1.5. FRÉQUENCE RELATIVE CUMULÉE

Au début de ce chapitre, nous avons présenté la **fréquence relative d'une modalité** (ou d'un intervalle de valeurs), que nous avons notée en minuscule ($f_i$) aussi bien pour la distribution d'une population que pour celle d'un échantillon. Nous définirons maintenant une notion voisine, la **fréquence relative cumulée d'une distribution**, que nous noterons toujours à l'aide de la majuscule $F$, quel que soit le contexte de l'étude.

Bien que reliée à la première, cette notion s'en distinguera de façon significative: entre autres, elle n'existera pas seulement pour les différentes modalités de la distribution, mais se présentera plutôt comme une **fonction définie sur tout l'ensemble des réels**.

Voici comment on la définit suivant le contexte de l'étude statistique.

## 1.5.1. Définition

### *Dans l'ensemble de la population*

Soit $X = $ la variable correspondant au caractère étudié dans la population, alors la fréquence relative cumulée associée à cette variable est la fonction $F$ telle que:

$$F: \mathbb{R} \longrightarrow [0\,;1]$$
$$r \longmapsto F(r) = P[X \leqslant r]$$
$$= \text{ la proportion des individus de la population pour lesquels la valeur du caractère est inférieure ou égale à } r.$$

## Dans un échantillon

> Soit $x$ = la valeur d'une donnée recueillie dans l'échantillon, alors la fréquence relative cumulée associée à cette variable est la fonction $F$ telle que:
>
> $$F: \mathbb{R} \longrightarrow [0\,;1]$$
> $$r \longmapsto F(r) = P[x \leqslant r]$$
> $$= \text{la proportion des données de l'échantillon pour lesquelles la valeur de } x \text{ est inférieure ou égale à } r.$$

NOTE

À cause de la relation d'ordre qu'implique cette définition, il va de soi que la fréquence relative cumulée ne sera définie que pour des distributions de caractères quantitatifs, les caractères qualitatifs présentant des valeurs qu'on ne peut pas ordonner.

## 1.5.2. Étude pour un caractère quantitatif discret (avec valeurs non regroupées en classes)

Revenons à l'exemple du nombre d'enfants par employé, présenté à la sous-section 1.2.1. de ce chapitre.

| Nombre d'enfants | $N_i$ | $f_i$ |
|:---:|:---:|:---:|
| 0 | 25 | 25/75 |
| 1 | 35 | 35/75 |
| 2 | 11 | 11/75 |
| 3 | 2 | 2/75 |
| 4 | 1 | 1/75 |
| 5 | 1 | 1/75 |

Avant de décrire au complet la fonction $F$ de cet exemple, nous pouvons d'abord nous contenter de résumer les **valeurs caractéristiques** de cette fonction, en ajoutant à la table des fréquences précédente une colonne des $F_i$ où:

> $$F_i = P[X \leqslant i^{\text{ème}} \text{ modalité}]$$
> $$= \text{la proportion des éléments de la population pour lesquels la valeur } X \text{ est inférieure ou égale à la } i^{\text{ème}} \text{ modalité.}$$

Nous obtenons ainsi le tableau suivant:

| Nombre d'enfants | $N_i$ | $f_i$ | $F_i$ |
|:---:|:---:|:---:|:---:|
| 0 | 25 | 25/75 | 25/75 |
| 1 | 35 | 35/75 | 60/75 |
| 2 | 11 | 11/75 | 71/75 |
| 3 | 2 | 2/75 | 73/75 |
| 4 | 1 | 1/75 | 74/75 |
| 5 | 1 | 1/75 | 1 |

Si nous appliquons maintenant la définition de la fréquence relative cumulée à l'ensemble des réels, nous obtenons, à partir de cette distribution, la description de la fonction suivante:

$F: \mathbb{R} \longrightarrow [0\,;1]$
$r \longmapsto \quad 0 \quad$ si $\quad r < 0$
$r \longmapsto 25/75 \quad$ si $\quad 0 \leq r < 1$
$r \longmapsto 60/75 \quad$ si $\quad 1 \leq r < 2$
$r \longmapsto 71/75 \quad$ si $\quad 2 \leq r < 3$
$r \longmapsto 73/75 \quad$ si $\quad 3 \leq r < 4$
$r \longmapsto 74/75 \quad$ si $\quad 4 \leq r < 5$
$r \longmapsto \quad 1 \quad$ si $\quad r \geq 5$ .

dont voici la représentation graphique:

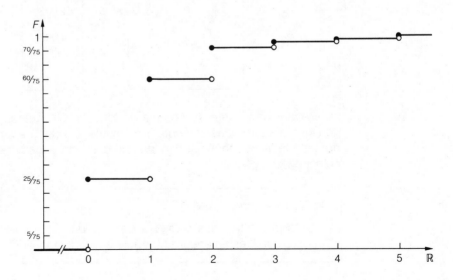

— La fréquence relative cumulée étant, par définition, une fonction croissante, le graphique d'une telle fonction ne décroîtra jamais.

— À cause du caractère **discret** de la variable, le graphique d'une fonction de ce type présentera toujours l'aspect d'un « **escalier** ».

— Comme il s'agit d'une fonction de **proportion cumulée**, le premier palier d'un tel graphique sera toujours à la hauteur 0 et le dernier à la hauteur 1.

## 1.5.3. Étude pour une variable statistique continue, ou discrète mais à valeurs regroupées en classes

Cette fois, revenons à l'échantillon de l'exemple 1 étudié aux soussections 1.3.2. et 1.3.3.:

| Âge | Intervalle associé | Effectif ou fréquence | Fréquence relative (proportion) |
|-----|--------------------|-----------------------|---------------------------------|
| 18 | [18 ; 19) | 16 | 16/150 |
| 19 | [19 ; 20) | 27 | 27/150 |
| 20 | [20 ; 21) | 38 | 38/150 |
| 21 | [21 ; 22) | 37 | 37/150 |
| 22 | [22 ; 23) | 19 | 19/150 |
| 23 | [23 ; 24) | 10 | 10/150 |
| 24 | [24 ; 25) | 3 | 3/150 |

Encore ici, nous pouvons d'abord simplement résumer les **valeurs caractéristiques** de la fréquence relative cumulée associée à la variable en complétant la table des fréquences présentée ci-haut par une colonne des $F_i$ où, pour chacune des classes,

$F_i = P[x \in$ la $i^{\text{ème}}$ classe ou à une classe inférieure]

= la proportion des données de l'échantillon dont les valeurs appartiennent à la $i^{\text{ème}}$ classe ou à une classe inférieure à celle-ci

= $P[x < b_i]$.

Nous obtenons ainsi le tableau suivant:

| Âge | Intervalle associé | $n_i$ | $f_i$ | $F_i$ |
|---|---|---|---|---|
| 18 | [18 ; 19) | 16 | 16/150 | 16/150 |
| 19 | [19 ; 20) | 27 | 27/150 | 43/150 |
| 20 | [20 ; 21) | 38 | 38/150 | 81/150 |
| 21 | [21 ; 22) | 37 | 37/150 | 118/150 |
| 22 | [22 ; 23) | 19 | 19/150 | 137/150 |
| 23 | [23 ; 24) | 10 | 10/150 | 147/150 |
| 24 | [24 ; 25) | 3 | 3/150 | 1 |

Pour la description complète de la fonction $F$, nous nous baserons sur la convention suivante.

Comme nous ne connaissons d'un intervalle que son effectif (ses données spécifiques n'ayant pas été précisées dans la table de fréquences), nous supposerons que ses différentes valeurs **s'étalent uniformément** entre ses bornes et ainsi, nous considérerons que le cumul des données s'effectue **de façon linéaire** entre le début et la fin de cet intervalle.

Conformément à cette convention, la représentation graphique de la fréquence relative cumulée de la distribution de notre exemple prend donc la forme suivante:

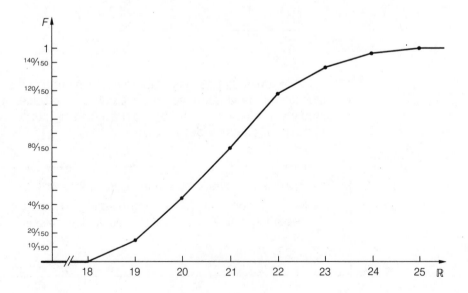

Encore ici, nous pouvons remarquer que la fonction *F* est croissante, sa valeur passant progressivement de 0 à 1. Il est important de noter qu'il s'agit ici d'une fonction **continue** sur tout l'ensemble des réels.

### Exercices

Effectuer les problèmes 13 et suivants de la section 1.6.

## 1.6. PROBLÈMES

1. Pour chacun des exemples suivants d'études statistiques, identifier:
   *1)* la population étudiée,
   *2)* l'échantillon prélevé pour effectuer cette étude (s'il y a lieu),
   *3)* le caractère à l'étude,
   *4)* le type de caractère.

   a) Afin de connaître le nombre d'enfants par couple pour l'ensemble des couples québécois, une équipe de démographes relève le nombre d'enfants de 750 de ces couples choisis au hasard.

   b) Pour une étude cherchant à déterminer quel est le détergent à vaisselle préféré des foyers québécois utilisant un lave-vaisselle, on s'informe auprès d'un ensemble de 500 de ces foyers choisis au hasard.

   c) Lors d'un recensement, le gouvernement canadien note l'âge de chacun de ses citoyens.

   d) Afin de connaître la résistance d'un nouvel alliage, des techniciens vont soumettre 200 tiges de 1 cm de diamètre composées de ce nouveau matériau à des poids croissants, jusqu'à la rupture de ces tiges.

   e) Des biologistes effectuent des recherches sur la reproduction des grenouilles dans une région donnée. Ils aimeraient savoir, entre autres, quel est le nombre d'oeufs produits par ponte et quelle est la dimension de ces oeufs. Ils prélèvent donc un ensemble de 50 pontes choisies au hasard dans cette région. Ils comptent le nombre d'oeufs contenus dans chacune, puis ils mesurent 15 oeufs, toujours choisis au hasard, pour chacune de ces pontes.

f) On interroge 100 cégépiens, sélectionnés au hasard, sur leurs goûts musicaux afin de connaître le type de musique préféré des étudiants québécois fréquentant le cégep.

g) Dans le but de connaître la concentration en fer de l'eau d'un réseau donné, on analyse 50 bouteilles d'eau de 250 ml prélevées en différents points choisis au hasard sur ce réseau.

2. Déterminer le type du caractère suivant:

a) le nombre de véhicules motorisés (non miniatures) que l'on retrouve par foyer québécois;

b) le *morning-man* préféré des auditeurs de la région du Québec métropolitain;

c) le nombre d'automobiles vendues par semaine par un concessionnaire;

d) la durée de vie des Canadiens;

e) la taille d'un certain plant hybride à sa maturité.

3. Les 25 étudiants d'une classe de biologie identifient leur groupe sanguin respectif. Ils obtiennent les résultats suivants:

| | | | | |
|---|---|---|---|---|
| A+ | B+ | O+ | O+ | O− |
| A+ | A+ | O+ | O+ | B− |
| AB+ | A+ | O+ | A+ | A− |
| O+ | A+ | B+ | A+ | A+ |
| O+ | O+ | A− | O+ | B+ |

a) Quelle est la population étudiée ici?

b) Est-il question d'un échantillon dans cette étude?

c) Quel est le caractère étudié?

d) De quel type de caractère s'agit-il?

e) Bâtir la table de fréquences de ce caractère (en y indiquant les effectifs et les fréquences relatives des différentes modalités prises par le caractère).

f) Représenter graphiquement la distribution de ces résultats à l'aide d'un diagramme en bâtons.

g) Représenter graphiquement la distribution de ces résultats à l'aide d'un diagramme en secteurs.

h) Représenter graphiquement la distribution de ces résultats à l'aide d'un pictogramme.

4. Afin d'étudier le nombre d'essais nécessaires à une espèce particulière de dauphins pour réussir une certaine épreuve de sauvetage,

on soumet 25 dauphins de cette espèce à l'expérience en question. On obtient les résultats suivants:

| Nombre d'essais | Nombre de dauphins |
|:---:|:---:|
| 1 | 3 |
| 2 | 12 |
| 3 | 8 |
| 4 | 2 |

a) Quelle est la population étudiée ici?

b) Est-il question d'un échantillon dans cet exemple? Si oui, quel est-il?

c) Quel est le caractère à l'étude?

d) De quel type de caractère s'agit-il?

e) Compléter la table de fréquences de cette distribution en y ajoutant la colonne des fréquences relatives des différentes modalités.

f) Représenter graphiquement la distribution de ces résultats à l'aide d'un diagramme en bâtons.

5. Un individu qui désire arrêter de fumer note le nombre de cigarettes qu'il allume quotidiennement pendant un mois. À la fin de cette période, il obtient la compilation suivante:

2 fois il a réussi à ne pas fumer de la journée,
1 fois il n'a fumé qu'une cigarette dans sa journée,
1 fois il en a fumé 2,
7 fois il en a fumé 3,
12 fois il en a fumé 4,
et enfin, 8 fois il a fumé 5 cigarettes dans sa journée.

a) Les observations de cet individu ont-elle porté sur une population ou sur un échantillon choisi au hasard à l'intérieur de celle-ci?

b) Quelle est la population (ou l'échantillon) observé(e) ici?

c) Quel est le caractère étudié?

d) De quel type de caractère s'agit-il?

e) Bâtir la table de fréquences de cette distribution en y indiquant les modalités et leurs effectifs respectifs.

f) Représenter graphiquement cette distribution en utilisant le mode le plus pratique pour ce genre de problème.

6. Un professeur d'éducation physique mesure chacun de ses élèves masculins de deuxième année. Il obtient la répartition suivante:

| Taille (cm) | Nombre de garçons |
|:-----------:|:-----------------:|
| 124 | 3 |
| 125 | 5 |
| 126 | 17 |
| 127 | 36 |
| 128 | 51 |
| 129 | 66 |
| 130 | 50 |
| 131 | 35 |
| 132 | 16 |
| 133 | 6 |
| 134 | 2 |

a) Ces mesures portent-elles sur une population ou sur un échantillon?

b) Identifier cette population ou cet échantillon.

c) Quel est le caractère étudié par ce professeur?

d) De quel type de caractère s'agit-il?

e) Compléter la table de fréquences de cette distribution en y indiquant l'intervalle associé à chacune des valeurs discrètes utilisées ici.

f) Représenter graphiquement cette distribution à l'aide d'un histogramme et d'un polygone de fréquences.

7. Une compagnie relève le nombre d'années d'ancienneté de son personnel. Elle observe que, sur ses 124 employés,
   6 comptent moins d'une année de service,
   8 comptent une année complète,
   6 comptent deux années complètes,
   5 comptent trois années complètes,
   4 comptent quatre années complètes,
   8 comptent cinq années complètes,
   6 comptent six années complètes,
   5 comptent sept années complètes,
   9 comptent huit années complètes,
   11 comptent neuf années complètes,
   13 comptent dix années complètes,
   16 comptent onze années complètes,
   9 comptent douze années complètes,
   7 comptent treize années complètes,

7 comptent quatorze années complètes,

4 comptent quinze années complètes.

a) Ces observations portent-elles sur une population ou sur un échantillon?

b) Quel est le caractère étudié?

c) De quel type de caractère s'agit-il?

d) Présenter la table de fréquences de cette distribution (en n'y indiquant que les fréquences relatives des modalités).

e) Représenter graphiquement cette distribution à l'aide d'un histo-gramme.

8. L'équipe de contrôle de la qualité d'une maison d'alimentation doit vérifier le poids d'un produit devant être vendu en format de 20 grammes. Pour ce faire, on pèse le contenu de 75 pots de ce produit, sélectionnés au hasard. On obtient la distribution suivante:

| Poids (g) | Nombre de pots |
|-----------|----------------|
| 19 | 1 |
| 20 | 7 |
| 21 | 31 |
| 22 | 24 |
| 23 | 11 |
| 24 | 1 |

a) Cette distribution est-elle celle d'une population ou celle d'un échantillon?

b) Quel est le caractère étudié ici?

c) Identifier le type de ce caractère.

d) Compléter la table de fréquences de cette distribution en y ajou-tant la colonne des intervalles associés aux différentes modalités présentées et celle des fréquences relatives correspondantes.

e) Utiliser un polygone de fréquences pour représenter graphique-ment cette distribution.

9. Voici les températures maximales enregistrées à l'aéroport de Québec–Sainte-Foy, en degrés Celsius arrondis à l'unité, pour chacun des jours du mois d'août 1986:

20  21  26  23  25  25  23  23  20  26  25  21  23  25  22  26
26  22  21  24  26  23  19  16  20  23  20  13  17  20  19

a) Doit-on considérer ces données comme étant celles d'une popu-lation ou celles d'un échantillon?

b) Quelle est la population (ou l'échantillon) observé(e) ici?

c) Quel est le caractère considéré?

d) De quel type de caractère s'agit-il?

e) Bâtir la table de fréquences de ces données en y indiquant les intervalles associés aux différentes températures notées ici et leurs effectifs correspondants.

f) Tracer l'histogramme et le polygone de fréquences de ces données.

10. Des chimistes viennent de composer une nouvelle fibre synthétique qui devrait se caractériser par sa résistance. Afin de vérifier sa capacité de tension, on prélève de la production, au hasard, 60 longueurs de fibre de 1 mètre qu'on soumet à des essais de résistance. Les résultats (en kg) sont les suivants:

| 79 | 100 | 86 | 76 | 91 | 86 | 95 | 81 | 89 | 48 | 97 | 75 | 71 | 53 | 83 |
| 88 | 85 | 104 | 87 | 81 | 91 | 84 | 77 | 97 | 87 | 69 | 69 | 79 | 89 | 86 |
| 83 | 89 | 84 | 89 | 103 | 88 | 63 | 94 | 82 | 97 | 75 | 82 | 80 | 71 | 80 |
| 78 | 73 | 77 | 65 | 99 | 114 | 87 | 74 | 85 | 35 | 81 | 72 | 80 | 81 | 99 |

a) Quel est le type du caractère à l'étude ici?

b) Regrouper les valeurs de cet échantillon en 6 classes, de telle sorte que 30 soit la borne inférieure de la première classe et que l'amplitude de chacune des classes soit de 15; bâtir ensuite la table de fréquences de cette distribution en n'y indiquant que les effectifs des différentes classes.

c) Tracer l'histogramme de cette série classée.

11. Un club vidéo relève le nombre de films qu'il a loués pour chacun des jours du mois dernier:

| 74 | 105 | 98 | 87 | 189 | 154 | 142 | 189 | 207 | 76 | 95 | 108 | 179 | 163 | 205 |
| 96 | 149 | 174 | 127 | 123 | 147 | 108 | 101 | 185 | 198 | 125 | 87 | 119 | 138 | 162 |

a) Ces nombres sont-ils ceux d'une population ou ceux d'un échantillon?

b) Identifier cette population (ou cet échantillon).

c) Quel est le type du caractère étudié?

d) Bâtir la table de fréquences (incluant les effectifs et les fréquences relatives) de ces nombres de films, après les avoir regroupés en classes d'amplitudes égales de valeur 20, de telle sorte que la borne inférieure de la première classe soit de 70.

e) Bâtir l'histogramme et le polygone de fréquences de cette série classée.

12. Afin d'étudier la distribution des parcours effectués par les automobiles d'une compagnie de taxis, on relève au hasard 500 de ces

trajets pour lesquels on note la distance parcourue. On obtient les résultats suivants:

| Nombre de km | Nombre de trajets |
|---|---|
| [ 0 ; 5 ) | 147 |
| [ 5 ; 10) | 178 |
| [10 ; 15) | 127 |
| [15 ; 30) | 48 |

Tracer l'histogramme de cette distribution de telle manière que, pour chaque classe, ce soit la surface (et non la hauteur) du rectangle qui corresponde à la fréquence relative de celle-ci.

13. Afin d'évaluer le rendement d'une certaine clinique de fertilité, on choisit au hasard 100 couples parmi ceux qui se sont présentés à ce centre pour la première fois en 1980 et on note combien ils ont eu d'enfants, nés à ce jour, depuis leur première visite. On obtient la compilation suivante:

| Nombre d'enfants | Nombre de couples |
|---|---|
| 0 | 45 |
| 1 | 35 |
| 2 | 17 |
| 3 | 3 |

a) Ces valeurs sont-elles celles d'une population ou celles d'un échantillon?

b) Identifier cette population (ou cet échantillon).

c) Tracer le diagramme en bâtons de cette distribution.

d) Bâtir la table des $F_i$ de ces valeurs.

e) Représenter graphiquement la fonction $F$, fréquence relative cumulée de cette distribution.

14. Un entrepreneur établit la statistique de la surface de plancher de ses 800 appartements:

| Surface (m²) | % des appartements |
|---|---|
| [ 35 ; 55 ) | 3 |
| [ 55 ; 65 ) | 12 |
| [ 65 ; 75 ) | 12 |
| [ 75 ; 85 ) | 23 |
| [ 85 ; 95 ) | 25 |
| [ 95 ; 105) | 17 |
| [105 ; 145) | 8 |

a) Bâtir la table des $F_i$ de ces classes de valeurs.

b) Tracer l'histogramme et le polygone des fréquences relatives de cette distribution.

c) Tracer la courbe de $F$, la fréquence relative cumulée de cette distribution.

15. Un syndicat compile le nombre d'heures travaillées par chacun de ses 200 membres au cours du dernier mois. Il regroupe ses observations de la façon suivante:

| Nombre d'heures travaillées | Nombre de syndiqués |
|---|---|
| [  0 ; 60 ) | 8 |
| [ 60 ; 90 ) | 20 |
| [ 90 ; 120) | 0 |
| [120 ; 150) | 60 |
| [150 ; 180) | 100 |
| [180 ; 210) | 12 |

a) Ces données sont-elles celles d'une population ou celles d'un échantillon?

b) Identifier cette population (ou cet échantillon).

c) Quel est le caractère étudié ici?

d) De quel type de caractère s'agit-il?

e) Construire la table des $F_i$ de ces classes de données.

f) Tracer l'histogramme et le polygone des fréquences de cette distribution.

g) Tracer la courbe de la fréquence relative cumulée de cette distribution.

16. Afin de connaître les goûts des auditeurs, une station radiophonique demande à 500 personnes de la région de Montréal, sélectionnées au hasard parmi les personnes présentes à la maison en après-midi, de se prononcer sur leur style d'émission préféré pour cette période de la journée. Les réponses se présentent ainsi:

| Style préféré | Nombre de personnes |
|---|---|
| Musique classique avec entrevues | 70 |
| Musique populaire | 100 |
| Revue d'information et actualités | 105 |
| Émission avec lignes ouvertes | 225 |

a) Quel est le caractère étudié ici?

b) De quel type de caractère s'agit-il?

c) Représenter graphiquement l'ensemble de ces résultats.

d) Pourrait-on étudier la fréquence relative cumulée de cette distribution? Justifier.

17. Dans le but de mieux évaluer le service de ses infirmières visiteuses, une coordonnatrice fait le relevé des 500 dernières visites à domicile effectuées par son personnel. Elle note le nombre de personnes auxquelles on a prodigué des soins pour chacune de ces visites. Ces relevés se résument ainsi:

| Nombre de personnes soignées | Nombre de visites |
|:---:|:---:|
| 1 | 276 |
| 2 | 177 |
| 3 | 36 |
| 4 | 11 |

a) Donner la table des $F_i$ de ces valeurs.

b) Tracer le graphique de la fréquence relative cumulée de cette distribution.

18. Donner la table des fréquences relatives et des $F_i$, des distributions (de populations) dont les représentations graphiques de la fréquence relative cumulée sont les suivantes:

a)

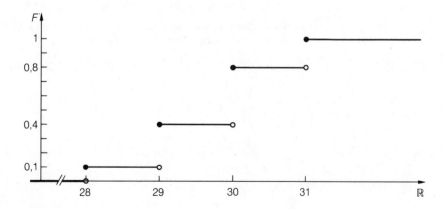

b)

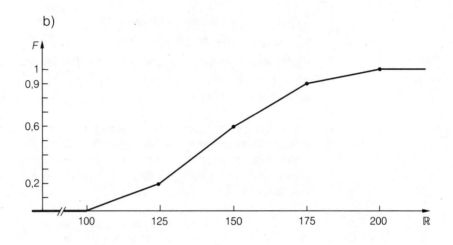

19. Au Canada, pour l'année scolaire 1985-1986, les écoles et les établissements d'enseignement de tous les niveaux étaient répartis de la façon suivante:
Terre-Neuve: 621
Île-du-Prince-Édouard: 75
Nouvelle-Écosse: 616
Nouveau-Brunswick: 485
Québec: 2 937
Ontario: 5 509
Manitoba: 855
Saskatchewan: 1 055
Alberta: 1 719
Colombie-Britannique: 1 918
Yukon: 26
Territoires du Nord-Ouest: 75
Outre-mer (ministère de la Défense nationale): 9

*Source* . — Statistique Canada, *Catalogue 81-220 Annuel, Statistique de l'enseignement — Estimations*, 1987-1988, p. 18.

Illustrer cette distribution à l'aide d'un pictogramme.

# CHAPITRE 2
# Calcul des principaux paramètres d'une distribution

Ayant procédé, au premier chapitre, à la mise en tableaux et à la représentation graphique des données recueillies, notre objectif sera maintenant de tenter de faire ressortir les principales caractéristiques d'une distribution, à savoir:

— les points de concentration des données (mesures de tendance centrale);

— l'importance des écarts observés entre celles-ci (mesures de dispersion);

— le rang des différentes valeurs, par rapport à l'ensemble de celles de la distribution (mesures de position).

NOTE À l'exception du mode (mesure de tendance centrale que nous définirons à la sous-section 2.1.3.), tous ces paramètres impliqueront un sens **quantitatif** et seront, par le fait même, réservés exclusivement aux distributions de variables **quantitatives**.

## 2.1. LES MESURES DE TENDANCE CENTRALE

Nous présenterons dans cette section trois pôles d'attraction, trois points de concentration particuliers pour l'ensemble des valeurs observées. Il s'agit de la moyenne, de la médiane et du mode, dits aussi caractéristiques de **tendance centrale** de la distribution.

## 2.1.1. La moyenne

DÉFINITION

La moyenne est le centre de gravité d'une distribution:

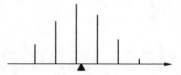

Elle se calcule ainsi:

$$\frac{\text{somme des données}}{\text{nombre de données}}$$

**NOTATION**

Nous noterons $\mu$ la moyenne des valeurs de l'ensemble d'une population et $\bar{x}$ celle des données d'un échantillon.

**FORMULES**

Bien que la moyenne d'une distribution se définisse toujours comme la somme des données sur le nombre de données, nous pourrons, selon le contexte de notre étude statistique, utiliser différentes formules pour effectuer ce calcul.

**EXEMPLE**

Revenons à l'exemple du nombre d'enfants par employé, présenté au chapitre précédent:

| Nombre d'enfants | $N_i$ | $f_i$ |
|:---:|:---:|:---:|
| 0 | 25 | 25/75 |
| 1 | 35 | 35/75 |
| 2 | 11 | 11/75 |
| 3 | 2 | 2/75 |
| 4 | 1 | 1/75 |
| 5 | 1 | 1/75 |

Un premier calcul de la moyenne $\mu$ du nombre d'enfants par employé pourrait s'effectuer tout simplement comme suit:

$$\mu = \frac{\overbrace{0+0+...+0}^{25 \text{ fois}} + \overbrace{1+1+...+1}^{35 \text{ fois}} + \overbrace{2+2+...+2}^{11 \text{ fois}} + 3+3+4+5}{75}$$

$$= \frac{72}{75} = 0,96 \text{ enfant.}$$

La formule utilisée ici n'est rien d'autre que l'application directe de la définition de la moyenne, c'est-à-dire:

$$\mu = \frac{\sum\limits^{N=75} X_i}{N}$$

où $X_i$ = chacune des $N$ **valeurs** de la distribution

et $N = 75 = $ la taille de la population.

Cependant, comme cette distribution est présentée à l'aide d'une table de fréquences, nous pourrions calculer $\mu$ beaucoup plus rapidement en procédant comme ceci:

| $X_i$ | $N_i$ | $N_i X_i$ |
|---|---|---|
| 0 | 25 | 0 |
| 1 | 35 | 35 |
| 2 | 11 | 22 |
| 3 | 2 | 6 |
| 4 | 1 | 4 |
| 5 | 1 | 5 |
| | $N = 75$ | $\sum\limits^{I} N_i X_i = 72$ |

$$\mu = \frac{25 \cdot 0 + 35 \cdot 1 + 11 \cdot 2 + 2 \cdot 3 + 1 \cdot 4 + 1 \cdot 5}{75}$$

$$= \frac{72}{75} = 0,96 \text{ enfant}$$

c'est-à-dire en utilisant cette autre formule de la moyenne:

$$\mu = \frac{\sum\limits^{I=6} N_i X_i}{N}$$

où $X_i$ = chacune des $I = 6$ **modalités** de la distribution,

$N_i$ = l'effectif de la $i$ème modalité

et $N = 75 = $ la taille de la population.

Enfin, une table de fréquences indiquant plutôt les $f_i$ que les $N_i$ nous inciterait à calculer $\mu$ de la façon suivante:

| $X_i$ | $f_i$ | $f_i X_i$ |
|---|---|---|
| 0 | 25/75 | 0 |
| 1 | 35/75 | 35/75 |
| 2 | 11/75 | 22/75 |
| 3 | 2/75 | 6/75 |
| 4 | 1/75 | 4/75 |
| 5 | 1/75 | 5/75 |
| | | $\displaystyle\sum_{}^{I} f_i X_i = \dfrac{72}{75}$ |

$$\mu = \frac{25}{75} \cdot 0 + \frac{35}{75} \cdot 1 + \frac{11}{75} \cdot 2 + \frac{2}{75} \cdot 3 + \frac{1}{75} \cdot 4 + \frac{1}{75} \cdot 5$$

$$= \frac{72}{75} = 0,96 \text{ enfant}$$

c'est-à-dire à l'aide de la formule

$$\mu = \sum_{}^{I=6} f_i X_i$$

où $X_i$ = chacune des $I = 6$ **modalités** de la distribution,
et $f_i$ = la fréquence relative de la $i^{\text{ème}}$ modalité de cette distribution.

*Notations et formules de la moyenne selon les divers contextes*

| | Nota-tion | Pour variables discrètes avec valeurs non regroupées en classes | | Pour variables continues, ou discrètes mais avec valeurs regroupées en classes |
|---|---|---|---|---|
| | | sans fréquence | avec usage des fréquences | |
| Pour l'ensemble de la population | $\mu$ | $\dfrac{\displaystyle\sum_{}^{N} X_i}{N}$ <br> (*) | $\dfrac{\displaystyle\sum_{}^{I} N_i X_i}{N} = \sum_{}^{I} f_i X_i$ <br> (**) | $\dfrac{\displaystyle\sum_{}^{I} N_i C_i}{N} = \sum_{}^{I} f_i C_i$ <br> (***) |
| Pour un échantillon | $\bar{x}$ | $\dfrac{\displaystyle\sum_{}^{n} x_i}{n}$ <br> (****) | $\dfrac{\displaystyle\sum_{}^{I} n_i x_i}{n} = \sum_{}^{I} f_i x_i$ | $\dfrac{\displaystyle\sum_{}^{I} n_i c_i}{n} = \sum_{}^{I} f_i c_i$ |

* où $X_i$ = la $i^{\text{ème}}$ **valeur** de la distribution
et $N$ = la taille de la population;
** où $X_i$ = la $i^{\text{ème}}$ **modalité** de la distribution
et $I$ = le nombre de modalités dans la distribution;
*** où $C_i$ = le centre de la $i^{\text{ème}}$ classe de la distribution
et $I$ = le nombre de classes dans la distribution;
**** où $n$ = la taille de l'échantillon.

**REMARQUE**
Lors de l'étude de variables continues, ou discrètes mais avec valeurs regroupées en classes, l'usage d'intervalles ou de classes résumant des ensembles de données nous fait perdre de vue la valeur propre de chacune de ces dernières. Il nous sera donc impossible, dans de tels cas, de déterminer la moyenne **exacte** de la distribution.

Les formules proposées dans le tableau précédent attribuent alors à chacune des différentes données d'un intervalle la valeur du centre de celui-ci. Cette solution n'est pas parfaite, mais elle maximise nos chances d'obtenir un résultat voisin de la véritable moyenne de la distribution.

Bien que, par convention, nous écrivions dans ce texte

$$\mu = \frac{\sum\limits^{I} N_i C_i}{N},$$

nous devrons toujours garder en tête qu'il ne s'agit en réalité que d'une approximation de cette mesure, sa valeur exacte nous demeurant toujours inconnue.

**EXEMPLE**
Reprenons l'exemple de l'âge des gens qui fréquentent une certaine discothèque (voir au chapitre précédent):

| Âge | Intervalle associé | Effectif ou fréquence | Fréquence relative (prop.) |
|-----|-----|-----|-----|
| 18 | $[18 , 19)$ | 16 | 16/150 |
| 19 | $[19 , 20)$ | 27 | 27/150 |
| 20 | $[20 , 21)$ | 38 | 38/150 |
| 21 | $[21 , 22)$ | 37 | 37/150 |
| 22 | $[22 , 23)$ | 19 | 19/150 |
| 23 | $[23 , 24)$ | 10 | 10/150 |
| 24 | $[24 , 25)$ | 3 | 3/150 |

Ici, le calcul de l'âge moyen des individus de l'échantillon à l'aide de la formule

$$\frac{\sum\limits^{I} n_i c_i}{n}$$

nous donne ceci:

| Intervalle associé | $c_i$ | $n_i$ | $n_i c_i$ |
|---|---|---|---|
| [18 , 19) | 18,5 | 16 | 296 |
| [19 , 20) | 19,5 | 27 | 526,5 |
| [20 , 21) | 20,5 | 38 | 779 |
| [21 , 22) | 21,5 | 37 | 795,5 |
| [22 , 23) | 22,5 | 19 | 427,5 |
| [23 , 24) | 23,5 | 10 | 235 |
| [24 , 25) | 24,5 | 3 | 73,5 |
| | | $n = 150$ | $\sum^I n_i c_i = 3\ 133$ |

$$\rightarrow \quad \bar{x} = \frac{\sum^I n_i c_i}{n} = \frac{3\ 133}{150} = 20,89 \text{ ans.}$$

Il va de soi que dans ce problème, la formule $\sum^I f_i c_i$ aurait été tout aussi facile à appliquer.

### Exercices

Effectuer les problèmes 1 et 2 de la section 2.4.

## 2.1.2. La médiane

**DÉFINITION**

> La médiane (du latin *medius*: qui est au milieu) est un nombre au-dessous et au-dessus duquel on retrouve un même nombre de données, à l'intérieur de la distribution.

**NOTATION**

Nous noterons la médiane de la distribution d'une population *Md* et celle d'un échantillon *md*.

### Calcul de la médiane pour une variable statistique discrète à valeurs non regroupées en classes

Pour calculer la médiane d'une distribution, nous devons toujours considérer les données de celle-ci après les avoir mises **en ordre** (par exemple à l'intérieur d'une table de fréquences).

— Si $N$ (ou $n$) est impair,

par exemple :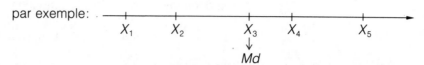

la médiane correspond alors précisément à la donnée du milieu et ainsi, la formule pour calculer ce paramètre devient

$Md$ = la donnée du milieu de la distribution

$$= \left(\frac{N+1}{2}\right)^{\text{ème}} \text{donnée.}$$

— Si $N$ (ou $n$) est pair,

par exemple :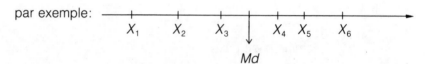

cette fois, la médiane ne peut plus correspondre à une donnée de la distribution puisqu'un nombre pair de valeurs nous empêche d'en trouver une **au milieu** des autres. Dans un tel cas, tout l'intervalle des nombres situés entre les deux données du centre de la distribution répond à la définition de la médiane et, par convention, nous définirons alors ce paramètre comme étant le milieu de cet intervalle.

Ainsi,

$Md$ = le milieu entre les deux données du centre de la distribution

$$= \frac{(N/2)^{\text{ème}} \text{ donnée} + ((N/2)+1)^{\text{ème}} \text{ donnée}}{2}.$$

**EXEMPLE 1**   Pour la distribution du nombre d'enfants par employé, citée précédemment :

| Nombre d'enfants | $N_i$ |
|:---:|:---:|
| 0 | 25 |
| 1 | 35 |
| 2 | 11 |
| 3 | 2 |
| 4 | 1 |
| 5 | 1 |
| | $N = 75$ |

comme $N$ est impair,

$Md$ = la **donnée** du milieu de la distribution

$= \left(\dfrac{75 + 1}{2}\right)^{\text{ème}}$ donnée $= 38^{\text{ème}}$ donnée $= 1$ enfant.

**EXEMPLE 2**    Pour une distribution dont la table de fréquences serait la suivante:

| $x_i$ | $n_i$ |
|-------|-------|
| 25 | 4 |
| 26 | 10 |
| 27 | 12 |
| 28 | 4 |
| | $n = 30$ |

comme $n$ est pair,

$md$ = le **milieu entre les deux données** du centre

$=$ le milieu entre la $15^{\text{ème}}$ **donnée** et la $16^{\text{ème}}$ **donnée**

$= \dfrac{15^{\text{ème}} \text{ donnée} + 16^{\text{ème}} \text{ donnée}}{2} = \dfrac{27 + 27}{2} = 27.$

**EXEMPLE 3**    Pour une distribution dont la table de fréquences serait la suivante:

| $x_i$ | $n_i$ |
|-------|-------|
| 25 | 4 |
| 26 | 10 |
| 27 | 12 |
| 28 | 2 |
| | $n = 28$ |

comme $n$ est pair,

$md$ = le **milieu entre les deux données** du centre

$=$ le milieu entre la $14^{\text{ème}}$ **donnée** et la $15^{\text{ème}}$ **donnée**

$= \dfrac{14^{\text{ème}} \text{ donnée} + 15^{\text{ème}} \text{ donnée}}{2} = \dfrac{26 + 27}{2} = 26,5.$

## Calcul de la médiane pour une variable statistique continue, ou discrète avec valeurs regroupées en classes

Encore ici, nous devons considérer nos données une fois celles-ci mises en ordre et, pour ce faire, nous nous référerons à la table de fréquences ou à l'histogramme de la distribution.

Puisque dans une telle distribution les données précises sont disparues au profit d'un regroupement par intervalles ou par classes de valeurs, il nous est impossible, comme pour la moyenne, de déterminer la valeur exacte de la médiane de notre variable. Nous devons donc nous contenter d'une bonne approximation de ce paramètre et, pour y arriver, nous nous baserons sur la convention suivante: pour chacune des classes de la distribution, nous estimerons que ses $N_i$ (ou $n_i$) valeurs sont étalées **progressivement** et **uniformément** entre ses bornes et nous partagerons ainsi la largeur de son intervalle en $N_i$ (ou $n_i$) sous-intervalles **adjacents** d'**égales longueurs**.

Attention! alors que dans le cas discret les valeurs s'identifiaient à des **points isolés** les uns des autres, créant ainsi des « trous », des espaces vides entre ces valeurs, notre convention attribuera ici des **espaces adjacents** à chacune des données de la distribution, ce qui modifiera notre approche pour le calcul de la médiane.

**EXEMPLE 1**

Voyons donc, à l'aide de l'exemple du rôle d'évaluation des 40 maisons d'un arrondissement présenté au chapitre 1, ce que cela suppose graphiquement:

| $i$ | $[B_{i-1} ; B_i)$ | $N_i$ |
|---|---|---|
| 1 | [45 200 ; 50 200) | 2 |
| 2 | [50 200 ; 55 200) | 5 |
| 3 | [55 200 ; 60 200) | 7 |
| 4 | [60 200 ; 65 200) | 9 |
| 5 | [65 200 ; 70 200) | 8 |
| 6 | [70 200 ; 75 200) | 4 |
| 7 | [75 200 ; 80 200) | 3 |
| 8 | [80 200 ; 85 200) | 2 |
| | | $N = 40$ |

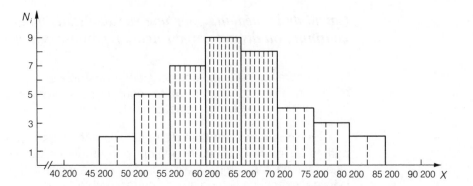

Notre convention attribue ici, **sur l'axe des valeurs,**

— à chacune des 2 valeurs de la 1$^{\text{ère}}$ classe, un sous-intervalle correspondant à 1/2 de la largeur de cette classe;

— à chacune des 5 valeurs de la 2$^{\text{ème}}$ classe, un sous-intervalle correspondant à 1/5 de la largeur de cette classe;

— ...

— à chacune des $N_i$ valeurs de la $i^{\text{ème}}$ classe, un sous-intervalle correspondant à 1/$N_i$ de la largeur de cette classe.

Suivant cette règle, la médiane devient donc **le nombre (le point sur l'axe des valeurs) à gauche duquel on retrouve la moitié des $N$ (ou $n$) sous-intervalles de l'ensemble de la distribution.**

Ainsi, dans l'exemple que nous venons d'illustrer,

$N = 40$     ($\rightarrow$   40 données occupent 40 sous-intervalles adjacents sur l'axe des valeurs)

$N/2 = 20$    ($\rightarrow$   la médiane se situe à l'endroit, sur l'axe des valeurs, à gauche duquel on retrouve 20 sous-intervalles)

$\rightarrow$    $Md \in$ 4$^{\text{ème}}$ classe, (c.-à-d. se situe entre 60 200 et 65 200 puisqu'à gauche de 60 200, on a cumulé 2 + 5 + 7 = 14 sous-intervalles et à gauche de 65 200, on en a cumulé 14 + 9 = 23.)

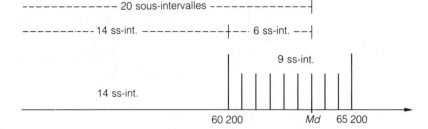

$$\longrightarrow Md = 60\,200 + \text{une partie de la largeur du } 4^{\text{ème}} \text{ intervalle}$$

$$= 60\,200 + \text{une fraction de } 5\,000$$

$$= 60\,200 + \frac{6 \text{ ss-int.}}{9 \text{ ss-int.}} \text{ de } 5\,000$$

$$= 60\,200 + \frac{6}{9} \cdot 5\,000 = 63\,533,33 \text{ \$}$$

**EXEMPLE 2**   Imaginons un échantillon dont la table de fréquences serait la suivante:

| Classe de valeurs | $n_i$ |
|---|---|
| [ 0 ; 10) | 2 |
| [10 ; 20) | 7 |
| [20 ; 30) | 8 |
| [30 ; 40) | 5 |
| [40 ; 50) | 3 |
| | 25 |

Pour calculer sa médiane, on procéderait comme suit:

$n = 25$

$$\longrightarrow \frac{n}{2} = 12,5 \quad (\longrightarrow md \text{ se situe au bout de } 12,5 \text{ ss-int.})$$

$$\longrightarrow md \in [20 ; 30)$$

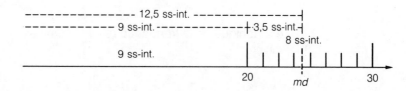

$$\longrightarrow md = 20 + \text{une fraction de } 10$$

$$= 20 + \frac{3,5}{8} \cdot 10 = 24,375.$$

## Exercices

Effectuer le problème 3 de la section 2.4.

Cette convention, qui attribue à chacune des $N_i$ (ou $n_i$) données d'un intervalle une part égale de sa **largeur**, accorde, par le fait même, à chacune des $N$ (ou $n$) valeurs de la distribution une **surface** correspondant à $1/N$ (ou $1/n$) de **celle de l'ensemble de l'histogramme**. (Nous pouvons observer cette propriété dans l'histogramme du montant d'évaluation des 40 maisons que nous avons présenté au début de ce propos: dans ce graphique, plus les largeurs des sous-intervalles sont étroites, plus les hauteurs correspondantes sont importantes et, ainsi, **toutes les surfaces** associées à ces sous-intervalles **sont égales entre elles**.)

En plus de se définir comme la valeur numérique à gauche de laquelle on retrouve la moitié des sous-intervalles de la distribution, la médiane est donc aussi le nombre à gauche duquel on retrouve **la moitié de la surface totale de l'histogramme**.

Enfin, pour une variable continue ou discrète à valeurs regroupées en classes, il existerait une autre façon d'obtenir la médiane de la distribution: à l'aide de la courbe de fréquence relative cumulée de la variable. En effet, la médiane correspond à la valeur de $x$ (sur l'axe **horizontal**) pour laquelle $F(x) = 0,5$.

Reprenons notre dernier exemple:

| Classe de valeurs | $n_i$ | $F_i$ |
|---|---|---|
| [ 0 ; 10) | 2 | 2/25 |
| [10 ; 20) | 7 | 9/25 |
| [20 ; 30) | 8 | 17/25 |
| [30 ; 40) | 5 | 22/25 |
| [40 ; 50) | 3 | 1 |

Le graphique de la fréquence relative cumulée de cette distribution est le suivant:

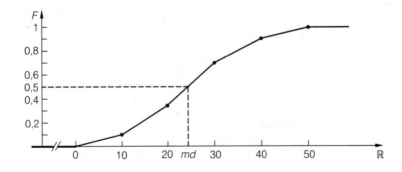

Une observation rapide nous permettrait ici d'estimer la médiane à environ 24.

Pour un calcul précis, à partir de ce graphique, nous pourrions utiliser une propriété des triangles semblables:

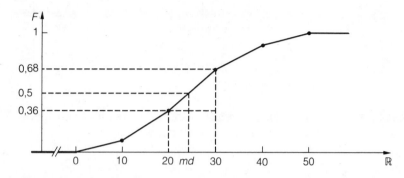

et ainsi,

$md$ = une valeur située entre 20 et 30

$= 20 +$ une fraction de 10

$= 20 + \left( \dfrac{0,5 - 0,36}{0,68 - 0,36} \right) \cdot 10$

$= 20 + 0,4375 \cdot 10 = 20 + 4,375 = 24,375.$

## 2.1.3. Le mode

DÉFINITION

> Le mode est la modalité qui apparaît le plus souvent dans la distribution.

NOTATION   Nous noterons le mode d'une population $Mo$ et celui d'un échantillon $mo$.

### Valeur du mode

— **Pour une variable statistique discrète dont les valeurs ne sont pas regroupées en classes**, le mode correspond tout simplement à la modalité dont l'effectif est le plus élevé.

**EXEMPLE**                    Reprenons l'exemple du nombre d'enfants par employé:

| Nombre d'enfants | $N_i$ |
|:---:|:---:|
| 0 | 25 |
| 1 | 35 |
| 2 | 11 |
| 3 | 2 |
| 4 | 1 |
| 5 | 1 |

Ici, $Mo = 1$ enfant.

**REMARQUE**                Il serait possible de retrouver plus d'un mode à l'intérieur d'une distribution. Ainsi, la distribution suivante:

| $x_i$ | $n_i$ |
|:---:|:---:|
| 25 | 5 |
| 26 | 11 |
| 27 | 8 |
| 28 | 11 |
| 29 | 4 |

compterait deux modes: 26 et 28.

— **Pour une variable statistique continue, ou discrète mais dont les valeurs sont regroupées en classes**, nous pouvons:

— définir la « classe modale », c'est-à-dire l'intervalle de valeurs dont l'effectif est le plus élevé à l'intérieur de la distribution

ou

— par convention, attribuer au mode la valeur du centre de cet intervalle.

**EXEMPLE**                    Dans le cas du rôle d'évaluation des 40 maisons:

| $i$ | $[B_{i-1} ; B_i)$ | $N_i$ |
|:---:|:---:|:---:|
| 1 | [45 200 ; 50 200) | 2 |
| 2 | [50 200 ; 55 200) | 5 |
| 3 | [55 200 ; 60 200) | 7 |
| 4 | [60 200 ; 65 200) | 9 |
| 5 | [65 200 ; 70 200) | 8 |
| 6 | [70 200 ; 75 200) | 4 |
| 7 | [75 200 ; 80 200) | 3 |
| 8 | [80 200 ; 85 200) | 2 |

nous pouvons tout aussi bien considérer la classe modale:
[60 200 $ ; 65 200 $)
ou le mode: *Mo* = 62 700 $.

NOTE            Ici aussi il serait possible, pour une distribution donnée, de posséder plus d'un mode (ou d'une classe modale).

## Exercices

Effectuer les problèmes 4 et 5 de la section 2.4.

## 2.2. LES MESURES DE DISPERSION

Maintenant que nous connaissons la tendance centrale d'une distribution, nous pouvons nous demander si les valeurs de la variable sont fortement concentrées autour de cette tendance centrale ou, au contraire, si elles sont très différentes, très dispersées.

Pour répondre à cette question, nous devons définir de nouvelles caractéristiques, capables de résumer les écarts, les différences entre les valeurs d'une variable.

Voici donc une première mesure de dispersion.

### 2.2.1. L'étendue

DÉFINITION
> L'étendue d'une distribution est la largeur totale de celle-ci.

### *Calcul*

— Pour une variable discrète dont les valeurs ne sont pas regroupées en classes, l'étendue correspond à la différence:

plus grande modalité − plus petite modalité du caractère.

— Pour une variable continue ou discrète avec valeurs regroupées en classes, l'étendue correspond à la différence:

$$B_I - B_O \qquad \text{(pour une population)}$$
ou
$$b_I - b_O \qquad \text{(pour un échantillon).}$$

55

Pour les distributions suivantes:

| $X_i$ | $N_i$ |
|---|---|
| 18 | 12 |
| 19 | 25 |
| 20 | 32 |
| 21 | 27 |
| 22 | 8 |

| $[b_{i-1} ; b_i)$ | $n_i$ |
|---|---|
| [15 ; 20) | 8 |
| [20 ; 25) | 18 |
| [25 ; 30) | 23 |
| [30 ; 35) | 16 |
| [35 ; 40) | 10 |

les étendues sont respectivement de $22 - 18 = 4$

et de $40 - 15 = 25$.

Bien que très facile à calculer, l'étendue ne sera cependant pas une caractéristique de dispersion souvent retenue lors d'une étude statistique. Comme elle n'est obtenue qu'à partir des deux valeurs extrêmes de la distribution et comme, d'autre part, ces valeurs sont souvent marginales par rapport aux autres données recueillies, l'étendue demeure une mesure de dispersion plus ou moins significative pour indiquer la dispersion de l'ensemble des données. Nous tenterons donc d'obtenir un meilleur indice, capable cette fois de résumer l'importance de l'ensemble des différences entre les valeurs de la distribution.

**NOTE**

Afin d'éviter d'alourdir le texte qui va suivre, nous restreindrons les définitions des sous-sections 2.2.2., 2.2.3. et 2.2.4. à l'étude d'un **caractère discret avec valeurs de la variable non regroupées en classes** et ce, à l'intérieur d'une **population**. Nous attendrons la sous-section 2.2.5. pour généraliser ces notions aux autres contextes possibles d'études statistiques.

## 2.2.2. L'écart d'une valeur (ou d'une modalité) par rapport à la moyenne

**NOTATION ET DÉFINITION**

Soit $X_i$ = la $i^{\text{ème}}$ valeur (ou la $i^{\text{ème}}$ modalité) d'une distribution

et $\mu$ = la moyenne de cette distribution,

alors l'écart de $X_i$ par rapport à $\mu$ est noté et défini comme suit:

$$E_i = X_i - \mu.$$

**EXEMPLE**  Reprenons l'exemple du nombre d'enfants par employé:

| Nombre d'enfants | $N_i$ | $E_i$ |
|:---:|:---:|:---:|
| 0 | 25 | −0,96 |
| 1 | 35 | 0,04 |
| 2 | 11 | 1,04 |
| 3 | 2 | 2,04 |
| 4 | 1 | 3,04 |
| 5 | 1 | 4,04 |

La moyenne de cette distribution étant de 0,96, nous obtenons:

$E_1$ = l'écart de la 1$^{\text{ère}}$ modalité $= X_1 - \mu = 0 - 0,96 = -0,96$

$E_2$ = l'écart de la 2$^{\text{ème}}$ modalité $= X_2 - \mu = 1 - 0,96 = 0,04$

$E_3$ = l'écart de la 3$^{\text{ème}}$ modalité $= X_3 - \mu = 2 - 0,96 = 1,04$

...

Comme nous cherchons une caractéristique capable de résumer à elle seule l'ensemble des différences entre les valeurs de la variable, il devient très tentant, ici, de définir la **moyenne de ces écarts** pour l'ensemble des données recueillies. À première vue, une telle mesure semble pouvoir satisfaire parfaitement notre objectif. Mais nous rencontrons vite un « pépin », car, quelle que soit la distribution, cette moyenne des écarts est toujours égale à 0. Ceci est dû à la définition de la moyenne des valeurs qui, puisqu'elle correspond au centre de gravité de celles-ci, entraîne une somme d'écarts positifs égale à celle des écarts négatifs.

Voici, d'ailleurs, la preuve algébrique de cet énoncé:

$$\frac{\sum\limits^{N} E_i}{N} = \frac{\sum\limits^{I} N_i E_i}{N} = \frac{\sum\limits^{I} N_i (X_i - \mu)}{N}$$

$$= \frac{\sum\limits^{I} N_i X_i}{N} - \frac{\sum\limits^{I} N_i \mu}{N}$$

$$= \mu \quad - \mu \cdot \frac{\sum\limits^{I} N_i}{N}$$

$$= \mu \quad - \mu \cdot \frac{N}{N}$$

$$= \mu \quad - \mu \quad = 0.$$

Ainsi, dans l'exemple présenté plus haut,

| Nombre d'enfants | $N_i$ | $E_i$ | $N_i E_i$ |
|:---:|:---:|:---:|:---:|
| 0 | 25 | −0,96 | −24 |
| 1 | 35 | 0,04 | 1,4 |
| 2 | 11 | 1,04 | 11,44 |
| 3 | 2 | 2,04 | 4,08 |
| 4 | 1 | 3,04 | 3,04 |
| 5 | 1 | 4,04 | 4,04 |
| | $N = 75$ | | $\sum N_i E_i = 0$ |

$$\frac{\sum\limits^{N} E_i}{N} = \frac{\sum\limits^{I} N_i E_i}{N} = \frac{0}{75} = 0.$$

## 2.2.3. L'écart moyen

Le problème d'une somme d'écarts toujours égale à 0 étant relié aux possibilités de valeurs négatives ou positives de ces écarts, nous contournerons la difficulté en définissant une nouvelle caractéristique de dispersion à partir des **valeurs absolues** de ces écarts que nous appellerons « écart moyen » de la distribution.

**NOTATION ET DÉFINITION**

> L'écart moyen d'une distribution, qu'on note E.M., est la moyenne des valeurs absolues des écarts, par rapport à la moyenne, de toutes les valeurs de cette distribution. Ainsi,
>
> $$\text{E.M.} = \frac{\sum\limits^{N} |E_i|}{N} = \frac{\sum\limits^{I} N_i |E_i|}{N} = \frac{\sum\limits^{I} N_i |X_i - \mu|}{N}.$$

**EXEMPLE**

Dans l'exemple du nombre d'enfants par employé:

| Nombre d'enfants | $N_i$ | $|E_i|$ | $N_i|E_i|$ |
|:---:|:---:|:---:|:---:|
| 0 | 25 | 0,96 | 24 |
| 1 | 35 | 0,04 | 1,4 |
| 2 | 11 | 1,04 | 11,44 |
| 3 | 2 | 2,04 | 4,08 |
| 4 | 1 | 3,04 | 3,04 |
| 5 | 1 | 4,04 | 4,04 |
| | $N = 75$ | | $\sum N_i|E_i| = 48$ |

$$\text{E.M.} = \frac{\sum\limits^{I} N_i |E_i|}{N} = \frac{48}{75} = 0,64 \text{ enfant.}$$

Cette dernière caractéristique satisfait pleinement notre objectif d'obtenir une mesure **unique**, capable de résumer l'ensemble des différences entre les valeurs du caractère.

Cependant, l'usage des valeurs absolues dans la définition de ce paramètre rendrait son utilisation complexe, plus tard, dans l'étude des modèles de probabilités associés aux différentes caractéristiques d'une variable statistique.

Pour éviter ce problème nous définirons deux nouvelles mesures: la variance et l'écart type d'une distribution.

## 2.2.4. La variance et l'écart type

### *La variance*

NOTATION ET
DÉFINITION

La variance d'une distribution, qu'on note $\sigma^2$, est la moyenne des carrés des écarts, par rapport à la moyenne, de toutes les valeurs de celle-ci. Ainsi,

$$\sigma^2 = \frac{\sum\limits^{N} E_i^2}{N} = \frac{\sum\limits^{I} N_i E_i^2}{N} = \frac{\sum\limits^{I} N_i (X_i - \mu)^2}{N}.$$

**EXEMPLE**

Dans l'exemple du nombre d'enfants par employé:

| $X_i$ | $N_i$ | $E_i$ | $E_i^2$ | $N_i E_i^2$ |
|-------|-------|-------|---------|-------------|
| 0 | 25 | −0,96 | 0,9216 | 23,04 |
| 1 | 35 | 0,04 | 0,0016 | 0,056 |
| 2 | 11 | 1,04 | 1,0816 | 11,8976 |
| 3 | 2 | 2,04 | 4,1616 | 8,3232 |
| 4 | 1 | 3,04 | 9,2416 | 9,2416 |
| 5 | 1 | 4,04 | 16,3216 | 16,3216 |
| | 75 | | | 68,88 |

$$\sigma^2 = \frac{\sum\limits^{I} N_i E_i^2}{N} = \frac{68,88}{75} = 0,9184 \text{ enfant}^2.$$

Avec la variance, nous possédons maintenant une mesure unique qui résume non pas l'ensemble des différences entre les valeurs de la distribution, mais plutôt **les carrés de ces différences**. Alors que notre objectif était de définir une **mesure linéaire** de dispersion, voilà que nous nous retrouvons avec une **mesure quadratique**.

Encore ici, nous pourrons lever la difficulté en définissant, cette fois, l'écart type.

## *L'écart type*

**NOTATION ET DÉFINITION**

> L'écart type d'une distribution est noté et défini simplement comme suit:
>
> $$\sigma = \sqrt{\text{variance}} = \sqrt{\sigma^2}.$$

**EXEMPLE**

Dans l'exemple précédent,

$$\text{l'écart type} = \sigma = \sqrt{0,9184} = 0,9583 \text{ enfant}.$$

Notre objectif est enfin atteint et toutes les difficultés algébriques sont levées! **L'écart type deviendra donc la caractéristique principale de dispersion d'une distribution**. C'est d'ailleurs cette caractéristique que nous utiliserons de façon presque exclusive jusqu'à la fin de ce volume.

**REMARQUE**

Il est important de remarquer que même s'ils répondent à un même objectif — résumer l'ensemble des écarts entre les valeurs d'un caractère —, l'écart moyen et l'écart type sont des mesures tout à fait distinctes. Bien qu'elles soient toujours de valeurs relativement semblables, leurs définitions sont différentes et il n'existe aucune équivalence algébrique entre leurs formules respectives.

## *Formule simplifiée de la variance*

La formule qui définit la variance, donnée précédemment, entraîne très souvent des lourdeurs dans les calculs. Un développement algébrique de celle-ci nous conduit cependant à une formule simplifiée:

$$\sigma^2 = \frac{\sum_{}^{N} X_i^2}{N} - \mu^2 \qquad (\text{où } X_i = i^{\text{ème}} \textbf{ valeur})$$

ou

$$\sigma^2 = \frac{\sum_{}^{I} N_i X_i^2}{N} - \mu^2 \qquad (\text{où } X_i = i^{\text{ème}} \textbf{ modalité}).$$

Cette simplification s'effectue ainsi (avec utilisation des $N_i$):

$$\sigma^2 = \frac{\sum\limits_{}^{I} N_i E_i^2}{N}$$

$$= \frac{\sum\limits_{}^{I} N_i (X_i - \mu)^2}{N}$$

$$= \frac{\sum\limits_{}^{I} N_i (X_i^2 - 2X_i\mu + \mu^2)}{N}$$

$$= \frac{\sum\limits_{}^{I} N_i X_i^2}{N} - \frac{\sum\limits_{}^{I} N_i 2X_i\mu}{N} + \frac{\sum\limits_{}^{I} N_i \mu^2}{N}$$

$$= \frac{\sum\limits_{}^{I} N_i X_i^2}{N} - 2\mu \frac{\sum\limits_{}^{I} N_i X_i}{N} + \mu^2 \frac{\sum\limits_{}^{I} N_i}{N}$$

$$= \frac{\sum\limits_{}^{I} N_i X_i^2}{N} - 2\mu \cdot \mu + \mu^2 \frac{N}{N}$$

$$= \frac{\sum\limits_{}^{I} N_i X_i^2}{N} - 2\mu^2 + \mu^2 = \frac{\sum\limits_{}^{I} N_i X_i^2}{N} - \mu^2.$$

**EXEMPLE**     Dans notre exemple du nombre d'enfants par employé, l'usage de cette nouvelle formule donnerait ceci:

| $X_i$ | $N_i$ | $X_i^2$ | $N_i X_i^2$ |
|-------|-------|---------|-------------|
| 0 | 25 | 0 | 0 |
| 1 | 35 | 1 | 35 |
| 2 | 11 | 4 | 44 |
| 3 | 2 | 9 | 18 |
| 4 | 1 | 16 | 16 |
| 5 | 1 | 25 | 25 |
|   | 75 |   | 138 |

$$\sigma^2 = \frac{\sum\limits_{}^{I} N_i X_i^2}{N} - \mu^2 = \frac{138}{75} - (0,96)^2 = 0,9184 \text{ enfant}^2.$$

Une comparaison entre ce calcul et le précédent (effectué suivant la formule de définition de $\sigma^2$) nous permet de constater l'efficacité de cette formule simplifiée.

## 2.2.5. Généralisation des notions des dernières sous-sections aux différents contextes d'études statistiques

Les notions présentées aux sous-sections 2.2.2., 2.2.3. et 2.2.4. peuvent être adaptées aux différents contextes d'études statistiques que nous avons décrits antérieurement. Voici, pour chacun de ces contextes, les notations et les formules à utiliser.

### *Avec un caractère discret dont les valeurs ne sont pas regroupées en classes*

*Pour la population*

| Nom | Notation | Formule |
|---|---|---|
| Écart d'une valeur par rapport à $\mu$ | $E_i$ | $X_i - \mu$ |
| Écart moyen | E.M. | $\dfrac{\sum\limits^{N} |X_i - \mu|}{N} = \dfrac{\sum\limits^{I} N_i|X_i - \mu|}{N} = \sum\limits^{I} f_i|X_i - \mu|$ |
| Variance | $\sigma^2$ | $\dfrac{\sum\limits^{N} (X_i - \mu)^2}{N} = \dfrac{\sum\limits^{I} N_i(X_i - \mu)^2}{N} = \sum\limits^{I} f_i(X_i - \mu)^2$ |
| | | $\dfrac{\sum\limits^{N} X_i^2}{N} - \mu^2 = \dfrac{\sum\limits^{I} N_iX_i^2}{N} - \mu^2 = \sum\limits^{I} f_iX_i^2 - \mu^2$ |
| Écart type | $\sigma$ | $\sqrt{\sigma^2}$ |

*Pour un échantillon*

| Nom | Nota-tion | Formule |
|---|---|---|
| Écart d'une valeur par rapport à $\bar{x}$ | $e_i$ | $x_i - \bar{x}$ |
| Écart moyen | e.m. | $\dfrac{\sum\limits^{n} |x_i - \bar{x}|}{n} = \dfrac{\sum\limits^{l} n_i|x_i - \bar{x}|}{n} = \sum\limits^{l} f_i|x_i - \bar{x}|$ |
| Variance | $s^2$ | $\dfrac{\sum\limits^{n} (x_i - \bar{x})^2}{n} = \dfrac{\sum\limits^{l} n_i(x_i - \bar{x})^2}{n} = \sum\limits^{l} f_i(x_i - \bar{x})^2$ |
| | | $\dfrac{\sum\limits^{n} x_i^2}{n} - \bar{x}^2 = \dfrac{\sum\limits^{l} n_i x_i^2}{n} - \bar{x}^2 = \sum\limits^{l} f_i x_i^2 - \bar{x}^2$ |
| Écart type | $s$ | $\sqrt{s^2}$ |

## Avec un caractère continu ou un caractère discret dont les valeurs sont regroupées en classes

*Pour la population*

| Nom | Notation | Formule |
|---|---|---|
| Écart d'une classe par rapport à $\mu$ | $E_i$ | $C_i - \mu$ |
| Écart moyen | E.M. | $\dfrac{\sum\limits^{l} N_i|C_i - \mu|}{N} = \sum\limits^{l} f_i|C_i - \mu|$ |
| Variance | $\sigma^2$ | $\dfrac{\sum\limits^{l} N_i(C_i - \mu)^2}{N} = \sum\limits^{l} f_i(C_i - \mu)^2$ |
| | | $\dfrac{\sum\limits^{l} N_i C_i^2}{N} - \mu^2 = \sum\limits^{l} f_i C_i^2 - \mu^2$ |
| Écart type | $\sigma$ | $\sqrt{\sigma^2}$ |

*Pour un échantillon*

| Nom | Notation | Formule |
|---|---|---|
| Écart d'une classe par rapport à $\bar{x}$ | $e_i$ | $c_i - \bar{x}$ |
| Écart moyen | e.m. | $\dfrac{\sum\limits^{l} n_i|c_i - \bar{x}|}{n} = \sum\limits^{l} f_i|c_i - \bar{x}|$ |
| Variance | $s^2$ | $\dfrac{\sum\limits^{l} n_i(c_i - \bar{x})^2}{n} = \sum\limits^{l} f_i(c_i - \bar{x})^2$ |
| | | $\dfrac{\sum\limits^{l} n_i c_i^2}{n} - \bar{x}^2 = \sum\limits^{l} f_i c_i^2 - \bar{x}^2$ |
| Écart type | $s$ | $\sqrt{s^2}$ |

**NOTE**

Comme pour la moyenne, les formules utilisant des $C_i$ (ou $c_i$) ne donnent que des **approximations des valeurs exactes** des caractéristiques qu'elles décrivent.

**EXEMPLE**

Illustrons l'usage que l'on peut faire de ces tableaux en calculant la variance et l'écart type de l'âge des 150 individus prélevés comme échantillon de la clientèle d'une certaine discothèque, dans l'un de nos exemples.

| Intervalle d'âge | $c_i$ | $n_i$ | $c_i^2$ | $n_i c_i^2$ |
|---|---|---|---|---|
| [18 ; 19) | 18,5 | 16 | 342,25 | 5 476 |
| [19 ; 20) | 19,5 | 27 | 380,25 | 10 266,75 |
| [20 ; 21) | 20,5 | 38 | 420,25 | 15 969,5 |
| [21 ; 22) | 21,5 | 37 | 462,25 | 17 103,25 |
| [22 ; 23) | 22,5 | 19 | 506,25 | 9 618,75 |
| [23 ; 24) | 23,5 | 10 | 552,25 | 5 522,5 |
| [24 ; 25) | 24,5 | 3 | 600,25 | 1 800,75 |
| | | $n = 150$ | | 65 757,5 |

(rappel: la moyenne de cette distribution est $\bar{x} = 20{,}8867$)

Ici, comme le caractère étudié constitue une variable continue, la variance de cet échantillon prend la forme de

$$s^2 = \frac{\sum\limits^{l} n_i c_i^2}{n} - \bar{x}^2$$

$$= \frac{65\,757,5}{150} - (20,8867)^2 = 2,13 \text{ ans}^2$$

et son écart type, celle de

$$s = \sqrt{s^2} = \sqrt{2,13} = 1,46 \text{ an.}$$

## Exercices

Faire les problèmes 6, 7 et 8 de la section 2.4.

## 2.3. LES MESURES DE POSITION: LES QUANTILES

Après la tendance centrale et la dispersion, nous voici enfin au dernier type de mesures que nous nous étions proposé d'étudier au début de ce chapitre, à savoir les mesures de position, que nous regrouperons sous le nom générique de **quantiles**.

Comment se situe une valeur par comparaison à l'ensemble des données recueillies, quel est son rang dans l'ensemble de la distribution? Voilà la question à laquelle nous tenterons de répondre maintenant.

### 2.3.1. Définition de différentes mesures de rang

> Une fois les *N* (ou *n*) données de la distribution mises en ordre, on appelle
>
> — **médiane**    la valeur numérique qui partage ces données en **deux** quantités égales;
>
> — **quartiles**    les **trois** valeurs numériques qui partagent ces données en **quatre** quantités égales;
>
> — **quintiles**    les **quatre** valeurs numériques qui partagent ces données en **cinq** quantités égales;
>
> — **déciles**    les **neuf** valeurs numériques qui partagent ces données en **dix** quantités égales;
>
> — **centiles**    les **quatre-vingt-dix-neuf** valeurs numériques qui partagent ces données en **cent** quantités égales.

NOTE      Ces définitions amènent souvent des résultats plus ou moins significatifs dans l'étude d'une variable discrète à valeurs non regroupées en classes. Afin d'éviter de telles situations, nous nous limiterons à l'étude des quantiles pour une variable statistique continue ou discrète avec valeurs regroupées en classes.

## 2.3.2. Notation et représentation graphique de ces différentes mesures

*Médiane*

*Quartiles*

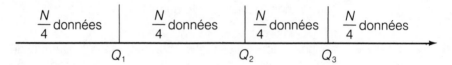

*Quintiles*

*Déciles*

$$\frac{N}{10} \text{d.} \quad \frac{N}{10} \text{d.} \quad \frac{N}{10} \text{d.} \quad \frac{N}{10} \text{d.} \quad \frac{N}{10} \text{d.} \quad \frac{N}{10} \text{d.} \quad \frac{N}{10} \text{d.} \quad \frac{N}{10} \text{d.} \quad \frac{N}{10} \text{d.} \quad \frac{N}{10} \text{d.}$$

$$D_1 \quad D_2 \quad D_3 \quad D_4 \quad D_5 \quad D_6 \quad D_7 \quad D_8 \quad D_9$$

*Centiles*

$$\frac{N}{100} \Big| \ldots \qquad\qquad\qquad\qquad\qquad\qquad \ldots \Big| \frac{N}{100}$$

$$C_1 \ldots \qquad\qquad\qquad\qquad\qquad\qquad\qquad \ldots C_{99}$$

Les notations *N*, *Md*, *Q*, *Qn*, *D* et *C* présentées ici seront utilisées exclusivement pour les distributions de populations. Pour les échantillons, elles seront remplacées par les minuscules *n*, *md*, *q*, *qn*, *d* et *c*.

## 2.3.3. Calculs de quantiles

Comme nous ne travaillerons qu'avec des distributions de caractères continus ou discrets avec valeurs regroupées en classes, nous n'aurons pas sous les yeux les valeurs précises de chacune des données recueillies. Lors du calcul des différents quantiles, nous devrons donc encore nous contenter d'approximations et, pour ce faire, nous nous référerons à la même convention que celle établie précédemment pour le calcul de la médiane.

Ainsi, nous considérerons que chacune des *N* (ou *n*) données de la distribution occupe un sous-intervalle de la classe à laquelle elle appartient, de largeur égale aux sous-intervalles des autres valeurs de cette classe et adjacent à ces derniers.

**EXEMPLE**  Revenons à notre exemple du rôle d'évaluation des 40 maisons d'un arrondissement:

| $i$ | $[B_{i-1} ; B_i)$ | $N_i$ |
|-----|-------------------|-------|
| 1 | [45 200 ; 50 200) | 2 |
| 2 | [50 200 ; 55 200) | 5 |
| 3 | [55 200 ; 60 200) | 7 |
| 4 | [60 200 ; 65 200) | 9 |
| 5 | [65 200 ; 70 200) | 8 |
| 6 | [70 200 ; 75 200) | 4 |
| 7 | [75 200 ; 80 200) | 3 |
| 8 | [80 200 ; 85 200) | 2 |
| | | $N = 40$ |

Quelle est la valeur, par exemple, du décile $D_7$ de cette distribution?

Considérant que ce décile est le nombre à gauche duquel on retrouve les 7/10 de ces évaluations, nous en effectuerons le calcul de la façon suivante:

$N = 40$  ($\longrightarrow$ 40 données occupent 40 sous-intervalles consécutifs sur l'axe des modalités)

$\dfrac{7}{10} N = 28$  ($\longrightarrow$ le $D_7$ se situe à la fin du 28$^{\text{ème}}$ sous-intervalle)

$\longrightarrow$ $D_7 \in$ 5$^{ème}$ classe (c.-à-d. qu'il se situe entre 65 200 et 70 200)

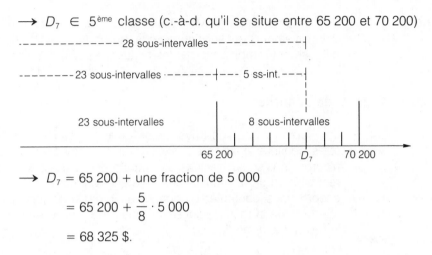

$\longrightarrow$ $D_7$ = 65 200 + une fraction de 5 000

$$= 65\ 200 + \frac{5}{8} \cdot 5\ 000$$

$$= 68\ 325\ \$.$$

Le calcul des différents quantiles s'effectue donc de la même manière que celui de la médiane, cette dernière pouvant d'ailleurs être considérée autant comme mesure de rang que de tendance centrale, suivant le contexte.

### 2.3.4 Situation d'une valeur par rapport aux quantiles

Plutôt que d'identifier les valeurs mêmes des différents quantiles, une étude statistique nous demandera souvent de **situer une valeur particulière de la distribution** en fonction de quantiles donnés.

EXEMPLE

Ainsi, dans le cas de nos 40 maisons, nous pourrions nous demander **entre quels déciles** se situe une maison évaluée à 72 000 $ à l'intérieur de ce rôle?

Une telle question revient à vouloir déterminer la proportion des maisons dont la valeur est inférieure ou égale à 72 000 $ ou encore, **la proportion des $N$ = 40 sous-intervalles situés au-dessous de 72 000 $.**

Pour y répondre, nous devons d'abord calculer le **nombre** de sous-intervalles que l'on retrouve à gauche de 72 000:

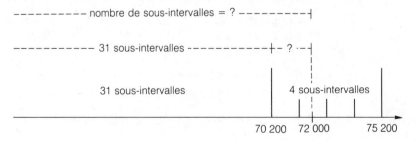

Comme $72\,000 \in [70\,200 \ ; 75\,200)$, ce nombre est égal à

31 sous-intervalles + une fraction de 4 sous-intervalles

$$= 31 + \left( \frac{72\,000 - 70\,200}{75\,200 - 70\,200} \right) \cdot 4$$

$$= 31 + \frac{1\,800}{5\,000} \cdot 4 = 32{,}44 \text{ sous-intervalles.}$$

Nous devons ensuite exprimer ce nombre en **proportion** (ici, en **dixièmes**, puisqu'on y parle de **déciles**). Ainsi,

$$\frac{32{,}44 \text{ sous-intervalles}}{40 \text{ sous-intervalles}}$$

correspond, en dixièmes, aux

$$\frac{32{,}44}{40} \cdot 10 = 8{,}11 \text{ dixièmes de la distribution.}$$

Une évaluation de $72\,000$ \$ se situe donc entre le $D_8$ et le $D_9$ de cette distribution.

### Exercices

Effectuer les problèmes 9 et 10 de la section 2.4.

## 2.4. PROBLÈMES

1.  Donner la notation, la formule et la valeur de la moyenne des distributions suivantes, présentées dans les problèmes de la section 1.6. du chapitre 1:

    a) Celle du n° 4.

    b) Celle du n° 11 (**avant** le regroupement en classes).

    c) Celle du n° 11 (**après** le regroupement en classes).

    d) Celle du n° 14.

2.  Comparer les valeurs réelle et approximée de la moyenne, calculées sur une même distribution, aux n⁰ˢ 1.b) et 1.c) du problème précédent, et discuter.

3. Noter et calculer la médiane pour chacune des distributions statistiques suivantes:

a) Des producteurs de maïs analysent une nouvelle variété de cette céréale. Voici le nombre de grains qu'ils ont comptés sur 25 épis choisis au hasard:

| | | | | |
|---|---|---|---|---|
| 188 | 183 | 196 | 194 | 193 |
| 193 | 189 | 199 | 200 | 192 |
| 190 | 186 | 194 | 191 | 187 |
| 188 | 197 | 195 | 196 | 190 |
| 180 | 188 | 186 | 198 | 199 |

b) Irma, une gentille chienne Labrador, a eu 14 portées au cours de sa vie. Voici le nombre de chiots qu'elle a mis au monde en chacune de ces occasions:

6 6 4 8 7 6 7 7 8 2 6 7 9 6

c) Une coopérative alimentaire relève le montant total des achats de chacun de ses 325 membres au cours de la dernière année. Elle obtient la compilation suivante:

| Montant ($) | Nombre de membres |
|---|---|
| [ 4 000 ; 5 000 ) | 4 |
| [ 5 000 ; 6 000 ) | 17 |
| [ 6 000 ; 7 000 ) | 46 |
| [ 7 000 ; 8 000 ) | 89 |
| [ 8 000 ; 9 000 ) | 90 |
| [ 9 000 ; 10 000) | 55 |
| [10 000 ; 11 000) | 19 |
| [11 000 ; 12 000) | 5 |

d) Voici la concentration en fer de 30 points d'eau sélectionnés au hasard dans une municipalité:

| Concentration en fer (en mg/l) | Nombre de points d'eau |
|---|---|
| [0,0 ; 0,1) | 12 |
| [0,1 ; 0,2) | 9 |
| [0,2 ; 0,3) | 5 |
| [0,3 ; 0,4) | 2 |
| [0,4 ; 0,5) | 1 |
| [0,5 ; 0,9) | 1 |

e) L'ensemble des salaires annuels des 121 employés d'une institution se répartit de la façon suivante:

| Salaire | Nombre d'employés |
|---------|-------------------|
| moins de 20 000 | 7 |
| [20 000 ; 25 000) | 9 |
| [25 000 ; 30 000) | 18 |
| [30 000 ; 35 000) | 32 |
| [35 000 ; 40 000) | 27 |
| [40 000 ; 45 000) | 15 |
| [45 000 ; 50 000) | 8 |
| 50 000 et plus | 5 |

4. Noter et calculer la valeur des caractéristiques de tendance centrale (moyenne, médiane et mode) pour les distributions suivantes, présentées dans les problèmes de la section 1.6.:

a) Celle du n° 5.

b) Celle du n° 13.

c) Celle du n° 10 (**après** le regroupement en classes).

d) Celle du n° 6 (en n'oubliant pas que le caractère étudié ici est quantitatif continu).

5. Déterminer la valeur de la médiane de la distribution présentée au n° 18.b) des problèmes de la section 1.6. du chapitre précédent, **en n'utilisant que le graphique de la fonction $F$ de cette distribution.**

6. Calculer l'étendue et l'écart moyen des distributions suivantes, présentées dans les problèmes de la section 1.6. du chapitre 1:

a) Celle du n° 4 (rappel: ici $\bar{x} = 2{,}36$ essais).

b) Celle du n° 13 (rappel: ici $\bar{x} = 0{,}78$ enfant).

c) Celle du n° 6 (en se rappelant que le caractère étudié ici est quantitatif continu et que $\mu = 128{,}98$ cm).

d) Celle du n° 12 (pour laquelle $\bar{x} = 8{,}74$ km).

7. Donner la notation, la formule et les valeurs respectives de la variance et de l'écart type des distributions suivantes, présentées dans les problèmes de la section 1.6. du chapitre 1:

a) Celle du n° 10 (**après** le regroupement en classes; rappel: ici $\bar{x} = 82$ kg).

b) Celle du n° 13 (rappel: ici $\bar{x} = 0{,}78$ enfant).

c) Celle du n° 14 (rappel: ici $\mu = 84{,}85$ m$^2$).

8. Noter et calculer les valeurs respectives de la médiane, de la moyenne, de la variance et de l'écart type des distributions suivantes, présentées aux problèmes de la section 1.6. du chapitre 1:

   a) Celle du n° 12.

   b) Celle du n° 17.

9. Considérer la distribution du n° 10 des problèmes de la section 1.6. du chapitre précédent, **après que ses valeurs aient été classées.**

   a) Noter et identifier le 58$^{ème}$ centile, le 18$^{ème}$ centile, le 9$^{ème}$ décile et le 3$^{ème}$ quartile de cette distribution.

   b) Entre quels centiles se situe une résistance de 55 kg, par rapport à l'ensemble de la distribution?

   c) Entre quels centiles se situe une résistance de 85 kg, par rapport à l'ensemble de la distribution?

   d) Entre quels déciles se situe une résistance de 85 kg, par rapport à l'ensemble de la distribution?

   e) À quel quintile correspond une résistance de 75 kg, par rapport à l'ensemble de la distribution?

10. Considérer la distribution du n° 15 des problèmes de la section 1.6. du chapitre précédent.

    a) Noter et évaluer:
       — le mode
       — la médiane
       — la moyenne
       — l'étendue (sans notation)    } de cette distribution.
       — l'écart moyen
       — l'écart type
       — le 29$^{ème}$ centile
       — le 6$^{ème}$ décile

    b) À quel centile correspond un nombre d'heures travaillées de 147?

    c) Entre quels quartiles se situe un nombre d'heures travaillées de 130?

    d) Évaluer le 14$^{ème}$ centile de cette distribution.

# CHAPITRE 3
# Analyse d'une distribution

L'étude que nous venons de compléter sur les différents paramètres d'un caractère s'est limitée à la définition et à la technique de calcul de ceux-ci. Dans ce chapitre, nous tenterons d'interpréter les résultats de ces mesures, de comparer leurs valeurs et leurs significations respectives, et enfin, d'imaginer l'aspect global d'une distribution à partir des valeurs particulières de ses paramètres.

## 3.1. INTERPRÉTATION ET USAGE DES CARACTÉRISTIQUES DE TENDANCE CENTRALE

### 3.1.1. Le mode

Un premier usage que nous pouvons faire du ou des mode(s) d'une variable est d'utiliser le nombre et la position de ceux-ci par rapport à l'ensemble des données pour classer les différents types de distributions. C'est ainsi que nous parlerons, selon le cas, d'une distribution:

— *unimodale (qui ne possède qu'un seul mode):*

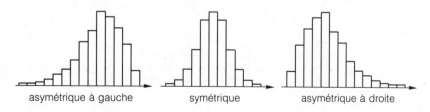

asymétrique à gauche      symétrique      asymétrique à droite

— **bimodale** *(qui possède deux modes)*:

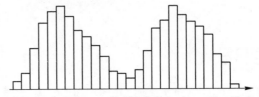

— **plurimodale** *(qui possède plusieurs modes)*:

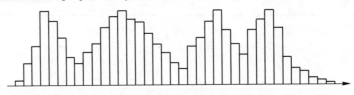

De plus, lorsqu'une variable possède plus d'un mode, nous y verrons souvent l'indice d'une population (ou d'un échantillon) composée de sous-populations (ou de sous-échantillons) différentes.

**EXEMPLE**

Voici la représentation de l'âge des 35 étudiants inscrits à un cours du soir en informatique:

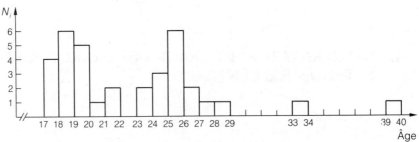

Si nous y regardons de plus près, nous pouvons constater que la classe comprend deux sous-groupes d'étudiants:

— l'un, provenant du programme régulier du collégial, qui préfère l'horaire du soir à celui du jour:

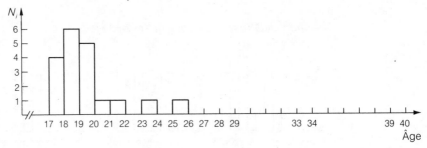

— l'autre, provenant d'une entreprise qui a offert un recyclage en informatique à ses employés :

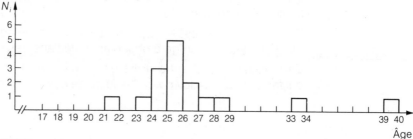

## 3.1.2. La médiane

Dans quels cas la médiane sera-t-elle un bon indicateur de la tendance centrale d'une variable? Dans quels contextes sera-t-elle plus ou
moins significative que la moyenne? Pour répondre à ces questions,
comparons les forces et les faiblesses de cette caractéristique.

D'abord, pour ce qui est de ses faiblesses, étant déduite uniquement des données du centre de la distribution, la médiane ne tient pas
compte du fait que certaines valeurs peuvent être exceptionnellement
grandes ou petites par rapport à l'ensemble. En plus, de par son calcul,
cette mesure possède peu de propriétés algébriques : elle est donc plutôt
difficile à manipuler.

Par contre, puisqu'elle ne se laisse pas influencer par des données
de grandeurs exceptionnelles, la médiane est une mesure qui donnera
toujours une bonne idée des valeurs du centre, des valeurs du coeur de
la distribution.

## 3.1.3. La moyenne

À l'inverse, la moyenne, par sa définition, reflète vraiment l'ensemble
de **toutes** les données. De plus, grâce à la simplicité de ses différentes
formules, elle permet des manipulations algébriques faciles.

Par contre, elle sera influencée par des valeurs anormalement
grandes ou petites et pourra alors fausser l'idée globale de l'ensemble
de la distribution.

## 3.1.4. Choix d'une caractéristique

Quelle mesure de tendance centrale faut-il donc privilégier lors
d'une étude statistique? Évidemment, tout dépend du contexte et de
l'objectif de cette étude.

Voici quelques exemples:

— L'étudiant qui veut évaluer son rendement scolaire **global** doit calculer **la moyenne** de ses notes.

— Par contre, le professeur qui veut évaluer l'un de ses groupes d'étudiants a plutôt avantage à observer **la médiane** des notes de ceux-ci.

— Enfin, dans un tout autre ordre d'idées, le marchand de chaussures qui fait ses achats doit connaître **le mode** des pointures à commander.

## 3.1.5. Position relative de ces différentes caractéristiques à l'intérieur d'une distribution

Selon le type de distribution, les trois caractéristiques de tendance centrale se présentent généralement dans l'ordre suivant:

— Pour une distribution unimodale symétrique:

$Mo = Md = \mu$
(ou $mo = md = \bar{x}$)

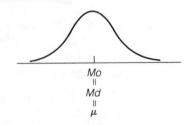

— Pour une distribution unimodale asymétrique à droite:

$Mo < Md < \mu$
(ou $mo < md < \bar{x}$)

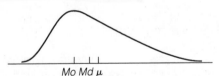

(Dans un tel cas, certaines valeurs anormalement grandes, par rapport à l'ensemble, « tirent » la moyenne vers la droite, alors qu'elles n'influencent pas du tout la médiane.)

— Pour une distribution unimodale asymétrique à gauche:

$Mo > Md > \mu$
(ou $mo > md > \bar{x}$)

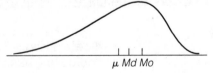

(Dans un tel cas, certaines valeurs anormalement petites, par rapport à l'ensemble, « tirent » la moyenne vers la gauche, alors qu'elles n'influencent pas du tout la médiane.)

— Pour une distribution bimodale symétrique:

$Mo_1 < \mu = Md < Mo_2$
(ou $mo_1 < \bar{x} = md < mo_2$)

## Exercices

Faire les problèmes 1 à 5 de la section 3.3.

## 3.2. INTERPRÉTATION DE L'ÉCART TYPE

### 3.2.1. Théorème de l'inégalité de Bienaymé-Tchébycheff

Au chapitre 2, nous avons dû effectuer un long parcours pour arriver à la définition de l'écart type d'une variable. Celui-ci terminé, il ne nous était peut-être pas facile de « visualiser » cette caractéristique. Un théorème devrait nous permettre de mieux interpréter la valeur de ce paramètre: l'inégalité de Bienaymé-Tchébycheff. Nous ne l'énoncerons qu'au niveau de la population, mais il aurait, bien sûr, son équivalent au niveau de l'échantillon.

*Énoncé*

Pour toute variable statistique $X$ et pour tout $k > 0$,

$$P[\mu - k\sigma \leq X \leq \mu + k\sigma] > 1 - 1/k^2$$

où $\mu$ et $\sigma$ sont respectivement la moyenne et l'écart type de la distribution de $X$.

*Note.* — Dans cet énoncé, P se lit « la proportion de ».

*Signification*

Avec $k = 1$, ce théorème nous indique que:

$$P[\mu - \sigma \leqslant X \leqslant \mu + \sigma] > 1 - 1/1^2$$
$$> 0$$

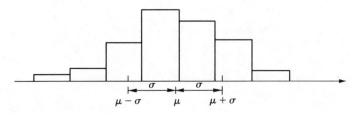

c'est-à-dire que pour toute distribution, il est certain que nous retrouverons toujours au moins une donnée dans l'intervalle $[\mu - \sigma \,;\, \mu + \sigma]$.

Avec $k = 2$, il nous indique que:

$$P[\mu - 2\sigma \leqslant X \leqslant \mu + 2\sigma] > 1 - 1/2^2$$
$$> 3/4$$

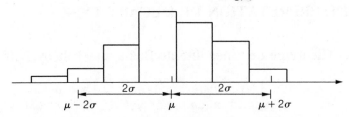

c'est-à-dire que quelle que soit la distribution, nous retrouverons toujours plus des 3/4 de ses valeurs dans l'intervalle $[\mu - 2\sigma \,;\, \mu + 2\sigma]$.

Avec $k = 3$, il nous indique que:

$$P[\mu - 3\sigma \leqslant X \leqslant \mu + 3\sigma] > 1 - 1/3^2$$
$$> 8/9$$

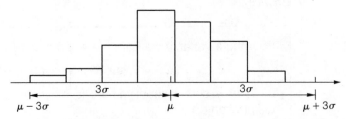

c'est-à-dire que quelle que soit la distribution, nous retrouverons toujours plus des 8/9 de ses valeurs dans l'intervalle $[\mu - 3\sigma \,;\, \mu + 3\sigma]$.

Bien que nous puissions faire varier $k$ à l'infini, c'est cette dernière interprétation du théorème (avec $k = 3$) que nous utiliserons le plus fréquemment lors d'une étude statistique. En effet, elle nous fournira un instrument pratique pour situer la grande majorité (plus des 8/9) des valeurs de notre distribution.

**EXEMPLE**

Imaginons qu'un professeur annonce que la moyenne des notes du dernier examen est de 72 et l'écart type de 6. Un étudiant qui connaît l'inégalité de Bienaymé-Tchébycheff pourrait vite en déduire que la presque totalité des étudiants (plus des 8/9 de la classe) ont obtenu une note entre 54 ($\mu - 3\sigma$) et 90 ($\mu + 3\sigma$).

## ☆ *Preuve*

Voici la preuve (pour une variable discrète) de l'énoncé de ce théorème:

1°) $\sigma^2 = \sum\limits^{I} f_i(X_i - \mu)^2$

$\qquad = \sum\limits_{i \in I_1} f_i(X_i - \mu)^2 + \sum\limits_{i \in I_2} f_i(X_i - \mu)^2$

$\qquad$ où $I_1 = \{ i \mid \mu - k\sigma \leq X_i \leq \mu + k\sigma \}$

$\qquad$ et $I_2 = \{ i \mid X_i < \mu - k\sigma \quad \text{ou} \quad X_i > \mu + k\sigma \}$.

2°) Si $i \in I_2$

$\qquad$ alors $X_i < \mu - k\sigma \quad$ ou $\quad X_i > \mu + k\sigma$

$\qquad \longrightarrow X_i - \mu < -k\sigma \quad$ ou $\quad X_i - \mu > k\sigma$

$\qquad \longrightarrow |X_i - \mu| > k\sigma$

$\qquad \longrightarrow (X_i - \mu)^2 > k^2 \sigma^2$

$\qquad \longrightarrow \sum\limits_{I_2} f_i(X_i - \mu)^2 > \sum\limits_{I_2} f_i k^2 \sigma^2$

$\qquad \longrightarrow \sum\limits_{I_2} f_i(X_i - \mu)^2 > k^2 \sigma^2 \sum\limits_{I_2} f_i$.

3°) Donc,

$$\sigma^2 = \underbrace{\sum\limits_{I_1} f_i(X_i - \mu)^2}_{\substack{\geq 0 \\ \text{(par définition)}}} + \underbrace{\sum\limits_{I_2} f_i(X_i - \mu)^2}_{\substack{> k^2 \sigma^2 \sum\limits_{I_2} f_i \\ \text{(par 2°)}}}$$

$\qquad \longrightarrow \sigma^2 > k^2 \sigma^2 \sum\limits_{I_2} f_i$

$\qquad \longrightarrow 1 > k^2 \sum\limits_{I_2} f_i$

$\qquad \longrightarrow \sum\limits_{I_2} f_i < 1/k^2$.

4°) Enfin,

$$\sum_{I_1} f_i + \sum_{I_2} f_i = 1$$

$$\longrightarrow P[\mu - k\sigma \leq X \leq \mu + k\sigma] = \sum_{I_1} f_i$$

$$= 1 - \sum_{I_2} f_i$$

$$= 1 - (< 1/k^2)$$

$$> 1 - 1/k^2.$$

## 3.2.2. Coefficient de variation

Dans une distribution, un écart type de 25 peut tout aussi bien signifier une forte qu'une faible dispersion entre les données, tout dépendant de l'ordre de grandeur de celles-ci. Afin de comparer l'écart type d'une variable à sa moyenne, nous définirons maintenant une nouvelle mesure: le coefficient de variation de cette variable.

**NOTATION ET DÉFINITION**

> Soit $X$ une variable statistique **ne prenant que des valeurs** $\geq 0$, alors le coefficient de variation de $X$ est un indice noté et défini comme suit:
>
> $$C.V. \text{ (ou c.v.)} = \frac{\sigma}{\mu} \quad \left(ou \; \frac{s}{\bar{x}}\right).$$

C'est un indicateur du degré d'**homogénéité** des valeurs de la distribution.

**EXEMPLE**

Un commerçant étudie le nombre de ventes des 26 dernières semaines dans chacun de ses deux magasins. Il note que

— pour le premier établissement:
la moyenne des ventes hebdomadaires est de 750 avec un écart type de 125;

— alors que pour le second:
la moyenne des ventes hebdomadaires est de 1 125 avec un écart type de 150.

Lequel de ces magasins présente les ventes hebdomadaires **les plus constantes** (ou encore: lequel de ces établissements présente la distribution du nombre de ventes par semaine **la plus homogène**)?

Une comparaison des coefficients de variation nous apportera la réponse. En effet,

— pour le premier magasin: C.V. = 125/750 = 0,167;

— pour le second: C.V. = 150/1 125 = 0,133.

Le C.V. du second établissement étant inférieur à celui du premier, nous devons donc en conclure qu'en proportion, le nombre de ventes hebdomadaires de ce magasin varie moins, d'une semaine à l'autre, que celui de la première succursale.

## Exercices

Voir les problèmes 6, 7 et 8 de la section suivante.

# 3.3. PROBLÈMES

1. Donner un exemple d'une distribution qui, d'après vous, devrait être
   a) unimodale et symétrique,
   b) unimodale et asymétrique à droite,
   c) unimodale et asymétrique à gauche,
   d) bimodale.

2. Au problème n° 6 de la section 1.6. du chapitre 1 (où le professeur d'éducation physique mesurait la taille de ses élèves masculins de deuxième année), nous étions en présence d'une distribution pour laquelle: $Mo = 129$ cm, $Md = 128,977$ cm et $\mu = 128,98$ cm.
   Quel devait être l'aspect graphique d'une telle distribution?

3. Que dire d'une distribution dont la moyenne est significativement inférieure à la médiane?

4. Que dire d'une distribution dont la moyenne est significativement supérieure à la médiane?

5. Quelle mesure, de tendance centrale ou de rang, convient le mieux pour répondre aux besoins des différents contextes suivants?
   a) Un guide touristique aimerait avoir une idée du salaire annuel d'un groupe de 25 adultes qui se retrouvent ensemble dans un voyage organisé.

b) Afin de déterminer le nombre de cueilleurs qu'elle doit embaucher, l'administration d'une fraisière aimerait connaître le nombre de paniers qu'un cueilleur ramasse quotidiennement.

c) Une agence de publicité aimerait connaître l'âge du public cible d'un certain type de spectacle.

d) Avant de s'établir dans une région donnée, un commerce de luxe voudrait savoir quelle proportion de la population de cette région gagne plus de 45 000 $ par année.

6. Ayant été informé de la moyenne et de l'écart type des notes de la classe, un étudiant connaissant le théorème de Bienaymé-Tchébycheff déclare que plus des 8/9 des étudiants se situent entre 57 et 87.

Quelles sont donc les valeurs respectives de la moyenne et de la variance de l'ensemble de ces notes?

7. Un rapport statistique d'une succursale bancaire présente les distributions d'un ensemble de variables se rapportant à ses 5 137 clients, au 31 décembre de l'année dernière.

a) L'analyse de celle concernant l'âge de ces individus permettrait de vérifier que cette variable ne comporte qu'un seul mode, et de calculer que:
— l'âge moyen de cette clientèle est de 38,36 ans;
— son âge médian, de 35,79 ans;
— son âge modal, de 28,1 ans.

À l'aide de ces renseignements, imaginer l'aspect graphique de cette distribution.

b) Un autre volet de ce rapport permettrait de vérifier que la distribution du montant du dépôt total de ces clients est aussi unimodale, et de calculer que:
— la moyenne de ces montants est de 4 235,49 $;
— la médiane, de 839,32 $;
— le mode, de 410,00 $.

À l'aide de ces renseignements, imaginer l'aspect graphique de cette distribution.

8. Dans l'une des classes d'un professeur de mathématiques, la moyenne des notes est de 75 et l'écart type de 15, alors que dans une autre de ses classes, la moyenne est de 68 et l'écart type de 7.

Comparer les avantages et les désavantages de chacune de ces classes pour le professeur.

# CHAPITRE 4
# Transformation linéaire d'une variable statistique

Très souvent, une étude statistique portera simultanément sur deux variables, $X$ et $Y$, où la deuxième sera définie comme une transformation linéaire de la première, c'est-à-dire où $Y$ pourra être décrite à partir de $X$ de la façon suivante: $Y = aX + b$.

Comment se compareront alors les caractéristiques respectives de ces deux variables? Voilà ce que nous verrons maintenant, dans ce dernier chapitre sur la statistique descriptive.

## 4.1. OBSERVATION D'UN EXEMPLE

Pour mieux visualiser le sujet de notre étude, considérons la distribution de la variable $X$ = la note sur 50 points d'un certain examen:

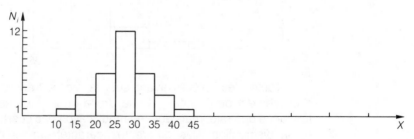

Pour cette variable, $\quad \mu_X = Md_X = Mo_X = 27{,}5$

$$\text{étendue}_X = 35$$

$$\sigma_X = 6{,}5$$

$$\text{et } \sigma_X^2 = 42{,}25.$$

Imaginons qu'on transpose ces notes sur 100 points. Chacune est alors doublée et on obtient une nouvelle variable, $W = 2X =$ la note sur 100 points, dont voici la distribution:

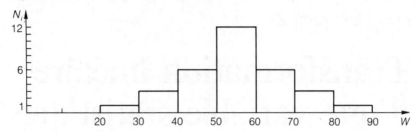

Intuitivement, il semble facile de déduire ici que

$$\mu_W = 2\mu_X = 2 \cdot 27{,}5 = 55$$
$$Md_W = 2Md_X = 2 \cdot 27{,}5 = 55$$
$$Mo_W = 2Mo_X = 2 \cdot 27{,}5 = 55$$
$$\text{étendue}_W = 2\ \text{étendue}_X = 2 \cdot 35 = 70$$
$$\sigma_W = 2\sigma_X = 2 \cdot 6{,}5 = 13$$
$$\text{et } \sigma_W^2 = (\sigma_W)^2 = (2\sigma_X)^2 = 4\sigma_X^2 = 4 \cdot 42{,}25 = 169.$$

Imaginons maintenant qu'on décide d'ajouter 5 points à chacune de ces notes sur 100. On obtient alors une nouvelle variable, $Y = W + 5 = 2X + 5$, dont la distribution est déplacée de 5 unités vers la droite, par rapport à celle de $W$.

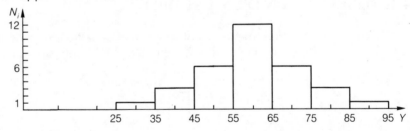

Toutes les valeurs ayant subi la même translation, il s'ensuit un déplacement de 5 unités vers la droite pour chacune des mesures de tendance centrale, mais **aucune modification des écarts, entre les valeurs de la distribution**. Les différentes caractéristiques de notre dernière variable sont alors les suivantes:

$$\mu_Y = \mu_W + 5 = 2\mu_X + 5 = 2 \cdot 27{,}5 + 5 = 60$$
$$Md_Y = Md_W + 5 = 2Md_X + 5 = 2 \cdot 27{,}5 + 5 = 60$$
$$Mo_Y = Mo_W + 5 = 2Mo_X + 5 = 2 \cdot 27{,}5 + 5 = 60$$

$$\text{étendue}_Y = \text{étendue}_W = 2 \ \text{étendue}_X = 2 \cdot 35 = 70$$
$$\sigma_Y = \sigma_W = 2\sigma_X = 2 \cdot 6,5 = 13$$
$$\text{et } \sigma_Y^2 = \sigma_W^2 = (\sigma_W)^2 = (2\sigma_X)^2 = 4\sigma_X^2 = 4 \cdot 42,25 = 169.$$

Cet exemple nous permet donc de visualiser les effets d'une transformation linéaire d'une variable sur ses caractéristiques. Les comparaisons que nous avons effectuées intuitivement sont tout à fait justifiées et seront maintenant généralisées dans le théorème qui suit.

## 4.2. THÉORÈME

*Énoncé*

> Soit $X$ et $Y$, deux variables statistiques telles que $Y = aX + b$, où $a$ et $b \in \mathbb{R}$,
>
> alors
>
> $$\mu_Y = a\mu_X + b$$
> $$Md_Y = a\,Md_X + b$$
> $$Mo_Y = a\,Mo_X + b$$
> $$\text{étendue}_Y = |a| \ \text{étendue}_X$$
> $$\sigma_Y = |a|\,\sigma_X$$
>
> et
>
> $$\sigma_Y^2 = a^2\,\sigma_X^2$$

NOTE       Ce théorème a son équivalent pour une distribution d'échantillon (avec, cette fois, des lettres minuscules).

*Preuve (partielle, pour une variable discrète)*

— Preuve au sujet de la moyenne:

$$\mu_Y = \frac{\sum\limits_{}^{N} Y_i}{N} = \frac{\sum\limits_{}^{N} (aX_i + b)}{N}$$

$$= \frac{\sum\limits_{}^{N} aX_i}{N} + \frac{\sum\limits_{}^{N} b}{N}$$

$$= a\,\frac{\sum\limits_{}^{N} X_i}{N} + b\,\frac{\sum\limits_{}^{N} 1}{N}$$

$$= a\mu_X + b \cdot \frac{N}{N}$$

$$= a\mu_X + \text{b}.$$

— Preuve au sujet de la variance:

$$\sigma_Y^2 = \frac{\sum\limits^N (Y_i - \mu_Y)^2}{N}$$

$$= \frac{\sum\limits^N (aX_i + b - (a\mu_X + b))^2}{N}$$

$$= \frac{\sum\limits^N (aX_i + b - a\mu_X - b)^2}{N}$$

$$= \frac{\sum\limits^N (aX_i - a\mu_X)^2}{N} = \frac{\sum\limits^N (a(X_i - \mu_X))^2}{N}$$

$$= \frac{\sum\limits^N a^2(X_i - \mu_X)^2}{N} = a^2 \frac{\sum\limits^N (X_i - \mu_X)^2}{N}$$

$$= a^2 \sigma_X^2.$$

— Preuve au sujet de l'écart type:

$$\sigma_Y = \sqrt{\sigma_Y^2} = \sqrt{a^2 \sigma_X^2} = |a|\sigma_X.$$

## 4.3. MÉTHODE POUR SIMPLIFIER LE CALCUL DES CARACTÉRISTIQUES DE CERTAINES VARIABLES

Une application intéressante des transformations linéaires consiste à utiliser une variable intermédiaire pour simplifier le calcul des caractéristiques d'une variable dont les valeurs sont trop lourdes.

À titre d'exemple, considérons cette distribution d'une variable $X$ quelconque:

| $[B_{i-1} ; B_i)$ | $C_i$ | $N_i$ |
|---|---|---|
| [2 100 ; 2 110) | 2 105 | 3 |
| [2 110 ; 2 120) | 2 115 | 8 |
| [2 120 ; 2 130) | 2 125 | 12 |
| [2 130 ; 2 140) | 2 135 | 20 |
| [2 140 ; 2 150) | 2 145 | 32 |
| [2 150 ; 2 160) | 2 155 | 30 |
| [2 160 ; 2 170) | 2 165 | 19 |
| [2 170 ; 2 180) | 2 175 | 15 |
| [2 180 ; 2 190) | 2 185 | 9 |
| [2 190 ; 2 200) | 2 195 | 1 |

Ici, les calculs de la moyenne et de la variance, entre autres, seraient longs à effectuer à cause de la lourdeur des $C_i$. Voici une méthode pour contourner la difficulté:

**D'abord, imaginer une nouvelle variable $X'$** qui, tout en possédant une distribution équivalente à celle de $X$, sera composée de valeurs numériques permettant les calculs les plus simples possibles.

Pour notre exemple, nous pourrions définir, entre autres,

$$X' = \frac{X - 2\,145}{10},$$

ce qui nous amènerait à la table de fréquences suivante:

| $[B_{i-1} \,;\, B_i)$ | $C_i$ | $N_i$ | $C_i'$ |
|---|---|---|---|
| [2 100 ; 2 110) | 2 105 | 3 | −4 |
| [2 110 ; 2 120) | 2 115 | 8 | −3 |
| [2 120 ; 2 130) | 2 125 | 12 | −2 |
| [2 130 ; 2 140) | 2 135 | 20 | −1 |
| [2 140 ; 2 150) | 2 145 | 32 | 0 |
| [2 150 ; 2 160) | 2 155 | 30 | 1 |
| [2 160 ; 2 170) | 2 165 | 19 | 2 |
| [2 170 ; 2 180) | 2 175 | 15 | 3 |
| [2 180 ; 2 190) | 2 185 | 9 | 4 |
| [2 190 ; 2 200) | 2 195 | 1 | 5 |

et nous permettrait d'obtenir des $C_i'$

— gravitant autour de 0 (plutôt qu'autour de 2 145)
— et distancés d'une longueur de 1 (plutôt que de 10).

**Ensuite, calculer les valeurs respectives de la moyenne et de la variance de cette nouvelle variable.**

| $[B_{i-1} \,;\, B_i)$ | $C_i$ | $C_i'$ | $N_i$ | $N_i C_i'$ | $N_i C_i'^2$ |
|---|---|---|---|---|---|
| [2 100 ; 2 110) | 2 105 | −4 | 3 | −12 | 48 |
| [2 110 ; 2 120) | 2 115 | −3 | 8 | −24 | 72 |
| [2 120 ; 2 130) | 2 125 | −2 | 12 | −24 | 48 |
| [2 130 ; 2 140) | 2 135 | −1 | 20 | −20 | 20 |
| [2 140 ; 2 150) | 2 145 | 0 | 32 | 0 | 0 |
| [2 150 ; 2 160) | 2 155 | 1 | 30 | 30 | 30 |
| [2 160 ; 2 170) | 2 165 | 2 | 19 | 38 | 76 |
| [2 170 ; 2 180) | 2 175 | 3 | 15 | 45 | 135 |
| [2 180 ; 2 190) | 2 185 | 4 | 9 | 36 | 144 |
| [2 190 ; 2 200) | 2 195 | 5 | 1 | 5 | 25 |
|  |  |  | 149 | 74 | 598 |

soit $\mu_{X'} = 74/149 = 0{,}4966$

et $\sigma^2_{X'} = 598/149 - (74/149)^2 = 3{,}766\,77.$

**Enfin, exprimer $X$ en fonction de $X'$** et utiliser cette nouvelle écriture d'une transformation linéaire pour déduire facilement les moyenne et variance de $X$ de celles de $X'$.

Ainsi, dans notre exemple,

$$X' = \frac{X - 2\,145}{10} \longrightarrow X = 10X' + 2\,145.$$

Dès lors, par application du théorème énoncé à la section 4.2.,

$$\mu_X = 10\mu_{X'} + 2\,145 = 10 \cdot 0{,}4966 + 2\,145 = 2\,149{,}966$$

et $\sigma^2_X = 10^2 \cdot \sigma^2_{X'} = 100 \cdot 3{,}766\,77 = 376{,}677.$

**NOTE**

Dans cet exemple, une autre translation que celle que nous avons utilisée ($-2\,145$) aurait tout aussi bien pu faire l'affaire. En effet, ce qui importe dans cette méthode, ce n'est pas tellement le choix de la translation comme le fait de bien appliquer, à la fin de l'exercice, la fonction **inverse de celle choisie au départ.**

## 4.4. PROBLÈMES

1. Au problème n° 9 du chapitre 1, nous avons étudié la distribution des maxima de température du mois d'août 1986, enregistrés à l'aéroport de Québec–Sainte-Foy, en degrés Celsius. Les principaux paramètres de cette distribution étaient les suivants:

   $\mu = 22{,}03°,$      $Md = 22{,}58°,$      $Mo = 23°,$      $\sigma^2 = 9{,}97$ degrés$^2$
   et $\sigma = 3{,}157°.$

   Quelles auraient été les valeurs de ces paramètres si l'on avait étudié ces températures en degrés Fahrenheit plutôt qu'en degrés Celsius?

   *Note.* — La formule d'équivalence entre ces deux types de degrés est la suivante:
   °F = 1,8°C + 32°.

2. La distribution de l'échantillon de parcours en taxi que nous avons étudiée au n° 12 des problèmes du chapitre 1 comportait les paramètres suivants:

   $md = 7{,}893$ km,    $\bar{x} = 8{,}74$ km,    $s^2 = 33{,}7624$ km$^2$   et   $s = 5{,}81$ km.

Imaginons que les tarifs de cette chaîne de taxis soient fixés à 2,00 $ de base par voyage, plus 0,50 $ du kilomètre. Quelles seraient alors les valeurs respectives de la médiane, de la moyenne, de la variance et de l'écart type du prix d'un voyage, en dollars, pour l'échantillon que nous avons étudié?

3. Les notes (sur 100) des 30 étudiants d'une classe sont distribuées de telle sorte que:

$$\mu = 50, \qquad Md = 60 \qquad \text{et} \qquad \text{étendue} = 80.$$

Le professeur décide de majorer ces notes, mais il hésite entre les deux façons suivantes de procéder:
— augmenter de 10% la note de chaque étudiant,
— hausser la note de chacun de 5 points.

a) Noter
   $X$, la note actuelle d'un étudiant,
   $Y$, la note obtenue avec le premier type de majoration proposé,
   $W$, la note obtenue avec le second type de majoration proposé,
   et décrire $Y$ et $W$ en fonction de $X$.

b) Calculer la moyenne, la médiane et l'étendue pour chacune des variables $Y$ et $W$.

c) Quel groupe d'étudiants chacun de ces modes de majoration avantagerait-il?

d) Lequel de ces modes avantagerait le plus grand nombre d'étudiants?

e) Quelle façon de majorer le professeur devrait-il choisir? Justifier votre réponse.

4. Les notes (sur 100) des 30 étudiants d'une classe sont distribuées de telle sorte que:

$$\mu = 65, \qquad Md = 60 \qquad \text{et} \qquad \sigma = 7.$$

Le professeur décide de majorer ces notes, mais il hésite entre les deux façons suivantes de procéder:
— augmenter de 5% la note de chaque étudiant,
— hausser la note de chacun de 3 points.

a) Noter
   $X$, la note actuelle d'un étudiant;
   $Y$, la note obtenue avec le premier type de majoration proposé;
   $W$, la note obtenue avec le second type de majoration proposé;
   et décrire $Y$ et $W$ en fonction de $X$.

b) Calculer la moyenne, la médiane et l'écart type pour chacune des variables $Y$ et $W$.

c) Y a-t-il ici une modification qui avantagerait plus d'étudiants?

d) Quelle façon de majorer le professeur devrait-il choisir ici? Justifier votre réponse.

5. Un théâtre offre 4 catégories de billets, selon qu'un siège est plus ou moins près de la scène. Présentement, on fait salle comble à toutes les représentations. Le prix moyen du billet est de 16,00 $ et l'écart type, pour l'ensemble des billets vendus à chaque représentation, de 4,00 $. Mais, comme on n'arrive pas à couvrir tous les frais, on voudrait hausser les prix de telle sorte que le coût moyen d'un billet passerait à 19,00 $ et l'écart type à 4,50 $.

Quel type d'augmentation pourrait-on proposer pour remplir ces deux exigences?

*Note.* — On considérera ici qu'une hausse des prix n'affectera pas le nombre de spectateurs.

6. Utiliser la méthode simplifiée pour calculer la moyenne, la variance et l'écart type des distributions suivantes:

a)

| $[b_{i-1} ; b_i)$ | $n_i$ |
|---|---|
| [5 125 ; 5 150) | 4 |
| [5 150 ; 5 175) | 10 |
| [5 175 ; 5 200) | 15 |
| [5 200 ; 5 225) | 20 |
| [5 225 ; 5 250) | 10 |
| [5 250 ; 5 275) | 5 |
| [5 275 ; 5 300) | 1 |

b)

| $[B_{i-1} ; B_i)$ | $N_i$ |
|---|---|
| [1 050 ; 1 200) | 3 |
| [1 200 ; 1 250) | 8 |
| [1 250 ; 1 300) | 12 |
| [1 300 ; 1 350) | 10 |
| [1 350 ; 1 400) | 5 |
| [1 400 ; 1 500) | 2 |

# Probabilités

CHAPITRE **5**

# Calcul de probabilités (et analyse combinatoire)

Alors qu'en statistique notre étude portait sur les **données concrètes** d'une cueillette **effectuée antérieurement**, en probabilités nous essayerons plutôt de **prévoir, avant de réaliser une expérience**, l'ensemble des résultats possibles, de même que les chances, les « probabilités », que se produise chacun de ces résultats. Nous laisserons donc l'étude d'un **contexte réel** pour travailler cette fois sur un **contexte théorique**.

Dans ce chapitre, nous proposons les points suivants:

— définition des éléments constituants d'un tel contexte;
— formules de base des calculs de probabilités;
— formules de « dénombrement » nécessaires à certains calculs de probabilités, présentées dans la section traitant de l'analyse combinatoire.

## 5.1. ÉLÉMENTS CONSTITUANTS D'UN CONTEXTE DE PROBABILITÉS

### 5.1.1. Expérience aléatoire

Toute étude de probabilités commence de la même manière: on imagine la réalisation d'une « expérience aléatoire ».

DÉFINITION

> Une expérience aléatoire est une épreuve que l'on peut, en principe, refaire à volonté et dont l'issue est déterminée par le hasard. Elle se caractérise par le fait
>
> — qu'on connaît l'ensemble des résultats possibles,
>
> — mais qu'on ne peut prédire lequel de ces résultats se produira au moment de sa réalisation.

— Le jet d'un dé;
— le choix, au hasard, d'une boule dans une urne.

## 5.1.2. Espace échantillonnal

Quelle que soit l'expérience aléatoire imaginée, il est toujours possible d'en décrire « l'espace échantillonnal » associé.

**NOTATION ET DÉFINITION**

L'espace échantillonnal, qu'on note $S$, est l'ensemble des résultats possibles d'une expérience aléatoire.

**EXEMPLE**

Imaginons qu'on se propose de lancer un dé. L'espace échantillonnal de cette expérience aléatoire est alors l'ensemble $S = \{1 , 2 , 3 , 4 , 5 , 6\}$.

Pour les calculs de probabilités, il sera important de distinguer si un espace échantillonnal est **fondamental** ou non.

**DÉFINITION**

Un espace échantillonnal est dit fondamental si **chacun** de ses résultats possibles **possède autant de chances que les autres** de se présenter.

**EXEMPLE ET CONTRE-EXEMPLE**

Une expérience aléatoire consiste à lancer une paire de dés (un rouge et un vert).

On peut s'intéresser ici

— aux différents couples (r,v) de nombres qui peuvent sortir
 ou encore
— aux différentes sommes (r + v) qu'on peut obtenir.

Suivant chacune de ces études, les espaces échantillonnaux vont différer. Ainsi,

pour la première étude:

$$S_1 = \left\{ \begin{array}{l} (1,1) , (1,2) , (1,3) , (1,4) , (1,5) , (1,6) \\ (2,1) , (2,2) , (2,3) , (2,4) , (2,5) , (2,6) \\ (3,1) , (3,2) , (3,3) , (3,4) , (3,5) , (3,6) \\ (4,1) , (4,2) , (4,3) , (4,4) , (4,5) , (4,6) \\ (5,1) , (5,2) , (5,3) , (5,4) , (5,5) , (5,6) \\ (6,1) , (6,2) , (6,3) , (6,4) , (6,5) , (6,6) \end{array} \right\}$$

alors que pour la deuxième:

$$S_2 = \{2, 3, 4, 5, 6, 7, 8, 9, 10, 11, 12\}.$$

Si nous considérons l'espace échantillonnal $S_1$, nous observons que chacun de ses résultats a autant de chances que les autres de se présenter, soit 1 chance sur 36. $S_1$ est donc un espace échantillonnal **fondamental**.

Par contre, en considérant l'espace échantillonnal $S_2$, nous pouvons constater que les divers résultats peuvent provenir de nombres différents de situations. Ainsi, une somme de 5 peut être obtenue de l'une ou l'autre des 4 situations suivantes:

1 pour le dé rouge et 4 pour le dé vert,
2 pour le dé rouge et 3 pour le dé vert,
3 pour le dé rouge et 2 pour le dé vert,
4 pour le dé rouge et 1 pour le dé vert,

alors qu'une somme de 2 ne peut venir que d'une seule possibilité:

1 pour le dé rouge et 1 pour le dé vert.

Chaque fois qu'on lance les dés, on a donc 4 fois plus de chances d'obtenir une somme de 5 qu'une somme de 2. Certains résultats de $S_2$ sont donc plus (ou moins) probables que d'autres et, à cause de cela, on dit que $S_2$ est un espace échantillonnal **non fondamental**.

## 5.1.3. Événement

Lors du calcul d'une probabilité, on veut savoir quelles sont les chances d'obtenir un résultat d'un type particulier au moment de la réalisation d'une expérience aléatoire. On veut alors connaître la probabilité d'un événement donné.

**DÉFINITION**

Un événement est un sous-ensemble de $S$.

**NOTATION**

Un événement constituant un ensemble, on le note à l'aide d'une lettre majuscule (choisie de préférence au début de l'alphabet, du moins pour les énoncés théoriques).

**EXEMPLE**

Imaginons qu'on se propose de lancer un dé. Ici,

$$S = \{1, 2, 3, 4, 5, 6\}$$

et on peut considérer, entre autres, l'événement suivant:

$$A = \text{obtenir un nombre pair} = \{2, 4, 6\}.$$

## 5.2. CALCUL DE P(A) EN ÉQUIPROBABILITÉ

### 5.2.1. Formule

Considérant une expérience aléatoire, si on est en équiprobabilité, c'est-à-dire si l'**espace échantillonnal** $S$ est **fondamental**, la probabilité d'obtenir l'événement $A$, notée P($A$), est calculée à l'aide de la formule suivante:

$$P(A) = \frac{\text{nombre de cas favorables à } A}{\text{nombre de cas possibles}} = \frac{\#A}{\#S} .$$

**EXEMPLES**

— Lors du jet d'un dé, quelle est la probabilité d'obtenir un nombre pair?

$$P(\text{pair}) = \frac{\#\{2, 4, 6\}}{\#\{1, 2, 3, 4, 5, 6\}} = \frac{3}{6} = \frac{1}{2} .$$

— Quelle est la probabilité d'obtenir un as lorsqu'on tire une carte d'un jeu de 52 cartes?

$$P(\text{as}) = \frac{\#\{as\}}{\#\{carte\}} = \frac{4}{52} = \frac{1}{13} .$$

— Un chapeau contient 200 billets dont 15 sont au nom de Jean Lachance. On tire un billet du chapeau. Quelle est la probabilité de tirer un des billets de Jean Lachance?

$$P(\text{J.L.}) = \frac{\#\{J.L.\}}{\#\{billet\}} = \frac{15}{200} .$$

— Dans une famille de 3 enfants, quelle est la probabilité que le plus vieux soit un garçon et les deux plus jeunes, des filles?

Ici, $\quad S = \{ggg, ggf, gfg, gff, fgg, fgf, ffg, fff\}$,

alors $\quad P(gff) = \dfrac{1}{8} .$

Quelle est la probabilité qu'une telle famille compte 1 garçon et 2 filles?

$$P(\text{1 garçon et 2 filles}) = P(gff, fgf, ffg) = \frac{3}{8} .$$

Ce dernier exemple illustre bien la difficulté que peut soulever cette formule de P($A$). Bien que d'aspect très simple, celle-ci exigera toujours, au point de départ, une **bonne visualisation de l'espace échantillonnal**, ce qui demandera parfois une attention particulière. C'est d'ailleurs pour répondre à ce problème que nous développerons, à la section 5.4., toute une théorie sur le dénombrement des éléments de *S*: l'analyse combinatoire. Mais auparavant, présentons certaines règles fondamentales du calcul des probabilités.

## 5.2.2. Propriétés de la formule de calcul de P(*A*)

*Énoncés*

---

1) Quel que soit l'événement *A*,  $0 \leq P(A) \leq 1$.

2) $P(\varnothing) = 0$
   $P(S) = 1$.

3) Si $A \cap B = \varnothing$,
   alors  $P(A \cup B) = P(A) + P(B)$.

---

*Preuves*

1) Conséquence directe de la formule:  $P(A) = \dfrac{\#A}{\#S}$ .

2) $P(\varnothing) = \dfrac{\#\varnothing}{\#S} = \dfrac{0}{\#S} = 0$

   $P(S) = \dfrac{\#S}{\#S} = 1$.

3) Si $A \cap B = \varnothing$,

   alors  $P(A \cup B) = \dfrac{\#(A \cup B)}{\#S}$

   $= \dfrac{\#A + \#B}{\#S} = \dfrac{\#A}{\#S} + \dfrac{\#B}{\#S} = P(A) + P(B)$.

**EXEMPLE DE 3)**      Quelle est la probabilité d'obtenir un as ou un valet lorsqu'on tire, au hasard, une carte d'un jeu de 52 cartes?

Ici, {as} ∩ {valet} = ∅, donc

P(as ou valet) = P(as) + P(valet) = 4/52 + 4/52 = 8/52 = 2/13.

On appelle
— événement **impossible** un événement $A$ tel que $P(A) = 0$,
— événement **certain** un événement $A$ tel que $P(A) = 1$,
— événements **disjoints**, **incompatibles** ou **exclusifs** des événements $A$ et $B$ tels que $A \cap B = \emptyset$ (donc tels que $P(A \cap B) = 0$).

## 5.2.3. Théorèmes conséquents à la formule de calcul de $P(A)$

### Théorème 1

Soit $A$ un événement d'un espace échantillonnal donné, alors
$$P(\overline{A}) = 1 - P(A).$$

**Preuve**

$$P(\overline{A}) = \frac{\#\overline{A}}{\#S}$$

$$= \frac{\#S - \#A}{\#S} = \frac{\#S}{\#S} - \frac{\#A}{\#S} = 1 - P(A).$$

### Théorème 2

Soit $A$ et $B$, deux événements **quelconques** d'un espace échantillonnal donné, alors
$$P(A \cup B) = P(A) + P(B) - P(A \cap B).$$

**Preuve**

$$P(A \cup B) = \frac{\#(A \cup B)}{\#S}$$

$$= \frac{\#A + \#B - \#(A \cap B)}{\#S}$$

$$= \frac{\#A}{\#S} + \frac{\#B}{\#S} - \frac{\#(A \cap B)}{\#S} = P(A) + P(B) - P(A \cap B).$$

## Théorème 3

Soit $A$ et $B$, deux événements quelconques d'un espace échantillonnal donné, alors

$$P(A \setminus B) = P(A) - P(A \cap B).$$

*Preuve*

$$P(A \setminus B) = \frac{\#(A \setminus B)}{\#S}$$

$$= \frac{\#A - \#(A \cap B)}{\#S} = \frac{\#A}{\#S} - \frac{\#(A \cap B)}{\#S} = P(A) - P(A \cap B).$$

# 5.3. CALCUL DE P($A$) EN NON ÉQUIPROBABILITÉ

Dans un calcul de P($A$), l'objectif est de comparer le nombre de **chances** réservées à $A$ au total de celles de tous les résultats possibles. Si chacun de ces résultats a autant de chances que les autres de se présenter, il va de soi que

$$P(A) = \frac{\text{nombre de chances attribuées à } A}{\text{nombre total des chances}}$$

$$= \frac{\text{nombre de cas favorables à } A}{\text{nombre de cas possibles}} = \frac{\#A}{\#S}$$

puisqu'il existe alors une parfaite proportionnalité entre le nombre de chances réservées à un événement donné et le nombre de cas favorables à cet événement.

Par contre, si certains résultats sont plus (ou moins) probables que d'autres, il nous faut alors utiliser un nouvel ensemble, $S'$, qui décrit l'ensemble des **chances possibles** et à l'intérieur duquel on retrouve l'ensemble $A'$ des **chances réservées à $A$**. Le calcul de P($A$) s'effectue alors en utilisant la formule suivante:

$$P(A) = \frac{\text{nombre de chances attribuées à } A}{\text{nombre total des chances}} = \frac{\#A'}{\#S'} .$$

**EXEMPLE**

Un dé est pipé de telle sorte que lorsqu'on le lance, on a deux fois plus de chances d'obtenir un nombre pair qu'un nombre impair, tout en ayant des chances égales pour les nombres pairs entre eux, de même que pour les nombres impairs entre eux. On lance ce dé. Quelle est la probabilité d'obtenir un nombre inférieur ou égal à 3?

Ici, $S = \{1, 2, 3, 4, 5, 6\}$ est non fondamental,

mais $S' = \{1, 2, 2, 3, 4, 4, 5, 6, 6\}$

$\qquad$ = l'espace échantillonnal des chances possibles

est un espace échantillonnal fondamental.

Ainsi, $P(\leq 3) = \dfrac{\#\{\leq 3\}'}{\#S'} = \dfrac{\#A'}{\#S'} = \dfrac{4}{9}$, $\qquad$ où $A' = \{1, 2, 2, 3\}$.

**NOTE** $\qquad$ Les propriétés de la formule du calcul de P(A), de même que ses théorèmes conséquents, présentés à la section 5.2., s'appliquent encore dans ce contexte. (Les preuves s'effectuent de la même façon que celles développées à la section 5.2., en remplaçant simplement les cardinaux des ensembles A, B, ..., S par ceux de A', B', ..., S'.)

## Exercices

Effectuer les problèmes 1 à 10 de la section 5.5.

## 5.4. ANALYSE COMBINATOIRE

Très souvent, dans un problème de probabilités, les calculs de $\#A$ et de $\#S$ nous amènent à nous poser la question suivante: « De combien de manières différentes peut-on effectuer telle ou telle expérience proposée? »

Le chapitre de la mathématique qui tente de répondre à ce genre de question porte le nom d'analyse combinatoire. C'est donc à cette étude que nous nous attarderons maintenant.

### 5.4.1. Notion préliminaire: factorielle d'un nombre naturel

Avant de procéder à l'étude des différents contextes de l'analyse combinatoire, présentons d'abord un outil indispensable à la solution de plusieurs de ces problèmes: la factorielle d'un nombre naturel.

Soit $n \in \mathbb{N}$, alors la factorielle de $n$, notée $n!$, se définit comme suit:

$$n! = n \cdot (n-1) \cdot \ldots \cdot 1 \quad \text{si } n \neq 0$$
$$= 1 \quad \text{si } n = 0.$$

**EXEMPLES**

$$5! = 5 \cdot 4 \cdot 3 \cdot 2 \cdot 1 = 120$$
$$8! = 8 \cdot 7 \cdot 6 \cdot 5 \cdot 4 \cdot 3 \cdot 2 \cdot 1 = 40\,320$$
$$0! = 1.$$

### Simplification

Pour simplifier un rapport de deux factorielles, on développe d'abord la plus grande de celles-ci jusqu'à ce qu'elle atteigne la plus petite, et on procède ensuite à la simplification des factorielles identiques.

**EXEMPLE**

$$\frac{8!}{5!} = \frac{8 \cdot 7 \cdot 6 \cdot 5!}{5!} = 8 \cdot 7 \cdot 6 = 336.$$

Attention, surtout, de ne pas simplifier des factorielles comme des nombres naturels.

Ainsi, $\dfrac{10!}{5!} \neq 2!$, car

$$\frac{10!}{5!} = \frac{10 \cdot 9 \cdot 8 \cdot 7 \cdot 6 \cdot 5!}{5!} = 30\,240.$$

## 5.4.2. Formules de dénombrement

### Règle de multiplication ou règle d'addition

Dans un problème de dénombrement,

— si chacune des étapes d'un choix s'effectue **avec** chacune des autres, on applique alors la règle de **multiplication**.

Par contre,

— si un choix peut se faire **ou bien** d'une façon **ou bien** d'une autre, on applique plutôt la règle d'**addition**.

Attention! si ce choix peut se faire d'une façon **ou** d'une autre (le « ou » étant ici inclusif), on doit se conformer à la règle de la théorie des ensembles qui veut que

$$\#(A \cup B) = \#A + \#B - \#(A \cap B).$$

**EXEMPLE 1**    Jacques arrive au restaurant. Il désire prendre un repas complet (c'est-à-dire un potage, un plat de résistance, un légume, un dessert et une boisson). On lui présente un menu à la carte offrant un choix de 6 potages, 4 plats de résistance, 3 légumes, 5 desserts et 8 boissons. Combien de repas complets différents Jacques peut-il composer?

Ici, la composition d'un repas complet suppose un choix de potage **avec** un choix de plat de résistance **avec** un choix de légume **avec** un choix de dessert **avec**, enfin, un choix de boisson.

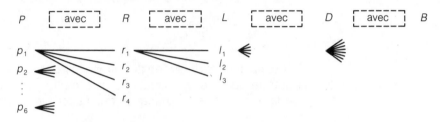

Pour calculer le nombre de repas qu'il est ainsi possible de composer, on utilise donc la règle de **multiplication**, ce qui donne

$$6 \cdot 4 \cdot 3 \cdot 5 \cdot 8 = 2\ 880 \text{ repas possibles.}$$

### Illustration de la règle de multiplication à l'aide de cases

Souvent, lorsqu'un problème fait appel à la règle de multiplication, on en présente la solution à l'aide de cases **adjacentes** à l'intérieur desquelles on inscrit le **nombre de possibilités** pour chacune des étapes de choix.

Ainsi, dans notre exemple, la présentation

$$\boxed{6}\ \boxed{4}\ \boxed{3}\ \boxed{5}\ \boxed{8}$$

décrirait une solution dans laquelle

— on a à effectuer 5 choix successifs (puisqu'on y compte 5 cases);
— ces choix s'effectuent les uns **avec** les autres (ceci est spécifié par l'usage de cases **adjacentes**);
— il existe 6 façons d'effectuer le premier de ces choix,
    4 façons pour le deuxième,
    3 façons pour le troisième,
    5 façons pour le quatrième et
    8 façons pour le cinquième;
— enfin, le nombre total de possibilités de repas correspond au **produit** des nombres qu'on retrouve dans chacune de ces cases.

**EXEMPLE 2**    Jeanne vient au restaurant pour prendre une collation (c'est-à-dire ou bien un potage, ou bien un sandwich, ou bien un dessert). On lui présente un menu offrant un choix de 5 potages, 7 sandwiches et 4 desserts. Combien de collations différentes peut-elle choisir?

Dans ce cas-ci, comme Jeanne doit effectuer son choix de la façon suivante:

$P$ [ ou bien ] $S$ [ ou bien ] $D$

$p_1$ ou $p_2$ ou ... $p_5$    ou    $s_1$ ou ... $s_7$    ou    $d_1$ ou ... $d_4$

on doit faire appel à la règle d'**addition** pour calculer qu'elle a $5 + 7 + 4 = 16$ possibilités de collations différentes.

**EXEMPLE 3**    Dans un jeu de 52 cartes, combien en compte-t-on qui soient une carte rouge ou un as?

Ici, #{rouge ou as} = #{rouge} + #{as} − #{as rouge}

$$= 26 + 4 - 2 = 28.$$

## *Problèmes nécessitant des choix dans des ensembles différents*

> Le nombre de possibilités de choix conjoints de $r$ éléments tirés respectivement dans $r$ ensembles différents $A_1, A_2, ..., A_r$, tous composés d'éléments distincts, est égal à
> $$\#A_1 \cdot \#A_2 \cdot ... \cdot \#A_r.$$

**EXEMPLE**    Ce matin, Louis veut porter un chandail, un pantalon, une paire de bas et une paire de souliers. Il possède 6 chandails, 4 pantalons, 12 paires de bas et 3 paires de souliers, tous différents. De combien de façons différentes peut-il s'habiller (s'il ne tient pas compte du fait que tel chandail ne va pas avec tel pantalon, etc.)?

Dans cet exemple, le choix d'une tenue complète consiste en un choix conjoint de 4 éléments tirés respectivement de chacun des 4 ensembles différents de vêtements (c'est-à-dire d'un chandail **avec** un pantalon **avec** une paire de bas **avec**, enfin, une paire de souliers).

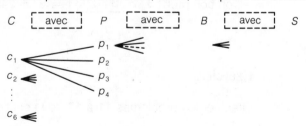

Le nombre de solutions possibles est donc de:

$$\boxed{6 \mid 4 \mid 12 \mid 3} = \#C \cdot \#P \cdot \#B \cdot \#S = 6 \cdot 4 \cdot 12 \cdot 3 = 864.$$

## *Problèmes avec répétitions permises*

> Le nombre de possibilités de choix conjoints de $r$ éléments tirés successivement et **avec remise** d'un même ensemble contenant $n$ éléments distincts est égal à
>
> $$\underbrace{n \cdot n \cdot n \cdot \ldots \cdot n}_{r \text{ fois}} = n^r.$$

**EXEMPLE**

Une urne contient une boule rouge, une noire et une blanche. On pige une boule, on note sa couleur, on la remet dans l'urne et on pige à nouveau... Par ce processus, combien de suites différentes de couleurs peut-on obtenir en effectuant 5 essais consécutifs?

Ici, comme l'opération consiste à tirer, avec remise, 5 fois de suite dans un même ensemble contenant 3 éléments distincts,

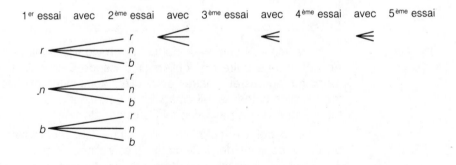

on compte $\boxed{3 \mid 3 \mid 3 \mid 3 \mid 3} = 3^5 = 243$ suites (ou quintuplets) possibles.

## Exercices

Effectuer les problèmes 11 à 17 de la section 5.5.

## Arrangements

**DÉFINITION,
NOTATION
ET FORMULE**

> On appelle **arrangement de $r$ éléments dans $n$** un choix **ordonné** de $r$ éléments **distincts** pris dans un même ensemble de $n$ éléments **distincts**. Le **nombre** d'arrangements de $r$ éléments dans $n$ est noté $A_r^n$ et ce nombre vaut
>
> $$\frac{n!}{(n-r)!}.$$

**EXEMPLE**

Marie a reçu 5 livres différents en cadeau. Si elle veut disposer 3 d'entre eux sur son bureau, entre ses appuis-livres, combien de possibilités a-t-elle?

Ici, Marie doit choisir 3 livres différents dans un même ensemble contenant 5 livres distincts et ce, pour les placer entre eux.

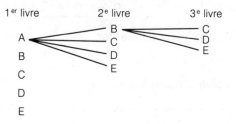

Elle doit donc effectuer un « arrangement » de 3 éléments dans 5 et, par le fait même, elle peut s'y prendre de

$$\boxed{5}\ \boxed{4}\ \boxed{3} = \frac{5 \cdot 4 \cdot 3 \cdot 2 \cdot 1}{2 \cdot 1} = \frac{5!}{2!} = \frac{5!}{(5-3)!} = A_3^5 = 60$$

façons différentes.

## Permutations

**DÉFINITION,
NOTATION
ET FORMULE**

> On appelle **permutation de $n$ éléments** une façon d'**ordonner** entre eux $n$ éléments **distincts**. Le **nombre** de permutations de $n$ éléments est noté $P_n$ et ce nombre vaut
>
> $$n!.$$

**EXEMPLE**

Marie a reçu 5 livres différents en cadeau. De combien de façons peut-elle les disposer entre des appuis-livres?

Cette fois, Marie doit simplement disposer ses 5 livres différents l'un à côté de l'autre

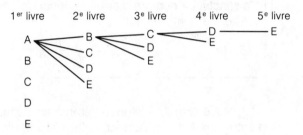

N'ayant qu'à choisir l'une des permutations possibles de ses 5 livres, elle a donc le choix entre

$$P_5 = \boxed{5 \mid 4 \mid 3 \mid 2 \mid 1} = 5! = 120$$

dispositions différentes.

### Règle d'équivalence

> Il est toujours possible de considérer une permutation de $n$ éléments comme un arrangement de $n$ éléments dans $n$, d'où l'égalité suivante: $P_n = A_n^n$.

### Preuve

$$A_n^n = \frac{n!}{(n-n)!} = \frac{n!}{0!} = n! = P_n.$$

Ainsi, dans notre dernier exemple, nous pourrions tout aussi bien considérer que Marie doit effectuer un choix de 5 livres différents dans un même ensemble de 5 livres distincts et ce, pour les placer entre eux. Cette autre façon de voir le problème nous donnerait encore un ensemble de

$$A_5^5 = \frac{5!}{(5-5)!} = \frac{5!}{0!} = 5! = 120$$

dispositions différentes.

# Exercices

Effectuer les problèmes 18 à 28 de la section 5.5.

## *Combinaisons*

**DÉFINITION, NOTATION ET FORMULE**

> On appelle **combinaison de r éléments dans n** un choix **non ordonné** de r éléments **distincts** pris dans un même ensemble de n éléments **distincts**. Le **nombre** de combinaisons de r éléments dans n est noté $C_r^n$ et ce nombre vaut
>
> $$\frac{n!}{(n-r)!\,r!}\,.$$

**EXEMPLE**

Marie a reçu 5 livres différents en cadeau. Elle part en voyage et désire en apporter 3 avec elle. De combien de façons peut-elle arrêter son choix?

Dans ce cas-ci, Marie doit simplement **choisir** 3 livres différents dans un même ensemble contenant 5 livres distincts, **sans avoir à les placer entre eux**. D'après la formule que nous venons de présenter ci-haut, elle se retrouve donc devant

$$C_3^5 = \frac{5!}{2!\,3!} = \frac{5 \cdot 4 \cdot 3!}{2!} \cdot \frac{}{3!} = 10$$

façons possibles d'arrêter son choix.

### *Solution sans faire appel aux cases*

Jusqu'ici, il nous avait toujours été possible, dans les applications de la règle de multiplication, d'illustrer nos calculs de dénombrement à l'aide de cases; maintenant ça ne l'est plus. En effet, on utilise les cases uniquement pour préciser le nombre de possibilités pour des choix conjoints composés de choix **successifs**, de choix d'éléments devant jouer des **rôles différents** ou de choix **ordonnés** d'éléments.

Dans le cas qui nous intéresse cette fois, il s'agit plutôt d'un choix **global** qu'on effectue **d'un seul coup**, sans attribuer de provenance, de rôle ou d'ordre spécifiques aux différents éléments choisis. **Il ne nous est donc plus permis de faire appel aux cases** pour résoudre un tel type de problème.

*Règle d'équivalence*

Mais alors, comment justifier la formule du nombre $C_r^n$ présentée ci-haut? Une comparaison entre $C_r^n$ et $A_r^n$ nous permet d'établir la règle suivante:

$$C_r^n = \frac{A_r^n}{P_r} = \frac{\text{nombre de choix ordonnés de } r \text{ éléments distincts}}{\text{nombre de permutations de ces } r \text{ éléments}} \;.$$

d'où la formule:

$$C_r^n = \frac{\dfrac{n!}{(n-r)!}}{r!} = \frac{n!}{(n-r)!\, r!} \;.$$

Ainsi, dans notre exemple, si nous comparons les 60 possibilités de choix **ordonnés** de 3 livres différents, parmi 5 livres distincts, que Marie peut effectuer:

| | | | | |
|---|---|---|---|---|
| A B C | B A C | C A B | D A B | E A B |
| A B D | B A D | C A D | D A C | E A C |
| A B E | B A E | C A E | D A E | E A D |
| A C B | B C A | C B A | D B A | E B A |
| A C D | B C D | C B D | D B C | E B C |
| A C E | B C E | C B E | D B E | E B D |
| A D B | B D A | C D A | D C A | E C A |
| A D C | B D C | C D B | D C B | E C B |
| A D E | B D E | C D E | D C E | E C D |
| A E B | B E A | C E A | D E A | E D A |
| A E C | B E C | C E B | D E B | E D B |
| A E D | B E D | C E D | D E C | E D C |

aux 10 choix **non ordonnés** possibles:

| | | | | |
|---|---|---|---|---|
| A B C | A B D | A B E | A C D | A C E |
| A D E | B C D | B C E | B D E | C D E |

nous observons facilement que:

$$C_3^5 = \frac{\text{nombre de choix ordonnés de 3 livres différents parmi 5 livres distincts}}{\text{nombre de permutations des 3 livres entre eux}}$$

$$C_3^5 = \frac{A_3^5}{P_3} = \frac{\dfrac{5!}{2!}}{3!} = \frac{5!}{2!\,3!} \; .$$

## Exercices

Faire les problèmes 29 à 41 de la section 5.5.

### *Permutations discernables*

FORMULE

> Le nombre de permutations discernables de $n$ éléments incluant des sous-ensembles de $r_1$, $r_2$, ..., $r_k$ éléments respectivement identiques, est égal à
>
> $$\frac{n!}{r_1!\, r_2! \ldots r_k!} \; .$$

EXEMPLES

Nous savons que le nombre d'anagrammes différents que l'on peut composer avec les lettres du mot HIBOU est égal à $P_5 = 5! = 120$.

Mais combien d'anagrammes discernables peut-on composer avec les lettres du mot RARE?

Si les deux R étaient différents, il y aurait $4! = 24$ anagrammes possibles:

| | | | |
|---|---|---|---|
| R r A E | r R A E | A R r E | E R r A |
| R r E A | r R E A | A R E r | E R A r |
| R A r E | r A R E | A r R E | E r R A |
| R A E r | r A E R | A r E R | E r A R |
| R E r A | r E R A | A E R r | E A R r |
| R E A r | r E A R | A E r R | E A r R |

mais comme ces deux R sont identiques, il n'y en a que $\dfrac{4!}{2!} = 12$ discernables:

| | | | |
|---|---|---|---|
| R R A E | R A E R | A R R E | E R R A |
| R R E A | R E R A | A R E R | E R A R |
| R A R E | R E A R | A E R R | E A R R |

c'est-à-dire $\dfrac{4!}{\text{nombre de permutations \textbf{inutiles} des 2 R}}$ .

De la même manière, le nombre d'anagrammes discernables que l'on peut composer avec les lettres du mot ATTENTION est égal à

$$\frac{9!}{3!\,2!}$$

└→ pour l'ordre inutile considéré entre les 2 N,
└→ pour l'ordre inutile considéré entre les 3 T.

## Exercices

Faire les problèmes 42 à 64 de la section 5.5.

### *Permutations circulaires*

FORMULE

> Le nombre de permutations circulaires de $n$ éléments distincts est égal à $(n - 1)!$

EXEMPLE

De combien de façons différentes 6 personnes peuvent-elles se placer, **les unes par rapport aux autres**, autour d'une table ronde?

Ici, comme il n'y a ni début ni fin entre les sièges, il faut **d'abord** qu'une première personne s'asseye pour que les autres puissent ensuite se placer **par rapport à elle**. L'une de ces personnes est donc utilisée comme point de référence.

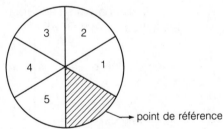

point de référence

et il reste aux autres $5! = (6 - 1)!$ dispositions possibles.

## Exercices

Effectuer les numéros 65 et 66 de la section 5.5.

### *Résumé des différentes formules de dénombrement*

Après toutes ces formules, voici un tableau qui nous aidera à les comparer et à les situer chacune dans son contexte spécifique.

**Deux règles de base**

— Règle de **multiplication**
Si chacune des étapes d'un problème de dénombrement s'effectue **avec** chacune des autres.

— Règle d'**addition**
Si un choix peut se faire **ou bien** d'une façon **ou bien** d'une autre (mais attention au $\#(A \cup B)$).

---

**Subdivisions des cas de la règle de multiplication**

1) Si on choisit un élément dans chacun des ensembles $A_1$, $A_2$, ..., $A_r$, tous composés d'éléments distincts, le nombre de choix conjoints possibles est alors égal à

$$\#A_1 \cdot \#A_2 \cdot ... \cdot \#A_r$$

2) Si on choisit $r$ éléments dans un même ensemble de $n$ éléments distincts, le nombre de possibilités de choix conjoints est de

   A) si les répétitions d'un même élément sont **permises**: $n^r$

   B) si les répétitions d'un même élément **ne sont pas permises**:

   *a)* si l'**ordre compte** entre les éléments choisis:

   $$A_r^n = \frac{n!}{(n-r)!}$$

   ou à la limite, si on choisit $n$ éléments parmi $n$,

   $$P_n = A_n^n = n!$$

   *b)* si l'**ordre ne compte pas** entre les éléments choisis:

   $$C_r^n = \frac{n!}{(n-r)!\,r!}$$

---

**Formules particulières**

— Permutations discernables
Le nombre de permutations discernables de $n$ éléments incluant des sous-ensembles de $r_1$, $r_2$, ..., $r_k$ éléments respectivement identiques, est égal à

$$\frac{n!}{r_1!\,r_2!\,...\,r_k!} \cdot$$

— Permutations circulaires
Le nombre de permutations circulaires de $n$ éléments distincts est égal à $(n-1)!$

## Exercices

Faire les problèmes 67 à 76 de la section 5.5.

### 5.4.3. Applications particulières de la formule de $C_r^n$

Pour terminer ce chapitre, nous porterons une attention spéciale à la formule de calcul de $C_r^n$. Certains grands mathématiciens, tels Pascal et Newton, en ont fait ressortir des propriétés intéressantes dont certaines applications sont surprenantes.

### *Observations pratiques*

Notons d'abord trois propriétés de cette formule qu'il sera souvent utile de connaître.

#### *Énoncé*

$$\forall\, n \in \mathbb{N}, \quad C_0^n = 1, \quad C_1^n = n \quad \text{et} \quad C_n^n = 1.$$

#### *Preuve*

$\forall\, n \in \mathbb{N},$

$$C_0^n = \frac{n!}{(n-0)!\,0!} = \frac{n!}{n!\,0!} = 1$$

$$C_1^n = \frac{n!}{(n-1)!\,1!} = \frac{n(n-1)!}{(n-1)!\,1!} = n$$

$$C_n^n = \frac{n!}{(n-n)!\,n!} = \frac{n!}{0!\,n!} = 1.$$

### *Règle de Pascal*

Voici maintenant une formule un peu plus complexe, dite « règle de Pascal ».

#### *Énoncé*

$$\forall\, r \text{ et } n \in \mathbb{N}, \text{ tels que } n \geqslant 2 \text{ et } r < n, \quad C_r^n = C_{r-1}^{n-1} + C_r^{n-1}.$$

*Preuve*

$$C_{r-1}^{n-1} + C_r^{n-1} = \frac{(n-1)!}{((n-1)-(r-1))!\,(r-1)!} + \frac{(n-1)!}{((n-1)-r)!\,r!}$$

$$= \frac{(n-1)!}{(n-1-r+1)!\,(r-1)!} + \frac{(n-1)!}{(n-1-r)!\,r!}$$

$$= \frac{(n-1)!}{(n-r)!\,(r-1)!} + \frac{(n-1)!}{(n-r-1)!\,r!}$$

$$= \frac{(n-1)!}{(n-r)(n-r-1)!\,(r-1)!} + \frac{(n-1)!}{(n-r-1)!\,r(r-1)!}$$

$$= \frac{r(n-1)! + (n-r)(n-1)!}{(n-r)(n-r-1)!\,r(r-1)!}$$

$$= \frac{[r+(n-r)](n-1)!}{(n-r)!\,r!} = \frac{(r+n-r)(n-1)!}{(n-r)!\,r!}$$

$$= \frac{n(n-1)!}{(n-r)!\,r!} = \frac{n!}{(n-r)!\,r!} = C_r^n.$$

## Triangle de Pascal

Imaginons, maintenant, que nous décidions de disposer les différentes possibilités de $C_r^n$ dans un tableau comme celui-ci:

| $n$ \ $r$ | 0 | 1 | 2 | 3 | 4 | 5 | 6 | 7 | ... |
|---|---|---|---|---|---|---|---|---|---|
| 0 | $C_0^0$ | | | | | | | | |
| 1 | $C_0^1$ | $C_1^1$ | | | | | | | |
| 2 | $C_0^2$ | $C_1^2$ | $C_2^2$ | | | | | | |
| 3 | $C_0^3$ | $C_1^3$ | $C_2^3$ | $C_3^3$ | | | | | |
| 4 | $C_0^4$ | $C_1^4$ | $C_2^4$ | $C_3^4$ | $C_4^4$ | | | | |
| 5 | $C_0^5$ | $C_1^5$ | $C_2^5$ | $C_3^5$ | $C_4^5$ | $C_5^5$ | | | |
| 6 | $C_0^6$ | $C_1^6$ | $C_2^6$ | $C_3^6$ | $C_4^6$ | $C_5^6$ | $C_6^6$ | | |
| 7 | $C_0^7$ | $C_1^7$ | $C_2^7$ | $C_3^7$ | $C_4^7$ | $C_5^7$ | $C_6^7$ | $C_7^7$ | |
| ⋮ | | | | | | | | | |

En utilisant les trois propriétés suivantes:

1) $\forall\, n \in \mathbb{N}, \qquad C_0^n = 1$

2) $\forall\, n \in \mathbb{N}, \qquad C_n^n = 1$

3) $\forall\, r$ et $n \in \mathbb{N}$, tels que $n \geqslant 2$ et $r < n, \qquad C_r^n = C_{r-1}^{n-1} + C_r^{n-1}$

notre tableau se préciserait ainsi:

| $n$ \ $r$ | 0 | 1 | 2 | 3 | 4 | 5 | 6 | 7 | ... |
|---|---|---|---|---|---|---|---|---|---|
| 0 | 1 | | | | | | | | |
| 1 | 1 | 1 | | | | | | | |
| 2 | 1 | 2 | 1 | | | | | | |
| 3 | 1 | 3 | 3 | 1 | | | | | |
| 4 | 1 | 4 | 6 | 4 | 1 | | | | |
| 5 | 1 | 5 | 10 | 10 | 5 | 1 | | | |
| 6 | 1 | 6 | 15 | 20 | 15 | 6 | 1 | | |
| 7 | 1 | 7 | 21 | 35 | 35 | 21 | 7 | 1 | |
| ⋮ | | | | | | | | | |

— les 1 de la première colonne étant déduits de la propriété qui veut que $\forall\, n \in \mathbb{N}, C_0^n = 1$,

— les 1 de la diagonale étant déduits de la propriété qui veut que $\forall\, n \in \mathbb{N}, C_n^n = 1$,

— enfin, tous les autres nombres $C_r^n$ étant obtenus par simple addition de $C_{r-1}^{n-1}$ et de $C_r^{n-1}$. Par exemple:

le 2 provient de 1 + 1, soit de $C_1^2 = C_0^1 + C_1^1$

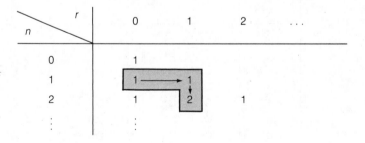

Cette forme de représentation des $C_r^n$ en tableau triangulaire est connue sous le nom de « triangle de Pascal ».

## Combinaisons de nombres complémentaires

Une observation du triangle de Pascal nous permet de remarquer une autre propriété, de symétrie cette fois, entre les $C_r^n$ d'une ligne donnée.

*Énoncé*

$$\forall \; n \text{ et } r \in \mathbb{N}, \text{ tels que } r \leqslant n, \quad C_r^n = C_{n-r}^n.$$

*Preuve*

$$C_{n-r}^n = \frac{n!}{(n-(n-r))! \, (n-r)!} = \frac{n!}{(n-n+r)! \, (n-r)!}$$

$$= \frac{n!}{r! \, (n-r)!} = \frac{n!}{(n-r)! \, r!} = C_r^n.$$

**EXEMPLE**

À la ligne de $n = 5$, dans le triangle de Pascal,

$$C_0^5 = C_5^5 = 1, \qquad C_1^5 = C_4^5 = 5 \qquad \text{et} \qquad C_2^5 = C_3^5 = 10.$$

## Le binôme de Newton

L'une des applications pratiques les plus spectaculaires de la formule de $C_r^n$ est sans doute la formule du binôme de Newton. Afin d'en faciliter la présentation, observons d'abord l'écriture de $(x+y)^n$ pour quelques valeurs de $n$:

$$(x+y)^0 = 1$$

$$(x+y)^1 = x + y$$

$$(x+y)^2 = x^2 + 2xy + y^2$$

$$(x+y)^3 = x^3 + 3x^2y + 3xy^2 + y^3$$

$$(x+y)^4 = x^4 + 4x^3y + 6x^2y^2 + 4xy^3 + y^4.$$

Ici, une analyse attentive nous permettrait de faire ressortir une forme d'écriture commune à chacun de ces développements:

$$(x + y)^0 = 1x^0 y^0$$

$$(x + y)^1 = 1x^1 y^0 + 1x^0 y^1$$

$$(x + y)^2 = 1x^2 y^0 + 2x^1 y^1 + 1x^0 y^2$$

$$(x + y)^3 = 1x^3 y^0 + 3x^2 y^1 + 3x^1 y^2 + 1x^0 y^3$$

$$(x + y)^4 = 1x^4 y^0 + 4x^3 y^1 + 6x^2 y^2 + 4x^1 y^3 + 1x^0 y^4$$

précisant ainsi:

— que chacun se compose d'une somme de $(n + 1)$ termes constitués chacun d'un coefficient et d'une composante en $xy$;

— que ces différents coefficients correspondent respectivement aux $C_r^n$ du triangle de Pascal;

— enfin, que leurs composantes en $xy$ sont telles que
leur exposant de $x$ décroît de $n$ à 0
et leur exposant de $y$ croît de 0 à $n$.

C'est cet ensemble d'observations que résume la formule du binôme de Newton.

### *Énoncé*

$$\forall\, n \in \mathbb{N}, \qquad (x + y)^n = \sum_{r=0}^{n} C_r^n x^{n-r} y^r.$$

### ☆ *Preuve (par induction)*

1°) Vérifions que la propriété est juste pour $n = 0$:

$$(x + y)^0 = 1$$

et $\quad \displaystyle\sum_{r=0}^{0} C_r^0 x^{0-r} y^r = C_0^0 x^{0-0} y^0 = C_0^0 x^0 y^0 = 1.$

Donc $\quad (x + y)^0 = \displaystyle\sum_{r=0}^{0} C_r^0 x^{0-r} y^r.$

2°) Si la propriété est juste pour $n = k$, alors:

$$(x + y)^k = \sum_{r=0}^{k} C_r^k x^{k-r} y^r.$$

3°) Vérifions que si la propriété est juste pour $n = k$, alors elle l'est aussi pour $n = k + 1$:

$$(x + y)^{k+1} = (x + y)^k \cdot (x + y).$$

Si la propriété est juste pour $n = k$, alors

$(x + y)^{k+1}$

$$= \left[ \sum_{r=0}^{k} C_r^k x^{k-r} y^r \right] \cdot (x + y)$$

$$= \left[ C_0^k x^k y^0 + C_1^k x^{k-1} y^1 + \ldots + C_{k-1}^k x^1 y^{k-1} + C_k^k x^0 y^k \right] \cdot (x + y)$$

$$= C_0^k x^{k+1} y^0 + C_1^k x^k y^1 + \ldots + C_{k-1}^k x^2 y^{k-1} + C_k^k x^1 y^k$$
$$+ C_0^k x^k y^1 + C_1^k x^{k-1} y^2 + \ldots + C_{k-1}^k x^1 y^k + C_k^k x^0 y^{k+1}$$

$$= C_0^k x^{k+1} y^0 + (C_0^k + C_1^k) x^k y^1 + \ldots + (C_{k-1}^k + C_k^k) x^1 y^k + C_k^k x^0 y^{k+1}$$

$$= C_0^{k+1} x^{k+1} y^0 + C_1^{k+1} x^k y^1 + \ldots + C_k^{k+1} x^1 y^k + C_{k+1}^{k+1} x^0 y^{k+1}$$

$$\text{car } C_0^k = 1 = C_0^{k+1}$$
$$C_k^k = 1 = C_{k+1}^{k+1}$$
$$\left. \begin{array}{l} \text{et } C_0^k + C_1^k = C_1^{k+1} \\ \ldots \\ C_{k-1}^k + C_k^k = C_k^{k+1} \end{array} \right\} \quad \text{par la règle de Pascal}$$

$$= \sum_{r=0}^{k+1} C_r^{k+1} x^{(k+1)-r} y^r, \quad \text{ce que nous voulions démontrer.}$$

**EXEMPLE 1**    Quel est le développement de $(x + y)^7$?

$$(x + y)^7 = \sum_{r=0}^{7} C_r^7 x^{7-r} y^r$$

$$= C_0^7 x^7 y^0 + C_1^7 x^6 y^1 + C_2^7 x^5 y^2 + C_3^7 x^4 y^3$$
$$+ C_4^7 x^3 y^4 + C_5^7 x^2 y^5 + C_6^7 x^1 y^6 + C_7^7 x^0 y^7$$

$$= \frac{7!}{7!\,0!} x^7 y^0 + \frac{7!}{6!\,1!} x^6 y^1 + \frac{7!}{5!\,2!} x^5 y^2 + \frac{7!}{4!\,3!} x^4 y^3$$
$$+ \frac{7!}{3!\,4!} x^3 y^4 + \frac{7!}{2!\,5!} x^2 y^5 + \frac{7!}{1!\,6!} x^1 y^6 + \frac{7!}{0!\,7!} x^0 y^7$$

$$= x^7 + 7x^6 y^1 + 21x^5 y^2 + 35x^4 y^3$$
$$+ 35x^3 y^4 + 21x^2 y^5 + 7x^1 y^6 + y^7.$$

Quel est le développement de $(5x - 4y^2)^4$?

$$(5x - 4y^2)^4 = [(5x) + (-4y^2)]^4$$

$$= \sum_{r=0}^{4} C_r^4 (5x)^{4-r}(-4y^2)^r$$

$$= C_0^4(5x)^4(-4y^2)^0 + C_1^4(5x)^3(-4y^2)^1 + C_2^4(5x)^2(-4y^2)^2$$
$$+ C_3^4(5x)^1(-4y^2)^3 + C_4^4(5x)^0(-4y^2)^4$$

$$= 1 \cdot 625x^4 \cdot 1 + 4 \cdot 125x^3 \cdot (-4y^2) + 6 \cdot 25x^2 \cdot (16y^4)$$
$$+ 4 \cdot 5x \cdot (-64y^6) + 1 \cdot 1 \cdot (256y^8)$$

$$= 625x^4 - 2\,000x^3y^2 + 2\,400x^2y^4 - 1\,280xy^6 + 256y^8.$$


Quel est le 15$^{\text{ème}}$ terme du développement de $(3x + 5y)^{25}$?

Comme $(3x + 5y)^{25} = \sum_{r=0}^{25} C_r^{25}(3x)^{25-r}(5y)^r$,

chaque terme de ce développement est de la forme $C_r^{25}(3x)^{25-r}(5y)^r$ où $r$ passe de 0 (pour le 1$^{\text{er}}$ terme) à 25 (pour le 26$^{\text{ème}}$ terme).

Pour le 15$^{\text{ème}}$ terme, $r$ vaut donc 14 et ainsi, ce terme est

$$C_{14}^{25}(3x)^{11}(5y)^{14} = \frac{25!}{11!\,14!} \cdot 177\,147x^{11} \cdot 6\,103\,515\,625y^{14}$$

$$\simeq 4{,}819 \cdot 10^{21}x^{11}y^{14}.$$


## Nombre de sous-ensembles possibles dans un ensemble

### Théorème

> Soit $E$, un ensemble contenant $n$ éléments distincts, alors le nombre total de sous-ensembles de $E$ est égal à $2^n$.

En théorie des ensembles, on appelle « ensemble puissance », et on note $P(E)$, l'ensemble de tous les sous-ensembles de $E$. Dans un tel contexte, le théorème énoncé ci-haut s'exprimerait comme suit:

Soit $E$, un ensemble contenant $n$ éléments distincts, alors $\#P(E) = 2^n$.

*Preuve*

Le nombre d'ensembles vides qu'on peut tirer de $E = C_0^n$,

le nombre de sous-ensembles contenant 1 élément de $E = C_1^n$,

le nombre de sous-ensembles contenant 2 éléments de $E = C_2^n$,

...

le nombre de sous-ensembles contenant $n$ éléments de $E = C_n^n$.

Ainsi, le nombre total de sous-ensembles qu'on peut tirer d'un ensemble $E$ contenant $n$ éléments distincts est égal à

$$\sum_{r=0}^{n} C_r^n = \sum_{r=0}^{n} C_r^n \cdot 1^{n-r} \cdot 1^r$$

$$= (1 + 1)^n \quad \text{(par application de la formule}$$
$$\text{du binôme de Newton)}$$

$$= 2^n.$$

**EXEMPLE**

Face à une épidémie donnée, de combien de façons différentes une classe de 25 élèves peut-elle être affectée?

Il se peut qu'aucun élève ne soit atteint $\longrightarrow C_0^{25}$ façon,

il se peut qu'un seul élève soit atteint $\longrightarrow C_1^{25}$ façons,

il se peut que deux élèves soient atteints $\longrightarrow C_2^{25}$ façons,

...

il se peut que les 25 élèves soient atteints $\longrightarrow C_{25}^{25}$ façon.

Cette classe peut donc être atteinte de $\sum_{r=0}^{n} C_r^{25} = 2^{25}$ façons différentes par l'épidémie.

## Exercices

Effectuer les numéros 77 et suivants de la section 5.5.

# 5.5. PROBLÈMES

## 5.5.1. Problèmes de probabilités sans usage de l'analyse combinatoire

1. On lance un dé. Quelle est la probabilité d'obtenir:
   a) un nombre pair?
   b) un nombre inférieur ou égal à 4?

c) un nombre différent de 5?

d) un nombre pair et strictement supérieur à 4?

e) un nombre pair ou strictement supérieur à 4?

2. On lance deux dés. Quelle est la probabilité d'obtenir:

   a) une somme de 12?

   b) une somme de 9?

   c) une somme différente de 10?

   d) une somme paire ou égale à 9?

   e) une somme paire ou strictement supérieure à 9?

3. On lance une pièce de monnaie à deux reprises. Quelle est la probabilité d'obtenir:

   a) deux fois pile?

   b) deux fois le même côté?

4. Pour une famille de 4 enfants, calculer:

   a) P(être composée de deux garçons et deux filles);

   b) P(être composée de deux garçons suivis de deux filles);

   c) P(être composée de trois garçons et une fille).

5. Une urne contient 5 boules rouges, 4 boules blanches et 7 boules noires. On tire une boule au hasard. Quelle est la probabilité de tirer une boule noire?

6. Considérons une expérience aléatoire pour laquelle $A$ et $B$ sont deux événements tels que $P(A) = 0,4$, $P(B) = 0,5$ et $P(A \cap B) = 0,1$. Évaluer:

   a) $P(\overline{A})$

   b) $P(A \cup B)$

   c) $P(A \cup \overline{B})$

   d) $P(A \setminus B)$

7. Des 450 étudiants qui fréquentent une école de musique,
   275 pratiquent le piano,
   175 pratiquent la flûte,
   150 pratiquent le violon,
   125 pratiquent à la fois le piano et la flûte,
   75 pratiquent à la fois le piano et le violon,
   35 pratiquent à la fois la flûte et le violon,
   20 pratiquent à la fois ces trois instruments.

Si on choisit au hasard l'un des 450 étudiants de cette école, quelle est la probabilité:

a) qu'il ne pratique que le piano?

b) qu'il pratique au moins deux de ces instruments?

c) qu'il ne pratique aucun de ces instruments?

8. Une pièce de monnaie est balancée de telle sorte que le côté face apparaît deux fois plus souvent que le côté pile. Lorsqu'on lance cette pièce, que vaut

a) $P(face)$?

b) $P(pile)$?

9. Deux hommes ($H_1$ et $H_2$) et quatre femmes ($F_1$, $F_2$, $F_3$ et $F_4$) se présentent à un poste. On estime que les personnes d'un même sexe ont des chances égales d'obtenir le poste, mais on croit que chaque femme a deux fois moins de chances qu'un homme de l'obtenir. Calculer la probabilité

a) qu'une femme obtienne le poste;

b) que $H_1$ ou $F_1$ obtienne le poste.

10. Un dé est pipé de telle sorte que la probabilité d'obtenir un nombre est proportionnelle à ce nombre. Calculer:

a) $P$(obtenir un nombre pair);

b) $P$(obtenir un nombre impair);

c) $P$(obtenir un nombre $> 4$);

d) $P$(obtenir un nombre pair ou $> 4$);

e) $P$(obtenir un nombre pair et $> 4$);

f) $P$(obtenir un nombre pair mais non $> 4$).

## 5.5.2. Problèmes de probabilités utilisant l'analyse combinatoire

*Tirages dans des ensembles différents*

11. Un menu à la carte offre le choix de:
    — 5 potages,
    — 7 plats de résistance,
    — 10 desserts,
    — 6 boissons.

a) Combien de repas différents, contenant un potage, un plat de résistance, un dessert et une boisson, peut-on composer?

b) Avec un choix au hasard, quelle serait la probabilité de retrouver le menu suivant: crème de céleri, sole aux amandes, tarte aux fraises et café?

c) Quelle est la probabilité de retrouver, à l'intérieur d'un menu choisi au hasard, la crème de tomate et le poulet chasseur?

d) Un individu à la diète ne pourrait choisir, parmi ces propositions, que 2 des 5 potages, 3 des 7 plats de résistance, 2 des 10 desserts et n'importe quelle boisson. Quelle proportion des différents repas possibles serait accessible à cet individu?

12. On lance un dé et une pièce de monnaie.

a) Combien y a-t-il de résultats possibles?

b) Quelle est la probabilité d'obtenir un nombre pair avec le dé ou le côté pile avec la pièce?

*Répétitions permises*

13. a) Combien de mots différents de 5 lettres peut-on composer avec les 26 lettres de l'alphabet?

b) Si on compose un mot de 5 lettres choisies au hasard, quelle est la probabilité que ce mot commence par une consonne et se termine par une voyelle?

14. a) Combien de nombres différents de 6 chiffres peut-on composer? (On se rappellera qu'un nombre ne peut pas commencer par le chiffre 0.)

b) Si on compose un nombre de 6 chiffres choisis au hasard, quelle est la probabilité que ce nombre soit supérieur ou égal à 300 000 et divisible par 5?

15. On peut accéder à une salle par 3 portes différentes.

a) De combien de manières 4 personnes peuvent-elles y accéder?

b) De combien de manières 4 personnes peuvent-elles y entrer puis en sortir?

Si elles choisissent leur porte au hasard,

c) quelle est la probabilité que ces 4 personnes entrent toutes par la porte 1?

d) quelle est la probabilité que ces 4 personnes entrent toutes par une même porte?

e) quelle est la probabilité, si chacune de ces 4 personnes entre puis ressort, que chacune utilise la même porte pour entrer et sortir?

16. a) De combien de manières peut-on jeter 5 enveloppes dans 3 boîtes à lettres différentes?

    b) Si on procède au hasard, quelle est la probabilité qu'on n'utilise que la boîte 1?

    c) Si on procède au hasard, quelle est la probabilité qu'on n'utilise qu'une seule boîte?

17. On lance trois dés (un rouge, un vert et un blanc).

    a) Combien y a-t-il de triplets différents possibles?

    b) Quelle est la probabilité d'obtenir le même nombre sur chacun des dés?

    c) Quelle est la probabilité de ne pas obtenir le même nombre sur chacun des dés?

    d) Quelle est la probabilité d'obtenir le nombre 6 sur chacun des dés?

### Choix ordonnés et permutations

18. Calculer:

    a) $A_5^{15}$

    b) $A_4^{80}$

    c) $P_9$

19. Une classe compte 26 étudiants: A, B, C, ..., Z. On doit choisir au hasard 4 de ces étudiants pour faire un exposé, un sur la théorie des ensembles, l'autre sur les nombres complexes, un autre sur le combinatoire et, enfin, un dernier sur la statistique.

    a) Combien y a-t-il de choix possibles?

    b) Quelle est la probabilité que A ait à présenter l'exposé sur la statistique?

    c) Quelle est la probabilité que ni A ni B n'ait à présenter un exposé?

    d) Quelle est la probabilité que A ait à en présenter un?

20. Un étudiant possède 10 livres à reliure de luxe. Il désire en placer 3 sur un rayon de bibliothèque.

    a) Combien y a-t-il de dispositions possibles?

b) S'il choisit au hasard, quelle est la probabilité qu'il place les livres A, B et C, et dans cet ordre?

c) S'il choisit au hasard, quelle est la probabilité qu'il ne place ni le livre A ni le livre B?

21. On désire composer des mots de 5 lettres distinctes choisies au hasard.

a) Combien de mots différents peut-on composer?

b) Si on choisit un de ces mots au hasard, quelle est la probabilité:
 — qu'il commence par une consonne et se termine par une voyelle?
 — qu'il ne contienne pas de a?
 — qu'il contienne exactement un a?

22. On désire placer 12 personnes en rangée, dans un ordre déterminé au hasard.

a) Combien y a-t-il de dispositions possibles?

b) Quelle est la probabilité que Jean soit placé à l'extrême gauche?

c) Quelle est la probabilité que ces 12 personnes se retrouvent en ordre de grandeur, croissant de gauche à droite?

23. Un sac contient 5 ballons de même grosseur, mais de couleurs distinctes. Trois enfants tirent, à tour de rôle, un ballon du sac et le gardent.

a) Quelle est la probabilité que Jean tire le ballon bleu?

b) Quelle est la probabilité que le ballon vert ne soit pas tiré?

c) Quelle est la probabilité que Jean tire le ballon bleu et que le ballon vert ne soit pas tiré?

24. a) Combien de cartes de BINGO différentes peut-on composer?

b) Si on choisit une de ces cartes au hasard, quelle est la probabilité qu'elle ne contienne que des nombres impairs?

25. On choisit 5 personnes au hasard et on leur demande quel est le jour de leur anniversaire. Si on ne s'occupe pas des années bis-sextiles (c'est-à-dire si on considère qu'il n'y a que 365 jours pos-sibles),

a) quelle est la probabilité que les dates soient toutes différentes?

b) quelle est la probabilité que la date soit la même pour tous les anniversaires?

c) quelle est la probabilité qu'ils n'aient pas tous la même date d'anniversaire?

## Dispositions avec regroupements

26. Une urne contient 10 boules numérotées de 1 à 10. On tire les boules une à une et on les place à mesure en rangée.

    a) Combien y a-t-il de dispositions possibles?

    b) Quelle est la probabilité d'y retrouver toutes les boules paires côte à côte?

    c) Quelle est la probabilité d'y retrouver toutes les boules paires côte à côte, de même que les boules impaires?

27. Un étudiant possède 10 livres différents dont 4 de mathématiques, 2 de physique, 3 de français et 1 de philosophie. Il veut les placer en rangée, au hasard.

    a) Combien y a-t-il de dispositions possibles?

    b) Combien y a-t-il de dispositions dans lesquelles les livres de chaque matière seraient ensemble?

    c) Quelle est donc la probabilité que cet étudiant place ses livres de telle sorte que les livres de chaque matière soient regroupés?

28. Dix personnes sont placées au hasard, en rangée.

    a) Combien y a-t-il de dispositions possibles?

    b) Si ces personnes comptent parmi elles Louise et Jean, quelle est la probabilité que ces deux personnes soient placées l'une à côté de l'autre?

    c) Si ce groupe comprend 3 Anglais, 5 Canadiens et 2 Américains, quelle est la probabilité que les gens d'une même nationalité soient placés ensemble?

    d) Si ce groupe de personnes est composé de 5 couples (maris et femmes), quelle est la probabilité que chacun de ces couples soit réuni?

## Arrangements ou combinaisons

29. Une étudiante en musique doit apprendre 4 pièces, choisies dans un répertoire de 6.

    a) De combien de manières différentes peut-elle arrêter son choix?

    b) Si elle étudie ses pièces l'une après l'autre, de combien de façons différentes peut-elle imaginer le déroulement de son étude?

30. Une entreprise compte 125 employés syndiqués.

   a) De combien de façons différentes peut-on nommer 4 d'entre eux aux postes de président, vice-président, secrétaire et trésorier de l'exécutif syndical?

   b) De combien de manières différentes peut-on choisir 4 d'entre eux pour former une simple délégation devant représenter les employés?

31. Un artiste peintre expose 18 de ses toiles.

   a) De combien de façons différentes peut-il en réserver 2 pour le hall d'entrée de la salle d'exposition?

   b) De combien de manières différentes peut-il en disposer 3, l'une à côté de l'autre, sur un mur particulier?

32. Une grand-maman voudrait léguer un de ses 8 bijoux de valeur à chacune de ses 5 petites-filles. De combien de façons différentes peut-elle effectuer ce legs?

33. Jean possède 5 raquettes de tennis. Il décide d'en donner 3 à un club sportif. De combien de façons différentes peut-il arrêter son choix?

### Choix non ordonnés d'éléments

34. Calculer:

   a) $C_9^{12}$

   b) $C_8^{25}$

   c) $C_{75}^{81}$

35. Une urne contient 5 billes numérotées de 1 à 5. On tire, d'un seul coup, 3 de ces billes.

   a) Combien y a-t-il de possibilités de choix différentes?

   b) Quelle est la probabilité de tirer les trois billes à nombre impair?

   c) Quelle est la probabilité de tirer les deux billes à nombre pair?

36. On forme un comité en choisissant au hasard 3 personnes parmi un groupe composé de 5 hommes et 4 femmes.

   a) Combien de comités différents peut-on ainsi former?

   b) Quelle est la probabilité qu'un tel comité soit composé de 2 hommes et 1 femme?

37. Combien de poignées de mains (mains droites seulement) peuvent être échangées entre 10 personnes?

38. Combien de triangles peut-on former en joignant 3 des sommets d'un octogone?

39. On doit choisir 5 jours de réunion à l'intérieur du mois de juillet (31 jours).

    a) Combien y a-t-il de possibilités différentes?

    b) Quelle est la probabilité qu'on choisisse ces 5 jours dans la première quinzaine du mois (en admettant qu'on choisisse ces jours au hasard)?

    c) Quelle est la probabilité qu'on choisisse 5 jours consécutifs (toujours suivant l'hypothèse d'un choix au hasard)?

40. Au LOTTO 6/49, le joueur doit choisir 6 nombres entre 1 et 49. Lors du tirage, on identifie 6 numéros gagnants, plus un septième dit « complémentaire ». À ce jeu, 5 types de prix sont accordés, suivant que le joueur avait misé
    — sur 3 des 6 numéros gagnants;
    — sur 4 des 6 numéros gagnants;
    — sur 5 des 6 numéros gagnants **sans avoir choisi le numéro complémentaire**;
    — sur 5 des 6 numéros gagnants **et sur le numéro complémentaire** (on dit alors que le joueur remporte le 5 sur 6 plus);
    — ou sur les 6 numéros gagnants.

    Quelle est donc la probabilité, pour quelqu'un qui parie à ce jeu,

    a) de gagner le 6 sur 6?

    b) de gagner le 5 sur 6 plus?

    c) de gagner le 5 sur 6 simple?

    d) de gagner le 4 sur 6?

    e) de gagner un prix quelconque?

41. Lors d'un certain tirage, on a vendu 1 000 billets. Jean en a acheté 5. On fait tirer 3 prix identiques.

    a) Quelle est la probabilité que Jean gagne exactement un des prix?

    b) Quelle est la probabilité qu'il gagne les 3 prix?

    c) Quelle est la probabilité qu'il ne gagne aucun prix?

*Permutations discernables*

42. a) Combien d'anagrammes différents peut-on composer avec les lettres du mot TAMBOUR?

b) Si on choisit un de ces anagrammes au hasard, quelle est la probabilité qu'il s'agisse d'un mot qui commence et qui se termine par une consonne?

43. a) Combien d'anagrammes différents peut-on composer avec les lettres du mot CORRIDOR?

b) Si on choisit un de ces anagrammes au hasard, quelle est la probabilité qu'il s'agisse d'un mot qui commence et qui se termine par une voyelle?

c) Si on choisit un de ces anagrammes au hasard, quelle est la probabilité qu'il s'agisse d'un mot dans lequel les trois R sont côte à côte et les deux O aussi?

44. a) Combien de nombres différents de 5 chiffres peut-on composer avec les chiffres du nombre 12 233?

b) Si on choisit un de ces nombres au hasard, quelle est la probabilité de tomber précisément sur 12 233?

c) Si on choisit un de ces nombres au hasard, quelle est la probabilité d'obtenir un nombre dans lequel les deux 3 sont côte à côte?

*Choix ordonnés avec contenu exigé*

45. On veut composer un mot de 5 lettres distinctes choisies au hasard.

a) Combien de tels mots peut-on composer?

b) Combien de ces mots contiendront 2 voyelles et 3 consonnes?

c) Si on choisit un de ces mots au hasard, quelle est la probabilité qu'il soit composé de 2 voyelles et 3 consonnes?

46. On veut placer, au hasard, 5 livres en rangée sur un rayon de bibliothèque. Pour ce faire, on dispose de 25 livres différents dont 10 romans, 12 bibliographies et 3 livres de poésie.

a) Combien de dispositions différentes peut-on imaginer?

b) Quelle est la probabilité qu'on retrouve un roman au début et un livre de poésie à la fin de la disposition?

c) Quelle est la probabilité qu'on retrouve 2 romans, 2 bibliographies et 1 livre de poésie dans cette disposition?

47. On veut nommer un conseil hiérarchisé (président, vice-président et secrétaire-trésorier) en tirant au sort le nom de 3 personnes parmi un ensemble de 50 hommes et 25 femmes.

a) Combien de conseils différents peut-on nommer?

b) Quelle est la probabilité de ne retrouver que des hommes sur ce conseil?

c) Quelle est la probabilité d'y retrouver 2 hommes et 1 femme?

48. On veut composer un mot de 5 lettres.

a) Combien y a-t-il de possibilités?

b) Combien de ces mots seront composés de 2 consonnes et 3 voyelles?

*Problèmes contenant des expressions comme « au moins », « au plus », « ou moins », « ou plus », etc.*

49. On tire, d'un seul coup, 5 boules d'une urne qui contient 10 boules rouges, 20 boules noires et 5 boules blanches.

a) Quelle est la probabilité de tirer exactement 2 boules noires?

b) Quelle est la probabilité de tirer au moins 2 boules noires?

c) Quelle est la probabilité de tirer moins de 2 boules noires?

d) Quelle est la probabilité de tirer 2 boules noires ou moins?

e) Quelle est la probabilité de tirer au moins 1 boule de chaque couleur?

50. Combien peut-on composer de mots de 5 lettres contenant au moins 3 consonnes?

51. On désire former un comité d'au moins 2 personnes. On dispose, pour ce faire, d'un groupe de 5 personnes. Combien de comités différents sont possibles ici?

*Cas contraires*

52. Dix personnes, dont A et B, s'assoient en rangée et ce, au hasard.

a) Combien y a-t-il de dispositions possibles?

b) Quelle est la probabilité que A et B s'assoient côte à côte?

c) Quelle est la probabilité que A et B ne s'assoient pas côte à côte?

53. À partir des lettres de l'alphabet on compose, au hasard, un mot de 5 lettres.

a) Combien y a-t-il de possibilités?

b) Quelle est la probabilité que ce mot utilise au moins une lettre plus d'une fois?

54. On compose, au hasard, un nombre de 5 chiffres (ne commençant pas par 0).
    a) Combien y a-t-il de possibilités?
    b) Quelle est la probabilité que ce nombre contienne le chiffre 6 au moins une fois?

## *Choix avec restrictions (on veut...; on ne veut pas...)*

55. Vous devez vous rendre à un colloque et votre patron vous demande d'emmener 4 de vos 9 collègues de bureau avec vous. Vous décidez d'effectuer votre choix au hasard.
    a) Combien de possibilités s'offrent à vous?
    b) Quelle est la probabilité que vous emmeniez A et B?
    c) Quelle est la probabilité que vous emmeniez A, mais pas B?
    d) Quelle est la probabilité que nous n'emmeniez ni A ni B?
    e) A et E ne peuvent absolument pas s'entendre. Quelle est la probabilité que vous n'ayez pas à les emmener tous les deux?
    f) Quelle est la probabilité que vous emmeniez l'une ou l'autre des personnes A et E, mais pas les deux?

56. On procède au hasard, afin de choisir 3 des 30 étudiants de la classe pour coanimer une soirée.
    a) Combien y a-t-il de choix possibles?
    b) Quelle est la probabilité qu'on choisisse les étudiants A, B et C?
    c) Si la classe compte 10 filles et 20 garçons, quelle est la probabilité qu'on choisisse 1 fille et 2 garçons?
    d) Quelle est la probabilité que A soit choisi, mais que B et C ne le soient pas?
    e) Quelle est la probabilité qu'on choisisse au moins 2 des étudiants A, B et C?

## *Partages d'éléments (entre destinataires)*

57. Un collectionneur voudrait partager 15 de ses tableaux (1 , 2 , ... , 15) entre 5 de ses héritiers (A , B , C , D et E) en en donnant 3 à chacun.
    a) Combien de distributions différentes s'offrent à lui?

    S'il procède au hasard, quelle est la probabilité que

    b) A reçoive, entre autres, les tableaux 1 et 2?

c) A reçoive, entre autres, les tableaux 1 et 2, et ne reçoive pas le 3?

d) A et B ne reçoivent aucun des tableaux 1, 2 et 3?

e) A ou B reçoive le tableau 1?

f) A reçoive, entre autres, les tableaux 1 et 2 et que B reçoive, entre autres, les tableaux 3 et 4?

58. On veut partager 10 volumes différents (1 , 2 , ... , 10) entre 3 amis (A , B et C) en en donnant 4 à A, 3 à B et 3 à C.

a) Combien y a-t-il de façons possibles de les partager?

Si l'on procède au hasard, quelle est la probabilité que

b) A ne reçoive que des livres identifiés par un nombre pair?

c) A reçoive au moins 3 livres identifiés par un nombre pair?

d) A reçoive, entre autres, les volumes 1 et 2, que B reçoive, entre autres, le 3 et que C ne reçoive aucun des livres 4 et 5?

## *Partages d'éléments (distributions en paquets, sans destinataire)*

59. a) De combien de façons différentes peut-on partager 12 objets distincts en 3 paquets égaux?

b) En procédant au hasard, quelle serait la probabilité de retrouver les objets 1 et 2 dans un même paquet?

60. a) De combien de façons différentes peut-on partager 12 objets distincts en un paquet de 6 objets, un paquet de 4 et un autre de 2?

b) En procédant au hasard, quelle serait la probabilité de retrouver les objets 1 et 2 dans un même paquet?

61. a) De combien de façons différentes peut-on partager 12 objets distincts en un paquet de 6 objets et deux paquets de 3?

b) En procédant au hasard, quelle serait la probabilité de retrouver les objets 1 et 2 dans un même paquet?

## *Cas dangereux lorsqu'on veut des éléments placés et distincts*

62. Combien de nombres différents de 5 chiffres distincts peut-on composer si ceux-ci doivent être impairs et supérieurs à 40 000?

63. Combien de nombres différents de 5 chiffres distincts peut-on composer si ceux-ci doivent être pairs et supérieurs à 40 000?

64. Combien de mots différents de 5 lettres distinctes peut-on composer si on exige qu'ils commencent par l'une des 5 premières lettres de l'alphabet et se terminent par une voyelle?

*Permutations circulaires*

65. a) De combien de façons différentes peut-on disposer entre elles 8 personnes autour d'une table ronde?
    b) Si on choisit une de ces dispositions au hasard, quelle est la probabilité d'y retrouver A et B côte à côte?
    c) Si on choisit une de ces dispositions au hasard, quelle est la probabilité d'y retrouver A, B et C ensemble?

66. Dix personnes s'assoient autour d'un feu, au hasard.
    a) De combien de façons différentes peuvent-elles être placées les unes par rapport aux autres?
    b) S'il s'agit de 5 couples, quelle est la probabilité que chaque couple soit réuni?

*Problèmes supplémentaires*

67. a) Au POKER, combien de mains différentes (de 5 cartes) peut-on former, sachant qu'on n'utilise que les 52 cartes de base (les jokers étant exclus)?
    b) À ce jeu, quelle est la probabilité d'obtenir une main qui contienne du premier coup:
        *1)* 2 rois?
        *2)* 2 dames et 3 rois?
        *3)* 2 dames et 2 rois?
        *4)* au moins 2 dames?
        *5)* une main pleine (*full*) (une paire et un triplet)?
        *6)* une paire?
        *7)* une paire, composée de rois?
        *8)* un brelan (un triplet)?
        *9)* 2 paires?
        *10)* une suite?
        *11)* une suite dans la même couleur?
        *12)* une suite de coeur?
        *13)* une suite de coeur royale (10♥, J♥, Q♥, K♥, A♥)?

68. Un clown possède 12 ballons dont
    — 6 ronds (un rouge, un orange, un jaune, un vert, un bleu et un rose);

— 4 en forme de coeur (un rouge, un orange, un jaune et un vert);

— 2 avec des oreilles (un rouge et un orange).

a) Imaginons qu'il veuille placer 6 de ces ballons l'un à côté de l'autre, en les attachant à une corde à linge.

  1) Combien de dispositions différentes peut-on imaginer?

  Si le clown procède au hasard, quelle est la probabilité

  2) que sa disposition commence et se termine par un ballon rond?

  3) que sa disposition commence par un ballon rond et se termine par un ballon rouge?

  4) que sa disposition comprenne 3 ballons ronds et 3 en coeur?

b) Imaginons maintenant qu'il décide d'attacher l'ensemble de ses 12 ballons sur un immense anneau.

  1) De combien de façons différentes les ballons peuvent-ils être disposés entre eux?

  Si le clown procède encore au hasard, quelle est la probabilité

  2) que les ballons de mêmes formes se retrouvent ensemble autour de cet anneau?

  3) que les ballons rouges se retrouvent ensemble autour de cet anneau?

c) Imaginons maintenant qu'il reprenne ses ballons afin de les attacher en paquets.

  1) S'il veut en faire 3 paquets de 4 ballons, de combien de façons différentes peut-il regrouper ses ballons?

  2) S'il veut en faire 3 paquets dont un de 8 et deux de 2, de combien de façons différentes peut-il regrouper ses ballons?

d) Imaginons enfin qu'il reprenne ses ballons afin de les partager également entre 4 enfants.

  1) De combien de façons différentes peut-il effectuer ce partage?

  2) S'il procède toujours au hasard, quelle est la probabilité que Jean reçoive les ballons ronds rouge et vert, que Pierre reçoive le ballon à oreilles rouge et que Sylvie ne reçoive pas le ballon vert en forme de coeur?

69. Un camp offre aux enfants un éventail de 9 activités différentes, réparties de la façon suivante:

— 5 activités sportives dont 3 de groupe
                    et 2 individuelles,

— 2 activités artistiques dont 1 de groupe
                    et 1 individuelle,

— 2 activités scientifiques, toutes deux de groupe.

Au début d'une journée de camp, chaque enfant doit établir lui-même son horaire, c'est-à-dire une séquence de 6 activités.

a) En imaginant qu'un enfant puisse répéter une même activité plusieurs fois au cours de la même journée s'il le désire,
   1) combien d'horaires différents peut-il ainsi bâtir?

   Si on considérait un de ces horaires au hasard, quelle serait la probabilité:
   2) qu'il s'agisse d'un horaire commençant et se terminant par une activité sportive?
   3) qu'il s'agisse d'un horaire comprenant trois périodes de sport et trois en art?
   4) qu'il s'agisse d'un horaire comprenant deux périodes de sport, deux en art et deux en sciences?
   5) qu'il s'agisse d'un horaire pour lequel les trois premières périodes seraient identiques, de même que les trois dernières, mais pour lequel l'activité des dernières périodes serait différente de celle des premières?
   6) qu'il s'agisse d'un horaire comprenant au moins une période de sciences?
   7) qu'il s'agisse d'un horaire composé de 6 activités différentes?

b) Si un enfant ne peut pas répéter une même activité au cours de la journée,
   1) combien d'horaires différents peut-il bâtir?

   Si on considérait un de ces horaires au hasard, quelle serait la probabilité:
   2) qu'il s'agisse d'un horaire commençant et se terminant par une activité sportive?
   3) qu'il s'agisse d'un horaire comprenant trois activités sportives, deux activités artistiques et une activité scientifique?
   4) qu'il s'agisse d'un horaire comprenant quatre activités sportives, une en art et une en sciences?
   5) qu'il s'agisse d'un horaire commençant par une activité sportive et se terminant par une activité de groupe?

70. Les 8 secteurs égaux d'un cercle doivent être coloriés en 8 couleurs différentes: noir, blanc, bleu, violet, rouge, orange, jaune et vert.

a) De combien de façons différentes peut-on retrouver ces couleurs, les unes par rapport aux autres, sur le cercle?

b) Si l'on choisit l'agencement des couleurs au hasard, quelle est la probabilité que les couleurs primaires (bleu, jaune et rouge) se retrouvent les unes à côté des autres, de même que les couleurs secondaires (violet, orange et vert)?

c) Si l'on choisit l'agencement des couleurs au hasard, quelle est la probabilité que les couleurs primaires et secondaires se retrouvent respectivement ensemble, de même que le noir et le blanc?

71. Imaginons qu'on joue au YUM avec des dés de couleurs différentes. Lorsqu'on lance ces 5 dés,

a) de combien de façons différentes ceux-ci peuvent-ils tomber?

Quelle est la probabilité

b) d'obtenir 6 sur le dé vert et un nombre pair sur le dé rouge?

c) d'obtenir deux 5 et trois 6?

d) d'obtenir trois nombres pairs et deux nombres impairs?

e) de ne pas obtenir de 5?

f) d'obtenir au moins un 5?

g) d'obtenir au moins un nombre pair?

h) d'obtenir au moins une répétition d'au moins un nombre sur l'ensemble des 5 dés?

i) d'obtenir une suite (c'est-à-dire {1 , 2 , 3 , 4 , 5} ou {2 , 3 , 4 , 5 , 6})?

j) d'obtenir une *full* (soit un même nombre sur deux de ces dés et un second pour chacun des trois autres )?

72. Une urne contient
5 boules noires, numérotées de 1 à 5,
8 boules rouges, numérotées de 1 à 8
et 3 boules bleues, numérotées de 1 à 3.
D'un seul coup, on tire 5 boules au hasard.

a) Quelle est la probabilité de tirer 2 boules noires et aucune bleue?

b) Quelle est la probabilité de tirer 2 boules noires ou 3 boules bleues (ou 2 noires et 3 bleues)?

c) Quelle est la probabilité de tirer au moins 3 boules rouges?

73. Un étudiant possède 20 microsillons différents.

a) De combien de façons différentes peut-il les regrouper en 4 sous-ensembles de 5 disques?

b) De combien de façons différentes peut-il les partager également entre 4 de ses amis?

c) De combien de façons différentes peut-il les partager entre 4 de ses amis, tout en donnant le disque A à Pierre, les disques B et C à Éric et en s'assurant que Louis ne recevra pas le disque D?

74. On choisit, au hasard, 5 individus et on leur demande leur date d'anniversaire. Quelle est, si on considère qu'à tous les 4 ans on retrouve une année bissextile, la probabilité qu'ils aient

a) tous la même date d'anniversaire?

b) tous des dates d'anniversaire différentes?

75. Un dresseur possède 10 chiens:

— 4 caniches
  { — un gris,
  — un blanc,
  — un brun,
  — un noir;

— 3 épagneuls
  { — un blanc,
  — un blond,
  — un brun;

— 2 pékinois
  { — un blond,
  — un brun;

— 1 chow-chow blond.

a) S'il doit choisir 4 de ses chiens pour être photographiés sur une affiche publicitaire,
  1) combien de choix différents s'offrent à lui?

  S'il effectuait ce choix au hasard, quelle serait la probabilité:
  2) qu'il prenne un animal de chacune des 4 races qu'il possède?
  3) qu'il choisisse le caniche gris ou le chow-chow (ou les deux)?

b) Pour un spectacle, il veut faire défiler 7 de ses chiens, en rangée.
  1) Combien de dispositions s'offrent à lui?
  2) Si on considérait une de ces dispositions au hasard, quelle serait la probabilité qu'elle commence par un épagneul et se termine par un chien brun?
  3) Si on considérait une de ces dispositions au hasard, quelle serait la probabilité qu'elle comprenne 3 caniches, 2 épagneuls et les 2 pékinois?

c) Pour un spectacle, il veut faire défiler l'ensemble de ses 10 chiens, en rangée.
  1) Combien de dispositions s'offrent à lui?
  2) Si on considérait une de ces dispositions au hasard, quelle serait la probabilité qu'il s'agisse d'une disposition où chaque race serait réunie?

d) Pour un spectacle, il veut faire défiler l'ensemble de ses 10 chiens, en cercle.
  1) De combien de façons ces animaux peuvent-ils être placés les uns par rapport aux autres?

*2)* Si on considérait une de ces dispositions au hasard, quelle serait la probabilité d'y retrouver les trois chiens bruns ensemble?

76. Une boîte contient 30 chocolats différents.

   a) De combien de façons différentes peut-on les diviser en trois paquets de quantités égales?

   b) De combien de façons différentes peut-on les partager en deux paquets de 10 et deux paquets de 5?

   c) De combien de façons différentes peut-on les partager également entre 3 enfants?

   d) De combien de façons différentes peut-on les répartir également entre 3 enfants, en s'assurant que Louis recevra le chocolat au beurre d'arachides, que Suzanne recevra les chocolats au beurre et à la vanille, et que Pierre ne recevra pas le chocolat à la guimauve?

## 5.5.3. Problèmes sur les propriétés de $C_r^n$

77. Donner le développement de $\left(\dfrac{1}{2}x - y^3\right)^5$.

78. Donner le développement de $(x^2 + 3x)^6$.

79. Dans le développement de $\left(2x - \dfrac{1}{x^2}\right)^{12}$,

   a) donner l'écriture du $8^{ème}$ terme,

   b) identifier le terme en $x^3$,

   c) identifier le terme indépendant de $x$.

80. Combien de situations différentes peut-il se produire au moment où l'on ouvre une boîte de 25 chocolats différents, si on est certain qu'il se mangera alors au moins un chocolat?

81. On sème 20 graines de fleurs différentes. De combien de façons peut-on en voir germer au moins 5?

# CHAPITRE 6

# Probabilités conditionnelles et composées; événements indépendants

Face à une expérience aléatoire donnée, nous connaissons maintenant le mode de calcul de P(*A*), la probabilité d'un événement simple.

Dans ce chapitre, nous traiterons du calcul et de l'usage d'une probabilité **conditionnelle**, c'est-à-dire de la probabilité qu'un événement se réalise **au moment où un autre se produit déjà**. Nous partagerons notre étude en trois points:

— formules de calcul d'une probabilité conditionnelle;
— usage d'une telle probabilité comme constituante d'une probabilité composée;
— étude de l'indépendance entre deux événements.

## 6.1. PROBABILITÉ CONDITIONNELLE

**DÉFINITION ET NOTATION**

> Considérant une expérience aléatoire donnée, on appelle « probabilité de *B* conditionnelle à *A* » et on note P(*B*|*A*) la probabilité que l'événement *B* se réalise **dans l'hypothèse où l'événement *A* se produit déjà**.

## 6.1.1. Formule de P(B | A) en équiprobabilité

$\forall\, A\,,\, B \in S$, si on est en équiprobabilité et si $\#A \neq 0$, alors

$$P(B\,|\,A) = \frac{\#(B \cap A)}{\#A}.$$

**EXEMPLE**    Une urne contient 12 boules dont 2 blanches, numérotées respectivement 1 et 2, 6 noires numérotées 1, 2, 3, 4, 5 et 6, et enfin, 4 rouges numérotées 1, 2, 3 et 4.

Imaginons qu'on tire une boule au hasard **et qu'elle soit blanche**. Quelle est, **alors**, la probabilité qu'elle soit numérotée 2?

Cette question pourrait s'écrire:

« Que vaut P(boule numérotée 2 | boule blanche)? »

où la barre verticale ( | ) se lirait: « étant donné que... », « si on considère que... », « si on sait que... »,

ou encore, si on note:
$B$, l'événement qui consiste à tirer une boule numérotée 2
et $A$, l'événement qui consiste à tirer une boule blanche,

elle pourrait être notée: $P(B\,|\,A) = ?$

Dans cet exemple, l'espace échantillonnal $S = \{b1\,,\, b2\,,\, n1\,,\, n2\,,\, n3\,,\, n4\,,\, n5\,,\, n6\,,\, r1\,,\, r2\,,\, r3,\, r4\}$.

Au moment où l'on tire une boule de l'urne, la probabilité qu'elle soit numérotée 2 est égale à

$$P(2) = \frac{\#\{2\}}{\#S} = \frac{3}{12}.$$

Par contre, **si on sait que cette boule est blanche**, on sait qu'elle appartient nécessairement au sous-ensemble $\{b1\,,\, b2\}$ et ainsi, il n'y a plus **12** mais seulement **2** possibilités. Dès lors, comme on est en équiprobabilité,

$$P(\text{boule 2} \mid \text{boule blanche}) = \frac{\#\{\text{boule 2 et blanche}\}}{\#\{\text{boule blanche}\}} = \frac{1}{2}$$

ou encore

$$P(B\,|\,A) = \frac{\#(B \cap A)}{\#A} = \frac{1}{2}.$$

## 6.1.2. Formule généralisée d'une probabilité conditionnelle

Bien que d'utilisation facile, la formule de calcul de $P(B|A)$ présentée ci-haut présuppose un contexte d'équiprobabilité dans lequel on est en mesure de connaître les valeurs respectives de $\#(B \cap A)$ et de $\#A$. Pour nous permettre de calculer une probabilité conditionnelle dans un contexte beaucoup moins spécifique, voici maintenant une formule applicable à n'importe quel problème de ce type.

### *Énoncé*

$\forall A, B \in S$ (fondamental ou non), si $P(A) \neq 0$, alors

$$P(B|A) = \frac{P(B \cap A)}{P(A)}.$$

### *Preuve*

— En équiprobabilité:

$$P(B|A) = \frac{\#(B \cap A)}{\#A} = \frac{\dfrac{\#(B \cap A)}{\#S}}{\dfrac{\#A}{\#S}} = \frac{P(B \cap A)}{P(A)}$$

— En **non** équiprobabilité:

$$P(B|A) = \frac{\#(B' \cap A')}{\#A'} = \frac{\dfrac{\#(B' \cap A')}{\#S'}}{\dfrac{\#A'}{\#S'}} = \frac{P(B \cap A)}{P(A)}$$

où $S'$ = l'espace échantillonnal (fondamental) des **chances** au moment de la réalisation de l'expérience aléatoire

$A'$ = le sous-ensemble des **chances** réservées à $A$

et $B'$ = le sous-ensemble des **chances** réservées à $B$.

## Exercices

Faire les problèmes 1 à 11 de la section 6.4.

## 6.2. PROBABILITÉS COMPOSÉES ET THÉORÈME DE BAYES

Plutôt que de **demander de calculer** une probabilité conditionnelle, un problème pourra souvent **présenter ce type de valeurs en données** et **demander d'utiliser ces dernières** pour calculer d'autres probabilités, « composées » à partir de celles-ci. Voici la théorie qui soutient cette technique, suivie d'un exemple d'application.

### 6.2.1. Théorème 1

*Énoncé*

$$\forall\, A\,, B \in S,\ \text{si}\ \mathrm{P}(A) \neq 0,\ \text{alors}\ \mathrm{P}(B \cap A) = \mathrm{P}(B\,|\,A) \cdot \mathrm{P}(A).$$

*Preuve*

Conséquence directe de la formule généralisée de $\mathrm{P}(B\,|\,A)$.

NOTE

Comme $\mathrm{P}(B \cap A) = \mathrm{P}(A \cap B)$, il va de soi que si $\mathrm{P}(A) \neq 0$ et $\mathrm{P}(B) \neq 0$, alors $\mathrm{P}(B \cap A) = \mathrm{P}(B\,|\,A) \cdot \mathrm{P}(A) = \mathrm{P}(A\,|\,B) \cdot \mathrm{P}(B) = \mathrm{P}(A \cap B)$.

### 6.2.2. Définition d'une partition d'un ensemble

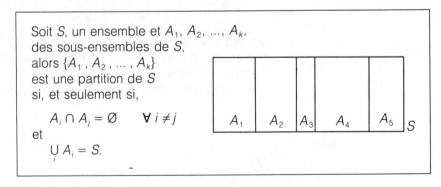

Soit $S$, un ensemble et $A_1$, $A_2$, ..., $A_k$, des sous-ensembles de $S$, alors $\{A_1\,, A_2\,, ...\,, A_k\}$ est une partition de $S$ si, et seulement si,

$$A_i \cap A_j = \varnothing \qquad \forall\, i \neq j$$

et

$$\bigcup_i A_i = S.$$

## 6.2.3. Théorème 2

*Énoncé*

Soit $S$, un espace échantillonnal donné,
soit $\{A_1, A_2, \ldots, A_k\}$,
une partition de $S$
et $B$, un événement de $S$,

si $\forall\, i$, $P(A_i) \neq 0$,

alors $P(B) = \sum_i P(B\,|\,A_i) \cdot P(A_i)$.

*Preuve*

$P(B) = P(B \cap A_1) + P(B \cap A_2) + \ldots + P(B \cap A_k)$

$\qquad = P(B\,|\,A_1) \cdot P(A_1) + P(B\,|\,A_2) \cdot P(A_2) + \ldots + P(B\,|\,A_k) \cdot P(A_k)$
$\qquad\qquad\qquad\qquad\qquad\qquad\qquad\qquad$ (par le théorème 1)

$\qquad = \sum_i P(B\,|\,A_i) \cdot P(A_i)$.

## 6.2.4. Théorème (ou formule) de Bayes

*Énoncé*

Soit $S$, un espace échantillonnal donné,
soit $\{A_1, A_2, \ldots, A_k\}$,
une partition de $S$
et $B$, un événement de $S$,

si $\forall\, i$, $P(A_i) \neq 0$ et si $P(B) \neq 0$,

alors, $\forall\, A_r \in$ la partition,

$$P(A_r\,|\,B) = \frac{P(B\,|\,A_r) \cdot P(A_r)}{\sum_i P(B\,|\,A_i) \cdot P(A_i)}.$$

*Preuve*

$$P(A_r \mid B) = \frac{P(A_r \cap B)}{P(B)}$$

$$= \frac{P(B \cap A_r)}{P(B)}$$

$$= \frac{P(B \mid A_r) \cdot P(A_r)}{\sum P(B \mid A_i) \cdot P(A_i)} \quad \begin{array}{l} \text{(par théorème 1)} \\ \text{(par théorème 2).} \end{array}$$

## 6.2.5. Exemple d'application de ces différentes formules

Une usine d'embouteillage fonctionne avec 5 machines:

la machine $A_1$ fournit 15% de la production globale,
la machine $A_2$ fournit 25% de la production globale,
la machine $A_3$ fournit 20% de la production globale,
la machine $A_4$ fournit 20% de la production globale,
la machine $A_5$ fournit 20% de la production globale.

Au sortir de ces machines, la proportion des bouteilles à rejeter est de

1% pour $A_1$,
2% pour $A_2$,
1,5% pour $A_3$,
1% pour $A_4$,
0,5% pour $A_5$.

Si nous notons $B$, l'ensemble des bouteilles acceptables (bonnes)
et $D$, l'ensemble des bouteilles défectueuses,
la production globale peut alors être représentée, à l'aide d'un diagramme de Venn, de la façon suivante:

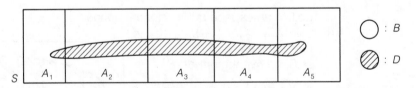

Imaginons qu'on prélève au hasard une bouteille de la production. Nous savons que:

la probabilité qu'elle provienne de $A_1$ = $P(A_1)$ = 0,15
la probabilité qu'elle provienne de $A_2$ = $P(A_2)$ = 0,25
la probabilité qu'elle provienne de $A_3$ = $P(A_3)$ = 0,20

la probabilité qu'elle provienne de $A_4$ = $P(A_4)$ = 0,20
la probabilité qu'elle provienne de $A_5$ = $P(A_5)$ = 0,20.

Nous savons aussi que:

$$P(D|A_1) = 0,01$$
$$P(D|A_2) = 0,02$$
$$P(D|A_3) = 0,015$$
$$P(D|A_4) = 0,01$$
$$P(D|A_5) = 0,005$$

REMARQUE        Les données du problème précisent ici des **probabilités condition-nelles**.

### Application du théorème 1

Quelle est la probabilité que cette bouteille soit défectueuse et qu'elle provienne de $A_1$?

$$P(D \cap A_1) = P(D|A_1) \cdot P(A_1)$$
$$= 0,01 \cdot 0,15 = 0,0015.$$

### Application du théorème 2

Quelle est la probabilité que cette bouteille soit défectueuse?

$$P(D) = \sum_i P(D|A_i) \cdot P(A_i)$$

$$= (0,01 \cdot 0,15) + (0,02 \cdot 0,25) + (0,015 \cdot 0,20)$$
$$+ (0,01 \cdot 0,20) + (0,005 \cdot 0,20)$$
$$= 0,0125.$$

### Application du théorème de Bayes

Si cette bouteille est défectueuse, quelle est la probabilité qu'elle provienne de la machine $A_1$?

$$P(A_1|D) = \frac{P(D|A_1) \cdot P(A_1)}{\sum_i P(D|A_i) \cdot P(A_i)} = \frac{0,01 \cdot 0,15}{0,0125} = 0,12.$$

## Exercices

Faire les problèmes 12 à 19 de la section 6.4.

## 6.3. ÉVÉNEMENTS INDÉPENDANTS

L'une des applications des probabilités conditionnelles est de nous permettre de vérifier si deux événements d'un même espace échantillonnal sont indépendants ou liés entre eux.

**DÉFINITION**

Soit $A$ et $B$, deux événements associés à une même expérience aléatoire, tels que $P(A) \neq 0$ et $P(B) \neq 0$, alors $A$ et $B$ sont dits « mutuellement indépendants » si, et seulement si, ils ne s'influencent absolument pas l'un l'autre, ce qui se traduit, en termes de probabilités, par

$A$ et $B$ sont indépendants $\longleftrightarrow$ $P(A \mid B) = P(A)$.

### 6.3.1. Théorème

*Énoncé*

Soit $A$ et $B$, deux événements associés à une même expérience aléatoire, tels que $P(A) \neq 0$ et $P(B) \neq 0$, alors

$A$ et $B$ sont indépendants $\longleftrightarrow$ $P(A \cap B) = P(A) \cdot P(B)$.

*Preuve*

Si $P(A) \neq 0$ et $P(B) \neq 0$, alors

$A$ et $B$ sont indépendants $\longleftrightarrow$ $P(A \mid B) = P(A)$

$$\longleftrightarrow \frac{P(A \cap B)}{P(B)} = P(A)$$

$$\longleftrightarrow P(A \cap B) = P(A) \cdot P(B).$$

### 6.3.2. Théorème conséquent

*Énoncé*

Soit $A$ et $B$, deux événements associés à une même expérience aléatoire, tels que $P(A) \neq 0$ et $P(B) \neq 0$, alors $A$ et $B$ sont indépendants si, et seulement si, $\overline{A}$ et $\overline{B}$ le sont aussi.

*Preuve*

$$P(\overline{A} \cap \overline{B}) = P(\overline{A \cup B}) = 1 - P(A \cup B)$$

$$= 1 - [P(A) + P(B) - P(A \cap B)]$$

$$= 1 - P(A) - P(B) + P(A \cap B).$$

Ainsi,

$A$ et $B$ sont ind. $\longleftrightarrow P(\overline{A} \cap \overline{B}) = \underbrace{1 - P(A)} - \underbrace{P(B) + P(A) \cdot P(B)}$

$$= P(\overline{A}) - P(B) \cdot [1 - P(A)]$$

$$= P(\overline{A}) - P(B) \cdot P(\overline{A})$$

$$= P(\overline{A}) \cdot [1 - P(B)]$$

$$= P(\overline{A}) \cdot P(\overline{B}) \longleftrightarrow \overline{A} \text{ et } \overline{B} \text{ sont ind.}$$

NOTE    On démontrerait de la même manière que $A$ et $B$ sont indépendants si, et seulement si, $\overline{A}$ et $B$ le sont aussi, de même que si, et seulement si, $A$ et $\overline{B}$ le sont aussi.

## 6.3.3. Généralisation à plusieurs événements

Voici, enfin, une règle de généralisation au sujet de l'indépendance entre plusieurs événements (mais dont la preuve dépasse le niveau de notre étude).

---

Soit $A_1$, $A_2$, ..., $A_n$, $n$ événements associés à une même expérience aléatoire,

si    $A_1$, $A_2$, ..., $A_n$ sont mutuellement indépendants,

alors  $P(A_1 \cap A_2 \cap ... \cap A_n) = P(A_1) \cdot P(A_2) \cdot ... \cdot P(A_n)$.

---

## 6.3.4. Modes d'applications

Il y a deux façons différentes d'utiliser ces diverses formules de l'indépendance.

## Premier mode

D'une part, si les valeurs respectives de P(A), P(B) et P(A ∩ B), pour une expérience aléatoire donnée, sont connues, il est possible d'utiliser l'une ou l'autre de ces formules pour vérifier si les événements A et B associés à cette expérience sont indépendants ou liés entre eux.

EXEMPLE    On sait que dans un programme d'étude particulier, la probabilité d'échouer un certain cours de mathématiques est de 0,2, celle d'échouer un certain cours de physique est de 0,15 et celle d'échouer ces deux cours est de 0,02. Doit-on en déduire qu'un échec dans l'un de ces cours est indépendant d'un échec dans l'autre ou, au contraire, que ces deux événements sont liés entre eux? Justifier.

Ici,

P(éch. en math.) = 0,2
        et                    ⎫ alors  P(éch. en math.) · P(éch. en phys.)
P(éch. en phys.) = 0,15 ⎭                    = 0,2 · 0,15 = 0,03.

Par contre,             ∩
P(éch. en math. et en phys.) = 0,02. ◄──────── ≠

                    ∩
Comme P (éch. en math. et en phys.) ≠ P (éch. en math.) · P (éch. en phys.), on doit alors en déduire que les événements « échouer le cours de mathématiques » et « échouer le cours de physique » sont **dépendants** (ou **liés**) entre eux.

## Deuxième mode

D'autre part, si on est certain que deux événements A et B associés à une même expérience aléatoire sont **mutuellement indépendants**, il est alors possible de faire appel à l'une ou l'autre de ces formules pour calculer une probabilité d'intersection entre ces événements ou leurs contraires.

EXEMPLE    Une étude révèle qu'à l'intérieur d'une population donnée, 1 femme sur 1 000 et 1 homme sur 1 500 souffrent d'une certaine maladie.

Un homme et une femme de cette population sont choisis au hasard, indépendamment l'un de l'autre.

Quelle est la probabilité

a) qu'ils soient tous deux atteints de la maladie?

b) que ni l'un ni l'autre n'en soit atteint?

c) que la femme le soit, mais non l'homme?

Dans ce cas-ci, comme on sait que l'homme et la femme ont été choisis **indépendamment** l'un de l'autre, si l'on note $F$ l'événement que la femme soit atteinte de la maladie et $H$ l'événement que l'homme le soit, alors

a) $P(F \cap H) = P(F) \cdot P(H) = (1/1\,000) \cdot (1/1\,500) = 1/1\,500\,000$

b) $P(\bar{F} \cap \bar{H}) = P(\bar{F}) \cdot P(\bar{H}) = (999/1\,000) \cdot (1\,499/1\,500) =$
$$1\,497\,501/1\,500\,000$$

c) $P(F \cap \bar{H}) = P(F) \cdot P(\bar{H}) = (1/1\,000) \cdot (1\,499/1\,500)$
$$= 1\,499/1\,500\,000.$$

**NOTE**

Lorsque nous considérerons $n$ événements $A_1$, $A_2$, ..., $A_n$, associés à une même expérience aléatoire, étant donné le sens unique de l'implication que nous avons énoncée dans la formule de généralisation, ce n'est qu'à ce deuxième mode d'application que nous ferons appel. Ainsi, si nous sommes certains que ces événements sont **mutuellement indépendants**, nous pourrons utiliser le produit $P(A_1) \cdot P(A_2) \cdot ... \cdot P(A_n)$ pour calculer la valeur de $P(A_1 \cap A_2 \cap ... \cap A_n)$.

### Exercices

Effectuer les problèmes 20 et suivants de la section 6.4.

## 6.4. PROBLÈMES

1. On lance un dé. Quelle est la probabilité, si on obtient un nombre pair, qu'il s'agisse d'un nombre $> 3$?

2. Une urne contient — 6 boules rouges   numérotées de 1 à 6,
   — 8 boules noires   numérotées de 1 à 8,
   — 3 boules jaunes   numérotées de 1 à 3.

   On tire une boule de l'urne au hasard; elle porte le numéro 3.

   a) Quelle est la probabilité qu'il s'agisse d'une boule jaune?

   b) Quelle est la probabilité qu'il s'agisse d'une boule jaune ou d'une boule noire?

3. Soit $A$ et $B$, deux événements d'un même espace échantillonnal tels que: $P(A) = 0,5$
   $P(B) = 0,3$
   $P(A \cap B) = 0,1$.

Calculer:

a) $P(A \mid B)$

b) $P(A \cup \bar{B})$

c) $P(A \cap \bar{B})$

d) $P(A \mid \bar{B})$

e) $P(\bar{A} \mid \bar{B})$

4. Quelle est la probabilité qu'une famille de 3 enfants soit composée:

a) de 2 garçons et une fille?

b) de 2 garçons et une fille si on sait que le plus vieux est un garçon?

c) d'au moins 2 garçons?

d) d'au moins 2 garçons si on sait que le plus vieux est un garçon?

5. On tire une carte d'un jeu de 52 cartes. Calculer:

a) P(carte rouge | un as)

b) P(carte rouge ou figure (J, Q, K ou A))

c) P(as | carte de trèfle)

d) P(carte rouge | carte de trèfle)

6. On lance un dé à deux reprises. Quelle est la probabilité d'obtenir une somme supérieure ou égale à 8 si le premier lancer donne un nombre pair?

7. Jean possède 10 livres à reliure de luxe. En choisissant au hasard, il en place 3 sur un rayon de bibliothèque.

a) Quelle est la probabilité qu'il y place le livre A et qu'il n'y place pas le livre B?

b) S'il y place le livre A, quelle est alors la probabilité qu'il n'y place pas le livre B?

8. Louise part en voyage. Elle voudrait offrir à trois de ses amies de l'accompagner. Comme elle hésite entre ses 7 meilleures amies, elle décide d'effectuer son choix au hasard.

a) Quelle est la probabilité que Sylvie soit invitée?

b) Si Lucie doit être invitée, quelle est alors la probabilité que Sylvie le soit aussi?

c) Si Lucie doit être invitée, quelle est alors la probabilité que Sylvie ne le soit pas?

9. On choisit au hasard 5 jours de réunion à l'intérieur du mois de juillet (31 jours).

a) Si on choisit ces 5 jours dans la première quinzaine du mois, quelle est la probabilité qu'il s'agisse de 5 jours consécutifs?

b) Si on choisit 5 jours consécutifs, quelle est la probabilité qu'ils se situent uniquement dans la première quinzaine du mois?

10. On se souvient qu'au LOTTO 6/49, un billet donne droit à un prix dès qu'il compte au moins 3 des 6 numéros de la combinaison gagnante.

Quelle est la probabilité qu'un billet gagnant porte les 6 numéros de la combinaison gagnante?

11. On veut partager également 15 articles différents (1, 2, ..., 15) entre 5 individus (A, B, C, D et E) en procédant au hasard.

a) Quelle est la probabilité, si A doit recevoir les articles 1, 2 et 3, que B reçoive les articles 4, 5, et 6?

b) Quelle est la probabilité, si A doit recevoir les articles 1, 2 et 3, que B reçoive les articles 4 et 5 et ne reçoive aucun des articles 6 et 7?

12. Une classe de 28 étudiants est composée de 17 Ontariens (dont 3 filles et 14 garçons) et 11 Québécois (dont 6 filles et 5 garçons). Si on choisit un(e) étudiant(e) de cette classe, au hasard,

a) quelle est la probabilité qu'il s'agisse d'une Ontarienne?

b) quelle est le probabilité qu'il s'agisse d'une fille?

c) quelle est la probabilité, s'il s'agit d'une étudiante, qu'elle soit Ontarienne?

13. Le personnel d'une certaine compagnie est composé de 60% d'hommes et de 40% de femmes.
Chez les hommes, 60% détiennent un diplôme universitaire et 40% n'en ont pas.
Chez les femmes, 40% détiennent un diplôme universitaire et 60% n'en ont pas.

Si on choisit un individu de cette compagnie, au hasard,

a) quelle est la probabilité qu'il s'agisse d'une femme qui détient un diplôme universitaire?

b) quelle est la probabilité qu'il s'agisse d'une personne qui détient un diplôme universitaire?

Si on choisit au hasard quelqu'un qui possède un diplôme universitaire dans cette compagnie,

c) quelle est la probabilité qu'il s'agisse d'une femme?

14. Dans un collège, on compte 40% de filles et 60% de garçons.
Chez les filles:
   — 60% font des mathématiques,
   — 25% font de la biologie,
   — 95% font du français.
Chez les garçons:
   — 55% font des mathématiques,
   — 35% font de la biologie,
   — 90% font du français.

a) Si on choisit un étudiant ou une étudiante du collège, au hasard, quelle est la probabilité qu'il s'agisse d'un garçon qui étudie la biologie?

b) Si on choisit un étudiant ou une étudiante du collège, au hasard, quelle est la probabilité qu'il s'agisse d'un(e) étudiant(e) en mathématiques?

c) Si on choisit au hasard un étudiant ou une étudiante parmi ceux qui font du français, quelle est la probabilité qu'il s'agisse d'une fille?

15. Une compagnie qui fabrique des chaudrons estime que 85% des articles qui sortent de sa chaîne de production sont en bon état et 15% défectueux. De ces derniers, elle considère que 70% sont récupérables, alors que les autres sont vraiment perdus.

Si on choisit au hasard un article de la production, quelle est la probabilité

a) qu'il s'agisse d'un article défectueux, mais récupérable?

b) qu'il s'agisse d'un article défectueux et non récupérable?

16. On tire une carte, au hasard, d'un jeu de 52 cartes.
Si on obtient un as, on tire un billet de l'enveloppe 1.
Si on obtient une figure (J, Q ou K), on tire un billet de l'enveloppe 2.
Pour toute autre carte, on gagne un prix de consolation de 5,00 $.

L'enveloppe 1 contient:
   — un billet de 100,00 $,
   — un billet de 20,00 $,
   — un billet de 10,00 $,
   — un billet de 5,00 $.
L'enveloppe 2 contient:
   — un billet de 20,00 $,
   — un billet de 10,00 $,
   — un billet de 5,00 $.

À ce jeu,

a) quelle est la probabilité de gagner 100,00 $?

b) quelle est la probabilité de gagner 10,00 $?

c) quelle est la probabilité de gagner 5,00 $?

d) quelle est la probabilité, si on gagne 5,00 $, qu'il provienne de l'enveloppe 1?

17. Trois garçons (Louis, Pierre et André) et quatre filles (Anne, Lucie, Marie et Julie) postulent un même emploi. On considère que la probabilité qu'une fille soit choisie pour ce poste est deux fois plus grande que celle de voir un garçon choisi. D'autre part, on estime que chacun des garçons a autant de chances que les autres d'obtenir le poste alors que, chez les filles, Anne aurait deux fois plus de chances que les autres de l'obtenir.

a) Quelle est la probabilité que Pierre obtienne l'emploi?

b) Quelle est la probabilité qu'Anne l'obtienne?

c) Quelle est la probabilité que ce soit Marie qui l'obtienne?

18. Voici la répartition de la production d'une compagnie de bicyclettes suivant ses différentes usines et les modèles qu'on y fabrique:

| Modèle / Usine | BMX | 10VF | 10VH | RF | RH |
|---|---|---|---|---|---|
| Toronto | 10% | 5% | 16% | 4% | 5% |
| Montréal | 9% | 8% | 15% | 5% | 3% |
| Saint-John | 10% | 0% | 0% | 5% | 5% |

Si on considère, au hasard, une bicyclette tirée de la production globale de cette compagnie,

a) quelle est la probabilité qu'il s'agisse d'une BMX?

b) quelle est la probabilité qu'il s'agisse d'une bicyclette fabriquée à Montréal?

c) quelle est la probabilité qu'il s'agisse d'une BMX fabriquée à Montréal?

d) s'il s'agit d'une BMX, quelle est la probabilité qu'elle provienne de Montréal?

e) s'il s'agit d'une bicyclette fabriquée à Montréal, quelle est la probabilité qu'il s'agisse d'une BMX?

19. Alors qu'un dé est régulier, un second est pipé de telle sorte que la probabilité d'obtenir un nombre, sur ce dé, est proportionnelle à ce nombre.

On choisit un de ces dés au hasard, on le lance et on obtient un 6. Quelle est la probabilité que le dé choisi soit le dé pipé?

20. Soit $A$ et $B$, deux événements d'un même espace échantillonnal $S$, tels que:

$P(A) = 0,7,$      $P(B) = 0,6$      et      $P(A \cap B) = 0,42.$

a) Tracer le diagramme de Venn de cette hypothèse.

b) Calculer $P(A \mid B)$.

c) Calculer $P(A \cap \bar{B})$.

d) Calculer $P(A \mid \bar{B})$.

e) $A$ et $B$ sont-ils indépendants entre eux? Justifier.

f) $A$ et $B$ sont-ils incompatibles? Justifier.

21. On lance un dé vert et un dé rouge.
Les événements:

a) « sortir un nombre pair sur le dé vert » et « sortir un nombre impair sur le dé rouge » sont-ils indépendants? Justifier;

b) « obtenir une somme de 6 » et « sortir un nombre pair sur le dé rouge » sont-ils indépendants? Justifier;

c) « obtenir une somme de 7 » et « sortir un nombre pair sur le dé rouge » sont-ils indépendants? Justifier.

22. On tire une carte d'un jeu de 52 cartes.
Les événements:

a) « tirer une carte de trèfle » et « tirer un as » sont-ils indépendants? Justifier;

b) « tirer une carte de trèfle » et « tirer une carte noire » sont-ils indépendants? Justifier.

23. On lance une pièce de monnaie à deux reprises.
Les événements

a) « le premier lancer donne pile » et « le deuxième donne face » sont-ils indépendants? Justifier;

b) « les deux lancers donnent le même résultat » et « le premier lancer donne pile » sont-ils indépendants? Justifier.

24. Voici la répartition du personnel d'une entreprise, suivant le sexe et le statut d'emploi de chacun:

| Statut \ Sexe | homme | femme |
|---|---|---|
| cadre | 12 | 5 |
| syndiqué(e) | 48 | 10 |

Si on choisit un membre de ce personnel au hasard, les événements « choisir un(e) employé(e) syndiqué(e) » et « choisir un homme » sont-ils liés ou indépendants? Justifier.

25. Considérer le même problème qu'au numéro précédent, mais cette fois avec la répartition suivante:

| Statut \ Sexe | homme | femme |
|---|---|---|
| cadre | 12 | 5 |
| syndiqué(e) | 48 | 20 |

26. Dans une famille de 3 enfants,
    a) calculer P(trouver plus de garçons que de filles);
    b) calculer P(trouver un même nombre de garçons que de filles);
    c) calculer P(avoir un garçon puis deux filles);
    d) calculer P(avoir un garçon et deux filles);
    e) calculer P(trouver deux garçons si la plus vieille est une fille);
    f) calculer P(trouver deux garçons ou deux filles);
    g) calculer P(trouver au moins un garçon);
    h) les événements « le plus vieux est un garçon » et « ne retrouver qu'un seul garçon dans cette famille » sont-ils indépendants ou liés? Justifier.

27. On estime que, dans une population donnée, la probabilité de vivre encore 5 ans, pour un individu de 70 ans, est de 1/20 pour un homme et de 1/15 pour une femme.
    On choisit au hasard un homme et une femme de cette population.
    Quelle est la probabilité que, dans 5 ans,
    a) ces deux individus soient encore vivants?

b) ces deux individus soient décédés?

c) un seul de ces deux individus soit encore vivant?

28. Trois mathématiciens cherchent, indépendamment l'un de l'autre, la solution d'un problème.

Si on estime que:

P(le mathématicien A trouve la solution) = 0,8
P(le mathématicien B trouve la solution) = 0,5
P(le mathématicien C trouve la solution) = 0,4

a) quelle est la probabilité qu'ils trouvent tous les trois la solution?

b) quelle est la probabilité qu'aucun ne trouve la solution?

c) quelle est la probabilité qu'un seul d'entre eux trouve la solution?

29. Deux archers se présentent à une compétition. On estime qu'à chaque essai, indépendamment de tout facteur,
— la probabilité que l'archer A tire dans le 1 000 est de 3/4,
— la probabilité que l'archer B tire dans le 1 000 est de 2/3.

a) Si chaque archer doit effectuer 3 essais,
— quelle est la probabilité que A tire dans le 1 000 exactement une fois?
— quelle est la probabilité que A tire dans le 1 000 au moins une fois?
— quelle est la probabilité que A et B tirent dans le 1 000 exactement une fois chacun?

b) Si un archer doit s'arrêter dès qu'il réussit un tir dans le 1 000, tout en n'ayant droit qu'à 3 essais,
— quelle est la probabilité que A réussisse à tirer dans le 1 000?
— quelle est la probabilité que B ne réussisse pas?

# CHAPITRE 7
# Variable aléatoire discrète et fonction de probabilité associée

Dans la première partie de ce livre, nous avons procédé à l'étude des distributions de variables **statistiques**, c'est-à-dire de valeurs **recueillies au préalable**. Notre analyse a alors porté, entre autres, sur les points suivants:

— résumé d'une distribution à l'aide d'une table de fréquences,
— représentation graphique,
— tendance centrale et dispersion,
— transformation linéaire d'une variable.

Nous entreprendrons maintenant une étude similaire, mais cette fois sur des variables dont nous ne connaissons que les valeurs **possibles**. Nous serons ainsi en présence de **variables soumises au hasard**: les **variables aléatoires**.

Dans le présent chapitre, nous ne traiterons que des variables aléatoires discrètes; nous réserverons les variables aléatoires continues pour un chapitre ultérieur.

## 7.1. VARIABLE ALÉATOIRE DISCRÈTE

**DÉFINITION**

Considérant une expérience aléatoire, si l'on associe un nombre réel à chacun des résultats possibles de son espace échantillonnal, l'ensemble de ces nombres, soumis au hasard, constitue une **variable aléatoire**.

Une telle variable étant composée d'un ensemble de nombres, on la note à l'aide d'une lettre majuscule, généralement de la fin de l'alphabet, telles $X$, $Y$, $W$, ... Attention! nous n'utiliserons pas, pour l'instant, la lettre $Z$: elle sera réservée à une variable toute particulière, que nous définirons au chapitre 10.

## 7.1.1. Deux types de variables aléatoires

> Il existe deux types de variables aléatoires. Ainsi, si l'ensemble des possibilités d'une telle variable est fini ou dénombrable, on dit de celle-ci qu'elle est **discrète**. Par contre, si l'ensemble de ses valeurs possibles constitue un intervalle de $\mathbb{R}$, on la dit alors **continue**.

Nous nous limiterons, dans ce chapitre, à l'étude d'une variable aléatoire discrète.

**EXEMPLE**          Une certaine expérience aléatoire consiste à tirer un billet, au hasard, dans une enveloppe qui contient:

— 1 billet de 20,00 $,
— 2 billets de 10,00 $,
— 4 billets de 5,00 $,
— et 10 billets de 2,00 $.

Considérant cette épreuve, on peut définir entre autres la variable:

$X$ = la valeur du billet tiré (en $) = {2 , 5 , 10 , 20}.

Puisqu'au moment de la réalisation de l'expérience, cette variable est soumise au hasard, celle-ci est qualifiée d'**aléatoire**.

De plus, comme l'ensemble de ses valeurs possibles, {2 , 5 , 10 , 20}, est fini, on dit de cette variable qu'elle est **discrète**.

## 7.2. FONCTION DE PROBABILITÉ D'UNE VARIABLE ALÉATOIRE DISCRÈTE

À toute variable aléatoire discrète est associée une fonction de probabilité.

Soit $X$, une variable aléatoire discrète reliée à une expérience donnée. La fonction de probabilité de cette variable est la fonction $p$ telle que:

$$p: \mathbb{R} \longrightarrow [0\,;1]$$
$$x \longmapsto p(x) = P[X = x]$$

où $P[X = x]$ = la probabilité pour $X$ de prendre la valeur particulière $x$ au moment de la réalisation de l'expérience.

## 7.2.1. Distribution de probabilités

Lorsqu'on associe à chacune des valeurs **possibles** de la variable aléatoire sa probabilité de se présenter, on décrit la **distribution de probabilités** de cette variable.

Dans l'exemple présenté à la sous-section 7.1.1., **la fonction de probabilité de la variable $X$** serait la fonction $p$ telle que:

$$p: \mathbb{R} \longrightarrow [0\,;1]$$
$$2 \longmapsto 10/17$$
$$5 \longmapsto 4/17$$
$$10 \longmapsto 2/17$$
$$20 \longmapsto 1/17$$
$$x \longmapsto 0 \quad \forall\, x \notin X.$$

Bien que rigoureuse, cette description de $p$ n'est cependant pas d'utilisation pratique. On préférerait donc, pour décrire cette fonction, le simple tableau de **la distribution de probabilités de $X$**:

| $x_i$ | 2 | 5 | 10 | 20 |
|---|---|---|---|---|
| $p(x_i) = P[X = x_i]$ | 10/17 | 4/17 | 2/17 | 1/17 |

Un tel tableau se compare facilement à la table de fréquences d'une distribution de données en statistique descriptive.

## 7.2.2. Propriété d'une fonction de probabilité

> Soit $S$, l'espace échantillonnal d'une expérience aléatoire donnée, et $X$, une variable aléatoire discrète définie à partir de cette expérience, comme à chaque élément de $S$ correspond un élément de $X$, ce dernier ensemble établit une **partition** de $S$ et ainsi,
>
> $$\sum_{x_i \in X} P[X = x_i] = \sum_{x_i \in X} p(x_i) = P(S) = 1.$$

## 7.2.3. Représentation graphique

Le mode de représentation graphique que nous utiliserons pour la fonction de probabilité d'une variable aléatoire discrète sera le diagramme en bâtons. Dans ce nouveau contexte, l'axe horizontal représentera l'ensemble $\mathbb{R}$ et l'axe vertical, les valeurs de $p(x)$.

**EXEMPLE**

Voici celui de la fonction $p$ de l'exemple précédent :

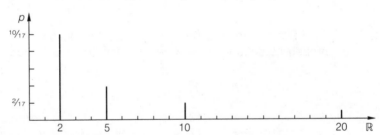

# 7.3. CARACTÉRISTIQUES D'UNE VARIABLE ALÉATOIRE DISCRÈTE

## 7.3.1. Espérance mathématique

En statistique descriptive, nous avons défini la moyenne, le **centre de gravité** de la distribution d'une variable statistique. Il est possible d'imaginer une caractéristique similaire en probabilités. Cependant, comme les valeurs de la distribution ne sont, dans un tel contexte, que des valeurs **possibles**, on pense alors à une moyenne de valeurs **en fonction de leur probabilité respective**. On nomme cette caractéristique l'**espérance mathématique** de la variable.

Voici sa notation et la formule qui la définit:

$$E[X] = \sum_{x_i \in X} p(x_i) \cdot x_i$$

## 7.3.2. Variance et écart type

On peut s'intéresser aussi à **la dispersion des valeurs possibles** de la variable à l'intérieur de la distribution de probabilités de cette dernière. Notons encore ici qu'il s'agit d'une notion appliquée à des valeurs, en fonction de la probabilité que chacune a de se présenter.

Les mesures que nous retiendrons à ce sujet sont les suivantes:

— **variance de la variable** (dont voici la notation et les formules):

$$V[X] = \sum_{x_i \in X} p(x_i) \cdot (x_i - E[X])^2 \quad \text{(par définition)}$$

$$= \sum_{x_i \in X} p(x_i) \cdot x_i^2 - (E[X])^2 \quad \text{(formule simplifiée)}$$

— **et écart type**: $\sqrt{V[X]}$.

**EXEMPLE**

Dans l'exemple décrit précédemment, les différents calculs de l'espérance, de la variance et de l'écart type de $X$ s'effectueraient à l'aide du tableau suivant:

| $x_i$ | $p_i$ | $p_i x_i$ | $p_i x_i^2$ |
|---|---|---|---|
| 2 | 10/17 | 20/17 | 40/17 |
| 5 | 4/17 | 20/17 | 100/17 |
| 10 | 2/17 | 20/17 | 200/17 |
| 20 | 1/17 | 20/17 | 400/17 |
| | 1 | 80/17 | 740/17 |

**REMARQUE**

Dans ce tableau, $p_i$ remplace $p(x_i)$ afin d'alléger l'écriture. C'est une pratique que nous adopterons lors de nos calculs.

Ainsi, dans cet exemple,

— l'espérance de $X = E[X] = \sum p(x_i) \cdot x_i = 80/17 = 4,71$ \$

— sa variance $= V[X] = \sum p(x_i) \cdot x_i^2 - (E[X])^2$
$$= 740/17 - (80/17)^2 = 21,384 \ \$^2$$

— son écart type $= \sqrt{V(X)} = \sqrt{21,384} = 4,624$ \$.

## Exercices

Voir les problèmes 1 à 11 de la section 7.6.

## 7.4. FONCTION DE RÉPARTITION D'UNE VARIABLE ALÉATOIRE DISCRÈTE

En plus d'une fonction de probabilité « simple », il est possible d'associer à une variable aléatoire discrète une fonction de probabilité « cumulée », une **fonction de répartition**.

**DÉFINITION ET NOTATION**

Soit $X$, une variable aléatoire discrète, alors la fonction de **répartition** de cette variable est la fonction $F$ telle que:

$F:\ \mathbb{R} \longrightarrow [0\,;1]$
$\qquad x \longmapsto F(x)\ = P[X \leqslant x]$
$\qquad\qquad\qquad = \sum_{x_i \leqslant x} p(x_i)$

**REMARQUE**

Ici encore, il est possible d'établir un parallèle avec l'étude d'une variable statistique: la fonction de répartition est à une variable aléatoire ce que la fréquence relative cumulée est à une variable statistique.

**EXEMPLE**

Si nous reprenons l'exemple du début de ce chapitre, la fonction de répartition associée à la variable $X$ est la suivante:

$F:\ \mathbb{R} \longrightarrow [0\,;1]$
$\qquad x \longmapsto \quad 0 \qquad$ si $x < 2$
$\qquad x \longmapsto \quad 10/17 \quad$ si $2 \leqslant x < 5$
$\qquad x \longmapsto \quad 14/17 \quad$ si $5 \leqslant x < 10$
$\qquad x \longmapsto \quad 16/17 \quad$ si $10 \leqslant x < 20$
$\qquad x \longmapsto \quad 1 \qquad$ si $x \geqslant 20$.

Ici encore, on résumera généralement cette fonction à l'aide d'un tableau comme celui-ci:

| $x_i$ | 2 | 5 | 10 | 20 |
|---|---|---|---|---|
| $F(x_i) = P[X \leqslant x_i]$ | 10/17 | 14/17 | 16/17 | 1 |

qui spécifie la valeur de $F(x)$ uniquement pour les valeurs possibles de la variable $X$.

## 7.4.1. Représentation graphique

La représentation graphique de la fonction de répartition d'une variable aléatoire discrète possède les mêmes propriétés que la fonction $F$ de fréquence relative cumulée d'une variable statistique discrète.

Voici celle de notre exemple:

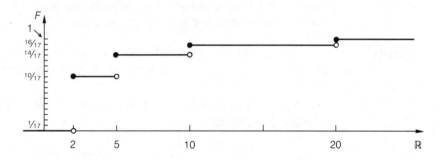

## 7.5. CHANGEMENTS DE VARIABLES ALÉATOIRES

Une étude de probabilités portera souvent sur plus d'une variable aléatoire. S'il est possible de décrire l'une de celles-ci à partir d'une ou de plusieurs autres, comment se compare l'espérance, la variance et l'écart type de ces différentes variables? C'est ce type d'étude que nous voudrions effectuer maintenant. Comme en statistique, nous verrons d'abord la possibilité d'une transformation linéaire d'une variable, mais nous irons plus loin en analysant aussi le cas d'une variable pouvant être définie comme la somme d'autres variables.

## 7.5.1. Transformation linéaire d'une variable aléatoire

*Théorème*

Soit $X$, une variable aléatoire discrète dont

l'espérance $= E[X]$,

la variance $= V[X]$

et l'écart type $= \sqrt{V[X]}$,

alors $\forall\, a,\ b \in \mathbb{R}$, $Y = aX + b$ est une nouvelle variable aléatoire discrète telle que

$$E[Y] = a \cdot E[X] + b$$

$$V[Y] = a^2 \cdot V[X]$$

$$\text{et } \sqrt{V[Y]} = |a| \cdot \sqrt{V[X]}.$$

Nous ne ferons pas la démonstration de cet énoncé puisqu'il est équivalent au théorème sur les transformations linéaires des variables statistiques énoncé et démontré au chapitre 4.

EXEMPLE

Imaginons le jeu suivant: après avoir misé 1,00 $, on lance un dé et on reçoit un nombre de pièces de 25¢ égal au nombre obtenu sur le dé.

Soit $X =$ le nombre qu'on obtiendra sur le dé, alors $X$ est une variable aléatoire pour laquelle:

| $x$ | 1 | 2 | 3 | 4 | 5 | 6 |
|---|---|---|---|---|---|---|
| $p(x)$ | 1/6 | 1/6 | 1/6 | 1/6 | 1/6 | 1/6 |

$\longrightarrow$  $E[X] = 21/6 = 3{,}5$

$V[X] = 105/36 = 2{,}916$

$\text{et } \sqrt{V[X]} = 1{,}708.$

Si l'on note $Y$, le gain net (en ¢) qu'on fera en jouant à ce jeu, $Y$ est alors une variable aléatoire qu'on peut définir à partir de $X$ de la façon suivante:

$$Y = 25 \cdot X - 100.$$

Dès lors, on peut conclure, sans même avoir à décrire la fonction de probabilité de la variable $Y$, que:

$$E[Y] = 25 \cdot E[X] - 100 = 25 \cdot (^{21}/_6) - 100 = -12{,}5 \text{ ¢}$$

$$V[Y] = 25^2 \cdot V[X] = 25^2 \cdot (^{105}/_{36}) = 1\,822{,}92 \text{ ¢}^2$$

$$\text{et } \sqrt{V[Y]} = 25 \cdot \sqrt{V[X]} = 25 \cdot 1{,}708 = 42{,}70 \text{ ¢}.$$

## 7.5.2. Somme de variables aléatoires

### *Théorème*

> Soit $X$ et $Y$, deux variables aléatoires discrètes,
>
> alors $W = X + Y$ est une variable aléatoire discrète telle que:
>
> $E[W] = E[X] + E[Y]$ quelles que soient les variables $X$ et $Y$
>
> et $V[W] = V[X] + V[Y]$ si $X$ et $Y$ sont indépendantes l'une de l'autre.

Nous ne ferons pas la preuve de cet énoncé, car elle dépasserait le niveau de connaissance actuel des étudiants à qui ce volume s'adresse.

### *Généralisation à plusieurs variables*

Ce théorème peut être généralisé à un ensemble de $n$ variables aléatoires. Ainsi:

> Soit $X_1, X_2, ..., X_n$, $n$ variables aléatoires discrètes, alors
>
> $Y = X_1 + X_2 + ... + X_n$ est une variable aléatoire discrète telle que:
>
> $E[Y] = E[X_1] + E[X_2] + ... + E[X_n]$
>
> quelles que soient les variables $X_1, X_2, ..., X_n$
>
> et $V[Y] = V[X_1] + V[X_2] + ... + V[X_n]$
>
> si $X_1, X_2, ..., X_n$ sont toutes indépendantes les unes des autres.

**EXEMPLE**

Considérons l'expérience aléatoire qui consiste à lancer deux dés (un rouge et un vert).

Soit $X_1$ = le nombre qu'on obtiendra en lançant le dé rouge,

$X_2$ = le nombre qu'on obtiendra en lançant le dé vert

et $Y$ = la somme de ces deux nombres.

Ici, le tableau de la distribution de probabilités de la variable $X_1$

| $x_1$ | 1 | 2 | 3 | 4 | 5 | 6 |
|---|---|---|---|---|---|---|
| $p(x_1)$ | 1/6 | 1/6 | 1/6 | 1/6 | 1/6 | 1/6 |

nous permet de calculer facilement que

$$E[X_1] = 3,5 \quad \text{et} \quad V[X_1] = 2,916.$$

De même, $E[X_2] = 3,5 \quad$ et $\quad V[X_2] = 2,916.$

D'autre part, comme $Y = X_1 + X_2$, le théorème énoncé précédemment nous permet d'affirmer, sans même étudier la fonction de probabilité de $Y$, que:

$$E[Y] = E[X_1] + E[X_2] = 3,5 + 3,5 = 7$$

et, comme $X_1$ et $X_2$ sont indépendants l'un de l'autre, que:

$$V[Y] = V[X_1] + V[X_2] = 2,916 + 2,916 = 5,832.$$

(Vérifier la véracité de cette application du théorème en observant la distribution de $Y$ étudiée au n° 3 des problèmes de la section 7.6.)

### Exercices

Effectuer les problèmes 12 et suivants de la section 7.6.

## 7.6. PROBLÈMES

1. Un dé est pipé de telle sorte que la probabilité qu'une de ses faces se présente est proportionnelle à sa valeur.

   Soit $X$, le nombre obtenu en lançant ce dé,

   a) donner la distribution de probabilités de $X$;

   b) tracer le diagramme en bâtons de cette distribution;

   c) calculer $E[X]$, $V[X]$ et $\sqrt{V[X]}$.

2. Soit $X$, le produit du nombre de fois où l'on obtient pile par le nombre de fois où l'on obtient face en lançant trois pièces de monnaie,

   a) donner la distribution de probabilités de $X$;

   b) tracer le diagramme en bâtons de cette distribution;

   c) calculer $E[X]$, $V[X]$ et $\sqrt{V[X]}$.

3. Soit $X$, le nombre qu'on peut obtenir en lançant un dé
   et $Y$, la somme qu'on peut obtenir en lançant deux dés.

   Pour chacune de ces deux variables,

   a) déterminer sa distribution de probabilités;

   b) tracer le diagramme en bâtons de cette distribution;

   c) calculer son espérance, sa variance et son écart type.

4. Soit $X$, une variable aléatoire pour laquelle l'ensemble des valeurs possibles = $\{0, 1, 2, 3\}$ et telle que:

   $P[X=0] = k$, $P[X=1] = 4k$, $P[X=2] = 3k$ et $P[X=3] = 2k$,

   a) évaluer $k$;

   b) calculer $P[X<3]$, $P[1 \leqslant X<3]$ et $P[0,5 \leqslant X<5]$;

   c) calculer $E[X]$, $V[X]$ et $\sqrt{V[X]}$.

5. Soit $X$, une variable aléatoire pour laquelle l'ensemble des valeurs possibles = $\{x_1, x_2, x_3\}$,

   la fonction décrite ci-après peut-elle être une fonction de probabilité? Justifier.

   a) $f$ est une fonction telle que: $f(x_1) = 1/2$,
   $$f(x_2) = -1/4$$
   $$\text{et } f(x_3) = 3/4.$$

   b) $f$ est une fonction telle que: $f(x_1) = 1/3$,
   $$f(x_2) = 2/3$$
   $$\text{et } f(x_3) = 1/3.$$

   c) $f$ est une fonction telle que: $f(x_1) = 1/8$,
   $$f(x_2) = 1/2$$
   $$\text{et } f(x_3) = 3/8.$$

6. Imaginons le jeu suivant:

   on lance une pièce de monnaie à deux reprises et

   — si on obtient deux fois pile, on gagne 25¢;

   — si on obtient deux fois face, on gagne 10¢;

   — si on obtient une fois pile et une fois face, on perd 50¢.

   Si on définit $X$ comme étant le gain qu'on peut faire en essayant ce jeu,

   a) donner la distribution de probabilités de $X$;

   b) calculer $P[X = -50]$
   $$P[-50 < X \leqslant 25]$$
   $$P[-50 < X < 25]$$
   $$P[-100 < X < 100]$$

   c) calculer $E[X]$, $V[X]$ et $\sqrt{V[X]}$.

7. Voici un autre jeu:

   — on dépose d'abord une mise de 25¢,

   — on tire une carte d'un jeu de 52 cartes

   — et si on tire un as, on gagne 1,00 $,

        si on tire une figure (J, Q, K), on gagne 50¢,

        si on tire une carte de pique, on gagne 25¢ et,

        pour toute autre carte, on ne gagne rien.

Définir $X$ comme étant le gain net (en ¢) qu'on peut faire en essayant ce jeu et

a) donner la distribution de probabilités de $X$;

b) calculer l'espérance, la variance et l'écart type de ce gain.

8. Soit $X$, une variable aléatoire dont le diagramme en bâtons de la fonction de probabilité serait le suivant:

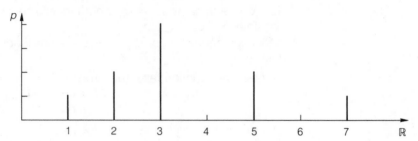

donner le tableau de la distribution de probabilités de cette variable.

9. Deux roues de fortune sont divisées en secteurs (en pointes) de surfaces égales entre elles. Alors que la première compte seulement 10 secteurs, dont 5 rouges, 4 noirs et 1 blanc, la deuxième compte 100 petites pointes, dont 50 rouges, 40 noires et 10 blanches.

Un jeu, où il faut miser 50¢, consiste à faire tourner chacune de ces roues, puis à attendre qu'elles s'arrêtent. On gagne:

   50¢ si les deux roues s'arrêtent sur une pointe rouge,
1,00 $ si les deux roues s'arrêtent sur une pointe noire,
5,00 $ si les deux roues s'arrêtent sur une pointe blanche
et rien du tout pour toute autre combinaison.

Noter $X$, le gain net (en ¢) qu'on peut faire en jouant à ce jeu et

a) déterminer la distribution de probabilités de cette variable;

b) calculer l'espérance et la variance de ce gain.

10. Le jeu de CHUCK-A-LUCK comporte les règles suivantes:

Le joueur dépose d'abord une mise. Il choisit ensuite un nombre de 1 à 6, puis il jette 3 dés. S'il obtient le nombre qu'il a choisi sur chacun des 3 dés, on lui paie 4 fois sa mise. Si ce nombre ne se trouve que sur 2 dés, on lui paie 3 fois sa mise. Si ce nombre est obtenu sur un seul des dés, on lui paie 2 fois sa mise. Enfin, si ce nombre ne se trouve sur aucun des dés, il perd simplement sa mise.

Considérons le cas où un joueur dépose une mise de 1,00 $ et définissons $X$ comme étant le gain net possible pour ce joueur.

a) Déterminer la distribution de probabilités de $X$.

b) Calculer $E[X]$, $V[X]$ et $\sqrt{V[X]}$.

11. a) Lequel des jeux décrits aux numéros 6, 7, 9 et 10 est le plus payant pour un joueur? Justifier.

   b) Entre deux jeux qui offrent une même espérance de gain, mais des variances différentes, lequel choisiriez-vous? Justifier.

12. a) Résumer à l'aide d'un tableau la fonction de répartition de chacune des deux variables du problème numéro 3 de la présente section.

   b) Représenter graphiquement ces fonctions de répartition.

   c) Utiliser ces fonctions de répartition pour calculer:
   — $P[X \leqslant 5]$
   — $P[2 < X \leqslant 5]$
   — $P[2,5 < X \leqslant 4,2]$
   — $P[5 < Y < 10]$
   — $P[Y > 9]$
   — $P[10 < Y < 15]$

13. Un jeu consiste à déposer une mise de 5,00 \$, à lancer deux dés, puis à recevoir un nombre de 50¢ égal à la somme des nombres obtenus sur ces dés.

   Calculer l'espérance, la variance et l'écart type du gain net (en \$) de ce jeu en utilisant les résultats du numéro 3.c) de la présente section portant sur la variable $Y$.

14. Revenir au problème numéro 9 de la présente section et définir $Y =$ le gain net **en dollars** qu'on peut faire à ce jeu.

   Utiliser un changement de variable pour calculer l'espérance, la variance et l'écart type de cette nouvelle variable.

15. Un individu se propose d'essayer chacun des jeux décrits aux numéros 9, 10 et 13, une fois chacun.

   a) Quel gain net total cet individu peut-il espérer?

   b) Calculer l'écart type de ce gain net total.

16. Un individu se propose d'essayer cinq fois le jeu du numéro 9, trois fois le jeu du numéro 10 et une fois celui du numéro 13.

   Calculer l'espérance de gain net total de cet individu, de même que l'écart type de ce gain.

17. Dans un verger, au moment de la cueillette, on estime que
   10% des cueilleurs ramassent 3 douzaines de paniers par jour,
   35% des cueilleurs ramassent 4 douzaines de paniers par jour,

45% des cueilleurs ramassent 5 douzaines de paniers par jour,
10% des cueilleurs ramassent 6 douzaines de paniers par jour.

a) Calculer l'espérance et l'écart type du nombre de douzaines de paniers ramassés en une journée, pour un cueilleur choisi au hasard.

b) Si le salaire d'un cueilleur est de 15,00 $ de base par jour plus 10,00 $ par douzaine de paniers, calculer l'espérance, la variance et l'écart type du salaire d'une journée, pour un cueilleur choisi au hasard.

c) Considérons maintenant un échantillon de 20 cueilleurs choisis au hasard et avec remise. Calculer l'espérance, la variance et l'écart type du salaire total d'une journée pour ces cueilleurs.

18. Un comptable en demi-retraite vient d'accepter de travailler à temps partiel pour une firme. Son contrat stipule qu'il doit demeurer à la disponibilité de la firme du mercredi au vendredi, inclusivement, et qu'on pourra lui demander de fournir une journée de travail durant l'un ou l'autre (ou plusieurs) de ces jours, selon les besoins du bureau.

a) Si le tableau suivant représente la distribution de probabilités du nombre de jours par semaine où notre individu aura à travailler,

| $x$ | 0 | 1 | 2 | 3 |
|---|---|---|---|---|
| $p(x)$ | 1/5 | 1/5 | 2/5 | 1/5 |

calculer $E[X]$, $V[X]$ et $\sqrt{V[X]}$.

b) Calculer l'espérance, la variance et l'écart type du nombre total de jours où ce comptable aura à travailler au cours d'un mois (de quatre semaines).

c) S'il reçoit un salaire de base de 100,00 $ par semaine, pour assurer sa disponibilité, plus 200,00 $ par jour de travail, calculer l'espérance, la variance et l'écart type du salaire d'un mois (de quatre semaines) pour cet individu.

# CHAPITRE 8

# Fonctions de probabilité particulières de variables aléatoires discrètes

L'une des études statistiques les plus répandues, ou du moins les mieux connues, est sans doute le sondage. Son but est de connaître le **nombre d'individus** d'un type particulier à l'intérieur d'une population donnée. C'est une technique que nous verrons dans la troisième partie de ce livre, lorsque nous reviendrons en statistique.

En probabilités, cependant, il existe une variable aléatoire discrète définie comme le **nombre de résultats** d'un type particulier qu'il est possible d'obtenir lors de la réalisation d'une expérience aléatoire spécifique. La fonction de probabilité d'une telle variable est dite **loi binômiale** ou, dans certains cas, **loi de Poisson**.

En guise de préparation pour une étude ultérieure sur le sondage, nous consacrerons le présent chapitre à l'étude de cette variable aléatoire discrète particulière et de sa fonction de probabilité.

## 8.1. LOI DE PROBABILITÉ BINÔMIALE

Avant de décrire les composantes d'un contexte binômial, définissons d'abord une notion préliminaire: l'épreuve de Bernouilli.

## 8.1.1. Épreuve de Bernouilli

DÉFINITION

> Une épreuve de Bernouilli est une expérience aléatoire dont l'ensemble des résultats peut se résumer à deux états:
> — un succès,
> — un échec.

NOTATION

Lors d'une épreuve de Bernouilli, nous noterons toujours la probabilité d'un succès $p$ et celle d'un échec $q$, où $q = 1 - p$.

EXEMPLES

— Imaginons qu'on lance un dé en souhaitant obtenir un 6.

Ici, l'épreuve de Bernouilli consiste à « lancer un dé ».

Un succès, pour cette expérience, consiste en l'événement: « obtenir un 6 », alors qu'un échec consiste en l'événement: « obtenir un résultat autre qu'un 6 ».

Dès lors, $p = $ P(obtenir un 6) $= 1/6$
et $q = $ P(ne pas obtenir un 6) $= 5/6 = 1 - p$.

— Imaginons maintenant qu'on tire une boule d'une urne qui contient 5 boules rouges et 10 boules noires, et qu'on souhaite obtenir une boule rouge.

L'épreuve de Bernouilli, cette fois, consiste à « tirer une boule ».

Un succès se définit par l'événement: « tirer une boule rouge » et un « échec » par l'événement: « tirer une boule noire »,

et ainsi, $p = $ P(obtenir une boule rouge) $= 5/15 = 1/3$
et $q = $ P(obtenir une boule noire) $= 10/15 = 2/3 = 1 - p$.

## 8.1.2. Définition et notation d'une variable aléatoire soumise à une loi binômiale

> Considérant une expérience aléatoire qui consiste à répéter $n$ fois de suite une même épreuve de Bernouilli et ce, de telle sorte que ces $n$ épreuves soient toutes indépendantes entre elles,
>
> si l'on définit $X$ comme étant le **nombre de succès** obtenus au cours de ces $n$ essais,
>
> alors $X$ est une variable aléatoire (discrète) soumise à une loi de probabilité que l'on dit **binômiale** de paramètres $n$ et $p$,

où $n$ = le nombre d'essais

et $p$ = la probabilité de succès pour chacun de ces essais,

et l'on note $X$: $\mathrm{B}(n\,;\,p)$.

**EXEMPLE**    Imaginons qu'on se propose de lancer un dé à 5 reprises et de compter le nombre de 6 obtenus au cours de ces 5 essais.

Ici, 5 fois de suite, on prévoit répéter une même épreuve de Bernouilli: lancer un dé.

Ces 5 épreuves sont indépendantes les unes des autres, et à chaque essai:

— un succès = obtenir un 6  $\longmapsto$  $p = \mathrm{P}(6) = 1/6$

— un échec  = obtenir un $\cancel{6}$  $\longmapsto$  $q = \mathrm{P}(\cancel{6}) = 5/6 = 1 - p$.

Soit $X$, le nombre de 6 obtenus au cours de ces 5 essais, alors $X$ est une variable soumise à une loi binômiale pour laquelle $n = 5$ et $p = 1/6$, donc $X$: $\mathrm{B}(5\,;\,1/6)$.

## 8.1.3. Fonction de probabilité d'une variable soumise à une loi binômiale

Dans ce dernier exemple, nous savons que $X = \{0\,,\,1\,,\,2\,,\,3\,,\,4\,,\,5\}$. Nous aimerions maintenant établir le tableau de la distribution de probabilités de cette variable, soit:

| $x$ | 0 | 1 | 2 | 3 | 4 | 5 |
|-----|---|---|---|---|---|---|
| $p(x)$ | ... | ... | ... | ... | ... | ... |

À l'aide de l'analyse combinatoire, nous pouvons calculer que:

$$p(0) = \mathrm{P}[X = 0] = \mathrm{P}[0 \text{ fois } 6] = \frac{\boxed{5}\,\boxed{5}\,\boxed{5}\,\boxed{5}\,\boxed{5}}{\boxed{6}\,\boxed{6}\,\boxed{6}\,\boxed{6}\,\boxed{6}} = \left(\frac{5}{6}\right)^5$$

$$p(1) = \mathrm{P}[X = 1] = \mathrm{P}[1 \text{ fois } 6] = \frac{\boxed{1}\,\boxed{5}\,\boxed{5}\,\boxed{5}\,\boxed{5}}{\boxed{6}\,\boxed{6}\,\boxed{6}\,\boxed{6}\,\boxed{6}} \cdot \frac{5!}{4!} = \frac{5!}{4!\,1!}\left(\frac{1}{6}\right)^1\left(\frac{5}{6}\right)^4$$

173

$$p(2) = P[X = 2] = P[2 \text{ fois } 6] = \frac{\boxed{1}\boxed{1}\boxed{5}\boxed{5}\boxed{5}}{\boxed{6}\boxed{6}\boxed{6}\boxed{6}\boxed{6}} \cdot \frac{5!}{3!\,2!} = \frac{5!}{3!\,2!}\left(\frac{1}{6}\right)^2\left(\frac{5}{6}\right)^3$$

$$p(3) = P[X = 3] = P[3 \text{ fois } 6] = \frac{\boxed{1}\boxed{1}\boxed{1}\boxed{5}\boxed{5}}{\boxed{6}\boxed{6}\boxed{6}\boxed{6}\boxed{6}} \cdot \frac{5!}{2!\,3!} = \frac{5!}{2!\,3!}\left(\frac{1}{6}\right)^3\left(\frac{5}{6}\right)^2$$

$$p(4) = P[X = 4] = P[4 \text{ fois } 6] = \frac{\boxed{1}\boxed{1}\boxed{1}\boxed{1}\boxed{5}}{\boxed{6}\boxed{6}\boxed{6}\boxed{6}\boxed{6}} \cdot \frac{5!}{4!} = \frac{5!}{1!\,4!}\left(\frac{1}{6}\right)^4\left(\frac{5}{6}\right)^1$$

$$p(5) = P[X = 5] = P[5 \text{ fois } 6] = \frac{\boxed{1}\boxed{1}\boxed{1}\boxed{1}\boxed{1}}{\boxed{6}\boxed{6}\boxed{6}\boxed{6}\boxed{6}} = \left(\frac{1}{6}\right)^5$$

Une analyse attentive de ces résultats nous permet
— d'abord de remarquer que

$$p(0) = P[X = 0] = \left(\frac{5}{6}\right)^5 = \frac{5!}{5!\,0!}\left(\frac{1}{6}\right)^0\left(\frac{5}{6}\right)^5$$

$$p(5) = P[X = 5] = \left(\frac{1}{6}\right)^5 = \frac{5!}{0!\,5!}\left(\frac{1}{6}\right)^5\left(\frac{5}{6}\right)^0$$

— puis de constater que

$$\forall\, x \in \{0\,,\,1\,,\,2\,,\,3\,,\,4\,,\,5\},\quad p(x) = P[X = x] = C_x^5\left(\frac{1}{6}\right)^x\left(\frac{5}{6}\right)^{5-x}$$

et, $\forall\, x \notin X,\quad p(x) = 0$.

Le tableau de la distribution de probabilités de $X$ devient donc le suivant:

| $x$ | 0 | 1 | 2 | 3 | 4 | 5 |
|---|---|---|---|---|---|---|
| $p(x)$ | $C_0^5\left(\frac{1}{6}\right)^0\left(\frac{5}{6}\right)^5$ | $C_1^5\left(\frac{1}{6}\right)^1\left(\frac{5}{6}\right)^4$ | $C_2^5\left(\frac{1}{6}\right)^2\left(\frac{5}{6}\right)^3$ | $C_3^5\left(\frac{1}{6}\right)^3\left(\frac{5}{6}\right)^2$ | $C_4^5\left(\frac{1}{6}\right)^4\left(\frac{5}{6}\right)^1$ | $C_5^5\left(\frac{1}{6}\right)^5\left(\frac{5}{6}\right)^0$ |

ou

| $x$ | 0 | 1 | 2 | 3 | 4 | 5 |
|---|---|---|---|---|---|---|
| $p(x)$ | 0,4019 | 0,4019 | 0,1608 | 0,0322 | 0,0032 | 0,0001 |

## Formule générale de $p(x)$ pour une loi binômiale

Cette formule, que nous venons d'obtenir pour un exemple particulier, pourrait être généralisée à tout contexte binômial par l'énoncé suivant:

---

Si $n$ **fois** de suite on se propose d'effectuer une même épreuve de Bernouilli, et ce de façon à ce que ces épreuves soient indépendantes les unes des autres, c'est-à-dire que

pour chacune: — un succès $\longmapsto$ P(succès) $= p$

$\qquad\qquad$ — un échec $\longmapsto$ P(échec) $= q = 1 - p$

si l'on définit $X = $ le **nombre de succès** obtenus au cours de ces $n$ essais,

alors $X$: $\mathrm{B}(n\,;p)$,

et $\quad p(x) = \mathrm{P}[X = x] = \begin{cases} \mathrm{C}_x^n\, p^x q^{n-x} & \forall\, x \in \{0\,,1\,,\ldots\,,n\}, \\ 0 & \text{ailleurs.} \end{cases}$

---

REMARQUE Pour ce type de problème, il serait tout à fait possible de raisonner directement en suivant la logique de cette formule. Ainsi,

si $x \in X$, alors $p(x) = $

$\mathrm{P}[X = x] = \mathrm{P}$(obtenir $x$ succès au cours de $n$ essais indépendants)

$= \underbrace{p \cdot \ldots \cdot p}_{x \text{ fois}} \cdot \underbrace{q \cdot \ldots \cdot q}_{\substack{\text{le restant} \\ \text{des fois} = \\ (n - x) \text{ fois}}} \cdot$ le nombre de choix de $x$ endroits, parmi $n$, que peuvent occuper ces $x$ succès, au cours des $n$ essais.

$= p^x \cdot q^{n-x} \cdot \mathrm{C}_x^n$

et il va de soi que si $x \notin X$, alors $p(x) = \mathrm{P}[X = x] = 0$.

Il est aussi possible de démontrer que cette formule de $p(x)$ décrit bien une fonction de probabilité. En effet,

1°) $\forall\, x \in \mathbb{R}, \quad p(x) \geqslant 0$

$\qquad$ car $\quad p(x) = \begin{cases} \mathrm{C}_x^n\, p^x q^{n-x} \geqslant 0 & \text{si } x \in \{0\,,1\,,\ldots\,,n\}, \\ 0 & \text{ailleurs.} \end{cases}$

2°) $\displaystyle\sum_{x \in X} C_x^n\, p^x\, q^{n-x} = 1$

car

$$\sum_{x \in X} C_x^n\, p^x\, q^{n-x} = \sum_{x=0}^{n} C_x^n\, p^x\, q^{n-x}$$

$$= \sum_{x=0}^{n} C_x^n\, q^{n-x}\, p^x$$

$$= (q + p)^n \quad \text{(par la formule du binôme de Newton)}$$

$$= ((1 - p) + p)^n$$

$$= (1 - p + p)^n = 1^n = 1.$$

C'est d'ailleurs ce rapprochement entre le développement du **binôme** de Newton et la formule générale de la fonction de probabilité d'une variable soumise à une loi **binômiale** qui a déterminé le nom de cette dernière.

### 8.1.4. Exemple d'application de la formule de $p(x)$

Une urne contient 5 boules rouges et 10 boules noires. À 8 reprises on tire une boule, on note sa couleur, puis on la remet dans l'urne avant d'en tirer une à nouveau. (Cette façon de procéder nous assure de l'indépendance entre les épreuves de l'expérience.)

— Quelle est la probabilité de tirer une boule rouge exactement 3 fois au cours de ces 8 essais?

Ici, $n = 8$ essais

$\quad\quad\quad$ à chaque essai: succès = boule rouge $\longmapsto p = \frac{1}{3}$

$\quad\quad\quad\quad\quad\quad\quad\quad\quad$ échec $\ =$ boule noire $\ \longmapsto q = \frac{2}{3}$

Soit $\ X = $ le nombre de succès

$\quad\quad\quad = $ le nombre de boules rouges obtenues au cours des 8 essais,

alors $X$: $\ \mathbf{B}(8\,;\,\frac{1}{3})$

et $\ P[X = 3] = C_3^8 \left(\dfrac{1}{3}\right)^3 \left(\dfrac{2}{3}\right)^5 = \dfrac{8!}{5!\,3!}\left(\dfrac{1}{3}\right)^3\left(\dfrac{2}{3}\right)^5 = \dfrac{8 \cdot 7 \cdot 6 \cdot 5!}{5! \cdot 3 \cdot 2 \cdot 1} \cdot \dfrac{2^5}{3^8}$

$$= 0{,}2731.$$

— Quelle est la probabilité de tirer une boule rouge au plus 3 fois au cours de ces 8 essais?

Comme $X$: $\mathbf{B}(8 ; \frac{1}{3})$

$$P[X \leqslant 3] = P[X = 0] + P[X = 1] + P[X = 2] + P[X = 3]$$

$$= C_0^8 \left(\frac{1}{3}\right)^0 \left(\frac{2}{3}\right)^8 + C_1^8 \left(\frac{1}{3}\right)^1 \left(\frac{2}{3}\right)^7 + C_2^8 \left(\frac{1}{3}\right)^2 \left(\frac{2}{3}\right)^6 + C_3^8 \left(\frac{1}{3}\right)^3 \left(\frac{2}{3}\right)^5$$

$$= \frac{8!}{8! \, 0!} \cdot \frac{2^8}{3^8} + \frac{8!}{7! \, 1!} \cdot \frac{2^7}{3^8} + \frac{8!}{6! \, 2!} \cdot \frac{2^6}{3^8} + \frac{8!}{5! \, 3!} \cdot \frac{2^5}{3^8}$$

$$= \frac{2^5}{3^8} \left( 2^3 + 8 \cdot 2^2 + \frac{8 \cdot 7}{2} \cdot 2 + \frac{8 \cdot 7 \cdot 6}{3 \cdot 2 \cdot 1} \right)$$

$$= \frac{2^5}{3^8} \cdot 8 \cdot (1 + 4 + 7 + 7)$$

$$= \frac{2^8}{3^8} \cdot 19$$

$$= 0{,}7414.$$

## 8.1.5. Usage d'une table de distributions binômiales

Chaque fois que nous nous retrouverons dans un contexte binômial, les calculs à effectuer feront appel à la même formule. Pour nous éviter d'avoir à les calculer, plusieurs valeurs numériques de $C_x^n \, p^x \, q^{n-x}$ ont été réunies (selon les valeurs respectives de $n$, $p$ et $x$ dans la table 1, présentée en annexe à la fin de ce livre.

**EXEMPLE**  Dans une certaine commission scolaire, 85% des élèves sont droitiers et 15% gauchers. On choisit, au hasard et avec remise, un échantillon de 20 de ces élèves.

— Quelle est la probabilité que cet échantillon compte exactement 5 élèves gauchers?

Ici, $n = 20$ essais
$\quad\quad\quad\hookrightarrow$ à chaque essai:  succès = gaucher $\longmapsto$ $p = 0{,}15$

$\quad\quad\quad\quad\quad\quad\quad\quad\quad$ échec  = droitier $\longmapsto$ $q = 0{,}85$

Soit $X$ = le nombre de gauchers obtenus au cours des 20 essais, alors $X$: $\mathbf{B}(20 ; 0,15)$

et $P[X = 5] = C_5^{20} \cdot 0,15^5 \cdot 0,85^{15} = 0,1028$.

Cette réponse, calculée ici au long, aurait pu être obtenue directement de la table 1. En effet, dans cette table, à la section $n = 20$, à l'intersection de la colonne $p = 0,15$ et de la ligne $x = 5$, on retrouve bien la valeur cherchée: 0,1028.

— Quelle est la probabilité que cet échantillon compte au plus 5 élèves gauchers?

Cette fois, l'usage de la table permettrait de répondre rapidement que $P[X \leqslant 5]$

$= P[X = 0] + P[X = 1] + P[X = 2] + P[X = 3] + P[X = 4] + P[X = 5]$

$= 0,0388 + 0,1368 + 0,2293 + 0,2428 + 0,1821 + 0,1028 = 0,9326$.

## *Usage d'une table de distributions binômiales avec $p > 0,5$*

Nous pouvons remarquer que la table 1 ne présente pas de valeurs de $C_x^n p^x q^{n-x}$ pour des $p$ supérieurs à 0,5. Ceci est dû au fait que dans un tel cas, il est toujours possible d'interchanger l'interprétation d'un succès en échec et vice versa. Cette interversion ayant été faite, le nouveau $p$ prend alors une valeur inférieure à 0,5 et dès lors, l'accès à la table est possible.

.EXEMPLE

Afin d'illustrer ce propos, reprenons l'exemple précédent et calculons, cette fois, la probabilité que l'échantillon compte:

a) exactement 15 élèves droitiers;

Ici, $n = 20$ essais;

| interprétation première | interversion |
|---|---|
| à chaque essai: | à chaque essai: |
| succès = droitier $\longmapsto p = 0,85$ | succès' = gaucher $\longmapsto p' = 0,15$ |
| échec = gaucher $\longmapsto q = 0,15$ | échec' = droitier $\longmapsto q' = 0,85$ |
| $X$ = le nombre de droitiers | $X'$ = le nombre de gauchers |
| $X$: $\mathbf{B}(20 ; 0,85)$ | $X'$: $\mathbf{B}(20 ; 0,15)$ |
| $P[X = 15]$ | $P[X' = 5] = 0,1028$ |

b) au moins 15 élèves droitiers;

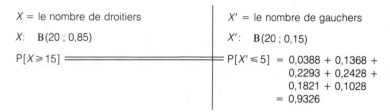

$X$ = le nombre de droitiers

$X$:  $B(20 ; 0,85)$

$P[X \geq 15]$ ═══════════

$X'$ = le nombre de gauchers

$X'$:  $B(20 ; 0,15)$

$P[X' \leq 5]$ = 0,0388 + 0,1368 +
0,2293 + 0,2428 +
0,1821 + 0,1028
= 0,9326

car, comme $x + x' = n = 20$,

si $X \geq 15$,   c'est-à-dire si  $x$  = 15, 16, 17, 18, 19 ou 20,

alors $X' \leq 5$,   c'est-à-dire $x'$ =  5,  4,  3,  2,  1 ou 0.


## Exercices

Voir les problèmes 1 à 9 de la section 8.3.


## 8.1.6. Représentation graphique d'une distribution binômiale

Voici maintenant quelques particularités de la représentation graphique d'une distribution binômiale:

**D'abord, pour un *n* donné,**

— si $p \longrightarrow 0$, la distribution est asymétrique à droite;

— si $p \longrightarrow 1$, la distribution est asymétrique à gauche;

— si $p = 0,5$, la distribution est symétrique.

La première de ces particularités s'explique par le fait que si $p \longrightarrow 0$, on a, chaque fois qu'on effectue un essai, peu de chances d'obtenir un succès et ainsi, sur l'ensemble des $n$ essais, on a plus de chances de réussir un **petit nombre** de fois qu'un grand nombre de fois.

À l'inverse, si $p \longrightarrow 1$, on a, à chaque essai, beaucoup de chances d'obtenir un succès et ainsi, sur l'ensemble des $n$ essais, on a plus de chances de réussir un **grand nombre** de fois.

Enfin, si $p = 0,5$, on a, à chaque essai, autant de chances d'obtenir un succès que de ne pas en obtenir et ainsi, sur l'ensemble des $n$ essais, on a plus de chances de réussir un **nombre médian** qu'un nombre extrême de fois. De plus, à cause de la propriété d'égalité entre $C_x^n$ et $C_{n-x}^n$, lorsque $p = 0,5$, $p(x) = p(n-x)$, car $C_x^n (0,5)^x (0,5)^{n-x}$ $= C_{n-x}^x (0,5)^{n-x} (0,5)^x$.

Comparons les diagrammes en bâtons des trois distributions sui-vantes:

— Soit $X$: $\mathbf{B}(15 ; 0,2)$

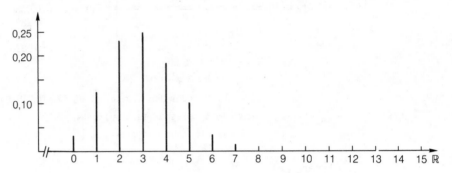

— Soit $X$: $\mathbf{B}(15 ; 0,8)$

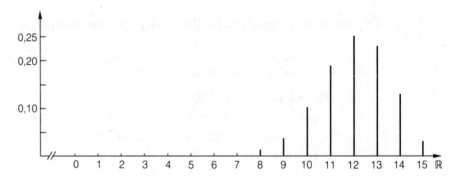

— Soit $X$: $\mathbf{B}(15 ; 0,5)$

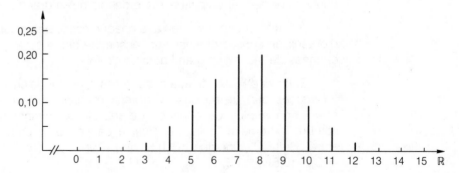

D'autre part, pour un *p* donné,

l'enveloppe du diagramme en bâtons a la forme d'une **droite brisée** qui prend progressivement l'aspect d'une **courbe** à mesure que la valeur de *n* augmente.

Cette particularité nous permettra plus tard d'établir des comparaisons avec certaines « courbes de densité de probabilité ».

**EXEMPLES**

Observons à ce titre l'enveloppe des diagrammes en bâtons des distributions suivantes:

— Soit *X*: B(4 ; 0,4)

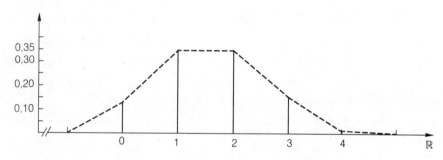

— Soit *X*: B(10 ; 0,4)

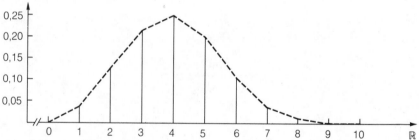

— Soit *X*: B(20 ; 0,4)

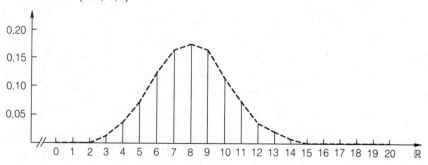

## 8.1.7. Espérance et variance d'une variable soumise à une loi binômiale

S'il est possible de formuler une écriture générale de $p(x)$ pour une loi binômiale, il est aussi possible de déterminer une formule pour les valeurs respectives de l'espérance et de la variance d'une variable soumise à une telle loi de probabilité.

### *Théorème*

Si $X$: $B(n\,;\,p)$, alors $E[X] = np$

et $V[X] = npq$.

### *Preuve*

$$E[X] = \sum_x x\, p(x)$$

$$= \sum_{x=0}^{n} x\, C_x^n\, p^x\, q^{n-x}$$

$$= \sum_{x=1}^{n} x\, C_x^n\, p^x\, q^{n-x}$$

$$= \sum_{x=1}^{n} x\, \frac{n!}{(n-x)!\, x!}\, p^x\, q^{n-x}$$

$$\downarrow$$
$$x(x-1)!$$

$$= \sum_{x=1}^{n} \frac{n!}{(n-x)!\,(x-1)!}\, p^x\, q^{n-x}$$

$$= \sum_{x=1}^{n} \frac{n(n-1)!}{((n-1)-(x-1))!\,(x-1)!}\, p\, p^{x-1}\, q^{(n-1)-(x-1)}$$

$$= np \sum_{x=1}^{n} \frac{(n-1)!}{((n-1)-(x-1))!\,(x-1)!}\, p^{x-1}\, q^{(n-1)-(x-1)}$$

$$= np \sum_{x-1=0}^{n-1} \frac{(n-1)!}{((n-1)-(x-1))!\,(x-1)!}\, p^{x-1}\, q^{(n-1)-(x-1)}$$

$$= np \sum_{r=0}^{m} \frac{m!}{(m-r)!\, r!} p^r q^{m-r}$$

$$= np \sum_{r=0}^{m} C_r^m p^r q^{m-r}$$

$$= np (p + q)^m \quad \text{(par le développement du binôme de Newton)}$$

$$= np \cdot 1^m$$

$$= np.$$

$$V[X] = \sum_{x} x^2 p(x) - (E[X])^2$$

$$= \dots \quad \text{(par un développement similaire mais plus long)}$$

$$= npq.$$

## 8.1.8. Somme de variables soumises à des lois binômiales

Voici maintenant un théorème que nous utiliserons très peu au niveau des problèmes d'applications concrètes, mais qui nous sera d'un grand secours pour certaines démonstrations ultérieures.

### *Théorème*

Soit $X_1$: $B(n_1 ; p)$ et $X_2$: $B(n_2 ; p)$

deux variables aléatoires définies à partir d'une même épreuve de Bernouilli et **indépendantes** l'une de l'autre,

soit $Y = X_1 + X_2$, alors $Y$: $B(n_1 + n_2 ; p)$.

### *Preuve*

Si $X_1$: $B(n_1 ; p)$, alors

$X_1$ = le nombre de succès obtenus au cours de la répétition de $n_1$ essais indépendants de l'épreuve de Bernouilli.

Si $X_2$: $B(n_2 ; p)$, alors

$X_2$ = le nombre de succès obtenus au cours de la répétition de $n_2$ essais indépendants de l'épreuve de Bernouilli.

Si $Y = X_1 + X_2$, alors

$Y$ = le nombre de succès obtenus au cours de la répétition de $n_1$ essais indépendants de l'épreuve de Bernouilli

$+$

le nombre de succès obtenus au cours de la répétition de $n_2$ essais indépendants de cette même épreuve de Bernouilli

= le nombre de succès obtenus au cours de la répétition de $(n_1 + n_2)$ essais indépendants de l'épreuve de Bernouilli;

et ainsi,

$Y$: $B(n_1 + n_2 ; p)$.

### *Généralisation à n* variables

Ce théorème peut être généralisé à $n$ variables aléatoires, $X_1$, $X_2$, ..., $X_n$, obéissant chacune à une loi binômiale $B(n_i ; p)$, définies à partir d'une même épreuve de Bernouilli et indépendantes les unes des autres.

**EXEMPLE**

Une première expérience consiste à lancer un dé à 5 reprises, puis à compter le nombre de 6 obtenus au cours de ces 5 lancers.

Une seconde expérience consiste à lancer le dé 10 fois de suite, puis à compter le nombre de 6 obtenus au cours de ces 10 lancers.

Nous pouvons définir ici les variables:

$X_1$ = le nombre de 6 obtenus au cours de la première expérience,

$X_2$ = le nombre de 6 obtenus au cours de la deuxième expérience,

et

$Y$ = le nombre total de 6 obtenus au cours de ces deux expériences.

Les fonctions de probabilité auxquelles sont soumises chacune de ces variables sont alors les suivantes:

$X_1$: $B(5 ; 1/6)$,   $X_2$: $B(10 ; 1/6)$   et   $Y$: $B(15 ; 1/6)$.

## Exercices

Faire les problèmes 10 à 15 de la section 8.3.

## 8.1.9. Règle permettant de bâtir facilement une table de binômiale

☆      Pour terminer notre étude sur la loi binômiale, observons une propriété de récurrence de son écriture, c'est-à-dire la possibilité, pour $p(x)$, de se définir à partir de $p(x-1)$.

### *Énoncé*

Soit $X$: $B(n\,;p)$,    alors, $\forall\,x = 1,\,2,\,\ldots$ ou $n$,

$$p(x) = p(x-1)\,\frac{(n-x+1)}{x}\,\frac{p}{q}\,.$$

### *Preuve*

Soit $X$: $B(n\,;p)$,

alors $p(x) = \begin{cases} C_x^n\, p^x\, q^{n-x} & \text{si } x \in \{0\,,\,1\,,\,\ldots\,,\,n\}, \\ 0 & \text{ailleurs.} \end{cases}$

Ainsi,    $\forall\,x = 1,\,2,\,\ldots$ ou $n$,

$$\frac{p(x)}{p(x-1)} = \frac{C_x^n\, p^x\, q^{n-x}}{C_{x-1}^n\, p^{x-1}\, q^{n-(x-1)}}$$

$$= \frac{n!}{(n-x)!\,x!}\,\frac{(n-(x-1))!\,(x-1)!}{n!}\,\frac{p^x}{p^{x-1}}\,\frac{q^{n-x}}{q^{n-x+1}}$$

$$= \frac{(n-x+1)!}{(n-x)!}\,\frac{(x-1)!}{x!}\,\frac{p}{q}$$

$$= \frac{(n-x+1)\cdot(n-x)!}{(n-x)!}\,\frac{(x-1)!}{x\cdot(x-1)!}\,\frac{p}{q}$$

$$= \frac{(n-x+1)}{x}\,\frac{p}{q}$$

d'où l'égalité suivante:

$$p(x) = p(x-1)\,\frac{(n-x+1)}{x}\,\frac{p}{q}\,.$$

185

Utilisons cette règle pour établir la distribution de probabilités d'une variable $X$: $\mathbf{B}(7 ; 0,2)$.

$$P[X = 0] = C_0^7 p^0 q^7 = q^7 = (0,8)^7 = 0,209\ 715\ 2$$

$$P[X = 1] = P[X = 0] \cdot \frac{(7 - 1 + 1)}{1} \cdot \frac{p}{q} \quad \text{où} \quad \frac{p}{q} = \frac{0,2}{0,8} = 0,25$$

$$= P[X = 0] \cdot \frac{7}{1} \cdot 0,25 = 0,367\ 001\ 6$$

$$P[X = 2] = P[X = 1] \cdot \frac{6}{2} \cdot 0,25 = 0,275\ 251\ 2$$

$$P[X = 3] = P[X = 2] \cdot \frac{5}{3} \cdot 0,25 = 0,114\ 688$$

$$P[X = 4] = P[X = 3] \cdot \frac{4}{4} \cdot 0,25 = 0,028\ 672$$

$$P[X = 5] = P[X = 4] \cdot \frac{3}{5} \cdot 0,25 = 0,004\ 300\ 8$$

$$P[X = 6] = P[X = 5] \cdot \frac{2}{6} \cdot 0,25 = 0,000\ 358\ 4$$

$$P[X = 7] = P[X = 6] \cdot \frac{1}{7} \cdot 0,25 = 0,000\ 012\ 8.$$

Nous pourrions comparer ces résultats avec les probabilités présentées dans la table de distributions binômiales et constater qu'ils coïncident parfaitement.

## 8.2. LOI DE PROBABILITÉ DE POISSON

Pour la présentation de la loi binômiale, nous sommes partis d'un exemple pratique et nous en avons déduit l'écriture générale de la fonction de probabilité de tout contexte binômial.

Pour la loi de Poisson, nous procéderons à l'inverse. Nous ferons d'abord l'analyse d'une fonction particulière, nous réaliserons que celle-ci remplit les critères d'une fonction de probabilité et ensuite seulement, nous verrons à quels types de situations concrètes une telle fonction peut s'appliquer.

## 8.2.1. Note préliminaire

Avant d'entreprendre l'étude comme telle de la loi de Poisson, rappelons-nous d'abord une notion de calcul: le développement en série de la fonction $e^x$.

*Énoncé*

$$\forall x \in \mathbb{R} \qquad e^x = 1 + x + \frac{x^2}{2!} + \frac{x^3}{3!} + \dots$$

$$= \sum_{n=0}^{\infty} \frac{x^n}{n!}$$

Dans l'étude que nous allons effectuer, nous parlerons souvent de $e^\lambda$ où $\lambda$ est un nombre réel strictement positif. Le développement cité ci-haut nous permettra alors de considérer l'équivalence suivante:

$$e^\lambda = 1 + \lambda + \frac{\lambda^2}{2!} + \frac{\lambda^3}{3!} + \dots$$

$$= \sum_{n=0}^{\infty} \frac{\lambda^n}{n!} \text{ que nous utiliserons plutôt sous la forme } \sum_{x=0}^{\infty} \frac{\lambda^x}{x!}$$

## 8.2.2. Étude d'une fonction particulière

Voici donc cette fonction particulière, que nous voulons analyser.

Soit $\lambda > 0$,

alors $f: \mathbb{R} \longrightarrow \mathbb{R}$

$$x \longmapsto f(x) = \begin{cases} \dfrac{e^{-\lambda} \lambda^x}{x!} & \text{si } x \in \mathbb{N}, \\ 0 & \text{ailleurs.} \end{cases}$$

Comme nous le mentionnions en introduction, nous pouvons démontrer qu'une telle fonction possède les caractéristiques d'une fonction de probabilité. En effet,

1°) $\forall \, x \in \mathbb{R}, \quad f(x) \geqslant 0$

car si $x \in \mathbb{N}$,

$$f(x) = \frac{e^{-\lambda} \lambda^x}{x!} = \frac{\lambda^x}{e^{\lambda} x!} > 0$$

étant donné que $e > 0$, $\lambda > 0$ et $x \geqslant 0$,

et partout ailleurs, $f(x) = 0$.

2°) $\displaystyle\sum_{x \in \mathbb{N}} f(x) = 1$

car
$$\sum_{x \in \mathbb{N}} f(x) = \sum_{x=0}^{\infty} f(x) = \sum_{x=0}^{\infty} \frac{e^{-\lambda} \lambda^x}{x!} = e^{-\lambda} \sum_{x=0}^{\infty} \frac{\lambda^x}{x!}$$

$$= e^{-\lambda} \left( \frac{\lambda^0}{0!} + \frac{\lambda^1}{1!} + \frac{\lambda^2}{2!} + \frac{\lambda^3}{3!} + \ldots \right)$$

$$= e^{-\lambda} \left( 1 + \lambda + \frac{\lambda^2}{2!} + \frac{\lambda^3}{3!} + \ldots \right)$$

$$= e^{-\lambda} \cdot e^{\lambda}$$

$$= 1.$$

Cette particularité d'une telle fonction nous permet donc d'énoncer la définition suivante:

## 8.2.3. Définition et notation d'une variable aléatoire soumise à une loi de Poisson

Soit $\lambda > 0$,

si $X$ est une variable aléatoire telle que

$$p(x) = P[X = x] = \begin{cases} \dfrac{e^{-\lambda} \lambda^x}{x!} & \forall \, x \in \mathbb{N}, \\ 0 & \text{ailleurs,} \end{cases}$$

alors $X$ est une variable aléatoire (discrète) soumise à une loi de Poisson de paramètre $\lambda$ et l'on note $X$: $\mathrm{Po}(\lambda)$.

## 8.2.4. Exemples de calculs de probabilités pour une variable soumise à une loi de Poisson

Soit $X$: Po(2), alors

— $P[X = 3] = p(3) = \dfrac{e^{-2} \cdot 2^3}{3!} = 0{,}1804$.

Encore ici, comme nous aurons à effectuer souvent ce même genre de calcul, nous pourrons faire appel à une table (voir table 2, en annexe à la fin de ce livre) dans laquelle nous retrouvons le 0,1804 que nous venons de calculer à l'intersection de la colonne $\lambda = 2$ et de la ligne $x = 3$.

— $P[X \leqslant 3] = p(0) + p(1) + p(2) + p(3)$

$$= \frac{e^{-2} \cdot 2^0}{0!} + \frac{e^{-2} \cdot 2^1}{1!} + \frac{e^{-2} \cdot 2^2}{2!} + \frac{e^{-2} \cdot 2^3}{3!}$$

$$= e^{-2} \cdot (1 + 2 + 2 + 8/6) = 0{,}8571.$$

En utilisant la table, nous trouverions rapidement que:

$P[X \leqslant 3] = p(0) + p(1) + p(2) + p(3)$

$= 0{,}1353 + 0{,}2707 + 0{,}2707 + 0{,}1804 = 0{,}8571.$

## 8.2.5. Espérance et variance d'une variable obéissant à une loi de Poisson

Comme pour le contexte binômial, une écriture générale de la fonction de probabilité d'une loi de Poisson nous permet de préciser à l'aide d'une formule les valeurs respectives de l'espérance et de la variance d'une variable soumise à une telle loi.

*Théorème*

Si $X$: Po($\lambda$), alors $E[X] = \lambda$

et $V[X] = \lambda$.

*Preuve*

$$E[X] = \sum_{x=0}^{\infty} x \cdot p(x)$$

$$= \sum_{x=1}^{\infty} x \cdot p(x)$$

$$= \sum_{x=1}^{\infty} \frac{x \cdot e^{-\lambda} \cdot \lambda^x}{x!}$$

$$= \sum_{x=1}^{\infty} \frac{x \cdot e^{-\lambda} \cdot \lambda^x}{x \cdot (x-1)!}$$

$$= e^{-\lambda} \sum_{x-1=0}^{\infty} \frac{\lambda \cdot \lambda^{x-1}}{(x-1)!}$$

$$= e^{-\lambda} \cdot \lambda \sum_{r=0}^{\infty} \frac{\lambda^r}{r!}$$

$$= e^{-\lambda} \cdot \lambda \cdot e^{\lambda}$$

$$= \lambda$$

$$\star V[X] = \sum_{x=0}^{\infty} x^2 \cdot p(x) - (E[X])^2$$

$$= \sum_{x=1}^{\infty} x^2 \cdot p(x) - \lambda^2$$

$$= \sum_{x=1}^{\infty} x^2 \cdot \frac{e^{-\lambda} \lambda^x}{x!} - \lambda^2$$

$$= e^{-\lambda} \sum_{x=1}^{\infty} \frac{x \cdot x \cdot \lambda^x}{x(x-1)!} - \lambda^2$$

$$= e^{-\lambda} \sum_{x-1=0}^{\infty} \frac{[(x-1)+1] \cdot \lambda \cdot \lambda^{x-1}}{(x-1)!} - \lambda^2$$

$$= e^{-\lambda} \lambda \left( \sum_{x-1=0}^{\infty} \frac{(x-1) \cdot \lambda^{x-1}}{(x-1)!} + \sum_{x-1=0}^{\infty} \frac{\lambda^{x-1}}{(x-1)!} \right) - \lambda^2$$

$$= e^{-\lambda} \lambda \left( \sum_{r=0}^{\infty} \frac{r \lambda^r}{r!} + \sum_{r=0}^{\infty} \frac{\lambda^r}{r!} \right) - \lambda^2$$

$$= e^{-\lambda} \lambda \left( \sum_{r=1}^{\infty} \frac{r \lambda^r}{r!} + e^{\lambda} \right) - \lambda^2$$

$$= e^{-\lambda} \lambda \left( \sum_{r=1}^{\infty} \frac{r\lambda \cdot \lambda^{r-1}}{r(r-1)!} + e^{\lambda} \right) - \lambda^2$$

$$= e^{-\lambda} \lambda \left( \lambda \sum_{r-1=0}^{\infty} \frac{\lambda^{r-1}}{(r-1)!} + e^{\lambda} \right) - \lambda^2$$

$$= e^{-\lambda} \lambda \left( \lambda \sum_{s=0}^{\infty} \frac{\lambda^s}{s!} + e^{\lambda} \right) - \lambda^2$$

$$= e^{-\lambda} \lambda (\lambda \cdot e^{\lambda} + e^{\lambda}) - \lambda^2$$

$$= e^{-\lambda} \cdot \lambda \cdot e^{\lambda} (\lambda + 1) - \lambda^2$$

$$= \lambda (\lambda + 1) - \lambda^2$$

$$= \lambda^2 + \lambda - \lambda^2$$

$$= \lambda$$

### 8.2.6. Contexte d'utilisation pratique d'une variable obéissant à une loi de Poisson

*Théorème*

> Soit $X$: $B(n\,;\,p)$,
>
> si $n \longrightarrow \infty$ (c'est-à-dire si $n$ est grand)
>
> et $p \longrightarrow 0$ (c'est-à-dire si $p$ est petit)
>
> alors $X: \simeq Po(\lambda)$   où   $\lambda = np$.

*Interprétation*

Cet énoncé nous permet de considérer une loi de Poisson comme une approximation d'une loi binômiale pour laquelle, en même temps, $n$ est grand et $p$ petit, et ce, en attribuant à $\lambda$ la valeur du produit $np$. Plus $n$ est grand et $p$ petit, plus cette approximation est juste; dans la pratique nous considérerons qu'elle est valable dans les conditions suivantes:

$$n \geqslant 50 \quad \text{et} \quad np \leqslant 10.$$

*Exemple d'un premier type d'application*

Dans une certaine population, 0,2% des individus sont atteints de la maladie M. On y prélève, au hasard et avec remise, un échantillon de 500 individus.

a) Quelle est la probabilité d'y compter exactement 3 personnes atteintes de cette maladie?

Ici, $n = 500$ essais.

$\hookrightarrow$ à chaque essai: succès $= M \longmapsto p = 0,002$

échec $= \cancel{M} \longmapsto q = 0,998$

Soit $X =$ le nombre de M sur 500 essais, alors

$X$: $\mathbf{B}(500\ ;\ 0,002)$ et comme $n \geqslant 50$

et $np = 500 \cdot 0,002 = 1 \leqslant 10$,

$X$: $\mathbf{B}(500\ ;\ 0,002) \simeq \mathbf{Po}(500 \cdot 0,002) = \mathbf{Po}(1)$.

Ainsi

$$P[X = 3] = C_3^{500}\,(0,002)^3\,(0,998)^{497} \simeq \frac{e^{-1} \cdot 1^3}{3!}$$

$$= 0,061\ 25 \simeq 0,061\ 31.$$

b) Quelle est la probabilité de retrouver plus de 2 personnes atteintes de cette maladie à l'intérieur de l'échantillon?

En considérant $X$: $\simeq \mathbf{Po}(1)$ nous obtenons

$$P[X > 2] = P[X = 3] + P[X = 4] + \dots + P[X = 500]$$

$$= 1 - (P[X = 0] + P[X = 1] + P[X = 2])$$

$$\simeq 1 - (0,3679 + 0,3679 + 0,1839)$$

$$\simeq 0,0803.$$

*Exemple d'un deuxième type d'application*

Dans l'exemple que nous venons de présenter, l'application du théorème était très claire: puisque le contexte binômial était bien précisé ($n = 500$ et $p = 0,002$) et que $n$ était grand et $p$ petit ($n \geqslant 50$ et $np \leqslant 10$), la possibilité de l'approximation d'une loi binômiale en loi de Poisson ne faisait aucun doute.

Il existe cependant un deuxième type d'application de ce théorème où les conditions d'application, bien que toujours présentes, sont plus difficiles à déceler. Afin de mieux saisir de quoi il s'agit, considérons l'exemple suivant:

Des biologistes estiment que l'eau d'un endroit donné contient en moyenne 2 bactéries par litre. Si l'on prélève un volume de 3 litres de cette eau, quelle est la probabilité

a) que celui-ci contienne exactement 5 bactéries?

b) qu'il contienne 5 bactéries ou moins?

Dans cet exemple, la question porte bien sur un **nombre de succès** (sur un nombre de bactéries trouvées), mais plutôt que de nous préciser un *n* donné, le problème nous questionne sur un **intervalle** de volume.

Pour nous permettre d'y voir un contexte binômial (que nous pourrons ensuite transformer en contexte de Poisson), nous devons considérer le problème de la façon suivante:

D'abord, partageons ce volume de 3 litres, cet **intervalle de volume** en une **infinité** de sous-intervalles (de petits volumes de la grosseur d'une bactérie) et, pour chacun de ces volumes unitaires, voyons si nous obtenons un succès (une bactérie) ou un échec (pas de bactérie).

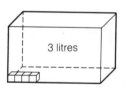

Ainsi

$n \longrightarrow \infty$ essais

$\quad\quad$└→où chaque essai = l'observation d'un petit volume d'eau de la grosseur d'une bactérie,

et à chaque essai: succès = une bactérie $\longmapsto p \longrightarrow 0$

$\quad\quad\quad\quad\quad\quad\quad\quad$ échec $\;=$ pas de bactérie.

Dès lors, si nous définissons

$X$ = le nombre de bactéries sur cette infinité d'essais,

$X$: $B(n\,;p)$ $\quad$ où $\quad$ *n* est inconnu mais très grand
$\quad\quad\quad\quad\quad$ et $\quad$ *p* est inconnu mais très petit.

Nous pouvons alors imaginer que

$X$: $B(n\,;p) \simeq Po(\lambda)$ $\quad$ avec $\lambda = np$ où *n* et *p* sont inconnus
mais où, aussi, $\quad \lambda = E[X]$ = l'espérance du nombre de bactéries pour l'ensemble des essais, donc pour le volume de 3 litres.

Comme il a été précisé que la moyenne du nombre de bactéries est de 2 par litre d'eau, alors

$\lambda = E[X] = 2 \cdot 3 = 6$.

Ainsi, $X$: $\simeq$ Po(6)

et a) $P[X=5] \simeq 0{,}1606$.

b) $P[X \leqslant 5] = P[X=0] + P[X=1] + \ldots + P[X=5]$

$\simeq 0{,}0025 + 0{,}0149 + 0{,}0446 + 0{,}0892$

$+ 0{,}1339 + 0{,}1606$

$\simeq 0{,}4457$.


## Exercices

Faire les problèmes 16 et suivants de la section 8.3.


## 8.2.7. Preuve de l'approximation d'une B($n$ ; $p$) par une Po($\lambda$), lorsque $n \longrightarrow \infty$ et $p \longrightarrow 0$

☆    Soit $X$:  B($n$ ; $p$)

alors $p(x) = \begin{cases} C_x^n\, p^x\, q^{n-x} & \text{pour} \quad x = 0, 1, \ldots, n, \\ 0 & \text{ailleurs.} \end{cases}$

1°) D'abord, reprenons l'étude du rapport $\dfrac{p(x)}{p(x-1)}$

pour $x = 1, 2, \ldots$ ou $n$, comme nous l'avons déjà fait à la sous-section 8.1.9.:

$$\frac{p(x)}{p(x-1)} = \frac{C_x^n\, p^x\, q^{n-x}}{C_{x-1}^n\, p^{x-1}\, q^{n-(x-1)}}$$

$$= \frac{n!}{(n-x)!\,x!} \; \frac{(n-(x-1))!\,(x-1)!}{n!} \; \frac{p^x}{p^{x-1}} \; \frac{q^{n-x}}{q^{n-x+1}}$$

$$= \frac{(n-x+1)\cdot(n-x)!}{(n-x)!} \; \frac{(x-1)!}{x\cdot(x-1)!} \; \frac{p}{q}$$

$$= \frac{(n-x+1)}{x} \; \frac{p}{q}$$

$$= \frac{n - (x - 1)}{x} \frac{p}{q}$$

$$= \frac{p}{x} \frac{n - (x - 1)}{1 - p}$$

Maintenant, si $n \longrightarrow \infty$ et $p \longrightarrow 0$, alors

$n - (x - 1) \longrightarrow n$  (au moins pour les petites valeurs de $x$ qui sont, dans ce cas où $p \longrightarrow 0$, les seules valeurs dont les probabilités sont non négligeables)

et

$1 - p \longrightarrow 1$

et ainsi,  $\dfrac{n - (x - 1)}{1 - p} \longrightarrow \dfrac{n}{1} = n$.

Donc, si $n \longrightarrow \infty$ et $p \longrightarrow 0$

$$\frac{p(x)}{p(x - 1)} \simeq \frac{p\,n}{x}$$

$$\longrightarrow \quad p(x) \quad \simeq \frac{np}{x} \cdot p(x - 1)$$

2°)  À son tour, $p(x - 1)$ peut être développé à partir de $p(x - 2)$ et ainsi, si $n \longrightarrow \infty$ et $p \longrightarrow 0$, alors

$$p(x) \simeq \frac{np}{x} \cdot p(x - 1)$$

$$\simeq \frac{np}{x} \cdot \frac{np}{x - 1} \cdot p(x - 2)$$

$$\simeq \frac{np}{x} \cdot \frac{np}{x - 1} \cdot \frac{np}{x - 2} \cdot \ldots \cdot p(1)$$

$$\simeq \frac{np}{x} \cdot \frac{np}{x - 1} \cdot \frac{np}{x - 2} \cdot \ldots \cdot \frac{np}{1} \cdot p(0)$$

donc

$$p(x) \simeq \frac{(np)^x}{x!} \cdot p(0)$$

3°) Il nous faut maintenant déterminer $p(0)$ lorsque $n \longrightarrow \infty$ et $p \longrightarrow 0$.

Pour que l'écriture de $p(x)$ décrive bien une fonction de probabilité, il faut que

$$\sum_{x=0}^{n} p(x) = 1$$

et comme $n \longrightarrow \infty$, il faut que

$$\lim_{n \to \infty} \sum_{x=0}^{n} p(x) = \sum_{x=0}^{n \to \infty} p(x) = 1.$$

Ainsi,

$$p(0) + \sum_{x=1}^{n \to \infty} p(x) = 1$$

$$\longrightarrow \quad p(0) + \sum_{x=1}^{n \to \infty} \frac{(np)^x}{x!} \cdot p(0) = 1$$

$$\longrightarrow \quad p(0) + p(0) \sum_{x=1}^{n \to \infty} \frac{(np)^x}{x!} = 1$$

$$\longrightarrow \quad p(0) \left[ 1 + \sum_{x=1}^{n \to \infty} \frac{(np)^x}{x!} \right] = 1$$

$$\longrightarrow \quad p(0) \left[ 1 + np + \frac{(np)^2}{2!} + \frac{(np)^3}{3!} + \dots \right] = 1$$

$$\longrightarrow \quad p(0) \left[ e^{np} \right] = 1$$

$$\longrightarrow \quad p(0) = \frac{1}{e^{np}} = e^{-np}.$$

4°) L'écriture générale de $p(x)$, pour $x = 0, 1, \dots, n$, lorsque $n \longrightarrow \infty$ et $p \longrightarrow 0$, devient donc la suivante:

$$p(x) \simeq \begin{cases} e^{-np} & \text{si} \quad x = 0, \\ \dfrac{(np)^x \cdot e^{-np}}{x!} & \text{si} \quad x = 1, 2, \dots, n, \end{cases}$$

soit

$$p(x) \simeq \frac{(np)^x \cdot e^{-np}}{x!} \qquad \text{si} \quad x = 0, 1, 2, \dots, n.$$

Et si on remplace l'écriture de $np$ par $\lambda$ on obtient:

$$p(x) \simeq \frac{\lambda^x \cdot e^{-\lambda}}{x!} \qquad \text{pour} \quad x = 0, 1, 2, \dots, n.$$

5°) Enfin, lorsque $n \longrightarrow \infty$ et $p \longrightarrow 0$,

$$p(x) = \begin{cases} C_x^n \, p^x \, q^{n-x} & \text{pour} \quad x = 0, 1, ..., n, \\ 0 & \text{ailleurs} \end{cases}$$

peut être approximé par

$$p(x) = \begin{cases} \dfrac{\lambda^x \cdot e^{-\lambda}}{x!} & \text{pour} \quad x \in \mathbb{N} \\ & \text{(où } \lambda = np), \\ 0 & \text{ailleurs.} \end{cases}$$

Soit $\mathrm{B}(n\,;p) \simeq \mathrm{Po}(\lambda)$   où   $\lambda = np$.

## 8.3. PROBLÈMES

1.  Dans un collège, 5 % des étudiants jouent à la Bourse. Sur un échantillon de 20 étudiants de ce collège, choisis au hasard et avec remise, quelle serait la probabilité de compter

    a) exactement 1 étudiant qui joue à la Bourse?

    b) 1 ou 2 étudiants qui jouent à la Bourse?

    c) moins de 5 étudiants qui jouent à la Bourse?

    d) au moins 1 étudiant qui joue à la Bourse?

2.  Une pièce de monnaie est pipée de telle sorte que chaque fois qu'on la lance, la probabilité d'obtenir pile est de 0,3. Si on lançait cette pièce cinq fois de suite, quelle serait la probabilité d'obtenir

    a) pile exactement 2 fois?

    b) pile 2 ou 3 fois?

    c) pile au moins 2 fois?

    d) moins de fois pile que face?

3.  On estime qu'un certain télé-roman est suivi par 40 % des Québécois âgés de 16 ans et plus. Si on considérait 25 Québécois de cette catégorie d'âge, choisis au hasard et avec remise, quelle serait la probabilité

    a) de compter exactement 10 fervents de ce télé-roman parmi ces individus?

    b) de compter entre 10 et 15 fervents de ce télé-roman (10 et 15 étant inclus) parmi ces individus?

    c) de compter 5 fervents de ce télé-roman ou moins parmi ces individus?

d) de compter plus de 5 fervents de ce télé-roman parmi ces individus?

4. Une certaine faculté compte 35 % de garçons et 65 % de filles. Si on choisissait 10 étudiants de cette faculté, en procédant au hasard et avec remise, quelle serait la probabilité

    a) que les 2 premiers étudiants choisis soient des garçons et les 8 derniers des filles?

    b) que les 2 premiers étudiants choisis soient des garçons?

    c) de compter 2 garçons et 8 filles parmi ces étudiants?

5. Dans un certain collège, 55 % des étudiants sont majeurs. On tire un échantillon (au hasard et avec remise) de 15 étudiants de ce collège. Quelle est la probabilité que cet échantillon compte

    a) exactement 8 étudiants majeurs?

    b) entre 5 et 8 étudiants majeurs (5 et 8 étant inclus)?

    c) moins de 5 étudiants majeurs?

    d) au moins 12 étudiants majeurs?

    e) moins de 12 étudiants majeurs?

6. Une urne contient 15 boules rouges et 10 boules noires. À 8 reprises on tire une boule de l'urne, on note sa couleur, puis on la remet dans l'urne avant de tirer à nouveau. Quelle est la probabilité que, sur l'ensemble de ces 8 épreuves,

    a) on obtienne exactement 5 fois une boule rouge?

    b) on obtienne 4, 5 ou 6 fois une boule rouge?

    c) on n'obtienne que des boules rouges?

    d) on n'obtienne au plus que 7 boules rouges?

7. Quelle serait la probabilité d'arriver quitte au moins une fois, si l'on jouait 5 fois de suite au jeu du problème n° 9 du chapitre précédent?

8. Parmi les objets d'une certaine fabrication, 8 % sont défectueux. On tire, au hasard et avec remise, 20 articles de cette fabrication. Quelle est la probabilité de compter, à l'intérieur de cet échantillon,

    a) exactement 1 objet défectueux?

    b) au plus 4 objets défectueux?

    c) plus d'un objet défectueux?

    d) moins de 5 objets défectueux?

9. Un examen objectif est composé de 25 questions permettant chacune 2 réponses possibles: vrai ou faux. Un étudiant qui n'a rien

saisi de la matière de cet examen décide de choisir chacune de ses réponses à l'aide du jet d'une pièce de monnaie. Quelle est la probabilité que cet étudiant réussisse son examen s'il faut obtenir au moins 60% de bonnes réponses?

10. En considérant le fait que si $X$: $B(n\,;p)$, alors $X$ peut être défini comme étant la somme de $n$ variables obéissant à une loi $B(1\,;p)$, indépendantes entre elles, démontrer que $E[X] = np$ et $V[X] = npq$.

11. Soit $X$, une variable aléatoire obéissant à une loi $B(n\,;p)$. Si $E[X] = 12,75$ et $V[X] = 3,1875$, quelles sont les valeurs respectives de $n$ et de $p$?

12. Un tableau électronique est divisé en 25 cases. Lorsqu'on appuie sur un bouton, chacune de ces cases s'allume, soit en vert, soit en rouge.
    Le programme est conçu de telle sorte que, lorsqu'on appuie sur le bouton, chaque case a une probabilité de 1/10 de s'allumer en rouge et de 9/10 de s'allumer en vert.
    On décide d'utiliser ce tableau pour le jeu de hasard suivant:
    Un joueur dépose une mise de 4,00 $ puis il appuie sur le bouton.
    On lui remet 1,00 $ pour chaque case qui s'est allumée en rouge.
    a) Calculer l'espérance et la variance du gain net de ce jeu.
    b) Quelle est la probabilité de faire de l'argent en jouant à ce jeu?
    c) Calculer l'espérance et la variance du gain net pour un joueur qui jouerait 5 fois de suite à ce jeu.

13. Un jeu consiste à jeter 3 pièces de monnaie et 5 dés bien équilibrés. On calcule ensuite la différence « nombre de 6 − nombre de pile obtenus » et, selon que celle-ci est négative, nulle ou positive, on perd un nombre équivalent de dollars, on est quitte ou on reçoit un nombre équivalent de dollars.
    a) Calculer l'espérance et la variance du montant que l'on peut gagner (ou perdre) en jouant à ce jeu.
    ☆ b) Quelle est la probabilité d'arriver quitte à ce jeu?
    ☆ c) Quelle est la probabilité d'y perdre de l'argent?
    ☆ d) Quelle est la probabilité d'y gagner de l'argent?

14. Dans une certaine population, 2% des gens souffrent de troubles respiratoires. On y prélève un échantillon de $n$ individus choisis au hasard et avec remise. Quelle doit être la taille de cet échantillon si on veut être sûr à plus de 95% qu'il contiendra au moins un individu souffrant de troubles respiratoires?

15. Chaque fois qu'on réalise une épreuve de Bernouilli, on a une probabilité de 0,1 d'obtenir un succès. Combien de fois doit-on réaliser cette épreuve si on veut que la probabilité d'obtenir au moins un succès au cours de ces essais soit supérieure ou égale à 1/2?

16. On estime qu'au Québec, un adulte sur 200 possède un doctorat. Sur un échantillon de 400 Québécois adultes, choisis au hasard et avec remise, quelle est la probabilité de compter exactement 2 détenteurs d'un doctorat?

    *Note.*— Utiliser 2 lois de probabilité différentes pour répondre à cette question et comparer les réponses obtenues avec l'une et l'autre de ces lois.

17. Parmi les chandails fabriqués par une certaine compagnie du textile, 1,5% sont à rejeter. Sur un échantillon de 100 chandails tirés de cette fabrication, au hasard et avec remise, quelle est la probabilité de compter

    a) exactement 2 chandails défectueux?

    b) pas plus de 2 chandails défectueux?

    c) au moins 2 chandails défectueux?

18. Dans une certaine ville des Bois-Francs, 99% des habitants sont de langue maternelle française. On tire, au hasard et avec remise, un échantillon de 200 personnes de cette ville. Quelle est la probabilité d'y retrouver entre 194 et 198 personnes de langue maternelle française? (194 et 198 étant inclus.)

    *Note.*— Utiliser une loi de Poisson pour répondre à cette question.

19. Une pièce d'un certain tissu comporte, en moyenne, un défaut aux 15 m². Sur une pièce de 3 m², quelle est la probabilité de ne pas retrouver de défaut?

20. Les contrôleurs de la qualité d'une compagnie fabriquant du beurre d'arachides estiment qu'on retrouve, en moyenne, 3 mauvaises cacahuètes par 10 litres de graines servant à la production. Sur un volume de 5 litres de cacahuètes, quelle est la probabilité d'en compter exactement 2 mauvaises?

21. Des ornithologues estiment que, dans un certain territoire, on retrouve en moyenne 1 nid d'une certaine espèce d'oiseau aux 2 acres. Sur une terre de 10 acres, située dans ce territoire, quelle est la probabilité de compter 4, 5 ou 6 nids de cette espèce d'oiseau?

22. Dans une certaine station-service, on estime qu'entre 13 h 00 et 16 h 00 on répond, en moyenne, à 3 automobilistes aux 4 minutes. Quelle est la probabilité de servir plus d'un automobiliste au cours d'une minute particulière de cette période de la journée?

# CHAPITRE 9

# Variable aléatoire continue et fonction de densité de probabilité associée

Aux chapitres 7 et 8, nous avons procédé à l'étude de la variable aléatoire discrète et de sa fonction de probabilité. Dans les deux prochains chapitres, nous nous concentrerons sur la variable aléatoire continue et sa fonction de probabilité que nous nommerons, dans ce nouveau contexte, fonction de densité de probabilité. Encore ici, nous procéderons en deux temps: étude générale d'abord (chap. 9) puis analyse plus spécifique de certaines variables aléatoires continues particulières (chap. 10).

## 9.1. VARIABLE ALÉATOIRE CONTINUE

Nous avons déjà parlé, au début du chapitre 7, de la variable aléatoire continue, pour la distinguer de la variable discrète. Reprenons donc cette notion dans la définition suivante:

DÉFINITION

> Une variable aléatoire est dite **continue** lorsque l'ensemble de ses valeurs possibles correspond à celles d'un intervalle donné, fini ou infini.

EXEMPLES

Une expérience aléatoire consiste à mesurer, pour une journée donnée, la durée du sommeil d'un malade choisi au hasard parmi les patients d'un certain hôpital. Si l'on note $X$ cette durée (en heures), l'individu étant prélevé au hasard, $X$ est une variable **aléatoire** et, comme l'ensemble de ses valeurs possibles correspond à l'intervalle [0 ; 24], cette variable est **continue**.

Voici d'autres exemples d'intervalles de valeurs possibles d'une variable aléatoire continue:

$$X = [0 ; 5]$$
$$X = [0 ; 5[ \cup ]6 ; 7[$$
$$X = ]-\infty ; +\infty[$$

## 9.2. FONCTION DE DENSITÉ DE PROBABILITÉ D'UNE VARIABLE ALÉATOIRE CONTINUE

**DÉFINITION**

Une fonction de densité de probabilité est une fonction $f: \mathbb{R} \longrightarrow \mathbb{R}$, telle que

$$\forall x \in \mathbb{R}, \qquad f(x) \geqslant 0, \qquad \text{lien avec } P_{(x)} \geqslant 0$$

$f$ est intégrable sur tout intervalle de $\mathbb{R}$ et

$$\int_{-\infty}^{+\infty} f(x)\,dx = 1 \quad \left\{ \begin{array}{l} \text{(c'est-à-dire que l'aire totale de la surface} \\ \text{comprise entre la courbe de } f(x) \text{ et l'axe hori-} \\ \text{zontal, est de 1).} \end{array} \right.$$

lien avec $\sum P_{(x)} = 1$

aire de la surface = 1

**EXEMPLE**

Soit $f: \mathbb{R} \longrightarrow \mathbb{R}$

$$x \longmapsto \frac{1}{4} x^3 \qquad \text{si } 0 < x < 2$$

$$x \longmapsto 0 \qquad \text{ailleurs}$$

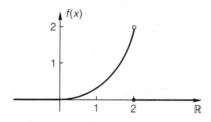

$f$ décrit bien une fonction de densité de probabilité car:

— d'une part    $f(x) > 0$   si   $0 < x < 2$

                   $f(x) = 0$   ailleurs

                $\therefore f(x) \geqslant 0$      $\forall\, x \in \mathbb{R}$

— d'autre part

$$\int_{-\infty}^{+\infty} f(x)\, dx = \int_{-\infty}^{0} 0\, dx + \int_{0}^{2} \frac{1}{4} x^3\, dx + \int_{2}^{+\infty} 0\, dx$$

$$= 0 + \left( \frac{1}{16} x^4 + C \right)\Bigg|_{x=2} - \left( \frac{1}{16} x^4 + C \right)\Bigg|_{x=0} + 0$$

$$= \frac{16}{16} + C - 0 - C$$

$$= 1$$

## 9.2.1. Variable aléatoire soumise à une fonction de densité de probabilité

**DÉFINITION**

> Soit $X$, une variable aléatoire continue, et $f$, une fonction de densité de probabilité. Si pour tout intervalle $]a\,;b[$, l'aire de la surface sous la courbe, entre $a$ et $b$, correspond à la probabilité, pour $X$, de prendre une valeur dans cet intervalle, c'est-à-dire si
>
> $\forall$ intervalle $]a\,;b[$,
>
>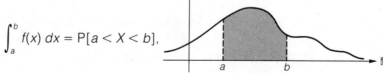
>
> $$\int_{a}^{b} f(x)\, dx = P[a < X < b],$$
>
> alors $f$ est la fonction de densité de probabilité associée à la variable $X$ et l'on dit que $X$ « obéit » ou « est soumise » à $f$.

**EXEMPLE**

Imaginons que la fonction *f* présentée à l'exemple précédent décrive la densité de probabilité d'une variable *X*, alors *f* est la fonction de densité de probabilité de cette variable et, par exemple,

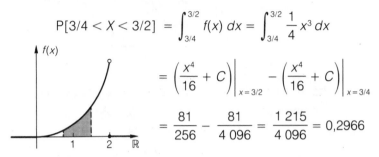

$$P[3/4 < X < 3/2] = \int_{3/4}^{3/2} f(x)\, dx = \int_{3/4}^{3/2} \frac{1}{4}\, x^3\, dx$$

$$= \left( \frac{x^4}{16} + C \right)\Bigg|_{x=3/2} - \left( \frac{x^4}{16} + C \right)\Bigg|_{x=3/4}$$

$$= \frac{81}{256} - \frac{81}{4\,096} = \frac{1\,215}{4\,096} = 0{,}2966$$

**REMARQUE**

Il est important de bien faire la différence, à ce moment de notre étude, entre la fonction de probabilité d'une variable aléatoire discrète et la fonction de densité de probabilité d'une variable aléatoire continue.

Alors que pour une variable discrète *X*, la fonction de probabilité *p* décrit directement la probabilité que cette variable prenne une valeur particulière *x*,

$$p(x) = P[X = x],$$

la fonction de densité de probabilité *f* d'une variable continue *X* décrit simplement une courbe en-dessous de laquelle se retrouve une surface et c'est l'aire d'une partie de cette surface qui correspond à la probabilité que cette variable se situe dans un intervalle donné:

$$P[a < X < b] = \int_{a}^{b} f(x)\, dx.$$

C'est une fonction qui, comme son nom l'indique, nous décrit la densité de probabilité d'une variable pour une région donnée.

*Propriété découlant de cette définition*

Conséquemment à cette définition, il va de soi que la probabilité qu'une variable aléatoire continue *X* prenne une valeur particulière *x* est toujours égale à 0, c'est-à-dire que

$$\boxed{\forall\, x \in X, \qquad P[X = x] = 0.}$$

En effet, $\forall\, x \in X$,

$$P[X = x] = \lim_{\varepsilon \to 0} P[x - \varepsilon < X < x + \varepsilon]$$

$$= \lim_{\varepsilon \to 0} \int_{x - \varepsilon}^{x + \varepsilon} f(x)\, dx = 0.$$

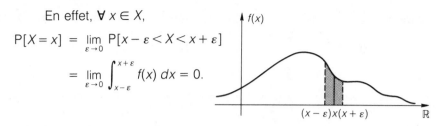

Sans faire appel au calcul intégral, cela pourrait tout simplement s'expliquer graphiquement de la façon suivante:

$$P[X = x] = \text{aire de la surface d'une droite } (X = x)$$
$$= 0.$$

À cause de cette propriété, il s'ensuivra que pour toute variable aléatoire continue $X$,

$$P[a < X < b] \quad = \quad P[a \leqslant X < b] \quad = \quad P[a < X \leqslant b] \quad = \quad P[a \leqslant X \leqslant b]$$

# 9.3. ESPÉRANCE ET VARIANCE D'UNE VARIABLE ALÉATOIRE CONTINUE

Par association à l'espérance, à la variance et à l'écart type d'une variable aléatoire discrète, il est possible de définir maintenant les valeurs de ces caractéristiques pour une variable aléatoire continue.

**DÉFINITIONS ET NOTATIONS**

Soit $X$ une variable aléatoire continue, et $f$, sa fonction de densité de probabilité, alors

l'espérance de $X = E[X] = \displaystyle\int_{-\infty}^{+\infty} x\, f(x)\, dx$

la variance de $X = V[X] = \displaystyle\int_{-\infty}^{+\infty} (x - E[X])^2\, f(x)\, dx$ (par définition)

$= \displaystyle\int_{-\infty}^{+\infty} x^2\, f(x)\, dx - (E[X])^2$ (formule simplifiée)

l'écart type de $X = \sqrt{V[X]}$.

**EXEMPLE**     Soit $X$, une variable aléatoire dont la fonction de densité de probabilité serait celle de l'exemple présenté à la section 9.2., alors

$$E[X] = \int_{-\infty}^{+\infty} x\, f(x)\, dx$$

$$= \int_{-\infty}^{0} x \cdot 0 \cdot dx + \int_{0}^{2} x \cdot \frac{1}{4}\, x^3\, dx + \int_{2}^{\infty} x \cdot 0 \cdot dx$$

$$= \qquad 0 \qquad + \int_{0}^{2} \frac{1}{4}\, x^4\, dx \quad + \; 0$$

$$= \left( \frac{x^5}{20} + C \right)\Bigg|_{x=0}^{x=2} = \frac{32}{20} + C - 0 - C = \frac{32}{20} = 1{,}6$$

$$V[X] = \int_{-\infty}^{+\infty} x^2\, f(x)\, dx - (E[X])^2$$

$$= \int_{-\infty}^{0} x^2 \cdot 0 \cdot dx + \int_{0}^{2} x^2 \cdot \frac{1}{4} \cdot x^3 \cdot dx + \int_{2}^{\infty} x^2 \cdot 0 \cdot dx - (1{,}6)^2$$

$$= \qquad 0 \qquad + \int_{0}^{2} \frac{1}{4}\, x^5\, dx \qquad + \; 0 \qquad\qquad - (1{,}6)^2$$

$$= \left( \frac{x^6}{24} + C \right)\Bigg|_{x=0}^{x=2} - (1{,}6)^2 = \frac{64}{24} + C - 0 - C - (1{,}6)^2 = 0{,}10\overline{6}$$

et l'écart type de $X = \sqrt{V[X]} = 0{,}3266$.

## 9.4. FONCTION DE RÉPARTITION D'UNE VARIABLE ALÉATOIRE CONTINUE

Dans une situation où l'on aurait à effectuer un grand nombre de calculs de probabilités, pour une variable aléatoire donnée, il pourrait devenir fastidieux d'avoir toujours à refaire ces divers calculs d'intégrales. Afin de remédier à un tel problème, il est possible d'utiliser la fonction de répartition d'une variable aléatoire continue.

Définissons donc cette nouvelle fonction et nous verrons par la suite comment en faire usage.

Soit $X$, une variable aléatoire continue, et $f$, sa fonction de densité de probabilité, alors la fonction de répartition de cette variable est une fonction notée $F$ telle que:

$$F: \mathbb{R} \longrightarrow [0 \, ; 1]$$
$$x \longmapsto F(x) = P[X \leqslant x] = \int_{-\infty}^{x} f(t) \, dt$$

$$= \text{l'aire de la surface, sous la courbe}$$
de $f$, située à gauche de $x$ ($x$ étant inclus, mais l'aire de cette surface, pour $X = x$, étant nulle).

Soit $X$, une variable aléatoire continue dont la fonction de densité de probabilité $f$ est définie comme celle de l'exemple de la sous-section 9.2., alors

— si $x \leqslant 0$:

$$F(x) = \int_{-\infty}^{x} f(t) \, dt = \int_{-\infty}^{x} 0 \, dt = 0$$

— si $0 < x < 2$:

$$F(x) = \int_{-\infty}^{x} f(t) \, dt = \int_{-\infty}^{0} 0 \, dt + \int_{0}^{x} \frac{1}{4} t^3 \, dt$$

$$= \quad 0 \quad + \left( \frac{t^4}{16} + C \right) \Big|_{0}^{x}$$

$$= \frac{x^4}{16}$$

— si $x \geqslant 2$:

$$F(x) = \int_{-\infty}^{x} f(t) \, dt = \int_{-\infty}^{0} 0 \, dt + \int_{0}^{2} \frac{1}{4} t^3 \, dt + \int_{2}^{x} 0 \, dt$$

$$= \quad 0 \quad + \left( \frac{t^4}{16} + C \right) \Big|_{0}^{2} + 0$$

$$= \frac{16}{16} = 1$$

Ainsi, la fonction de répartition de cette variable est la fonction $F: \mathbb{R} \longrightarrow [0\,;1]$ telle que

$$F(x) = 0 \qquad \text{si } x \leqslant 0$$

$$= \frac{x^4}{16} \qquad \text{si } 0 < x < 2$$

$$= 1 \qquad \text{si } x \geqslant 2.$$

Voici les représentations graphiques des fonctions $f$ et $F$ de cet exemple:

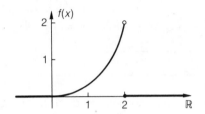 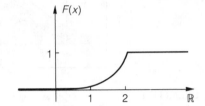

$\forall\, x \in \mathbb{R}$, **$F$ exprime en hauteur** (en $F(x)$), **l'aire de la surface située à gauche de $x$** ($x$ étant inclus), **sous la courbe de $f(x)$.**

**EXEMPLE 2**    Soit $X$, une variable aléatoire dont la fonction de densité de probabilité est la suivante:

$$f: \mathbb{R} \longrightarrow \mathbb{R}$$

$$x \longmapsto \frac{1}{4}x \qquad \text{si } 0 < x < 1$$

$$x \longmapsto \frac{5}{4}x - 1 \qquad \text{si } 1 \leqslant x \leqslant 2$$

$$x \longmapsto 0 \qquad \text{ailleurs,}$$

alors
— si $x \leqslant 0$:

$$F(x) = \int_{-\infty}^{x} f(t)\, dt = \int_{-\infty}^{x} 0\, dt = 0$$

— si $0 < x < 1$:

$$F(x) = \int_{-\infty}^{x} f(t)\, dt = \int_{-\infty}^{0} 0\, dt + \int_{0}^{x} \frac{1}{4}t\, dt$$

$$= \left.\left(\frac{t^2}{8} + C\right)\right|_{0}^{x} = \frac{x^2}{8}$$

— si $1 \leqslant x \leqslant 2$:

$$F(x) = \int_{-\infty}^{x} f(t)\, dt = \int_{-\infty}^{0} 0\, dt + \int_{0}^{1} \frac{1}{4}\, t\, dt + \int_{1}^{x} \left( \frac{5}{4}\, t - 1 \right) dt$$

$$= \frac{t^2}{8} \bigg|_{0}^{1} + \left( \frac{5t^2}{8} - t \right) \bigg|_{1}^{x}$$

$$= \frac{1}{8} - 0 + \frac{5}{8}\, x^2 - x - \frac{5}{8} + 1 = \frac{5}{8}\, x^2 - x + \frac{1}{2}$$

— si $x > 2$:

$$F(x) = \int_{-\infty}^{x} f(t)\, dt$$

$$= \int_{-\infty}^{0} 0\, dt + \int_{0}^{1} \frac{1}{4}\, t\, dt + \int_{1}^{2} \left( \frac{5}{4}\, t - 1 \right) dt + \int_{2}^{x} 0\, dt$$

$$= \frac{1}{8} + \left( \frac{5}{8}\, t^2 - t \right) \bigg|_{1}^{2} + 0 = \frac{1}{8} + \frac{5}{2} - 2 - \frac{5}{8} + 1$$

$$= 1$$

Ainsi, $F: \mathbb{R} \longrightarrow [0\,;1]$ est telle que

$$
\begin{aligned}
F(x) &= 0 && \text{si } x \leqslant 0 \\
&= \frac{x^2}{8} && \text{si } 0 < x < 1 \\
&= \frac{5}{8}\, x^2 - x + \frac{1}{2} && \text{si } 1 \leqslant x \leqslant 2 \\
&= 1 && \text{si } x > 2
\end{aligned}
$$

Ici aussi, nous pouvons comparer la représentation graphique de chacune des fonctions $f$ et $F$:

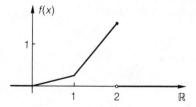
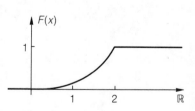

## 9.4.1. Propriétés d'une fonction de répartition

De par sa définition, toute fonction de répartition d'une variable aléatoire continue possède les 4 propriétés suivantes:

1) $F(x)$ existe $\forall x \in \mathbb{R}$

2) $\lim\limits_{x \to -\infty} F(x) = 0$   et   $\lim\limits_{x \to +\infty} F(x) = 1$

3) $F$ est une fonction croissante

4) $F$ est une fonction continue $\forall x \in \mathbb{R}$.

## 9.4.2. Usages de la fonction de répartition

L'un des usages de la fonction de répartition est de nous permettre d'effectuer des calculs de probabilités, pour une variable, sans avoir à effectuer de calcul d'intégrale.

EXEMPLE

À titre d'exemple, utilisons la fonction $F$ pour calculer $P[0,5 < X \leq 1,25]$, où $X$ est la variable aléatoire présentée au deuxième exemple de la section 9.4.

$$\text{Ici,} \quad P[0,5 < X \leq 1,25] = \int_{0,5}^{1,25} f(x)\, dx$$

$$= \int_{-\infty}^{1,25} f(x)\, dx - \int_{-\infty}^{0,5} f(x)\, dx$$

$$= F(1,25) - F(0,5)$$

$$= \frac{5}{8}(1,25)^2 - 1,25 + \frac{1}{2} - \frac{(0,5)^2}{8} = 0,1953.$$

La fonction $F$ sera aussi très utile pour le calcul d'un quantile d'une variable aléatoire continue.

EXEMPLE

Afin d'illustrer cet usage, calculons les valeurs respectives de la médiane et du cinquième centile de la variable présentée à l'exemple 2 de la section 9.4. à l'aide de sa fonction

$F: \mathbb{R} \longrightarrow [0\,;\,1]$

$x \longmapsto 0$ \hspace{2cm} si $x \leq 0$

$x \longmapsto \dfrac{x^2}{8}$ \hspace{2cm} si $0 < x < 1$

$$x \longmapsto \frac{5}{8} x^2 - x + \frac{1}{2} \quad \text{si } 1 \leqslant x \leqslant 2$$

$$x \longmapsto 1 \quad \text{si } x > 2.$$

D'abord, observons que cette fonction est définie en 4 branches:
— la première se situant toute à la hauteur 0,
— la seconde passant de la hauteur 0 (exclus) $\left( \lim_{x \to 0} F(x) = 0 \right)$

à la hauteur $\frac{1}{8}$ (exclus) $\left( \lim_{x \to 1} F(x) = \frac{1}{8} \right)$,

— la troisième passant de la hauteur $\frac{1}{8}$ (inclus) $\left( F(1) = \frac{1}{8} \right)$

à la hauteur 1 (inclus) $( F(2) = 1 )$,

— la quatrième se situant toute à la hauteur 1.

Pour le calcul de la médiane, on sait que

$md$ = la valeur de $x$ telle que $P[X \leqslant x]$ vaut 0,5

= la valeur de $x$ telle que $\int_{-\infty}^{x} f(t) \, dt$ vaut 0,5

= la valeur de $x$ telle que $F(x)$ vaut 0,5.

Comme $F$ ne peut prendre la valeur 0,5 que dans sa troisième branche, alors

$$F(x) = 0,5 \longrightarrow \frac{5}{8} x^2 - x + \frac{1}{2} = 0,5$$

$$\longrightarrow \frac{5}{8} x^2 - x = 0 \longrightarrow x = 0$$
$$\text{ou}$$
$$x = 1,6.$$

Enfin, $x = 0$ est à rejeter (car $0 \notin [1 ; 2]$ = domaine de définition de la troisième branche de $F$) et ainsi, $md = 1,6$.

De la même manière,

$c_5$ = la valeur de $x$ telle que $P[X \leqslant x]$ vaut 0,05

= la valeur de $x$ telle que $\int_{-\infty}^{x} f(t) \, dt$ vaut 0,05

= la valeur de $x$ telle que $F(x)$ vaut 0,05.

Pour que $F$ puisse prendre la valeur 0,05, il faut se situer dans la deuxième branche de cette fonction. Ainsi:

$$F(x) = 0,05 \longrightarrow \frac{x^2}{8} = 0,05$$

$$\longrightarrow x^2 = 0,4 \longrightarrow x = \pm 0,6325.$$

Et comme $x = -0,6325$ est à rejeter (car $-0,6325 \notin\ ]0\ ; 1[$), alors $c_5 = 0,6325$.

## 9.5. CHANGEMENTS DE VARIABLES

Pour compléter cette étude de la variable aléatoire continue, mentionnons que les deux théorèmes énoncés précédemment au sujet d'une transformation linéaire d'une variable aléatoire discrète et d'une somme de variables de ce type s'appliquent aussi à des variables continues.

### 9.5.1. Théorème au sujet d'une transformation linéaire d'une variable

Soit $X$, une variable aléatoire continue dont

l'espérance = $E[X]$,

la variance = $V[X]$

et l'écart type = $\sqrt{V[X]}$,

alors, $\forall\ a, b \in \mathbb{R}$, $Y = aX + b$ est une nouvelle variable aléatoire continue telle que

$$E[Y] = a \cdot E[X] + b$$

$$V[Y] = a^2 \cdot V[X]$$

et $\sqrt{V[Y]} = |a| \cdot \sqrt{V[X]}$

## 9.5.2. Théorème au sujet d'une somme de variables

> Soit $X_1$, $X_2$, ..., $X_n$, $n$ variables aléatoires continues, alors
>
> $Y = X_1 + X_2 + ... + X_n$ est une variable aléatoire continue telle que:
> $$E[Y] = E[X_1] + E[X_2] + ... + E[X_n]$$
> quelles que soient les variables $X_1$, $X_2$, ..., $X_n$
>
> et $V[Y] = V[X_1] + V[X_2] + ... + V[X_n]$
> si $X_1$, $X_2$, ..., $X_n$ sont toutes indépendantes les unes des autres.

## 9.6. PROBLÈMES

1. Soit $X$, une variable aléatoire dont la fonction de densité de probabilité est la suivante:

   $f: \mathbb{R} \longrightarrow \mathbb{R}$

   $x \longmapsto \dfrac{1}{4\sqrt{x}}$    si $0 < x \leqslant 4$

   $x \longmapsto 0$         ailleurs

   a) Démontrer que $f$ est bien une fonction de densité de probabilité.

   b) Calculer $\left. \begin{array}{l} P[\,1/9 \leqslant X \leqslant 1/4\,] \\ P[\,1 \ \ < X < 14\,] \end{array} \right\}$ à l'aide de $f$.

   c) Évaluer $f(3)$
   $f(8)$.

   d) Donner la valeur de $P[X = 3]$.

   e) Calculer l'espérance, la variance et l'écart type de $X$.

   f) Définir $F$.

   g) Calculer $\left. \begin{array}{l} P[\,1/9 \leqslant X \leqslant 1/4\,] \\ P[\,1 \ \ < X < 14\,] \end{array} \right\}$ à l'aide de $F$.

   h) Évaluer la médiane et le premier quintile de cette variable.

2. Soit $f: \mathbb{R} \longrightarrow \mathbb{R}$

   $x \longmapsto k(x - x^2)$    si $0 \leqslant x \leqslant 1$

   $x \longmapsto 0$         ailleurs

   Déterminer $k$ de telle sorte que $f$ soit une fonction de densité de probabilité.

3. Soit *f*, une fonction dont le graphique est le suivant:

a)

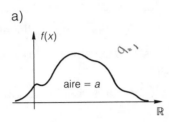

b)

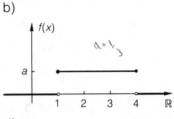

c)

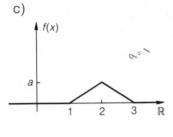

d)

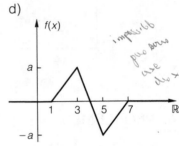

Dire si *f* peut être une fonction de densité de probabilité et, si oui, déterminer la valeur qu'on doit donner à *a* pour que *f* puisse répondre à cette définition.

4. Soit *g*, une fonction dont le graphique est le suivant:

a)

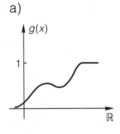

b)

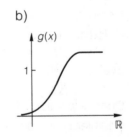

c)

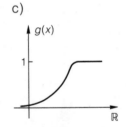

La fonction *g* pourrait-elle décrire une fonction de répartition? Justifier.

5. Soit *X*, une variable aléatoire dont voici la fonction de densité de probabilité:

$f: \mathbb{R} \longrightarrow \mathbb{R}$

$x \longmapsto 0$    si $x \leqslant 0$

$x \longmapsto \dfrac{9}{4}x^2$    si $0 < x \leqslant 1$

$x \longmapsto 0$    si $1 < x \leqslant 2$

$$x \longmapsto \frac{1}{24} x \quad \text{si } 2 < x \leqslant 4$$
$$x \longmapsto 0 \quad \text{si } x > 4$$

a) Démontrer que $f$ est bien une fonction de densité de probabilité.

b) Calculer $E[X]$ et $V[X]$.

c) Évaluer  $f(3)$
             $f(5)$.

d) Donner la valeur de $P[X = 1/2]$.

e) Définir $F$.

f)  Calculer  $P[1/2 \leqslant X \leqslant 3]$  — à l'aide de $f$

                                               — à l'aide de $F$.

g) Calculer le 8ème décile, le 75ème centile et la médiane de cette variable.

# CHAPITRE 10
# Lois de probabilité particulières de variables aléatoires continues

En guise de préparation à une étude ultérieure sur les sondages, nous nous sommes intéressés, au chapitre 8, à la variable aléatoire discrète soumise à une loi binômiale ou, dans certains cas, à une loi de Poisson.

En prévision d'une étude statistique devant porter, cette fois, sur des caractères continus, nous nous attarderons maintenant sur certaines fonctions de densité de probabilité particulières de variables aléatoires continues.

Nous analyserons donc, dans ce chapitre, les lois uniforme, normale, du khi-carré et T de Student. À cause de son importance, nous accorderons une place privilégiée à la loi normale.

## 10.1. LOI CONTINUE UNIFORME

**DÉFINITION**

> Une variable aléatoire continue est distribuée « uniformément » si
>
> — d'une part, elle ne peut se produire que sur un intervalle fini de valeurs ([$a$ ; $b$] , ]$a$ ; $b$[ , [$a$ ; $b$[ ou ]$a$ ; $b$]),
>
> — d'autre part, il n'existe aucune région de cet intervalle où elle a plus de chances qu'ailleurs de se présenter.

### 10.1.1. Représentation graphique

Graphiquement une loi de probabilité continue, uniforme sur un intervalle $[a\,;b]$, se présente comme suit:

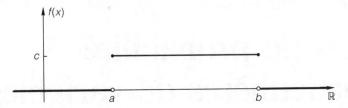

### 10.1.2. Écriture d'une telle fonction

Soit $f$, la fonction de densité de probabilité d'une variable aléatoire distribuée uniformément sur un intervalle $[a\,;b]$, alors:

$$f: \mathbb{R} \longrightarrow \mathbb{R}$$
$$x \longmapsto c \qquad \text{si } a \leqslant x \leqslant b \quad (\text{où } a < b)$$
$$x \longmapsto 0 \qquad \text{ailleurs.}$$

Cependant, comme $f$ doit répondre aux caractéristiques essentielles d'une fonction de densité de probabilité, l'aire de la surface (rectangulaire) sous cette courbe doit égaler 1 et ainsi, $c$ doit prendre la valeur de

$$\frac{1}{b-a}.$$

L'écriture d'une fonction de densité de probabilité uniforme sur un intervalle $[a\,;b]$ devient donc la suivante:

$$f: \mathbb{R} \longrightarrow \mathbb{R}$$
$$x \longmapsto \frac{1}{b-a} \qquad \text{si } a \leqslant x \leqslant b \quad (\text{où } a < b)$$
$$x \longmapsto 0 \qquad \text{ailleurs.}$$

NOTE
Une telle fonction pourrait être définie aussi bien à partir d'un intervalle $]a\,;b[$, $[a\,;b[$ ou $]a\,;b]$ qu'avec un intervalle fermé, comme nous venons de le faire ici.

### 10.1.3. Exemple d'application concrète

Imaginons un cadran (à ressorts) qui s'arrête entre 0 h 00 et 12 h 00. Si l'on note $X$ l'heure de l'arrêt, comme le cadran n'a pas plus de chances de s'arrêter dans un sous-intervalle de temps que dans un autre, la fonction de densité de probabilité de $X$ est la suivante:

$$f: \mathbb{R} \longrightarrow \mathbb{R}$$

$$x \longmapsto \frac{1}{12-0} = \frac{1}{12} \quad \text{si } 0 \leq x \leq 12$$

$$x \longmapsto 0 \qquad \qquad \text{ailleurs.}$$

La probabilité que le cadran s'arrête, disons, entre 1 h 00 et 3 h 00 est ainsi de:

$$P[1 \leq X \leq 3] = \int_1^3 \frac{1}{12}\,dx = \left( \frac{1}{12}x + C \right)\Bigg|_{x=1}^{x=3} = \frac{3}{12} - \frac{1}{12} = \frac{1}{6}$$

et la probabilité qu'il s'arrête entre 2 h 10 et 2 h 15 est de:

$$P[2\tfrac{1}{6} \leq X \leq 2\tfrac{1}{4}] = \int_{2\frac{1}{6}}^{2\frac{1}{4}} \frac{1}{12}\,dx = \left( \frac{1}{12}x + C \right)\Bigg|_{x=13/6}^{x=9/4} = \frac{9}{48} - \frac{13}{72} = \frac{1}{144}.$$

### Exercices

Effectuer les six premiers problèmes de la section 10.5.

## 10.2. LOI NORMALE

Cette loi, que l'on nomme aussi loi de Gauss, loi de Laplace, loi de Laplace–Gauss, est sans conteste la plus importante de toutes les lois de probabilité. Dans cette section, nous nous proposons de la décrire, de l'analyser et de présenter certains de ses usages. Nous verrons par la suite, à mesure que notre étude progressera, que ses applications sont presque sans limites.

### 10.2.1. Écriture d'une loi normale

Soit $a$, une constante réelle,
et $b$, une constante réelle strictement positive,
toute fonction $f: \mathbb{R} \longrightarrow \mathbb{R}$ telle que

$$f(x) = \frac{1}{b\sqrt{2\pi}}\, e^{-\frac{1}{2}\left(\frac{x-a}{b}\right)^2} \qquad \qquad \forall\, x \in \mathbb{R}$$

répond aux normes d'une fonction de densité de probabilité et on dit alors de celle-ci qu'elle est « normale ».

Cependant, comme les calculs de l'espérance et de la variance d'une variable $X$ soumise à une telle loi donnent les résultats suivants:

$$E[X] = \int_{-\infty}^{+\infty} x\, f(x)\, dx = \int_{-\infty}^{+\infty} \frac{x}{b\sqrt{2\pi}}\, e^{-\frac{1}{2}\left(\frac{x-a}{b}\right)^2}\, dx = \ldots = a$$

$$V[X] = \int_{-\infty}^{+\infty} x^2\, f(x)\, dx - a^2 = \ldots = b^2,$$

on y remplace généralement $a$ par $\mu$
et $b$ par $\sigma$.

L'écriture d'une fonction de densité de probabilité normale à laquelle est soumise une variable $X$ devient donc la suivante:

$$f(x) = \frac{1}{\sigma\sqrt{2\pi}}\, e^{-\frac{1}{2}\left(\frac{x-\mu}{\sigma}\right)^2} \qquad\qquad \forall\, x \in \mathbb{R}$$

où $\mu = E[X]$ et $\sigma = \sqrt{V[X]}$.

## 10.2.2. Notation

Si $X$ est une variable aléatoire qui obéit à une loi normale, on note:

$X:\ N(\mu\, ;\, \sigma^2),$

où $\mu$ et $\sigma^2$ identifient respectivement les valeurs de l'espérance et de la variance de cette variable.

## 10.2.3. Représentation graphique

Voici la représentation graphique d'une fonction de densité de probabilité $N(\mu\, ;\, \sigma^2)$:

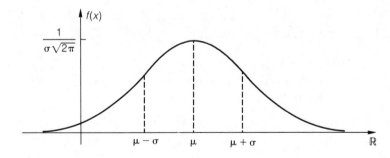

Cette fonction, symétrique par rapport à $x = \mu$, possède un point de maximum en $x = \mu$ $\left(\text{et } y = \dfrac{1}{\sigma\sqrt{2\pi}}\right)$ et 2 points d'inflexion (l'un en $x = \mu - \sigma$ et l'autre en $x = \mu + \sigma$).

Comme il s'agit d'une fonction de densité de probabilité, l'aire de la surface sous la courbe est de 1 et, à cause de la symétrie, nous retrouverons toujours une aire de 0,5 de chaque côté de l'axe $x = \mu$.

Suivant que la valeur de $\sigma$ est plus ou moins grande, la fonction de densité de probabilité normale est plus ou moins étalée et aplatie. D'autre part, suivant la valeur de $\mu$, cette fonction est concentrée autour d'une valeur positive ou négative, plus ou moins éloignée de 0.

Par exemple, voici la représentation graphique des fonctions normales de deux variables ayant une même espérance $\mu$, mais des écarts types différents $\sigma_1$ et $\sigma_2$:

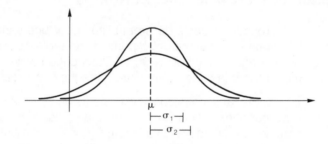

et celle des fonctions de trois variables ayant des espérances différentes $\mu_1$, $\mu_2$ et $\mu_3$, mais un écart type commun:

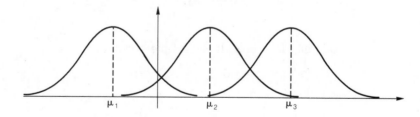

## 10.2.4. Loi normale standard

Parmi l'infinité des lois normales, il en est une que l'on dit « standard », la loi $N(0\,;\,1)$. C'est elle qui, comme son nom l'indique, nous servira de référence pour toutes les autres normales.

À cause de son importance, nous utiliserons, pour noter une variable soumise à une telle loi, la lettre $Z$ que nous réservions depuis le début de notre étude sur les variables aléatoires.

Nous noterons donc $Z$: $N(0 ; 1)$.

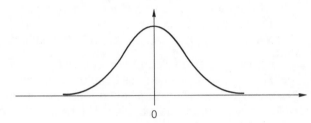

## 10.2.5. Calculs de probabilités pour $Z$: $N(0 ; 1)$

Tous les calculs de probabilités pour une variable soumise à une loi normale, s'effectueront à partir d'une table de distribution de probabilités de la variable $Z$: $N(0 ; 1)$. Dans cette section, nous verrons comment utiliser la table 3 présentée en annexe à la fin de ce livre.

Cette table nous donne les valeurs de $P[0 \leq Z \leq z]$ pour des valeurs de $z$ **positives** précisées à 2 décimales. La lecture se fait simplement comme suit: on trouve la valeur de $P[0 \leq Z \leq z]$ à l'intersection de la ligne correspondant à l'entier et à la première décimale de $z$, et de la colonne correspondant à sa deuxième décimale.

Par exemple,
la valeur de $P[0 \leq Z \leq 1{,}34] =$ ![courbe] $= 0{,}4099$

0   1,34

apparaît, dans cette table, à l'intersection

— de la ligne $z = 1{,}3$

— et de la colonne $z = 0{,}04$.

Voilà donc, pour un calcul de la forme $P[0 \leq Z \leq z]$.

Pour un calcul d'une autre forme que celle-là, la propriété de symétrie d'une loi normale — qui, pour une $N(0 ; 1)$, s'applique par rapport à $z = 0$ — et le fait que l'aire de chacune des demi-surfaces placées de part et d'autre de cet axe égale 0,5 permettront toujours les transformations nécessaires pour poser le problème en termes de $P[0 \leq Z \leq z]$.

Ainsi,

— P[−1,15 ⩽ Z ⩽ 0]

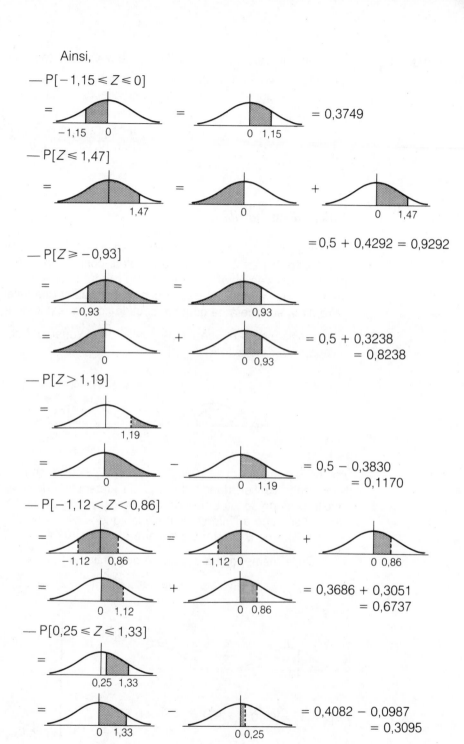

= = = 0,3749
−1,15   0          0  1,15

— P[Z ⩽ 1,47]

=                =                +
1,47                0                0  1,47

= 0,5 + 0,4292 = 0,9292

— P[Z ⩾ −0,93]

=                =
−0,93            0,93

=                +                = 0,5 + 0,3238
0                0  0,93                = 0,8238

— P[Z > 1,19]

=
1,19

=                −                = 0,5 − 0,3830
0                0  1,19                = 0,1170

— P[−1,12 < Z < 0,86]

=                =                +
−1,12   0,86      −1,12  0            0  0,86

=                +                = 0,3686 + 0,3051
0   1,12            0   0,86            = 0,6737

— P[0,25 ⩽ Z ⩽ 1,33]

=
0,25  1,33

=                −                = 0,4082 − 0,0987
0   1,33            0  0,25            = 0,3095

223

Dans un calcul de $P[0 \leq Z \leq z]$, deux valeurs sont toujours liées:

celle de $z$: — valeur particulière de la variable $Z$
— qui se situe sur l'**axe des valeurs**

et celle de $P[0 \leq Z \leq z]$: — valeur d'une **probabilité** pour la variable $Z$ de se situer dans une région donnée,
— qui correspond à l'**aire d'une surface** sous la courbe.

## *Calcul d'un centile*

Jusqu'ici nous avons toujours utilisé la table dans le but d'y **chercher la valeur de** $P[0 \leq Z \leq z]$ **pour une valeur connue de** $z$. Il est cependant possible de s'en servir en sens inverse pour estimer, par exemple, un centile de la variable $Z$, c'est-à-dire pour **calculer une valeur** $z$ **telle que** l'aire de la surface à sa gauche, sous la courbe, est connue.

Ainsi, le soixante-septième centile de la variable $Z$ correspond à la valeur $z$ pour laquelle $P[Z \leq z] = 0,67$,

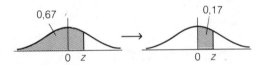

soit celle pour laquelle $P[0 \leq Z \leq z] = 0,17$. Pour connaître cette valeur, il faut donc vérifier, dans la table 3, à l'intersection de quelle ligne et de quelle colonne se situe une probabilité $P[0 \leq Z \leq z]$ de 0,1700. Comme celle-ci se situe à l'intersection de la ligne « $z = 0,4$ » et de la colonne « $z = 0,04$ » nous en déduisons que $c_{67} = z = 0,44$.

De la même manière, pour le quarantième centile,

$c_{40}$ = la valeur $z$ pour laquelle $P[Z \leq z]$ vaut 0,40.

Dès lors

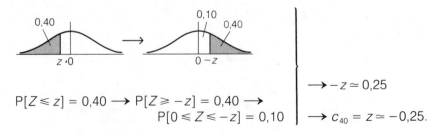

$P[Z \leq z] = 0,40 \longrightarrow P[Z \geq -z] = 0,40 \longrightarrow$
$P[0 \leq Z \leq -z] = 0,10$

$\longrightarrow -z \approx 0,25$

$\longrightarrow c_{40} = z \approx -0,25.$

*Interpolation linéaire (premier type)*

Pour plus de précision, il est possible d'effectuer de l'**interpolation linéaire** entre les valeurs de la table. Ainsi, dans ce dernier exemple,

$-z$ = une valeur située entre 0,25 et 0,26

= 0,25 + une fraction de 0,01     où   0,01 = 0,26 − 0,25

$\simeq 0,25 + \left( \dfrac{0,10 - 0,0987}{0,1026 - 0,0987} \right) \cdot 0,01$    où   $0,10 = P[0 \leqslant Z \leqslant -z]$
$0,0987 = P[0 \leqslant Z \leqslant 0,25]$
$0,1026 = P[0 \leqslant Z \leqslant 0,26]$

$\simeq 0,253$ serait plus précis que 0,25

et $z \simeq -0,253$ serait une réponse plus précise que celle donnée plus haut.

## Exercices

Faire le numéro 7 de la section 10.5.

## 10.2.6. Calculs de probabilités pour $X$: $N(\mu \; ; \sigma^2)$

Les seules tables de distributions normales que l'on bâtisse sont celles d'une variable $Z$: $N(0 \; ; 1)$. Pourtant, nous aurons souvent à effectuer des calculs de probabilités pour une variable soumise à une loi normale quelconque $N(\mu \; ; \sigma^2)$.

Voici donc quelques éléments de théorie qui nous permettront d'utiliser une table de distribution de $Z$ pour un calcul au sujet d'une normale quelconque.

D'abord, on se souviendra du théorème sur une transformation linéaire d'une variable aléatoire continue:

*Théorème*

---

Soit $X$, une variable aléatoire continue
et $Y = aX + b$,   où $a$ et $b \in \mathbb{R}$,

alors $E[Y] = a \cdot E[X] + b$
et $V[Y] = a^2 \cdot V[X]$.

---

Il est un autre théorème qui, tout en conservant l'esprit du premier, va encore plus loin en précisant que si $X$ obéit à une loi normale, alors $Y = aX + b$ obéit aussi à une loi normale, tout en respectant les règles préalablement établies par le théorème précédent.

### Théorème

Soit $X$: $N(\mu \, ; \sigma^2)$
et $Y = aX + b$,   où $a$ et $b \in \mathbb{R}$,

alors $Y$: $N(a\mu + b \, ; a^2\sigma^2)$.

(Nous ne présenterons pas la preuve de cet énoncé, car elle dépasse le niveau des étudiants à qui s'adresse ce livre.)

Enfin, voici un corollaire à ce dernier théorème, qui établit une correspondance entre la fonction de densité de probabilité de toute variable $X$: $N(\mu \, ; \sigma^2)$ et celle de $Z$: $N(0 \, ; 1)$.

### Corollaire

Soit $X$:   $N(\mu \, ; \sigma^2)$
et $Y = \dfrac{X - \mu}{\sigma}$

alors $Y = Z$: $N(0 \, ; 1)$.

### Preuve

Soit $X$: $N(\mu \, ; \sigma^2)$

et  $Y = \dfrac{X - \mu}{\sigma}$

alors $Y = \dfrac{1}{\sigma} \cdot X - \dfrac{1}{\sigma} \cdot \mu$

$\qquad = a \cdot X + b$   où   $a = \dfrac{1}{\sigma}$   et   $b = -\dfrac{\mu}{\sigma}$

Ainsi $Y$: $N\left(\dfrac{1}{\sigma}\cdot\mu-\dfrac{\mu}{\sigma}\ ;\ \dfrac{1}{\sigma^2}\cdot\sigma^2\right)$

ou $Y=Z$: $N(0\ ;\ 1)$, normale dite « centrée réduite ».

## Usage

Ce corollaire nous permet donc d'énoncer la règle suivante, grâce à laquelle nous pourrons utiliser une table de distribution de $Z$ pour des calculs au sujet d'une variable $X$ soumise à une loi normale quelconque.

$$\text{Si } X:\ N(\mu\ ;\ \sigma^2)$$

$$\text{alors } P[a\le X\le b]=P\left[\dfrac{a-\mu}{\sigma}\le\dfrac{X-\mu}{\sigma}\le\dfrac{b-\mu}{\sigma}\right]$$

$$=P\left[\dfrac{a-\mu}{\sigma}\le\ Z\ \le\dfrac{b-\mu}{\sigma}\right]$$

**EXEMPLE**

Considérons la variable $X$: $N(75\ ;\ 25)$. L'usage de cette règle nous permet de calculer, entre autres, que

$$P[75\le X\le 83]=P\left[\dfrac{75-75}{5}\le\dfrac{X-75}{5}\le\dfrac{83-75}{5}\right]=P[0\le Z\le 1{,}6]$$

$$=\qquad\qquad\qquad\qquad=0{,}4452$$

ou que $P[68\le X\le 73]=P\left[\dfrac{68-75}{5}\le\dfrac{X-75}{5}\le\dfrac{73-75}{5}\right]$

$$=P[-1{,}4\le Z\le -0{,}4]$$

$$=0{,}4192-0{,}1554=0{,}2638$$

## Calcul d'un centile

Pour calculer la valeur d'un centile d'une variable $X$ distribuée selon une loi normale quelconque nous devons

1°) considérer ce centile comme une valeur $x$ pour laquelle $P[X \leqslant x]$ est connu,

2°) trouver l'équivalent $z$ à ce $x$,

3°) évaluer $z$ à l'aide de la table,

4°) en déduire $x$, le centile cherché.

Ainsi, pour la variable $X$: $N(75 ; 25)$ utilisée à l'exemple précédent,

$c_{30}$ = la valeur de $x$ telle que $P[X \leqslant x]$ vaut 0,30

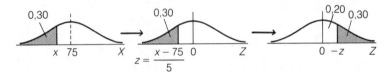

$$\longrightarrow \quad -z \simeq 0,52 + \left( \frac{0,20 - 0,1985}{0,2019 - 0,1985} \right) \cdot 0,01 = 0,524$$

$$\longrightarrow \quad z = \frac{x - 75}{5} \simeq -0,524 \quad \longrightarrow \quad x \simeq 72,38.$$

## Interpolation linéaire (deuxième type)

À la sous-section précédente, nous avons appris à effectuer de l'interpolation linéaire entre les valeurs de la table de $Z$: $N(0 ; 1)$ au moment où, connaissant une probabilité, nous cherchons la valeur de $z$ correspondant à celle-ci. Il est aussi possible d'effectuer de l'interpolation linéaire lors d'une étude en sens inverse

Pour illustrer cette technique, reprenons la variable $X$: $N(75 ; 25)$ et calculons, cette fois, $P[75 \leqslant X \leqslant 83,17]$.

Ici, $P[75 \leqslant X \leqslant 83,17] = P\left[ \dfrac{75 - 75}{5} \leqslant \dfrac{X - 75}{5} \leqslant \dfrac{83,17 - 75}{5} \right]$

$= P[0 \leqslant Z \leqslant 1,634]$

$=$ une valeur comprise entre 0,4484 $\quad (= P[0 \leqslant Z \leqslant 1,63])$
$\qquad\qquad\qquad\qquad$ et 0,4495 $\quad (= P[0 \leqslant Z \leqslant 1,64])$

$= 0,4484 +$ une fraction de 0,0011 $\quad (= 0,4495 - 0,4484)$

$$\simeq 0{,}4484 + \left(\frac{1{,}634 - 1{,}63}{1{,}64 - 1{,}63}\right) \cdot 0{,}0011$$

$$\simeq 0{,}448\,84.$$

### Exercices

Faire les numéros 8 et 9 de la section 10.5.

## 10.2.7. Application de la loi normale à un caractère statistiquement distribué selon ce modèle

Dans la vie courante, plusieurs caractères quantitatifs continus sont naturellement distribués selon un modèle « normal ». **Statistiquement parlant**, leur **fréquence relative** est distribuée de la même manière que la densité de probabilité d'une loi normale. Il peut en être ainsi de la taille ou du poids des individus d'une population donnée, de la résistance des tiges de métal d'une production industrielle, du volume de contenu des bouteilles d'une usine d'embouteillage, etc.

Pour tous ces caractères, au moment où on imagine une expérience aléatoire qui consiste à tirer au hasard un élément de la population, si l'on note $X$ la valeur du caractère trouvée chez l'individu choisi, $X$ devient automatiquement une variable aléatoire soumise à une loi normale.

Une première application pratique de la loi normale sera donc de nous fournir un instrument de calcul de probabilités pour une variable ainsi définie.

**EXEMPLE**

Considérons une école où la taille des garçons, en cm, est distribuée selon une loi $N(135 ; 100)$. Si l'on choisit un garçon de cette école au hasard, quelle est la probabilité qu'il mesure entre 130 et 145 cm?

Si l'on note $X$ la taille de l'élève choisi, alors $X: N(135 ; 100)$ et

$$P[130 \leqslant X \leqslant 145] = P\left[\frac{130 - 135}{10} \leqslant Z \leqslant \frac{145 - 135}{10}\right] = P[-0{,}5 \leqslant Z \leqslant 1]$$

$$= 0{,}1915 + 0{,}3413$$
$$= 0{,}5328$$

## 10.2.8. La cote $z$

Un autre usage de la loi normale est de nous fournir, par l'intermédiaire de la loi $N(0 ; 1)$, un instrument de comparaison entre des valeurs appartenant à des distributions normales différentes: la cote $z$. Voyons comment l'utiliser à l'aide de l'exemple suivant:

Les notes de Math-103 d'un collège A sont distribuées selon une loi $N(72 ; 81)$, alors que celles d'un collège B suivent plutôt une loi $N(69 ; 100)$. Louis, étudiant du collège A, a obtenu une note de 74 et Michèle, du collège B, une note de 73. Lequel de ces deux étudiants s'est le mieux classé par rapport à l'ensemble de son groupe?

Pour répondre à cette question, on calcule la cote $z$ de chacun, c'est-à-dire **l'équivalent de sa note sous une distribution $N(0 ; 1)$.**

Ainsi, pour Louis,
sa note de 74, dans une distribution $N(72 ; 81)$,

passe à $\dfrac{74 - 72}{9} = \dfrac{2}{9} = 0,\overline{2}$ en cote $z$,

alors que pour Michèle,
une note de 73, dans une distribution $N(69 ; 100)$,

devient $\dfrac{73 - 69}{10} = \dfrac{4}{10} = 0,4$ en cote $z$.

Au regard de ces transformations linéaires, on observe que Michèle, malgré une note brute inférieure à celle de Louis, s'est mieux classée que ce dernier puisque, sous une échelle commune, en occurrence celle de la variable $Z$, sa note est supérieure à celle de Louis.

### Exercices

Effectuer les problèmes 10, 11 et 12 de la section 10.5.

## 10.2.9. Loi normale d'une somme de variables aléatoires

Après les théorèmes que nous avons déjà énoncés au sujet d'une somme de variables aléatoires discrètes et d'une somme de variables aléatoires continues, voici maintenant deux grands théorèmes qui iront plus loin que les précédents et qui, en plus de permettre des applications immédiates, seront à l'origine d'autres théorèmes importants dans le développement de la théorie des probabilités et de la statistique.

## Théorème au sujet d'une somme de variables soumises à des lois normales

Soit $X_1, X_2, \ldots, X_n$   $n$ variables aléatoires **indépendantes les unes des autres**, telles que
$$X_i: \mathrm{N}(\mu_i\,;\sigma_i^2) \quad \forall\, i \in \{1, \ldots, n\},$$

soit   $Y = \sum_i X_i,$

alors $Y: \mathrm{N}(\mu\,;\sigma^2)$

où   $\mu = \mu_1 + \ldots + \mu_n = \sum_i \mu_i$

et   $\sigma^2 = \sigma_1^2 + \ldots + \sigma_n^2 = \sum_i \sigma_i^2.$

**EXEMPLE**

Un circuit électrique relie une pile à trois résistances placées en série. Selon les types de résistances utilisées dans ce montage, on estime que le nombre d'ohms de chacune appartient respectivement aux distributions suivantes: $\mathrm{N}(10\,;0{,}04)$, $\mathrm{N}(15\,;0{,}09)$ et $\mathrm{N}(20\,;0{,}2)$.

Quelle est donc la distribution du nombre total d'ohms que ces trois unités offriront en résistance au courant de la pile?

Soit $X_1$ = le nombre d'ohms de la première résistance,
      alors $X_1: \mathrm{N}(10\,;0{,}04)$
   $X_2$ = le nombre d'ohms de la deuxième résistance,
      alors $X_2: \mathrm{N}(15\,;0{,}09)$
   $X_3$ = le nombre d'ohms de la troisième résistance,
      alors $X_3: \mathrm{N}(20\,;0{,}2)$
et $Y$ = le nombre d'ohms total des 3 résistances indépendantes,

alors $Y:$   $\mathrm{N}(10 + 15 + 20\,;0{,}04 + 0{,}09 + 0{,}2) = \mathrm{N}(45\,;0{,}33).$

Quelle est la probabilité que ces trois unités offrent au courant une résistance totale inférieure à 44,5 ohms?

$$P[Y < 44{,}5] = P\left[Z < \frac{44{,}5 - 45}{\sqrt{0{,}33}}\right] = P[Z < -0{,}87]$$

$$= 0{,}5 - 0{,}3078 = 0{,}1922$$

## Théorème de la limite centrale

Soit $X_1, X_2, ..., X_n$  $n$ variables aléatoires **indépendantes entre elles et identiquement distribuées** (même loi de probabilité, même espérance et même variance),

soit $Y = \sum_i X_i$

alors, **si $n$ est grand** (théoriquement si $n \longrightarrow \infty$),

$$Y: \simeq N(\mu ; \sigma^2)$$

où $\mu = E[X_1] + E[X_2] + ... + E[X_n] = n \cdot E[X_1]$

et $\sigma^2 = V[X_1] + V[X_2] + ... + V[X_n] = n \cdot V[X_1]$.

**NOTE**

Comme ce théorème s'applique à n'importe quelle somme de variables aléatoires indépendantes entre elles et identiquement distribuées, il est intéressant de noter qu'il permettra même l'approximation d'une **somme de variables discrètes** par une **variable continue**. Avec un $n$ grand, en effet, une somme de $n$ variables aléatoires pourra prendre tellement de valeurs possibles qu'une telle approximation apparaîtra justifiable, moyennant certaines conditions spécifiques.

### Illustration de ce théorème

Imaginons qu'on veuille lancer un dé régulier à plusieurs reprises.

Si nous notons $X_i$ la variable qui correspond au nombre qu'on obtiendra au $i^{ème}$ lancer, la distribution de probabilités de cette variable est alors la suivante:

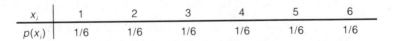

| $x_i$ | 1 | 2 | 3 | 4 | 5 | 6 |
|---|---|---|---|---|---|---|
| $p(x_i)$ | 1/6 | 1/6 | 1/6 | 1/6 | 1/6 | 1/6 |

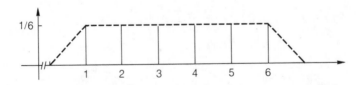

avec $E[X_i] = 3,5$
et $V[X_i] = 105/36$.

Si nous notons $S_2$ la variable qui correspond à la somme $X_1 + X_2$ des deux premiers lancers, sa distribution de probabilités est alors la suivante:

| $s_2$ | 2 | 3 | 4 | 5 | 6 | 7 | 8 | 9 | 10 | 11 | 12 |
|---|---|---|---|---|---|---|---|---|---|---|---|
| $p(s_2)$ | $\dfrac{1}{36}$ | $\dfrac{2}{36}$ | $\dfrac{3}{36}$ | $\dfrac{4}{36}$ | $\dfrac{5}{36}$ | $\dfrac{6}{36}$ | $\dfrac{5}{36}$ | $\dfrac{4}{36}$ | $\dfrac{3}{36}$ | $\dfrac{2}{36}$ | $\dfrac{1}{36}$ |

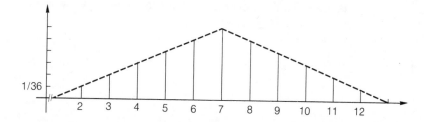

avec $E[S_2] = 2 \cdot E[X_i] = 7$
et $\quad V[S_2] = 2 \cdot V[X_i] = 210/36$.

Si nous notons $S_3$ la variable qui correspond à la somme $X_1 + X_2 + X_3$ des trois premiers lancers, sa distribution de probabilités est alors la suivante:

| $s_3$ | 3 | 4 | 5 | 6 | 7 | 8 | 9 | 10 |
|---|---|---|---|---|---|---|---|---|
| $p(s_3)$ | $\dfrac{1}{216}$ | $\dfrac{3}{216}$ | $\dfrac{6}{216}$ | $\dfrac{10}{216}$ | $\dfrac{15}{216}$ | $\dfrac{21}{216}$ | $\dfrac{25}{216}$ | $\dfrac{27}{216}$ |

| 11 | 12 | 13 | 14 | 15 | 16 | 17 | 18 |
|---|---|---|---|---|---|---|---|
| $\dfrac{27}{216}$ | $\dfrac{25}{216}$ | $\dfrac{21}{216}$ | $\dfrac{15}{216}$ | $\dfrac{10}{216}$ | $\dfrac{6}{216}$ | $\dfrac{3}{216}$ | $\dfrac{1}{216}$ |

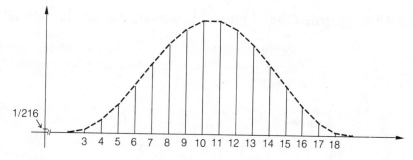

avec $E[S_3] = 3 \cdot E[X_i] = 10,5$
et $\quad V[S_3] = 3 \cdot V[X_i] = 315/36$.

Si nous poursuivions cette étude avec la représentation graphique des distributions de probabilités des variables $S_4$, $S_5$ et suivantes, nous observerions, d'un diagramme à l'autre, que le nombre des bâtons augmenterait, et que l'enveloppe des diagrammes serait de plus en plus semblable à la courbe d'une loi normale.

Ainsi, l'enveloppe du diagramme en bâtons de la fonction de probabilité de $S_{50}$, variable correspondant à la somme des 50 premiers lancers d'un dé régulier, se rapprocherait beaucoup de:

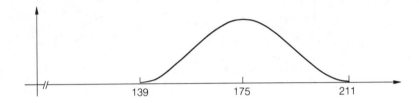

c'est-à-dire de la courbe d'une loi $N(175 ; 145,8\overline{3})$.

Ceci s'explique comme suit:

$S_{50} = X_1 + X_2 + ... + X_{50} =$ la somme de $n = 50$ variables **indépendantes entre elles** et soumises chacune à **une même loi de probabilité** (décrite précédemment).

Comme $n = 50$ est relativement grand, le théorème de la limite centrale s'applique et ainsi:

$S_{50}: \simeq N(\mu ; \sigma^2)$     où   $\mu = 50 \cdot 3,5 = 175$
et   $\sigma^2 = 50 \cdot (105/36) = 145,8\overline{3}$.

## 10.2.10. Approximation d'une loi binômiale par une loi normale

Il est possible de tirer du théorème de la limite centrale un corollaire dont l'application nous sera souvent d'un grand secours dans une étude de binômiale.

*Énoncé*

Soit $X$: $B(n ; p)$
si $n$ est grand, alors $X: \simeq N(np ; npq)$.

*Preuve*

Si $X$: $B(n\,;\,p)$ alors, par le théorème d'une somme de variables soumises chacune à une loi binômiale,

$X = X_1 + X_2 + \ldots + X_n =$ la somme de $n$ variables indépendantes entre elles, telles que $\forall\, i \in \{1\,,\,2\,,\,\ldots\,,\,n\}$,

$$X_i \colon B(1\,;\,p) \quad \text{avec} \quad E[X_i] = p$$

$$\text{et} \quad V[X_i] = pq.$$

Si $n$ est grand, le théorème de la limite centrale s'applique et ainsi

$$X \colon \simeq N(n \cdot p\,;\,n \cdot pq).$$

*Conditions d'application d'une telle approximation*

Une analyse poussée de cette règle nous permettrait de découvrir que

— plus $n$ est grand, plus cette approximation est juste;

— si $n$ est moyennement grand, elle est

– très bonne si $p \longrightarrow 0{,}5$

– et moins bonne si $p \longrightarrow 0$ ou $p \longrightarrow 1$.

---

Sur le plan pratique, nous considérerons que

$$B(n\,;\,p) \simeq N(np\,;\,npq)$$

si, en même temps, $n \geqslant 30$,

$$np \geqslant 5 \quad \text{et} \quad nq \geqslant 5.$$

---

**EXEMPLE**

Voici un exemple de problème où une telle approximation serait justifiée.

On se propose de lancer un dé régulier 60 fois de suite. Quelle est la probabilité d'obtenir le nombre 6 entre 9 et 11 fois? (9 et 11 étant inclus.)

— Solution précise:

Ici, $n = 60$ essais

$\qquad\quad$ └─► à chaque essai: succès = obtenir $6 \longmapsto p = 1/6$
$\qquad\qquad\qquad\qquad\quad$ échec $\;=$ obtenir $\not{6} \longmapsto q = 5/6$

Si $X =$ le nombre de 6 obtenus au cours de ces 60 essais

alors $X$: $\mathrm{B}(60 \,;\, 1/6)$ $\;$ et

$P[9 \leqslant X \leqslant 11] = P[X = 9] + P[X = 10] + P[X = 11]$

$$= C_9^{60}\left(\frac{1}{6}\right)^9\left(\frac{5}{6}\right)^{51} + C_{10}^{60}\left(\frac{1}{6}\right)^{10}\left(\frac{5}{6}\right)^{50} + C_{11}^{60}\left(\frac{1}{6}\right)^{11}\left(\frac{5}{6}\right)^{49}$$

$$= \left(\frac{1}{6}\right)^9\left(\frac{5}{6}\right)^{49}\left[\frac{60!}{51!\,9!}\left(\frac{5}{6}\right)^2 + \frac{60!}{50!\,10!}\left(\frac{1}{6}\right)\left(\frac{5}{6}\right) + \frac{60!}{49!\,11!}\left(\frac{1}{6}\right)^2\right]$$

$$= \left(\frac{1}{6}\right)^9\left(\frac{5}{6}\right)^{49}\left(\frac{1}{6}\right)^2\frac{60!}{49!\,9!}\left[\frac{5^2}{51\cdot 50} + \frac{5}{50\cdot 10} + \frac{1}{11\cdot 10}\right]$$

$$= \frac{5^{49}}{6^{60}}\cdot\frac{60!}{49!\,9!}\cdot\left[\frac{1}{102} + \frac{1}{100} + \frac{1}{110}\right]$$

$$= 0{,}3959.$$

— Solution approximée à l'aide d'une normale:

Cependant, comme $n = 60 \geqslant 30$, $np = 10 \geqslant 5$ et $nq = 50 \geqslant 5$,

$$X:\; \mathrm{B}(60\,;\,1/6) \simeq \mathrm{N}\left(60\cdot\frac{1}{6}\,;\,60\cdot\frac{1}{6}\cdot\frac{5}{6}\right)$$

$$\simeq \mathrm{N}(10\,;\,50/6).$$

Il est donc possible de répondre à la question posée en considérant que $X$: $\mathrm{N}(10\,;\,50/6)$ plutôt que $X$: $\mathrm{B}(60\,;\,1/6)$.

**Mais attention!** cette façon d'approximer la distribution de probabilités d'une variable aléatoire discrète par celle d'une variable continue nous amène à estimer graphiquement une mesure linéaire (hauteur de bâtons) par une mesure d'aire (d'une surface sous une courbe). Pour permettre ce passage, nous devons attribuer à chacune des valeurs possibles de la variable une **surface** sous la courbe, d'une largeur allant du milieu de l'intervalle situé entre cette valeur et la valeur précédente de la variable, au milieu de l'intervalle situé entre cette valeur et la valeur suivante. Nous disons alors que nous « enveloppons » cette valeur d'un intervalle auquel nous faisons correspondre une surface sous la courbe.

Ainsi,

$P[9 \leqslant X \leqslant 11]$ $\cong$ $P[8,5 \leqslant X \leqslant 11,5]$
où $X$: $B(60 ; 1/6)$ en considérant
plutôt que
$X$: $N(10 ; 50/6)$

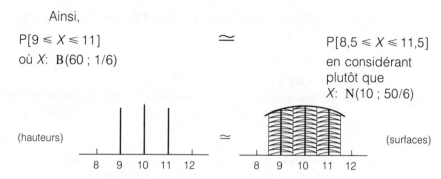

(hauteurs)  $\cong$  (surfaces)

Et si $X$: $N(10 ; 50/6)$,

$$P[8,5 \leqslant X \leqslant 11,5] = P\left[\frac{8,5 - 10}{\sqrt{50/6}} \leqslant Z \leqslant \frac{11,5 - 10}{\sqrt{50/6}}\right]$$

$$= P[-0,5196 \leqslant Z \leqslant 0,5196]$$

$$= 0,1984 + 0,1984 \text{ (avec interpolation linéaire)}$$

$$= 0,3968.$$

Une comparaison de nos deux réponses nous permet d'observer ici un bon exemple de la validité de cette règle d'approximation.

**AUTRE EXEMPLE**    Avec la même expérience aléatoire que dans l'exemple précédent, nous pouvons calculer la probabilité d'obtenir le nombre 6 exactement dix fois.

Comme $X$: $B(60 ; 1/6) \simeq N(10 ; 50/6)$

$$P[X = 10] \simeq P[9,5 \leqslant X \leqslant 10,5]$$
$\quad\quad \rightarrow X$: $B(60 ; 1/6)$   $\rightarrow X$: $N(10 ; 50/6)$

(hauteur)  $\cong$  (surface)

Et si $X$: $N(10 ; 50/6)$,

$$P[9,5 \leqslant X \leqslant 10,5] = P\left[\frac{9,5 - 10}{\sqrt{50/6}} \leqslant Z \leqslant \frac{10,5 - 10}{\sqrt{50/6}}\right]$$

$$= P[-0,1732 \leqslant Z \leqslant 0,1732]$$

$$= 0,0687 + 0,0687 \text{ (avec interpolation linéaire)}$$

$$= 0,1374.$$

Notons qu'ici la réponse exacte, avec $C_{10}^{60}(1/6)^{10}(5/6)^{50}$, aurait été de 0,1370.

## Exercices

Effectuer les problèmes 13 et suivants de la section 10.5.

Nous présenterons maintenant deux autres fonctions de densité de probabilité particulières de variables aléatoires continues: la loi du « khi-carré » et la loi « T de Student ». Leurs applications pratiques étant plutôt d'ordre statistique, nous nous limiterons pour l'instant à la description de ces lois, à leurs caractéristiques essentielles et à celles de leurs variables associées, à leur représentation graphique et à l'usage technique des tables de leurs distributions de probabilités. Ce n'est qu'à partir du chapitre 12 que nous verrons comment les utiliser, avec certaines variables spécifiques, dans une étude statistique.

## 10.3. LOI DU KHI-CARRÉ OU DU KHI-DEUX

**DÉFINITION ET NOTATION**

Soit $X_1, X_2, \ldots, X_\nu$    $\nu$ variables aléatoires **indépendantes** telles que $\forall \, i \in \{1, 2, \ldots, \nu\}$
$X_i$: $N(0 ; 1)$,

si $X = X_1^2 + X_2^2 + \ldots + X_\nu^2$,

alors $X$ est une variable aléatoire continue soumise à une fonction de densité de probabilité dite du « khi-carré » ou du « khi-deux » à $\nu$ degrés de liberté, et l'on note:

$$X: \chi_\nu^2.$$

($\nu$, le nombre de degrés de liberté de la distribution, est le paramètre spécifique de celle-ci,
au même titre que $n$ et $p$ pour une binômiale,
$\lambda$ pour une Poisson,
et $\mu$ et $\sigma^2$ pour une normale.)

**NOTE**

Nous ne donnerons pas l'écriture de $f(x)$ pour une variable $X$ soumise à une $\chi_\nu^2$, celle-ci étant très lourde et inutile pour ce cours.

## 10.3.1. Espérance et variance

Si $X$: $\chi_\nu^2$, alors les valeurs respectives de l'espérance et de la variance de cette variable sont

$$E[X] = \nu \quad \text{et} \quad V[X] = 2\nu.$$

## 10.3.2. Représentation graphique

Voici, pour $\nu = 1$,
$\nu = 2$,
$\nu = 3$,
$\nu = 5$
et $\nu = 10$,

la représentation graphique de la fonction de densité de probabilité d'une variable $X$ soumise à une loi $\chi_\nu^2$:

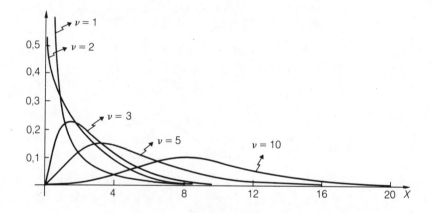

**REMARQUES**

— Toute variable aléatoire soumise à une loi $\chi_\nu^2$ ne peut prendre que des valeurs **positives** (étant définie comme une somme de carrés de variables).

— Lorsque $\nu$ est très petit, la courbe d'une $\chi_\nu^2$ est tout à fait asymétrique.

— Dès que $\nu \geqslant 3$, elle prend l'allure d'une cloche:
– asymétrique d'abord, pour des petites valeurs de $\nu$;
– et de plus en plus symétrique, à mesure que $\nu$ augmente.

— Lorsque $\nu$ est grand, elle se rapproche de la courbe d'une loi $N(\nu\,;\,2\nu)$.

### 10.3.3. Usage d'une table

Alors que la table 3 de la distribution d'une variable $Z$: $N(0 ; 1)$ présentait **des valeurs de probabilités** (des aires de surfaces sous la courbe) à l'intersection d'une ligne et d'une colonne décrivant une valeur de $z$, la table 5 des distributions de $X$: $\chi^2_\nu$ (aussi en annexe à la fin de ce livre) procède à l'inverse.

Elle indique, pour des valeurs de $\nu$ allant de 1 à 30, les **différentes valeurs de x**, pour une variable $X$: $\chi^2_\nu$, à droite desquelles l'aire de la surface sous la courbe, $P[X > x]$, correspond à une valeur notée $\alpha$.

Ainsi, pour une variable $X$: $\chi^2_{15}$, si l'on cherche **pour quelle valeur de x**, $P[X > x] = 0,05$,

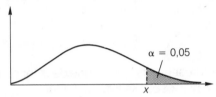

on retrouve cette dernière à l'intersection de la ligne $\nu = 15$ et de la colonne $\alpha = 0,05$, soit $x = 24,996$.

Pour la variable $X$: $\chi^2_{10}$, si l'on cherche, cette fois, la valeur de $x$ pour laquelle $P[X < x] = 0,05$,

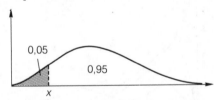

on en déduit d'abord que si $P[X < x] = 0,05$ alors $P[X > x] = 0,95$ et ensuite, à l'intersection de la ligne $\nu = 10$ et de la colonne $\alpha = 0,95$, on retrouve le $x$ cherché: 3,940.

De la même manière, les valeurs de $x_1$ et $x_2$ d'une variable $X$: $\chi^2_{24}$ pour lesquelles $P[X < x_1] = 0,025$
et $P[X > x_2] = 0,025$

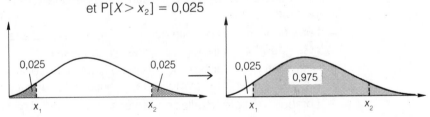

sont obtenues à l'intersection de la ligne $\nu = 24$
et de la colonne $\alpha = 0,975$ pour $x_1$, soit $x_1 = 12,401$
ou de la colonne $\alpha = 0,025$ pour $x_2$, soit $x_2 = 39,364$.

## Règle d'approximation

Lors de l'analyse de la représentation graphique de différentes lois $\chi^2_\nu$, nous avons mentionné que plus $\nu$ est grand, plus la courbe d'une $\chi^2_\nu$ prend la forme de celle d'une loi $N(\nu\,;2\nu)$. Il faut cependant attendre un $\nu$ assez grand avant de pouvoir considérer l'équivlence comme raisonnable. Par contre, à cause de cette tendance, il existe une formule qui, dès que $\nu > 30$, permet d'estimer une valeur particulière $x$ sous une $\chi^2_\nu$ à partir d'une valeur $z$ sous une loi $N(0\,;1)$. En voici l'énoncé:

---

Soit $X$: $\chi^2_\nu$

si $\nu > 30$, alors $x \simeq \dfrac{1}{2}\,[z + \sqrt{2\nu - 1}\,]^2$

où $z$ = une valeur particulière, sur l'axe de $Z$: $N(0\,;1)$,
équivalente à celle cherchée de $x$, sur l'axe de $X$: $\chi^2_\nu$.

---

EXEMPLE

Pour voir comment l'utiliser, considérons une variable $X$: $\chi^2_{313}$ pour laquelle on aimerait connaître les valeurs $x_1$ et $x_2$ telles que

$$P[X < x_1] = 0,025$$
$$\text{et } P[X > x_2] = 0,025$$

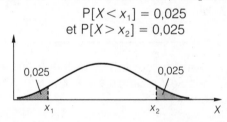

Comme $\nu = 313 > 30$, nous pouvons faire appel à notre formule d'approximation en procédant comme suit:

1°) Nous trouvons les deux valeurs $z_1$ et $z_2$, sur l'axe de $Z$: $N(0\,;1)$, équivalentes à celles de $x_1$ et $x_2$ sur l'axe de $X$: $\chi^2_{313}$,

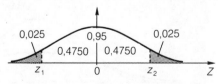

soit $z_1 = -1,96$   et   $z_2 = 1,96$.

2°) En entrant ces valeurs dans la formule énoncée ci-haut, nous obtenons:

$$x_1 \simeq \frac{1}{2}[z_1 + \sqrt{2\nu - 1}]^2 \qquad \text{et} \qquad x_2 \simeq \frac{1}{2}[z_2 + \sqrt{2\nu - 1}]^2$$

$$\simeq \frac{1}{2}[-1,96 + \sqrt{626 - 1}]^2 \qquad\qquad \simeq \frac{1}{2}[1,96 + \sqrt{626 - 1}]^2$$

$$\simeq \frac{1}{2}[-1,96 + 25]^2 \qquad\qquad\qquad \simeq \frac{1}{2}[1,96 + 25]^2$$

$$\simeq 265,42 \qquad\qquad\qquad\qquad\qquad \simeq 363,42.$$

**NOTE**    Plus la valeur de $\nu$ est grande, plus cette formule d'approximation est juste.

## 10.4. LOI T DE STUDENT

**DÉFINITION ET NOTATION**

> Soit $Z$: $N(0 ; 1)$ et $X$: $\chi^2_\nu$, deux variables aléatoires indépendantes,
>
> si $T = \dfrac{Z}{\sqrt{\dfrac{X}{\nu}}}$,
>
> alors $T$ est une variable aléatoire continue soumise à une fonction de densité de probabilité dite « T de Student » à $\nu$ degrés de liberté, et l'on note:
> $$T:\ \mathbf{T}_\nu$$

**NOTE**    Comme pour la $\chi^2_\nu$, nous ne donnerons pas l'écriture de $f(t)$ pour une variable $T$ soumise à une $\mathbf{T}_\nu$, celle-ci aussi étant lourde et inutile pour ce cours.

### 10.4.1. Représentation graphique

L'aspect de la représentation graphique d'une $\mathbf{T}_\nu$ est celle d'une $N(0 ; 1)$ aplatie, incluant les propriétés de symétrie que cela sous-entend:

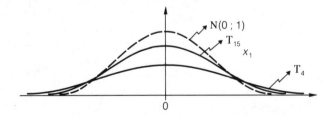

Plus la valeur de $\nu$ est petite, plus la forme de la cloche est large et plate. À mesure que $\nu$ augmente, celle-ci devient plus étroite et plus haute pour tendre progressivement vers celle d'une N(0 ; 1), lorsque $\nu \longrightarrow \infty$.

## 10.4.2. Espérance et variance

Si $T$: $\text{T}_\nu$, les valeurs respectives de l'espérance et de la variance de cette variable sont

$$E[T] = 0$$

$$\text{et} \quad V[T] = \frac{\nu}{\nu - 2} \quad \text{si } \nu > 2$$

(ceci en conformité avec la remarque précédente puisque, pour un $\nu$ grand, $E[T] = 0$ et $V[T] \longrightarrow 1$).

## 10.4.3. Usage d'une table

La table à laquelle nous nous référerons cette fois est la table 6, en annexe à la fin de ce livre. Comme pour la table de distributions de $X$: $\chi_\nu^2$, elle présente une valeur de la variable à l'intersection d'une ligne qui précise le nombre de degrés de liberté de la $\text{T}_\nu$ et d'une colonne qui précise l'aire $\alpha$ de la surface située à droite de cette valeur, sous la courbe.

Ainsi pour une variable $T$: $\text{T}_{21}$, on retrouve la valeur $t$ pour laquelle $P[T > t]$ vaut 0,05

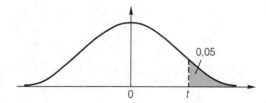

à l'intersection de la ligne $\nu = 21$
et de la colonne $\alpha = 0,05$,
soit $t = 1,721$.

Si l'on cherche une valeur négative de la variable, on peut profiter de la symétrie, comme pour la N(0 ; 1).

Par exemple, soit $T$: $T_{15}$; on obtient la valeur $t$ pour laquelle $P[T < t]$ vaut 0,025 de la façon suivante:

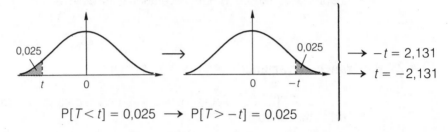

$$P[T < t] = 0,025 \longrightarrow P[T > -t] = 0,025$$

De façon similaire, si l'on considère une variable $T$: $T_{10}$, on obtient la valeur $t$ pour laquelle $P[T > t]$ vaut 0,95 par le raisonnement suivant:

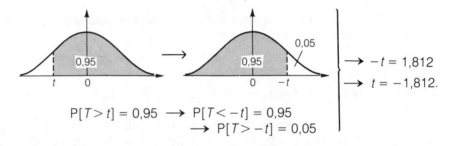

$$P[T > t] = 0,95 \longrightarrow P[T < -t] = 0,95$$
$$\longrightarrow P[T > -t] = 0,05$$

Enfin, pour une variable $T$: $T_{18}$, on trouve facilement que les valeurs symétriques $t_1$ et $t_2$ telles que $P[T < t_1] = P[T > t_2] = 0,025$

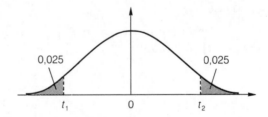

sont respectivement $-2,101$ (pour $t_1$)
et $2,101$ (pour $t_2$).

## 10.5. PROBLÈMES

1. Calculer l'espérance et la variance d'une variable aléatoire soumise à une loi de probabilité continue uniforme.

2. Un automobiliste doit s'arrêter une fois, à un endroit déterminé par le hasard, à l'intérieur d'un parcours de 80 km. Soit $X$, le nombre de km parcourus au moment de son arrêt,

   a) décrire la fonction de densité de probabilité de $X$ et tracer son graphique;

   b) calculer l'espérance de cette variable aléatoire;

   c) calculer sa variance;

   d) calculer la probabilité que l'automobiliste s'arrête après avoir parcouru une distance comprise entre 5 et 60 km;

   e) calculer la probabilité qu'il s'arrête avant d'avoir parcouru 55 km;

   f) calculer la probabilité qu'il ne s'arrête pas avant d'avoir parcouru 20 km.

3. Une ficelle de 15 cm, dont l'une des extrémités est teinte en rouge et l'autre en vert, doit être coupée en un point déterminé au hasard. Soit $X$, le nombre de cm entre l'extrémité rouge de la ficelle et le point où celle-ci sera coupée,

   a) décrire la fonction de densité de probabilité de $X$ et tracer son graphique;

   b) calculer $E[X]$;

   c) calculer $V[X]$;

   d) calculer $P[3 < X < 10]$;

   e) calculer la probabilité que le bout le plus long, une fois la ficelle coupée, mesure au moins 9 cm.

4. Un jeu consiste à appuyer sur un bouton qui, par un circuit électronique, allume une lumière en un point quelconque d'une ligne AB tracée sur un tableau. Cette ligne mesure 20 cm.

   — Si la lumière s'allume dans les 2 premiers centimètres, à partir du point A, le joueur gagne 5,00 $;

   — si elle s'allume dans les 8 centimètres suivants, il gagne 1,00 $;

   — enfin, si elle s'allume dans les 10 derniers centimètres, il perd 2,00 $.

   Calculer l'espérance (en dollars) de gain de ce jeu.

5. Louis attend un appel téléphonique pour un moment quelconque (n'importe lequel) entre 5 h 00 et 6 h 00. Si $X$ représente l'heure de cet appel,

   a) quelle est la fonction de densité de probabilité de $X$?

   b) calculer $E[X]$;

   c) calculer $V[X]$;

d) calculer la probabilité que Louis reçoive son appel entre 5 h 15 et 5 h 45.

6. Une ménagère remarque qu'en moyenne, entre 10 h 00 et 20 h 00, son téléphone sonne 3 fois.

   a) Elle doit s'absenter entre 13 h 00 et 18 h 00. Quelle est la probabilité que son téléphone sonne au moins 2 fois pendant son absence?

   b) À son retour, elle attend un appel de son mari qui doit lui téléphoner à un moment quelconque (n'importe lequel) entre 20 h 00 et 23 h 00. Quelle est la probabilité qu'il l'appelle entre 21 h 00 et 22 h 00?

7. Soit $Z$: $N(0 ; 1)$

   a) Calculer — $P[0 \leq Z \leq 1{,}23]$
   — $P[Z \leq 1{,}23]$
   — $P[Z \geq 1{,}23]$
   — $P[-1{,}12 < Z < 0]$
   — $P[-1{,}12 \leq Z \leq 2{,}21]$
   — $P[Z \leq -1{,}12]$
   — $P[Z > -1{,}12]$

   b) Évaluer les centiles $c_{55}$, $c_{70}$, $c_{15}$ et $c_{35}$ de cette distribution.

8. Soit $X$: $N(100 ; 225)$

   a) Calculer — $P[100 \leq X < 120]$
   — $P[X \leq 130]$
   — $P[X > 130]$
   — $P[90 < X \leq 100]$
   — $P[90 \leq X < 115]$
   — $P[X < 90]$
   — $P[X \geq 90]$

   b) Évaluer les centiles $c_{75}$, $c_{60}$, $c_{25}$ et $c_{45}$ de cette distribution.

9. Démontrer que pour toute variable aléatoire $X$ obéissant à une loi $N(\mu ; \sigma^2)$,
$$— P[\mu - \sigma \leq X \leq \mu + \sigma] = 0{,}6826$$
$$— P[\mu - 2\sigma \leq X \leq \mu + 2\sigma] = 0{,}9544$$
$$— P[\mu - 3\sigma \leq X \leq \mu + 3\sigma] = 0{,}9974$$

10. Calculer la cote $z$

   a) d'un étudiant qui a obtenu 66 dans une classe dont les notes sont distribuées selon une loi $N(70 ; 64)$;

   b) d'un étudiant qui a obtenu 79 dans une classe dont les notes sont distribuées selon une loi $N(70 ; 81)$.

11. Le salaire annuel des employés d'une certaine entreprise est distribué selon une loi N(18 000 ; 16 000 000). Si on considère un de ces employés, choisi au hasard, quelle est la probabilité

    a) qu'il s'agisse d'un individu qui gagne plus de 20 000 $?
    b) qu'il s'agisse d'un individu qui gagne entre 16 000 $ et 17 000 $?

12. Le taux de glycémie (en mg/dl) dans le sang d'un adulte à jeun est distribué selon une loi N(90 ; 68,89). Si on choisit un adulte au hasard, quelle est la probabilité que son taux de glucose, à jeun, se situe en dessous de 80 ou au-dessus de 100 mg/dl?

13. Une étude en diététique démontre que le nombre de milligrammes de calcium contenus dans
    — une tranche de pain blanc est distribué selon une N(20 ; 1)
    — une cuillerée à thé de beurre, selon une N(1,5 ; 0,25)
    — un oeuf rôti de grosseur moyenne, selon une N(35 ; 4)
    — une tasse de lait entier, selon une N(288 ; 100).
    Ce matin, Sylvain a mangé une tranche de pain blanc tartinée d'une cuillerée à thé de beurre et un oeuf rôti de grosseur moyenne, puis il a bu une tasse de lait entier. Quelle est la probabilité que son déjeuner ait contenu moins de 325 mg de calcium?

14. On prélève, au hasard et avec remise, à l'intérieur d'une population composée de 30% de fumeurs, un échantillon de 200 individus. Quelle est la probabilité que cet échantillon compte

    a) au plus 65 fumeurs?
    b) entre 50 et 100 fumeurs? (50 et 100 étant inclus).

15. À la veille d'une élection, on estime que 55% des électeurs d'une certaine circonscription appuient le parti A. Sur un échantillon de 250 électeurs, choisis au hasard et avec remise, quelle est la probabilité de compter plus de 150 individus favorables au parti A?

16. La longueur (en cm) des ouananiches adultes du lac St-Jean obéit à une loi N(55 ; 16).

    a) Quelle est la probabilité qu'une ouananiche adulte tirée au hasard de ce lac mesure moins de 65 cm?
    b) Si on admet que dans les histoires de pêche, les conteurs augmentent toujours la longueur réelle de leurs prises de 20% plus 2 cm (pour en mettre encore un peu plus), quelle est la probabilité que la dernière truite qu'ait pêchée votre ami mesure, selon ses dires, moins de 65 cm?

c) Si on tire de ce lac, au hasard et avec remise, un échantillon de 150 ouananiches adultes, quelle est la probabilité d'y compter moins de 12 truites mesurant entre 56,5 et 57,5 cm?

17. Lorsqu'on appuie sur un bouton, une lumière s'allume en un point quelconque (déterminé tout à fait au hasard) d'une ligne AB de 30 cm tracée sur un tableau électronique.

a) Quelle est la probabilité qu'au prochain essai, la lumière s'allume dans les 5 premiers ou les 5 derniers centimètres de cette ligne?

b) Si on appuie sur le bouton 90 fois de suite, quelle est la probabilité que la lumière s'allume plus de 40 fois dans les 5 centimètres de l'une des extrémités de la ligne?

18. Une étude routière indique que le poids global (en kg) des véhicules non commerciaux circulant sur la route, incluant personnes et bagages, obéit à une loi $N(1\ 100\ ;\ 40\ 000)$.

a) Sur un échantillon de 200 véhicules de ce type, sélectionnés au hasard et avec remise, quelle est la probabilité d'en compter au moins 25 de poids supérieur à 1 300 kg?

b) Un traversier, qui ne transporte que des véhicules non commerciaux, peut supporter sans danger un chargement n'excédant pas 40 000 kg. Si on lui permet de transporter jusqu'à 30 véhicules à la fois, quelle est la probabilité qu'un tel chargement soit dangereux?

*Note.*— Ici l'échantillon est prélevé sans remise, mais étant donné la petite taille de l'échantillon par rapport à celle très large de la population des véhicules non commerciaux, le problème est équivalent à celui d'un tirage avec remise.

19. La longueur (en cm) des lames de patins d'un certain modèle fabriqué par une compagnie est distribuée selon une loi $N(31\ ;\ 0,04)$. Cependant, pour répondre aux normes de ce modèle, on doit rejeter toutes les lames mesurant moins de 30,6 cm ou plus de 31,4 cm. Si on tire, au hasard et avec remise, un échantillon de 300 lames de cette production, quelle est la probabilité d'y compter moins de 10 lames à rejeter?

# Composantes d'un échantillon aléatoire; lois de probabilité et caractéristiques associées

Avant d'effectuer une expérience aléatoire, il est possible d'imaginer l'ensemble des valeurs que peut prendre une variable aléatoire et de calculer sa distribution de probabilités et ses caractéristiques spécifiques, telles son espérance et sa variance.

De façon similaire, nous tenterons cette fois, après avoir défini notre technique d'échantillonnage, de prévoir l'ensemble de tous les échantillons d'une taille donnée qu'on pourrait prélever à l'intérieur d'une population, suivant cette technique, et de calculer la probabilité que chacun aurait de se présenter.

Imaginer ainsi l'ensemble des différents échantillons qu'il est possible de tirer d'une population nous amène à imaginer l'ensemble des différentes moyennes d'échantillon possibles, celui des différentes variances d'échantillon possibles et celui des différentes proportions de succès possibles à l'intérieur d'un échantillon. Pour toutes ces variables aussi, nous tenterons de préciser les lois de probabilité et les valeurs des caractéristiques spécifiques.

Cette analyse sera plus complexe que celle effectuée précédemment pour une variable aléatoire simple, mais elle nous permettra d'établir des comparaisons intéressantes entre la population et les différents échantillons qu'on peut y tirer.

Ce sont d'ailleurs les lois que nous déduirons de ces comparaisons qui nous permettront par la suite de développer des « inférences statistiques », c'est-à-dire de porter des conclusions sur l'ensemble d'une population à partir des résultats obtenus pour un échantillon unique, prélevé au hasard à l'intérieur de celle-ci.

## 11.1. ÉCHANTILLONNAGE

Au tout début de ce livre, nous avons défini un échantillon comme étant un ensemble d'éléments tirés de la population, au hasard, sur lequel on effectue une étude exhaustive pour ensuite porter certaines conclusions sur l'ensemble de la population.

L'objectif premier d'un échantillon est donc de nous fournir un ensemble d'éléments que l'on souhaite le plus représentatif possible de l'ensemble de la population quant à la distribution du caractère étudié.

Des différences plus ou moins importantes entre l'échantillon et la population à l'intérieur de laquelle il a été prélevé seront à peu près toujours inévitables. Afin de permettre une étude théorique de ces différences et d'éliminer tous les biais produits par un choix subjectif, il importe que l'échantillon soit tiré au hasard.

Selon la taille et le type de la population étudiée, et la taille de l'échantillon qu'on veut y prélever, il existe différentes techniques de prélèvement, différentes techniques d'échantillonnage. Les trois principales sont:
— le tirage au hasard simple,
— le tirage au hasard systématique,
— le tirage au hasard stratifié.

### 11.1.1. Tirage au hasard simple

Cette première technique consiste à tirer des éléments de la population de la même manière qu'on tire des boules d'une urne. C'est la technique parfaite pour reproduire le hasard. Le modèle théorique de cette méthode consiste à attribuer à chacun des éléments de la population un numéro que l'on inscrit sur une boule (identique à chacune des autres boules) et que l'on place dans une urne, puis à y tirer au hasard $n$ boules, identifiant ainsi les $n$ éléments de l'échantillon choisi. Selon que le tirage de ces boules est effectué **avec** ou **sans** remise, l'échantillon est dit choisi **au hasard simple avec ou sans remise**.

Ce procédé n'étant pas toujours commode, il existe différentes techniques similaires, plus faciles à appliquer. Entre autres, après avoir identifié chacun des individus de la population à l'aide d'un numéro, il est possible de demander à un ordinateur de choisir $n$ de ces numéros au hasard. Il est possible aussi d'effectuer ce choix à l'aide d'une table de nombres aléatoires (table de nombres inscrits au hasard) que l'on peut lire aussi bien horizontalement que verticalement, dans un sens ou dans l'autre, à partir de n'importe quel nombre. Encore ici, suivant que l'on permette ou non la répétition d'un même numéro, on effectue de l'échantillonnage au hasard simple **avec** ou **sans** remise.

## 11.1.2. Tirage au hasard systématique

Pour encore plus de commodité, on utilise souvent le **tirage au hasard systématique**. Cette méthode consiste à partir d'une liste exhaustive de l'ensemble des $N$ individus de la population pour y choisir **systématiquement** chaque $X^{ème}$ élément suivant un premier individu choisi au hasard. Par exemple, si l'on désire prélever un échantillon de 200 individus à l'intérieur d'une population qui en contient 5 000, on pourrait décider de prendre le $8^{ème}$ élément de la liste, puis chaque $25^{ème}$ individu subséquent, c'est-à-dire le $33^{ème}$, le $58^{ème}$, le $83^{ème}$, etc.

C'est une technique très employée pour les sondages publiés dans les journaux. On lit souvent dans la description de la méthodologie de ces sondages que l'échantillon a été tiré au hasard « systématique » de l'annuaire téléphonique de la région concernée.

Suivant le caractère étudié et la forme de la liste exhaustive de la population, un tel procédé peut souvent permettre de considérer un choix comme effectué au hasard. Le principal danger consiste en la possibilité d'utilisation d'une liste cyclique, amenant ainsi un choix d'éléments au rythme d'un cycle. Par exemple, dans une usine de montage, on pourrait ainsi tomber sur le premier produit de chaque heure de travail. Les éléments observés provenant des mêmes périodes de production, la représentativité d'un tel échantillon pourrait alors être faussée.

## 11.1.3. Tirage au hasard stratifié

Une troisième technique, le tirage au hasard « stratifié », consiste à composer un échantillon à l'aide de sous-échantillons prélevés généralement de façon proportionnelle dans les différentes sous-populations de la population globale.

Par exemple, dans un sondage où l'âge des gens pourrait influencer la valeur du caractère étudié, si l'on connaît la proportion de chacune des classes d'âges de la population, il est possible d'utiliser cette technique pour obtenir un échantillon qui respectera ces proportions.

## 11.1.4. Technique retenue dans ce livre

Des différents procédés d'échantillonnage que nous venons d'énumérer, nous ne retiendrons, pour la suite de cet ouvrage, que celui du tirage au hasard **simple** effectué **avec remise**.

Ce processus nous assurera à la fois d'**une même loi de probabilité** de la variable pour chacun des éléments choisis et de l'**indépendance** entre ces divers éléments.

**D'ici la fin de ce livre, donc, chaque fois que nous emploierons le mot « échantillon », celui-ci sera considéré comme une suite de $n$ prélèvements successifs, effectués au hasard simple et avec remise, à l'intérieur de la population.**

Bien que dans la pratique de la vie courante un tel procédé ne soit guère toujours applicable, son étude nous permettra néanmoins d'en tirer plusieurs règles d'applications statistiques, règles auxquelles une théorie plus avancée permettrait d'apporter simplement certains facteurs de correction, pour une situation d'échantillonnage au hasard simple effectué sans remise.

De plus, dans le cas d'une population de taille infinie, ou encore dans tous les cas où la taille ($n$) de l'échantillon demeure inférieure à 5% de la taille ($N$) de la population, ces différents facteurs de correction sont considérés comme négligeables.

Donc, même si nous réserverons la théorie qui va suivre exclusivement à l'échantillonnage au hasard simple avec remise, à toute fin pratique, dans la vie courante, elle pourra s'appliquer

— à tout échantillon choisi au hasard simple avec remise;

— à tout échantillon choisi au hasard simple sans remise à l'intérieur d'une population de taille infinie ou à l'intérieur d'une population finie, mais dont la taille sera plus de 20 fois supérieure à celle de l'échantillon;

— même à tout échantillon tiré au hasard systématique pour lequel ce procédé ne correspond qu'à une façon d'obtenir un tirage au hasard simple sans remise (en autant qu'il soit de taille inférieure à 5% de celle de la population).

## 11.2. ÉCHANTILLON ALÉATOIRE

Afin de mieux saisir les différentes composantes d'un échantillon aléatoire, procédons d'abord à l'aide d'un exemple.

### 11.2.1. Exemple

Un relevé complet du nombre d'automobiles par résidence, pour les 50 maisons unifamiliales d'un certain arrondissement, précise que pour 30 d'entre elles, on ne compte qu'une seule voiture, alors que chez les 20 autres, on en compte deux.

Notons d'abord que l'ensemble décrit ici est celui d'une **population**.

La distribution du nombre d'autos par résidence, pour cette population, peut être résumée par la table de fréquences suivante:

| $X_i$ | $N_i$ |
|-------|-------|
| 1 | 30 |
| 2 | 20 |
| | $N = 50$ |

**La moyenne** du nombre d'autos par résidence est égale à

$$\mu = \frac{\sum N_i X_i}{N} = \frac{(30 \cdot 1) + (20 \cdot 2)}{50} = 1,4$$

et **la variance** à

$$\sigma^2 = \frac{\sum N_i X_i^2}{N} - \mu^2 = \frac{(30 \cdot 1^2) + (20 \cdot 2^2)}{50} - 1,4^2 = 0,24.$$

De plus, si nous considérons comme un « succès » le fait qu'une maison ne compte qu'une seule auto, nous pouvons définir

$p = $ **la proportion de succès** à l'intérieur de cette population

et le tableau présenté ci-haut nous permet d'établir que

$$p = \frac{30}{50} = 0,60.$$

Imaginons qu'on veuille choisir une de ces maisons au hasard.

Si on définit la variable aléatoire

$X$ = le nombre d'automobiles que l'on retrouve à la résidence choisie,

la distribution de probabilités de $X$ est alors la suivante:

| $x$ | 1 | 2 |
|---|---|---|
| $p(x)$ | 3/5 | 2/5 |

,

son espérance est
$$\begin{aligned} E[X] &= 1 \cdot (3/5) \quad + 2 \cdot (2/5) \\ &= 1 \cdot (30/50) + 2 \cdot (20/50) \\ &= 1,4 \\ &= \mu = \text{la moyenne de la population,} \end{aligned}$$

et sa variance est
$$\begin{aligned} V[X] &= 1^2 \cdot (3/5) \quad + 2^2 \cdot (2/5) \quad - 1,4^2 \\ &= 1^2 \cdot (30/50) + 2^2 \cdot (20/50) - 1,4^2 \\ &= 0,24 \\ &= \sigma^2 = \text{la variance de la population.} \end{aligned}$$

**Proposons-nous, maintenant, de prélever un échantillon de 3 maisons** et de noter le nombre d'autos que l'on compte pour chacune d'elles. Comme nous procéderons au hasard et avec remise, chaque résultat devient une variable aléatoire indépendante des autres et dont la fonction de probabilité est celle que nous venons de décrire. Le tableau de la distribution de probabilités des différents échantillons possibles est alors le suivant:

| Chacun des différents échantillons possibles $(x_1, x_2, x_3)$ | Probabilité associée à chacun de ces différents échantillons $p(x_1, x_2, x_3)$ |
|---|---|
| (1, 1, 1) | $\begin{aligned} p(1, 1, 1) &= P[(X_1 = 1) \text{ et } (X_2 = 1) \text{ et } (X_3 = 1)] \\ &= P[X_1 = 1] \cdot P[X_2 = 1] \cdot P[X_3 = 1] \\ &\qquad \text{(à cause de l'indépendance)} \\ &= p(1) \cdot p(1) \cdot p(1) \\ &= (3/5) \cdot (3/5) \cdot (3/5) = 27/125 \end{aligned}$ |
| (1, 1, 2) | $p(1, 1, 2) = (3/5) \cdot (3/5) \cdot (2/5) = 18/125$ |
| (1, 2, 1) | $(3/5) \cdot (2/5) \cdot (3/5) = 18/125$ |
| (1, 2, 2) | 12/125 |
| (2, 1, 1) | 18/125 |
| (2, 1, 2) | 12/125 |
| (2, 2, 1) | 12/125 |
| (2, 2, 2) | 8/125 |

Cependant, à chaque échantillon possible $(x_1, x_2, x_3)$ correspond

$$\text{une moyenne } \overline{x} = \frac{\sum x_i}{3},$$

$$\text{une variance } s^2 = \frac{\sum x_i^2}{3} - \overline{x}^2,$$

$$\text{un écart type } s = \sqrt{s^2}$$

et une proportion de succès (1 seule voiture/résidence)

$$\overline{p} = \frac{\text{nombre de résidences de l'échantillon ne possédant que 1 auto}}{3}$$

(Nous noterons la proportion de succès à l'intérieur d'un échantillon $\overline{p}$ afin de la distinguer de la proportion de succès pour l'ensemble de la population, que nous avons notée précédemment $p$.)

Nous nous retrouvons donc devant l'ensemble des possibilités suivantes:

| Chacun des différents échantillons possibles | Probabilité de chacun de ces échantillons possibles | Moyenne de chacun de ces échantillons possibles | Variance de chacun de ces échantillons possibles | Proportion de succès à l'intérieur de chacun de ces échantillons possibles |
|---|---|---|---|---|
| $(x_1, x_2, x_3)$ | $p(x_1, x_2, x_3)$ | $\overline{x} = \sum x_i/3$ | $s^2 = \dfrac{\sum x_i^2}{3} - \overline{x}^2$ | $\overline{p}$ |
| (1, 1, 1) | 27/125 | 1 | 0 | 3/3 = 1 |
| (1, 1, 2) | 18/125 | 4/3 | 2/9 | 2/3 |
| (1, 2, 1) | 18/125 | 4/3 | 2/9 | 2/3 |
| (1, 2, 2) | 12/125 | 5/3 | 2/9 | 1/3 |
| (2, 1, 1) | 18/125 | 4/3 | 2/9 | 2/3 |
| (2, 1, 2) | 12/125 | 5/3 | 2/9 | 1/3 |
| (2, 2, 1) | 12/125 | 5/3 | 2/9 | 1/3 |
| (2, 2, 2) | 8/125 | 2 | 0 | 0 |

Prenons note, ici, que suivant la règle de la théorie des ensembles, nous utiliserons une même lettre:

— en majuscule pour identifier l'**ensemble** de toutes les possibilités de la variable,

— en minuscule pour identifier **chacune** des possibilités de cette variable.

Plusieurs $\overline{x}$, $s^2$ ou $\overline{p}$ possibles nous amènent à considérer maintenant les variables aléatoires $\overline{X}$, $S^2$ et $\overline{P}$, leurs fonctions de probabilité et leurs caractéristiques respectives.

Voici donc, à partir du tableau présenté,

— la distribution de probabilités de la variable $\overline{X}$, moyenne d'échantillon **aléatoire**:

| $\overline{x}$ | 1 | 4/3 | 5/3 | 2 |
|---|---|---|---|---|
| $P[\overline{X} = \overline{x}]$ | 27/125 | 54/125 | 36/125 | 8/125 |

avec son espérance,

$E[\overline{X}] = 1 \cdot (27/125) + (4/3) \cdot (54/125) + (5/3) \cdot (36/125) + 2 \cdot (8/125)$
$= 1,4$

et sa variance,

$V[\overline{X}] = 1^2 \cdot (27/125) + (4/3)^2 \cdot (54/125) + (5/3)^2 \cdot (36/125)$
$\qquad\qquad\qquad\qquad\qquad\qquad + 2^2 \cdot (8/125) - 1,4^2$
$= 0,08$

— la distribution de probabilités de la variable $S^2$, variance d'échantillon **aléatoire**:

| $s^2$ | 0 | 2/9 |
|---|---|---|
| $P[S^2 = s^2]$ | 35/125 | 90/125 |

avec son espérance,

$E[S^2] = 0 \cdot (35/125) + (2/9) \cdot (90/125)$
$= 0,16$

et sa variance,

$V[S^2] = 0^2 \cdot (35/125) + (2/9)^2 \cdot (90/125) - 0,16^2$
$= 0,01$

— la distribution de probabilités de la variable $\overline{P}$, proportion de succès **aléatoire**, à l'intérieur de l'échantillon:

| $\overline{p}$ | 0 | 1/3 | 2/3 | 1 |
|---|---|---|---|---|
| $P[\overline{P} = \overline{p}]$ | 8/125 | 36/125 | 54/125 | 27/125 |

avec son espérance,  $E[\overline{P}] = ...$
$\qquad\qquad\qquad\qquad\qquad = 0,6$

et sa variance,  $\qquad V[\overline{P}] = ...$
$\qquad\qquad\qquad\qquad\qquad = 0,08$

## 11.2.2. Composantes d'un échantillon aléatoire

DÉFINITIONS
ET NOTATIONS
Partant de l'exemple précédent, nous pouvons maintenant dégager les différentes composantes de tout prélèvement d'un échantillon à l'intérieur d'une population donnée.

---

— D'abord, **la population est unique**. Quant à un caractère donné $X$, elle possède
  – une distribution qui lui est propre,
  – une moyenne: $\mu$,
  – une variance: $\sigma^2$,
  – une proportion de succès: $p$.

— Un échantillon, prélevé dans cette population, peut apparaître de **différentes façons**.
  – L'ensemble des différents échantillons possibles est dit
    « échantillon **aléatoire** » et noté $(X_1, X_2, ..., X_n)$.

— Un ensemble d'échantillons possibles amène **un ensemble de moyennes d'échantillon possibles, un ensemble de variances d'échantillon possibles** et **un ensemble de proportions de succès possibles à l'intérieur de l'échantillon**.
  – L'ensemble des différentes moyennes d'échantillon possibles est dit
    « moyenne d'échantillon **aléatoire** » et noté $\overline{X}$.

  Cette variable possède – une distribution de probabilités,
  – une espérance: $E[\overline{X}]$
  – et une variance: $V[\overline{X}]$.

  – L'ensemble des différentes variances d'échantillon possibles est dit
    « variance d'échantillon **aléatoire** » et noté $S^2$.

  Cette variable possède – une distribution de probabilités,
  – une espérance: $E[S^2]$
  – et une variance: $V[S^2]$.

  – L'ensemble des différentes proportions de succès possibles à l'intérieur de l'échantillon est dit
    « proportion de succès **aléatoire** à l'intérieur de l'échantillon » et noté $\overline{P}$.

---

Cette variable possède  – une distribution de probabilités,
  – une espérance: $E[\bar{P}]$
  – et une variance: $V[\bar{P}]$.

— Enfin, un échantillon **particulier** tiré de cette population est unique.

Il est noté $(x_1, x_2, ..., x_n)$

et il possède  – une moyenne unique: $\bar{x}$,
  – une variance unique: $s^2$
  – et une proportion de succès unique: $\bar{p}$.

## Exercices

Faire les problèmes 1, 2 et 3 de la section 11.6.

## 11.3. CENTRE DE GRAVITÉ ET VARIANCE DES VARIABLES $\bar{X}$, $S^2$ ET $\bar{P}$

Il existe donc, lors du prélèvement d'un échantillon à l'intérieur d'une population, tout un ensemble

de moyennes d'échantillon $\bar{x}$,

de variances d'échantillon $s^2$

et de proportions de succès $\bar{p}$

possibles.

Quels sont les centres de gravité de ces différentes possibilités?

Entre elles, ces valeurs sont-elles concentrées ou dispersées?

Voilà les questions auxquelles nous tenterons de répondre maintenant.

Pour ce faire, nous présenterons certains théorèmes, mais ce n'est qu'à la fin de ce chapitre (à la section 11.5.) que nous développerons la preuve de ceux que nos connaissances actuelles nous permettent de démontrer.

## 11.3.1. Étude de $\overline{X}$

### Théorème 1

Soit $\mu$, la moyenne d'un caractère donné à l'intérieur de la population,

et $\sigma^2$, la variance de ce caractère,

soit $\overline{X}$, la moyenne d'échantillon aléatoire de ce caractère,

alors $E[\overline{X}] = \mu$

et $V[\overline{X}] = \dfrac{\sigma^2}{n}$ où $n$ = la taille de l'échantillon.

### Interprétation de $E[\overline{X}] = \mu$ et exemple

La première partie de ce théorème nous indique que bien qu'il y ait plusieurs moyennes d'échantillon possibles $\overline{x}$ au moment du prélèvement d'un échantillon, l'ensemble de ces différentes possibilités gravite autour de $\mu$, la véritable moyenne de la population.

Comme exemple, imaginons un collège où la moyenne d'âge des étudiants serait de $\mu = 18$ ans. Un échantillon tiré de ce collège pourrait présenter une moyenne d'âge $\overline{x}_1$ de 17,75 ans, un second, une moyenne $\overline{x}_2$ de 18,25 ans, un troisième, une moyenne $\overline{x}_3$ de 17,85 ans, et ainsi de suite.

Certains échantillons possèdent donc une moyenne $\overline{x}$ inférieure à $\mu$, d'autres une moyenne supérieure. Mais la « moyenne probable » de ces différentes possibilités de moyennes, $E[\overline{X}]$, correspond précisément à $\mu = 18$ ans, la moyenne d'âge réelle des étudiants de ce collège.

### Interprétation de $V[\overline{X}] = \sigma^2/n$ et exemple

Quant à la deuxième partie de ce théorème, elle précise que ces différentes moyennes d'échantillon possibles $\overline{x}$ tournent autour de la vraie moyenne $\mu$ de la population, avec une dispersion qui dépend de $n$ au dénominateur. Ainsi, plus $n$ est grand, plus $V[\overline{X}]$ est petit, plus la dispersion des différents $\overline{x}$ est faible, plus la concentration des $\overline{x}$ autour de $\mu$ est resserrée.

Pour illustrer cette loi, reprenons notre exemple de l'âge des étudiants d'un collège.

Si nous ne prélevons qu'un échantillon de 2 étudiants, il est possible que celui-ci soit composé de 2 étudiants très jeunes (ou de 2 étudiants très vieux) par rapport à l'ensemble, ce qui donne une possibilité d'obtenir une moyenne d'échantillon très faible (ou très forte) par rapport à la moyenne réelle $\mu$ de ce collège. Une petite taille d'échantillon offre donc une possibilité de différences importantes entre les diverses moyennes d'échantillon possibles.

Par contre, si nous prélevons un échantillon de 500 étudiants, il devient très peu probable, bien que ce soit toujours possible, que la moyenne $\bar{x}$ d'un tel échantillon soit très faible ou très forte par rapport à celle du collège.

Ainsi, plus la taille de l'échantillon est grande, plus les différentes moyennes d'échantillon possibles $\bar{x}$ ont de chances d'être rapprochées de la moyenne $\mu$ de la population.

## 11.3.2. Étude de $S^2$

### Théorème 2

> Soit $\sigma^2$, la variance d'un caractère donné à l'intérieur de la population,
>
> et $S^2$, la variance d'échantillon aléatoire de ce caractère,
>
> alors $E[S^2] = \dfrac{(n-1)}{n} \sigma^2$ où $n =$ la taille de l'échantillon
>
> et $V[S^2] = \ldots$ (quelque chose de complexe qui dépend de $n$ au dénominateur).

#### Interprétation

Alors que les différentes moyennes d'échantillon possibles $\bar{x}$ gravitent autour de $\mu$, ce théorème nous indique que les différentes variances d'échantillon possibles $s^2$ ne gravitent pas tout à fait autour de $\sigma^2$, la variance de la population. Elles tournent autour d'une valeur légèrement inférieure à $\sigma^2$, c'est-à-dire autour de

$$\frac{(n-1)}{n} \sigma^2.$$

À cause de cette particularité, on dit que les différentes variances d'échantillon $s^2$ sont « biaisées » par rapport à $\sigma^2$, le biais provenant du coefficient

$$\frac{n-1}{n}.$$

Nous pouvons quand même constater que plus la valeur de $n$ est grande, moins le biais est prononcé, car alors:

$$\frac{n-1}{n} \longrightarrow 1.$$

D'autre part, à cause du $n$ au dénominateur de $V[S^2]$, nous pouvons encore déduire que plus la taille de l'échantillon est importante, plus la concentration des différents $s^2$ est resserrée autour de

$$\frac{(n-1)}{n}\sigma^2.$$

## 11.3.3. Étude de $\overline{P}$

### *Théorème 3*

Soit $p$, la proportion de succès à l'intérieur de la population

et $\overline{P}$, la proportion de succès aléatoire à l'intérieur d'un échantillon de taille $n$ prélevé dans cette population,

alors $E[\overline{P}] = p$

et $V[\overline{P}] = \dfrac{pq}{n}$.

*Interprétation*

Le sens de ce théorème est très voisin de l'énoncé précédent au sujet de $\overline{X}$. Les différentes proportions de succès possibles $\overline{p}$ à l'intérieur d'un échantillon

— gravitent autour de la proportion de succès à l'intérieur de la population $p$,
— avec une concentration d'autant plus forte que la taille de l'échantillon est importante.

## Exercices

Faire les problèmes 4 et 5 de la section 11.6.

## 11.4. LOIS DE PROBABILITÉ PARTICULIÈRES POUR $\overline{X}$ ET $\overline{P}$

Après nous être interrogés sur le centre de gravité et la dispersion des variables $\overline{X}$, $S^2$ et $\overline{P}$, nous tenterons maintenant de découvrir à quelles lois de probabilité sont soumises ces différentes variables. Cependant, étant donné nos connaissances actuelles, nous devrons nous limiter aux lois de probabilité des variables $\overline{X}$ et $\overline{P}$, le développement de celle de la variable $S^2$ dépassant le niveau de notre étude.

Encore ici, nous réserverons la preuve de nos différents théorèmes pour la section 11.5., à la fin de ce chapitre.

### 11.4.1. Lois de probabilité particulières pour $\overline{X}$

*Théorème 4*

> Soit $X$, la variable étudiée pour l'ensemble de la population,
>
> et $\overline{X}$, la moyenne d'échantillon aléatoire de cette variable,
>
> si $X$: $N(\mu\,;\sigma^2)$,
>
> alors $\overline{X}$: $N\left(\mu\,;\dfrac{\sigma^2}{n}\right)$ où $n$ = la taille de l'échantillon.

*Représentation graphique*

Voici, graphiquement, la comparaison que cet énoncé nous permet d'établir entre la loi de probabilité de $\overline{X}$ et celle de $X$, dans ce cas où $X$: $N(\mu\,;\sigma^2)$.

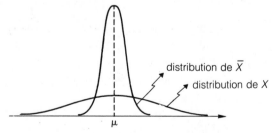

distribution de $\overline{X}$

distribution de $X$

$\mu$

**EXEMPLE**     On affirme que dans une région donnée, la taille (en cm) des bébés garçons, à la naissance, est distribuée selon une loi N(49 ; 1,5).

Si l'on se rappelle que dans une distribution normale, la presque totalité des valeurs du caractère se situent dans l'intervalle $[\mu - 3\sigma \, ; \, \mu + 3\sigma]$, une telle donnée nous permet de conclure que dans cette région, la presque totalité des bébés garçons mesurent, à la naissance, entre $49 - 3\sqrt{1,5}$ et $49 + 3\sqrt{1,5}$ cm, c'est-à-dire entre 45,33 et 52,67 cm.

De plus, avec cette donnée, si nous notons $X$, la taille d'un bébé garçon, nous pouvons calculer entre autres que la probabilité qu'un tel bébé choisi au hasard mesure entre 48,5 et 49,5 cm est égale à

$$P[48,5 \leqslant X \leqslant 49,5] = P[-0,41 \leqslant Z \leqslant 0,41] = 0,3182.$$

Que se passerait-il si l'on tirait un petit échantillon composé de 5 de ces bébés?

D'après l'énoncé de notre théorème, si l'on note $\overline{X}$, la taille moyenne d'un tel échantillon, alors

$$\overline{X}\colon \ N\left(49 \, ; \, \frac{1,5}{5}\right) = N(49 \, ; \, 0,3).$$

Nous pouvons donc calculer que la presque totalité des moyennes possibles, pour un échantillon de cette taille, se situent dans l'intervalle

$$[49 - 3\sqrt{0,3} \, ; \, 49 + 3\sqrt{0,3}] = [47,36 \, ; \, 50,64] \text{ cm,}$$

et que, pour un tel échantillon,

$$P[48,5 \leqslant \overline{X} \leqslant 49,5] = P[-0,91 \leqslant Z \leqslant 0,91] = 0,6372.$$

Que se passerait-il, maintenant, si l'on tirait un échantillon composé de 50 de ces bébés?

Toujours d'après l'énoncé de notre théorème, si l'on note $\overline{X}$, la taille moyenne d'un tel échantillon, alors

$$\overline{X}\colon \ N\left(49 \, ; \, \frac{1,5}{50}\right) = N(49 \, ; \, 0,03).$$

Nous pouvons donc calculer que la presque totalité des moyennes possibles, pour un échantillon de cette taille, se situent dans l'intervalle

$$[49 - 3\sqrt{0,03} \, ; \, 49 + 3\sqrt{0,03}] = [48,48 \, ; \, 49,52] \text{ cm,}$$

et que, pour un tel échantillon,

$$P[48,5 \leqslant \overline{X} \leqslant 49,5] = P[-2,89 \leqslant Z \leqslant 2,89] = 0,9962.$$

Ainsi, pour la variable $X$ distribuée dans l'ensemble de la population selon une loi N(49 ; 1,5), alors que ses différentes possibilités s'étalent

« normalement » entre 45,33 et 52,67 cm, les différentes possibilités de ses moyennes d'échantillon de taille $n$ s'étalent aussi « normalement » autour de $\mu = 49$, mais avec une concentration d'autant plus forte que $n$ est grand.

## Théorème 5

> Soit $X$, la variable étudiée pour l'ensemble de la population,
> et $\overline{X}$, la moyenne d'échantillon aléatoire de cette variable,
> si $X$: loi de probabilité quelconque telle que
> $$E[X] = \mu$$
> $$\text{et } V[X] = \sigma^2$$
> et si $n$ est grand,
> alors $\overline{X}: \simeq N\left(\mu\,;\dfrac{\sigma^2}{n}\right),$ où $n = $ la taille de l'échantillon.

**NOTE**

Plus $n$ est grand, plus cette approximation est juste. Dans la pratique, on la considère généralement valable dès que $n \geq 30$ et c'est la règle que nous suivrons dans ce livre. Cependant, nous ajouterons quand même une mise en garde. Dans un contexte où l'on soupçonne que la loi de probabilité de $X$ est vraiment asymétrique ou plurimodale, une étude minutieuse nous demanderait plutôt d'attendre un $n \geq 50$.

**EXEMPLE**

Dans un certain hôpital, le nombre de naissances par jour varie de telle sorte qu'on en estime à 7 le nombre moyen et à 2 l'écart type.

a) Quelle est la probabilité que le nombre moyen de naissances par jour, pour un échantillon de 10 jours, se situe entre 6,5 et 7,5?

Ici, si l'on note $X$ le nombre de naissances par jour, alors $X$: loi **quelconque**.

Comme $n = 10$, la taille de l'échantillon est petite et le théorème ne s'applique pas. Nous ne pouvons donc pas connaître la loi de probabilité de $\overline{X}$ et, de là, nous ne pouvons pas répondre à la question posée.

b) Si on relevait plutôt un échantillon de 125 jours, quelle serait alors la probabilité que le nombre moyen de naissances par jour, pour cet échantillon, se situe entre 6,5 et 7,5?

Encore ici, $X$: loi **quelconque** avec $\mu = 7$ et $\sigma^2 = 4$.

Comme $n = 125$ est grand, $\overline{X}: \simeq \mathrm{N}(\mu\,;\,\sigma^2/n) = \mathrm{N}(7\,;\,4/125)$

et ainsi, $\mathrm{P}[6{,}5 \leqslant \overline{X} \leqslant 7{,}5] \simeq \mathrm{P}[-2{,}80 \leqslant Z \leqslant 2{,}80] = 0{,}9948$.

## 11.4.2. Loi de probabilité particulière pour $\overline{P}$

*Théorème 6*

Soit $p$, la proportion de succès à l'intérieur de la population,

et $\overline{P}$, la proportion de succès aléatoire à l'intérieur d'un échantillon de taille $n$, prélevé dans cette population,

si, en même temps, $n \geqslant 30$, $np \geqslant 5$ et $nq \geqslant 5$ (où $q = 1 - p$),

alors $\overline{P}: \simeq \mathrm{N}\left(p\,;\,\dfrac{pq}{n}\right)$.

*Représentation graphique*

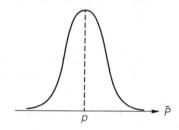

EXEMPLE　　　Dans une certaine compagnie, 35% du personnel est de sexe féminin.

a) Entre quelles valeurs, environ, devrait se situer la proportion de femmes dans un échantillon de 100 individus de cette compagnie?

Si l'on note $\overline{P}$ la proportion de femmes à l'intérieur de l'échantillon,

comme
$n = 100 \geqslant 30$, $np = 100 \cdot 0{,}35 = 35 \geqslant 5$ et $nq = 100 \cdot 0{,}65 = 65 \geqslant 5$,

alors $\overline{P}: \simeq \mathrm{N}(p\,;\,pq/n) = \mathrm{N}(0{,}35\,;\,0{,}002\,275)$ et ainsi,

$\overline{p} \in \simeq [0{,}35 - 3\sqrt{0{,}002\,275}\,;\,0{,}35 + 3\sqrt{0{,}002\,275}]$
$$= [0{,}2069\,;\,0{,}4931].$$

b) Quelle est la probabilité de retrouver entre 33,5 % et 36,5 % de femmes à l'intérieur d'un tel échantillon?

$$P[0,335 \leqslant \bar{P} \leqslant 0,365] \simeq P[-0,31 \leqslant Z \leqslant 0,31] = 0,2434.$$

## Exercices

Effectuer les problèmes 6 et suivants de la section 11.6.

## 11.5. PREUVE DE DIFFÉRENTS THÉORÈMES ÉNONCÉS DANS CE CHAPITRE

### 11.5.1. Preuve des différents théorèmes énoncés au sujet de $\bar{X}$

Soit $X$, la variable étudiée pour l'ensemble de la population,

soit $\mu$, la moyenne
$\sigma^2$, la variance $\Big\}$ de cette population,
$p$, la proportion de succès à l'intérieur

soit $(X_1, X_2, ..., X_n)$, l'échantillon aléatoire de taille $n$ provenant de cette population,

alors

— $\forall\, i \in \{1, 2, ..., n\}$, $X_i$ est une variable aléatoire dont la distribution de probabilités est équivalente à la distribution statistique de $X$, donc une variable telle que:

$$E[X_i] = \mu$$
et $V[X_i] = \sigma^2$

— et tous ces $X_i$ sont indépendants les uns des autres.

Il s'ensuit donc que:

*Preuve du théorème 1*

$$E[\bar{X}] = E\left[\frac{\sum X_i}{n}\right] = E\left[\frac{1}{n} \cdot \sum X_i\right]$$

$$= \frac{1}{n} E\left[\sum X_i\right]$$

(par les théorèmes d'une transformation linéaire d'une variable aléatoire discrète ou continue)

$$= \frac{1}{n} \cdot \sum E[X_i]$$

(par les théorèmes d'une somme de variables aléatoires dis-crètes ou continues)

$$= \frac{1}{n} \sum \mu$$

$$= \frac{1}{n} \cdot n\mu$$

$$= \mu$$

et $V[\overline{X}] = V\left[\dfrac{\sum X_i}{n}\right] = V\left[\dfrac{1}{n} \cdot \sum X_i\right]$

$$= \frac{1}{n^2} V\left[\sum X_i\right]$$

(par les théorèmes d'une transformation linéaire d'une variable aléatoire discrète ou continue)

$$= \frac{1}{n^2} \cdot \sum V[X_i]$$

(par les théorèmes d'une somme de variables aléatoires dis-crètes ou continues et le fait que les $X_i$ sont indépendants entre eux)

$$= \frac{1}{n^2} \sum \sigma^2$$

$$= \frac{1}{n^2} \cdot n\sigma^2$$

$$= \frac{\sigma^2}{n} .$$

*Preuve du théorème 4*

Si $\qquad X \; : \; N(\mu \, ; \, \sigma^2),$

alors $\quad X_i \; : \; N(\mu \, ; \, \sigma^2) \qquad \forall \, i \in \{1 \, , 2 \, , \dots , n\}.$

Comme $\overline{X} = \dfrac{\sum X_i}{n} = \dfrac{1}{n} \cdot \sum X_i$

alors $\quad \overline{X} = \dfrac{1}{n} \cdot Y \quad$ où $Y$: $\mathrm{N}\left(\sum \mu \: ; \sum \sigma^2\right) = \mathrm{N}(n\mu \: ; n\sigma^2)$

(par le théorème d'une somme de variables aléatoires indépendantes soumises respectivement à une loi $\mathrm{N}(\mu_i \: ; \sigma_i{}^2)$).

Ainsi $\quad \overline{X} \: : \: \mathrm{N}\left(\dfrac{1}{n} \cdot n\mu \: ; \dfrac{1}{n^2} \cdot n\sigma^2\right)$

(par le théorème d'une transformation linéaire d'une variable aléatoire soumise à une loi normale)

donc $\quad \overline{X} \: : \: \mathrm{N}\left(\mu \: ; \dfrac{\sigma^2}{n}\right)$.

*Preuve du théorème 5*

Si $\quad X \: : \:$ loi quelconque,

alors $\quad X_i \: : \:$ loi quelconque $\quad \forall \: i \in \{1 \: , \: 2 \: , \: \dots \: , \: n\}$.

Comme $\quad \overline{X} = \dfrac{\sum X_i}{n} = \dfrac{1}{n} \cdot \sum X_i$

alors $\quad \overline{X} = \dfrac{1}{n} \cdot Y \quad$ où $Y$: $\simeq \mathrm{N}\left(\sum \mathrm{E}[X_i] \: ; \sum \mathrm{V}[X_i]\right) = \mathrm{N}(n\mu \: ; n\sigma^2)$

(car, comme $n$ est grand, le théorème de la limite centrale s'applique).

Ainsi $\quad \overline{X} \: : \: \simeq \mathrm{N}\left(\dfrac{1}{n} \cdot n\mu \: ; \dfrac{1}{n^2} \cdot n\sigma^2\right)$

(par le théorème d'une transformation linéaire d'une variable aléatoire soumise à une loi normale)

donc $\quad \overline{X} \: : \: \simeq \mathrm{N}\left(\mu \: ; \dfrac{\sigma^2}{n}\right)$.

## 11.5.2. Preuve des différents théorèmes au sujet de $\overline{P}$

Soit $\quad (X_1, \: X_2, \: \dots, \: X_n)$, l'échantillon aléatoire

et $\quad Y =$ le **nombre** de succès aléatoire à l'intérieur de l'échantillon,

alors $Y \: : \: \mathrm{B}(n \: ; p) \quad$ et $\quad \mathrm{E}[Y] = np$
$\mathrm{V}[Y] = npq$.

D'autre part,

$\overline{P}$ = la **proportion** de succès aléatoire à l'intérieur de l'échantillon

$= \dfrac{\text{le nombre de succès aléatoire à l'intérieur de l'échantillon}}{n}$

$= \dfrac{Y}{n} = \dfrac{1}{n} \cdot Y.$

*Preuve du théorème 3*

Ainsi $E[\overline{P}] = E\left[\dfrac{1}{n} \cdot Y\right] = \dfrac{1}{n} \cdot E[Y] = \dfrac{1}{n} \cdot np = p$

et $\quad V[\overline{P}] = V\left[\dfrac{1}{n} \cdot Y\right] = \dfrac{1}{n^2} \cdot V[Y] = \dfrac{1}{n^2} \cdot npq = \dfrac{pq}{n}$

(par le théorème d'une transformation linéaire d'une variable aléatoire discrète).

*Preuve du théorème 6*

Et si $\quad n \geqslant 30$, $np \geqslant 5$ et $nq \geqslant 5$

alors $\quad Y \,:\, B(n\,;\,p) \simeq N(np\,;\,npq)$

(par le corollaire du théorème de la limite centrale, nous permettant d'approximer une loi binômiale par une loi normale).

Enfin, comme

$$\overline{P} = \dfrac{1}{n} \cdot Y$$

alors $\overline{P} \,:\, \simeq N\left(\dfrac{1}{n} \cdot np\,;\, \dfrac{1}{n^2} \cdot npq\right) = N\left(p\,;\, \dfrac{pq}{n}\right)$

(par le théorème d'une transformation linéaire d'une variable aléatoire soumise à une loi normale).

# 11.6. PROBLÈMES

1. Une étude statistique effectuée auprès des 50 couples d'une association précise que
   — 10 d'entre eux n'ont pas d'enfant,
   — 25 en ont un
   — et 15 en ont deux.

a) — Bâtir la table de fréquences du nombre d'enfants pour l'ensemble des 50 couples de cette population.
— Calculer la moyenne du nombre d'enfants par couple, pour cette population.
— Calculer la variance de ce nombre d'enfants.
— Quelle proportion de ces couples n'ont pas d'enfant?

b) Imaginons qu'on choisisse un de ces couples au hasard et qu'on définisse $X$ comme étant le nombre d'enfants de ce couple.
— Décrire la distribution de probabilités de $X$.
— Calculer $E[X]$.
— Calculer $V[X]$.

c) Imaginons maintenant qu'on tire un échantillon constitué de 2 de ces couples et qu'on note le nombre d'enfants pour chacun d'eux.
— Décrire, à l'aide d'un tableau, la liste des différents échantillons possibles, et pour chacune de ces possibilités,
  – la probabilité d'obtenir cet échantillon,
  – la moyenne du nombre d'enfants par couple,
  – la variance du nombre d'enfants par couple,
  – la proportion du nombre de couples n'ayant pas d'enfant.
— Décrire la distribution de probabilités de $\overline{X}$, la moyenne d'échantillon aléatoire, et calculer l'espérance et la variance de cette variable.
— Décrire la distribution de probabilités de $S^2$, la variance d'échantillon aléatoire, et calculer l'espérance et la variance de cette variable.
— Décrire la distribution de probabilités de $\overline{P}$, la proportion d'échantillon aléatoire des couples n'ayant pas d'enfant, et calculer l'espérance et la variance de cette variable.

2. Donner la notation
a) — de la moyenne
   — de la variance
   — d'une proportion de succès à l'intérieur } d'une population;

b) — de la moyenne
   — de la variance
   — d'une proportion de succès à l'intérieur } d'un échantillon particulier tiré de cette population;

c) — d'un échantillon particulier de $n$ éléments tiré de cette population,
   — de l'ensemble des échantillons de $n$ éléments qu'il est possible de tirer à l'intérieur de cette population;

d) — de l'ensemble des différentes moyennes d'échantillon possibles,

270

— de l'espérance de cette variable,
— de la variance de cette variable;

e) — de l'ensemble des différentes variances d'échantillon possibles,
— de l'espérance de cette variable,
— de la variance de cette variable;

f) — de l'ensemble des différentes proportions de succès d'échantillon possibles,
— de l'espérance de cette variable,
— de la variance de cette variable.

3. Nommer:

a) $\mu$            b) $\sigma^2$            c) $p$
$\bar{x}$                $s^2$                 $\bar{p}$
$\bar{X}$                $S^2$                 $\bar{P}$
$E[\bar{X}]$          $E[S^2]$          $E[\bar{P}]$
$V[\bar{X}]$          $V[S^2]$          $V[\bar{P}]$

4. Vérifier l'application des théorèmes 1, 2 et 3 de ce chapitre

a) dans l'exemple présenté à la sous-section 11.2.1.,

b) dans le problème 1 de cette section.

5. Dans un certain collège, la moyenne d'âge des étudiants est de 18,7 ans et la variance, de 13,3 ans$^2$. De plus, 7% des étudiants ont plus de 20 ans. On se propose d'y tirer un échantillon de 100 étudiants. Donner, pour un tel échantillon, les notations et les valeurs respectives de

a) l'espérance de la moyenne,

b) la variance de la moyenne,

c) l'espérance de la variance,

d) la variance de la variance,

e) l'espérance de la proportion d'étudiants âgés de plus de 20 ans,

f) la variance de la proportion d'étudiants âgés de plus de 20 ans.

6. La longueur (en cm) des carouges à épaulettes adultes obéit à une loi $N(19 ; 2,25)$. Si on mesure 50 de ces oiseaux, choisis au hasard et avec remise, quelle est la probabilité que la longueur moyenne d'un tel échantillon se situe entre 18,7 et 19,3 cm?

7. Une étude statistique effectuée auprès des jeunes canadiens (âgés entre 15 et 25 ans) précise que 17% d'entre eux ne déjeunent pas.

Dans un échantillon de 250 jeunes canadiens, quelle est la probabilité de retrouver plus de 20% d'individus qui ne déjeunent pas?

8. La consommation d'essence (en l/100 km) d'un certain modèle d'automobile obéit à une loi $N(9 ; 0,5625)$. Quelle est la probabilité, lorsqu'on tire un échantillon de 20 voitures de ce type, d'obtenir une consommation moyenne inférieure à 8,5 l/100 km pour l'ensemble des automobiles de cet échantillon?

9. On estime que dans une région donnée, 45% des salariés (déclarés) bénéficient d'un régime de retraite inséré dans leur convention collective de travail. Si l'on prélevait un échantillon de 200 salariés de cette région, quelle serait la probabilité d'y compter moins de 44% ou plus de 46% d'individus bénéficiant d'un tel régime?

10. Dans une certaine compagnie, la moyenne du nombre d'heures de travail manquées par individu au cours de l'année dernière, pour cause de maladie ou autre, est de 30 et la variance, de 225 heures$^2$. De plus, on observe que 5% des employés ont manqué plus de 60 heures. Si l'on prélevait un échantillon de 100 employés de cette compagnie, quelle serait la probabilité

   a) que la moyenne du nombre d'heures manquées, pour cet échantillon, se situe en bas de 28 heures?

   b) que cet échantillon compte moins de 4,5% d'individus ayant manqué plus de 60 heures?

11. Les employés d'un service municipal estiment que dans leur localité, la consommation quotidienne en eau potable (en l), par foyer, obéit à une loi $N(1\,500 ; 300^2)$. Si on prélevait un échantillon de 225 foyers de cette municipalité et qu'on notait, pour chacun, sa consommation d'eau potable pour une journée quelconque, choisie au hasard, quelle serait la probabilité

   a) que la consommation moyenne de cet échantillon se situe entre 1 475 et 1 525 litres?

   b) que cet échantillon compte plus de 70% de mesures entre 1 200 et 1 800 litres?

# TROISIÈME PARTIE

# Inférences statistiques

# CHAPITRE 12
# Estimation des paramètres $\mu$, $\sigma^2$ et $p$

Nous voici enfin prêts à effectuer nos premières « inférences statistiques », à porter nos premières conclusions sur l'ensemble d'une population à partir d'observations réalisées sur un échantillon unique tiré de celle-ci.

Dans ce chapitre, nous apprendrons à estimer les valeurs inconnues des paramètres $\mu$, $\sigma^2$ et $p$ d'une population donnée à partir de celles, connues, des paramètres $\bar{x}$, $s^2$ et $\bar{p}$ d'un tel échantillon.

Nous procéderons, pour ce faire, à la démonstration de deux techniques différentes:

— l'estimation ponctuelle

  qui évalue le paramètre inconnu à l'aide d'un nombre unique, sans préciser la valeur de cette estimation;

— l'estimation par intervalle de confiance

  qui détermine un intervalle de valeurs à l'intérieur duquel devrait se situer le paramètre cherché, en précisant le degré de certitude de cette estimation.

## 12.1. Estimation ponctuelle

**DÉFINITION**

L'estimation ponctuelle est un mode d'estimation par lequel on évalue un paramètre de la population à l'aide d'un nombre unique, celui qui nous apparaît le plus vraisemblable pour estimer cet inconnu.

## 12.1.1. Estimateur

Pour nous aider à choisir ce nombre, le plus vraisemblable pour évaluer un paramètre, présentons d'abord l'**estimateur** d'un paramètre.

**DÉFINITION**

> Soit $\theta$, un paramètre de la population à estimer,
>
> et $\Theta$, une variable aléatoire,
>
> si $\Theta$ consiste en un ensemble de valeurs possibles pour estimer $\theta$, on dit que $\Theta$ est un estimateur pour $\theta$.

### Estimateur non biaisé

**DÉFINITION**

> Soit $\Theta$, un estimateur de $\theta$,
>
> si $E[\Theta] = \theta$,
>
> alors $\Theta$ est un estimateur **non biaisé** de $\theta$.

**EXEMPLES**

Nous avons vu au chapitre précédent que, quelle que soit la variable $X$ étudiée à l'intérieur d'une population,

$$E[\overline{X}] = \mu, \qquad E[S^2] = \frac{(n-1)}{n}\,\sigma^2 \qquad \text{et} \qquad E[\overline{P}] = p.$$

À cause de ces propriétés, nous pouvons donc conclure

que $\overline{X}$ est un estimateur non biaisé pour $\mu$,

et que $\overline{P}$ est un estimateur non biaisé pour $p$,

mais que $S^2$ est un estimateur **biaisé** pour $\sigma^2$, car $E[S^2] \neq \sigma^2$.

### Estimateur convergent

**DÉFINITION**

> Soit $\Theta$, un estimateur de $\theta$,
>
> si $V[\Theta] \longrightarrow 0$ lorsque $n \longrightarrow \infty$,
>
> alors $\Theta$ est un estimateur **convergent** vers $E[\Theta]$.

Au chapitre précédent, nous avons vu aussi que quelle que soit la variable $X$ étudiée à l'intérieur d'une population,

$$V[\overline{X}] = \frac{\sigma^2}{n}, \qquad V[S^2] = \begin{array}{l} \text{une écriture complexe} \\ \text{contenant un } n \\ \text{au dénominateur} \end{array} \qquad \text{et} \qquad V[\overline{P}] = \frac{pq}{n}$$

À cause du $n$ présent au dénominateur de chacune de ces écritures, ces trois variances se rapprochent de 0 à mesure que croît la valeur de $n$.

Étant donné cette propriété, nous pouvons conclure que

$\overline{X}$ est un estimateur convergent vers $\mu$ ($= E[\overline{X}]$),

$S^2$ est un estimateur convergent vers $\frac{(n-1)}{n}\sigma^2$ ($= E[S^2]$)

et $\overline{P}$ est un estimateur convergent vers $p$ ($= E[\overline{P}]$).

## Un bon estimateur

Soit $\Theta$, un estimateur de $\theta$,

si $\Theta$ est à la fois sans biais pour $\theta$ et convergent vers $\theta$,

il est alors considéré comme un « bon » estimateur de $\theta$.

Un **bon** estimateur sera d'autant **meilleur** que $n$, la taille de l'échantillon, sera grand. En effet, plus $n$ est grand, plus l'estimateur converge fortement vers le paramètre à évaluer, et moins l'écart entre le paramètre et une valeur particulière de cet estimateur a de chances d'être important.

Comme $E[\overline{X}] = \mu$ et $V[\overline{X}] = \frac{\sigma^2}{n}$

$\overline{X}$ est à la fois un estimateur non biaisé pour $\mu$ et convergent vers ce paramètre. $\overline{X}$ est donc considéré comme un bon estimateur de $\mu$ (qui sera d'autant meilleur que $n$ sera grand).

De la même manière, comme $E[\overline{P}] = p$ et $V[\overline{P}] = \frac{pq}{n}$

$\overline{P}$ est à la fois un estimateur non biaisé pour $p$ et convergent vers ce paramètre. $\overline{P}$ est donc considéré comme un bon estimateur de $p$ (qui sera d'autant meilleur que $n$ sera grand).

Cependant, comme $E[S^2] = \dfrac{(n-1)}{n}\sigma^2$ et $V[S^2] =$ écriture dépendant de $n$ au dénominateur,

$S^2$ serait considéré comme un bon estimateur pour $\dfrac{(n-1)}{n}\sigma^2$,

mais non pour $\sigma^2$.

## Un bon estimateur pour $\sigma^2$

Au chapitre 2, nous avons défini, en **statistique**, la variance (ordinaire) d'un échantillon:

$$s^2 = \frac{\sum (x_i - \bar{x})^2}{n}.$$

Dans le but de trouver un bon estimateur pour $\sigma^2$, nous introduirons maintenant une nouvelle caractéristique d'échantillon: la variance **corrigée** de celui-ci.

$$\begin{aligned}
s_{n-1}^2 &= \frac{\sum (x_i - \bar{x})^2}{n-1} \\[2mm]
&= \frac{n}{n-1} \cdot \frac{\sum (x_i - \bar{x})^2}{n} \\[2mm]
&= \frac{n}{n-1}\, s^2.
\end{aligned}$$

En **probabilités**, par conséquent, alors qu'un ensemble d'échantillons possibles, un échantillon aléatoire, suppose un ensemble $S^2$ de variances d'échantillon possibles, la variance d'échantillon aléatoire, il sous-entend aussi un ensemble de variances « corrigées » d'échantillon possibles, une nouvelle variable, la **variance corrigée d'échantillon aléatoire**:

$$S_{n-1}^2 = \frac{n}{n-1}\, S^2$$

Et comme l'espérance de cette nouvelle variable =

$$E[S_{n-1}^2] = E\left[\frac{n}{n-1}\, S^2\right]$$

$$= \frac{n}{n-1}\, E[S^2]$$

$$= \frac{n}{n-1} \cdot \frac{n-1}{n} \cdot \sigma^2$$

$$= \sigma^2$$

$S_{n-1}^2$ devient un estimateur non biaisé pour $\sigma^2$.

De plus, comme une étude (trop avancée pour être développée ici) démontrerait que $V[S_{n-1}^2]$ dépend de $n$ au dénominateur, $S_{n-1}^2$ devient aussi un estimateur convergent vers $\sigma^2$.

À cause de ces deux propriétés, nous pouvons donc considérer que $S_{n-1}^2$ est un bon estimateur pour $\sigma^2$.

## 12.1.2. Estimation ponctuelle de $\mu$, $\sigma^2$ et $p$

Pour estimer un paramètre de la population de façon ponctuelle à l'aide d'un échantillon unique recueilli à l'intérieur de celle-ci, on utilise la valeur particulière qu'un bon estimateur de ce paramètre a prise à l'intérieur de l'échantillon.

Ainsi, étant donné les bons estimateurs que nous avons décrits précédemment pour $\mu$, $\sigma^2$ et $p$, on utilise

$\overline{x}$ comme estimation ponctuelle de $\mu$,
$s_{n-1}^2$ comme estimation ponctuelle de $\sigma^2$ et
$\overline{p}$ comme estimation ponctuelle de $p$.

Nous noterons $\hat{\theta}$ l'estimation ponctuelle que nous ferons d'un paramètre $\theta$. La règle que nous venons d'énoncer pourrait donc être reprise dans la forme suivante:

$$\hat{\mu} = \overline{x}$$
$$\hat{\sigma}^2 = s_{n-1}^2 = \frac{n}{n-1}\, s^2$$
$$\hat{p} = \overline{p}$$

Le nombre moyen de cartes de crédit qu'utilisent les 50 individus d'un échantillon prélevé chez les clients d'un grand magasin est de 2,28 et la variance, de 4,362 cartes$^2$. De plus, 28 % des clients de cet échantillon utilisent plus de 2 cartes de crédit.

À l'aide de ces résultats, estimer de façon ponctuelle

— la moyenne du nombre de cartes de crédit utilisées par l'ensemble des clients de ce magasin,

— la variance de ce nombre de cartes,

— l'écart type de ce nombre de cartes,

— la proportion de l'ensemble des clients de ce magasin qui utilisent plus de 2 cartes.

Pour répondre à cette question, nous n'avons qu'à faire appel à la règle que nous venons de présenter. Ainsi,

— $\hat{\mu} = \bar{x} = 2,28$ cartes

— $\hat{\sigma}^2 = s_{n-1}^2 = \dfrac{n}{n-1}\, s^2 = \dfrac{50}{49} \cdot 4,362 = 4,451$ cartes$^2$

— $\hat{\sigma} = s_{n-1} = \sqrt{s_{n-1}^2} = \sqrt{4,451} = 2,11$ cartes

— $\hat{p} = \bar{p} = 0,28.$

## 12.2. ESTIMATION PAR INTERVALLE DE CONFIANCE

**DÉFINITION**

> L'estimation par intervalle de confiance est un mode d'estimation qui permet de définir un intervalle de valeurs à l'intérieur duquel un paramètre de la population a une probabilité bien déterminée de se trouver.

### 12.2.1. Distributions utilisées pour bâtir des intervalles de confiance

Comme nous le verrons plus tard, tout intervalle de confiance sera basé sur la loi de probabilité d'un estimateur. À ce moment-ci de notre étude, présentons donc les différentes distributions de probabilités auxquelles nous nous référerons par la suite.

Pour ce faire, rappelons d'abord qu'au chapitre précédent, nous avons démontré que:

— si $X$: $N(\mu ; \sigma^2)$
ou                                    alors                $\bar{X}$: $N\left(\mu ; \dfrac{\sigma^2}{n}\right)$
— si $n$ est grand,

et que

— si, en même temps,
$n \geqslant 30$, $np \geqslant 5$            alors                $\bar{P}$: $N\left(p ; \dfrac{pq}{n}\right)$
et $nq \geqslant 5$,

**NOTE**     De façon plus stricte il nous faudrait plutôt écrire, ici, que

— si $n$ est grand,              alors            $\bar{X}$: $\simeq N(\mu ; \sigma^2/n)$
et que

— si $n \geqslant 30$, $np \geqslant 5$ et $nq \geqslant 5$,      alors      $\bar{P}$: $\simeq N(p ; pq/n)$.

Ces approximations étant considérées comme tout à fait valables, nous laisserons tomber, désormais, le signe $\simeq$, qui alourdit l'écriture.

Si nous considérons maintenant les distributions de ces variables **une fois centrées et réduites**, nous obtenons que:

— si $X$: $N(\mu ; \sigma^2)$
ou                                    alors                $\dfrac{\bar{X} - \mu}{\dfrac{\sigma}{\sqrt{n}}}$ : $N(0 ; 1)$
— si $n$ est grand,

et que

— si, en même temps,
$n \geqslant 30$, $np \geqslant 5$            alors                $\dfrac{\bar{P} - p}{\sqrt{\dfrac{pq}{n}}}$ : $N(0 ; 1)$.
et $nq \geqslant 5$,

Quatre autres lois de probabilité particulières (que nous ne démontrerons pas), associées aux variables $\bar{X}$, $X_i$, $S_{n-1}$ et $S_{n-1}^2$, s'ajouteront à celles-là pour nous fournir, suivant les différents contextes d'études statistiques, les distributions de probabilités nécessaires à la construction de divers intervalles de confiance. (À noter ici que la variable $X_i$ correspond à **l'ensemble** des possibilités de $x_i$, la $i^{ème}$ donnée de l'échantillon, et non pas à la $i^{ème}$ valeur dans la distribution d'une variable statistique pour l'ensemble de la population, comme c'était le cas en statistique descriptive.)

Voici donc, suivant le paramètre à estimer et les conditions spécifiques de différents contextes d'études statistiques, le tableau des distributions de probabilités auxquelles nous nous référerons pour la construction d'intervalles de confiance:

## Distributions de probabilités utilisées pour bâtir des intervalles de confiance

| Paramètre à estimer | Distribution de probabilités utilisée | Conditions d'application |
|---|---|---|
| $\mu$ | $\dfrac{\bar{X} - \mu}{\dfrac{\sigma}{\sqrt{n}}} \;:\; N(0\,;1)$ | $\sigma^2$ connu et $\left\{ \begin{array}{c} X:\text{ normale} \\ \text{ou} \\ n \geqslant 30 \end{array} \right.$ |
| | $\dfrac{\bar{X} - \mu}{\dfrac{S_{n-1}}{\sqrt{n}}} \;:\; T_{n-1}$ | $\sigma^2$ inconnu et $X$: normale |
| | $\dfrac{\bar{X} - \mu}{\dfrac{S_{n-1}}{\sqrt{n}}} \;:\; N(0\,;1)$ | $\sigma^2$ inconnu et $n$ très grand $(n \geqslant 100)$ |
| $\sigma^2$ | $\dfrac{\sum\limits^{n} (X_i - \mu)^2}{\sigma^2} \;:\; \chi^2_n$ | $\mu$ connu et $X$: normale |
| | $\dfrac{(n-1) \cdot S^2_{n-1}}{\sigma^2} \;:\; \chi^2_{n-1}$ | $\mu$ inconnu et $X$: normale |
| $p$ | $\dfrac{\bar{P} - p}{\sqrt{\dfrac{pq}{n}}} \;:\; N(0\,;1)$ | $n$ grand $(n \geqslant 30)$ et $np \geqslant 5$ et $nq \geqslant 5$ |

**NOTE**  Dans ce tableau, les lois de probabilité des distributions dont les conditions d'application précisent des valeurs minimales de $n$ ne sont, en réalité, que des **approximations** des lois réelles, qui seront d'autant plus justes que la valeur de $n$ sera grande.

## 12.2.2. Intervalles de confiance pour estimer $\mu$, la moyenne de la population

### *Cas où $\sigma^2$, la variance de la population, est connu*

Si $\sigma^2$, la variance de la population, est connu, nous savons que

— si $X$: $N(\mu\,;\sigma^2)$
ou
— si $n$ est grand,

alors $\quad\dfrac{\overline{X}-\mu}{\dfrac{\sigma}{\sqrt{n}}}$ : $N(0\,;1)$.

Cette donnée sous-entend, entre autres, que

$$P\left[-\infty < \frac{\overline{X}-\mu}{\dfrac{\sigma}{\sqrt{n}}} < +\infty\right] = 1$$

Mais si nous nous contentons d'un degré de certitude moins absolu, de 95 % par exemple, elle sous-entend aussi que

$$P\left[-1,96 \leqslant \frac{\overline{X}-\mu}{\dfrac{\sigma}{\sqrt{n}}} \leqslant 1,96\right] = 0,95$$

(les nombres $-1,96$ et $1,96$ correspondant aux deux valeurs symétriques $-z$ et $z$ de la variable $Z$: $N(0\,;1)$, entre lesquelles on retrouve une aire de 0,95 sous la courbe de $N(0\,;1)$))

ou que $\quad P\left[\dfrac{-1,96\sigma}{\sqrt{n}} \leqslant \overline{X}-\mu \leqslant \dfrac{1,96\sigma}{\sqrt{n}}\right] = 0,95$

$$P\left[-\overline{X}-\frac{1,96\sigma}{\sqrt{n}} \leqslant -\mu \leqslant -\overline{X}+\frac{1,96\sigma}{\sqrt{n}}\right] = 0,95$$

$$P\left[\overline{X}+\frac{1,96\sigma}{\sqrt{n}} \geqslant \mu \geqslant \overline{X}-\frac{1,96\sigma}{\sqrt{n}}\right] = 0,95$$

$$P\left[\overline{X}-\frac{1,96\sigma}{\sqrt{n}} \leqslant \mu \leqslant \overline{X}+\frac{1,96\sigma}{\sqrt{n}}\right] = 0,95.$$

Cette dernière écriture signifie que, dans les conditions que nous avons définies, la moyenne d'échantillon aléatoire $\overline{X}$ a 95 % des chances de prendre une valeur $\overline{x}$ telle que

$$\overline{x} - \frac{1{,}96\sigma}{\sqrt{n}} \leq \mu \leq \overline{x} + \frac{1{,}96\sigma}{\sqrt{n}} \, .$$

Ainsi, dans ces conditions, si nous sommes en présence d'un échantillon particulier dont la moyenne est $\overline{x}$, nous pouvons affirmer avec 95 % de certitude que

$$\mu \in \left[ \overline{x} - \frac{1{,}96\sigma}{\sqrt{n}} \, ; \, \overline{x} + \frac{1{,}96\sigma}{\sqrt{n}} \right] .$$

Nous estimons alors la moyenne $\mu$ de la population par un intervalle de valeurs dit « intervalle de confiance » et la probabilité 0,95 associée à cet intervalle porte le nom de « degré de certitude » ou « degré de confiance » de celui-ci.

En général, ce degré de confiance est fixé à 90 %, 95 % ou 99 %.

**EXEMPLE**    On sait que la durée d'un certain type de piles, en heures, est distribuée « normalement » avec un écart type de 2 heures. On ne connaît pas la moyenne de cette distribution et, afin de l'estimer, on prélève un échantillon de 20 piles de ce type pour lesquelles on note la durée de service. Ces 20 observations nous donnent une durée moyenne de 10 heures.

À l'aide de ce résultat, on voudrait déterminer un intervalle de confiance de 95 % de certitude pour estimer $\mu$, la durée moyenne de l'ensemble de ces piles.

Dans ce problème, les différentes données pourraient être résumées ainsi:

Population:  $X = $ la durée des piles (en heures),
$\quad\quad\quad\quad X: \; N(\mu \, ; 4)$.

Échantillon:  $n = 20$,
$\quad\quad\quad\quad \overline{x} = 10$.

Comme on demande d'estimer $\mu$, que $\sigma^2$ est connu et que $X$: normale, nous pouvons faire appel à la première distribution proposée dans le tableau présenté à la sous-section 12.2.1., soit

$$\frac{\overline{X} - \mu}{\dfrac{\sigma}{\sqrt{n}}} : \; N(0 \, ; 1).$$

Dès lors,

$$P\left[-1,96 \leqslant \frac{\overline{X} - \mu}{\frac{\sigma}{\sqrt{n}}} \leqslant 1,96\right] = 0,95$$

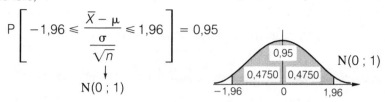

$$\downarrow$$
$$N(0\,;\,1)$$

ou $P\left[\overline{X} - \frac{1,96\sigma}{\sqrt{n}} \leqslant \mu \leqslant \overline{X} + \frac{1,96\sigma}{\sqrt{n}}\right] = 0,95.$

Étant donné la valeur $\overline{x}$ de notre échantillon, il s'ensuit donc que

$$\mu \in \left[\overline{x} - \frac{1,96\sigma}{\sqrt{n}}\;;\;\overline{x} + \frac{1,96\sigma}{\sqrt{n}}\right]$$

$$\in \left[10 - \frac{1,96 \cdot 2}{\sqrt{20}}\;;\;10 + \frac{1,96 \cdot 2}{\sqrt{20}}\right]$$

$$\in [9,12\;;\;10,88] \quad \text{avec 95\% de certitude.}$$

L'intervalle demandé est donc le suivant: [9,12 ; 10,88].

## Cas où $\sigma^2$, la variance de la population, est inconnu

Si $\sigma^2$, la variance de la population, est inconnu, nous ne pouvons plus faire appel à cette première distribution du tableau de la sous-section 12.2.1. pour estimer $\mu$, puisque la variable qui y est utilisée est composée du paramètre $\sigma$. C'est précisément pour contourner cette difficulté que le tableau nous propose d'autres distributions pour le cas où $\sigma^2$ est inconnu.

La technique utilisée dans un tel cas sera la même que celle développée avec le modèle précédent, la seule différence se situant au point de départ, avec l'utilisation d'une distribution différente.

**EXEMPLE 1**  On sait que la consommation d'essence (en l/100 km) d'un certain modèle d'automobile est distribuée selon une loi normale. Afin de connaître la moyenne de cette variable, on note la consommation de 25 voitures de ce modèle. On obtient une moyenne d'échantillon de 8,7 l/100 km et un écart type corrigé d'échantillon de 0,09 l/100 km.

On demande d'estimer la consommation moyenne de ce modèle d'automobile à l'aide d'un intervalle de confiance de 90% de certitude.

Voici, de façon schématique, le résumé et la solution de ce problème:

Population: $X$ = la consommation en l/100 km

$X$: $\mathrm{N}(\mu\ ;\ \sigma^2)$
         ?   ?

Échantillon: $n = 25$
$\bar{x} = 8,7$
$s_{n-1} = 0,09$

On veut estimer $\mu$ avec 90% de certitude.

$\sigma^2$ inconnu et $X$: normale } deuxième distribution du tableau.

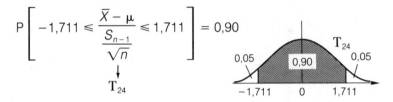

$$P\left[-1,711 \leq \frac{\bar{X} - \mu}{\frac{S_{n-1}}{\sqrt{n}}} \leq 1,711\right] = 0,90$$

$$\downarrow$$
$$T_{24}$$

(où $-1,711$ et $1,711$ correspondent aux deux valeurs symétriques $-t$ et $t$ de la variable $T$: $T_{24}$, entre lesquelles on retrouve une aire de 0,90 sous la courbe de $T_{24}$)

$$\rightarrow \quad P\left[\bar{X} - \frac{1,711 \cdot S_{n-1}}{\sqrt{n}} \leq \mu \leq \bar{X} + \frac{1,711 \cdot S_{n-1}}{\sqrt{n}}\right] = 0,90$$

$$\rightarrow \mu \in \left[\bar{x} - \frac{1,711 \cdot s_{n-1}}{\sqrt{n}} \quad ; \quad \bar{x} + \frac{1,711 \cdot s_{n-1}}{\sqrt{n}}\right]$$

$$\in \left[8,7 - \frac{1,711 \cdot 0,09}{5} \quad ; 8,7 + \frac{1,711 \cdot 0,09}{5}\right]$$

$$\in [8,67\ ;\ 8,73] \quad \text{avec 90\% de certitude.}$$

**EXEMPLE 2**

Chez les joueurs de hockey des équipes collégiales, on sait que la fréquence cardiaque, au repos, est distribuée selon une courbe normale. Afin d'estimer la moyenne de cette variable, on observe un échantillon de 150 de ces joueurs. La fréquence cardiaque moyenne de cet échantillon est de 67 et sa variance non corrigée, de 24.

À l'aide de ces résultats, on désire estimer la fréquence cardiaque moyenne pour l'ensemble des joueurs de hockey des équipes collégiales, avec un intervalle de confiance de 95% de certitude.

Voici donc, de façon schématique toujours, le résumé des données et la solution de ce problème:

Population: $X =$ la fréquence cardiaque...
$X$: $N(\mu \; ; \sigma^2)$
? ?

Échantillon: $n = 150$
$\bar{x} = 67$
$s^2 = 24 \longrightarrow s_{n-1}^2 = \dfrac{150}{149} \cdot 24$
$= 24{,}1611$

$\sigma^2$ inconnu
$X$: normale
et
$n$ grand

deuxième
ou
troisième
distribution
du tableau.

On veut estimer $\mu$ avec 95% de certitude.

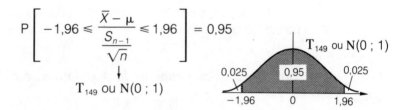

$$P\left[-1{,}96 \leqslant \frac{\bar{X} - \mu}{\dfrac{S_{n-1}}{\sqrt{n}}} \leqslant 1{,}96\right] = 0{,}95$$

$\downarrow$

$T_{149}$ ou $N(0 \; ; 1)$

(où $-1{,}96$ et $1{,}96$ correspondent aux deux valeurs symétriques $-t$ et $t$ de la variable $T$: $T_{149}$ ou $-z$ et $z$ de la variable $Z$: $N(0 \; ; 1)$, entre lesquelles on retrouve une aire de 0,95 sous la courbe de $T_{149}$ ou de $N(0 \; ; 1)$)

$\rightarrow$ $\quad P\left[\bar{X} - \dfrac{1{,}96 \cdot S_{n-1}}{\sqrt{n}} \leqslant \mu \leqslant \bar{X} + \dfrac{1{,}96 \cdot S_{n-1}}{\sqrt{n}}\right] = 0{,}95$

$\rightarrow$ $\mu \in \left[\bar{x} - \dfrac{1{,}96 \cdot s_{n-1}}{\sqrt{n}} \quad ; \quad \bar{x} + \dfrac{1{,}96 \cdot s_{n-1}}{\sqrt{n}}\right]$

$\in \left[67 - \dfrac{1{,}96 \cdot \sqrt{24{,}1611}}{\sqrt{150}} \; ; 67 + \dfrac{1{,}96 \cdot \sqrt{24{,}1611}}{\sqrt{150}}\right]$

$\in [66{,}21 \; ; 67{,}79]$ avec 95% de certitude.

## Exercices

Effectuer les trois premiers problèmes de la section 12.3.

## 12.2.3. Intervalles de confiance pour estimer $\sigma^2$, la variance de la population

De la même manière que nous venons de bâtir des intervalles de confiance pour estimer $\mu$, la moyenne d'une variable pour l'ensemble de la population, il est aussi possible d'en bâtir pour estimer $\sigma^2$, la variance d'une telle variable. La technique est la même que celle utilisée précédemment, à ces seules différences près:

— les distributions de probabilités proposées dans le tableau de la sous-section 12.2.1. pour estimer $\sigma^2$ sont différentes de celles utilisées pour évaluer $\mu$, et

— dans l'utilisation de ces distributions, nous chercherons à isoler $\sigma^2$ plutôt que $\mu$.

Encore ici, procédons à l'aide d'exemples pour illustrer les différents contextes que nous propose le tableau de la sous-section 12.2.1.

### *Cas où $\mu$, la moyenne de la population, est connu*

**EXEMPLE**

Au contrôle de la qualité d'un institut de beauté, on analyse le pH d'un certain parfum. On sait que ce facteur maintient un aspect « normal » de moyenne 2,8. Afin de connaître sa variance, on effectue un prélèvement de 25 unités de ce parfum dont on mesure le pH. Pour cet échantillon, la valeur de $\sum (x_i - \mu)^2$ (où $\mu = 2,8$) est de 0,0625.

On demande d'utiliser ce résultat pour bâtir un intervalle de confiance qui permettra d'estimer la variance du pH de ce parfum avec un degré de certitude de 95%.

Toujours de façon schématique, ce problème se présente ainsi:

Population: $X = $ le pH du parfum
$\quad\quad\quad\quad X: \, N(2,8 \,; \sigma^2)$
Échantillon: $n = 25$
$\quad\quad\quad\quad \sum (x_i - \mu)^2 = 0,0625$
On veut estimer $\sigma^2$ avec 95% de certitude.

$\left. \begin{array}{l} \\ \\ \\ \\ \end{array} \right\}$ $\mu$ connu
et
$X$: normale $\left. \begin{array}{l} \\ \\ \\ \end{array} \right\}$ quatrième distribution.

$$P\left[ 13,120 \leqslant \frac{\sum (X_i - \mu)^2}{\sigma^2} \leqslant 40,647 \right] = 0,95$$

$$\downarrow$$

$$\chi^2_{25}$$

(Comme la courbe d'une $\chi_\nu^2$ est asymétrique, du moins pour des valeurs de $\nu$ petites, par convention les valeurs particulières $x_1$ et $x_2$ de la variable $X$: $\chi_\nu^2$ sont choisies de telle sorte qu'on retrouve une aire égale à **la moitié du complément du degré de confiance** à chacune des extrémités de la surface sous la courbe de $\chi_\nu^2$. Ainsi, 13,120 correspond à la valeur de $x_1$ de la variable $\chi_{25}^2$ à gauche de laquelle on retrouve une aire de 0,025 sous la courbe de $\chi_{25}^2$ et 40,647, à la valeur $x_2$ à droite de laquelle cette aire est aussi de 0,025)

$$\rightarrow \quad P\left[\frac{13,120}{\sum (X_i - \mu)^2} \leq \frac{1}{\sigma^2} \leq \frac{40,647}{\sum (X_i - \mu)^2}\right] = 0,95$$

$$\rightarrow \quad P\left[\frac{\sum (X_i - \mu)^2}{13,120} \geq \sigma^2 \geq \frac{\sum (X_i - \mu)^2}{40,647}\right] = 0,95$$

$$\rightarrow \quad P\left[\frac{\sum (X_i - \mu)^2}{40,647} \leq \sigma^2 \leq \frac{\sum (X_i - \mu)^2}{13,120}\right] = 0,95$$

$$\rightarrow \quad \sigma^2 \in \left[\frac{\sum (x_i - \mu)^2}{40,647} \; ; \; \frac{\sum (x_i - \mu)^2}{13,120}\right]$$

$$\in \left[\frac{0,0625}{40,647} \; ; \; \frac{0,0625}{13,120}\right]$$

$$\in [0,0015 \; ; \; 0,0048] \quad \text{avec 95\% de certitude.}$$

## Cas où $\mu$, la moyenne de la population, est inconnu

**EXEMPLE 1**     Reprenons l'exemple 1 présenté à la sous-section 12.2.2. de ce chapitre et qui portait sur la consommation d'essence d'un modèle de voiture. Cette fois, estimons plutôt la variance de cette variable à l'aide d'un intervalle de confiance de 90% de certitude.

Ici,

Population: $X$ = la consommation en
l/100 km
$X$:   $N(\mu \; ; \sigma^2)$
?   ?

$\left.\begin{array}{l} \mu \text{ inconnu} \\ \text{et} \\ X\text{: normale} \end{array}\right\}$ cinquième distribution.

Échantillon: $n = 25$
$\bar{x} = 8,7$
$s_{n-1} = 0,09$
On veut estimer $\sigma^2$ avec 90% de certitude.

$$P\left[13{,}848 \leqslant \frac{(n-1) \cdot S_{n-1}^2}{\sigma^2} \leqslant 36{,}415\right] = 0{,}90$$

$$\downarrow$$

$$\chi_{24}^2$$

$$\rightarrow \quad P\left[\frac{13{,}848}{(n-1) \cdot S_{n-1}^2} \leqslant \frac{1}{\sigma^2} \leqslant \frac{36{,}415}{(n-1) \cdot S_{n-1}^2}\right] = 0{,}90$$

$$\rightarrow \quad P\left[\frac{(n-1) \cdot S_{n-1}^2}{13{,}848} \geqslant \sigma^2 \geqslant \frac{(n-1) \cdot S_{n-1}^2}{36{,}415}\right] = 0{,}90$$

$$\rightarrow \quad P\left[\frac{(n-1) \cdot S_{n-1}^2}{36{,}415} \leqslant \sigma^2 \leqslant \frac{(n-1) \cdot S_{n-1}^2}{13{,}848}\right] = 0{,}90$$

$$\rightarrow \quad \sigma^2 \in \left[\frac{(n-1) \cdot s_{n-1}^2}{36{,}415} \; ; \; \frac{(n-1) \cdot s_{n-1}^2}{13{,}848}\right]$$

$$\in \left[\frac{24 \cdot (0{,}09)^2}{36{,}415} \; ; \; \frac{24 \cdot (0{,}09)^2}{13{,}848}\right]$$

$$\in [0{,}0053 \; ; \; 0{,}0140] \quad \text{avec } 90\% \text{ de certitude.}$$

**EXEMPLE 2**

À partir des données de l'exemple 2 de la sous-section 12.2.2. portant sur la fréquence cardiaque des jeunes hockeyeurs, estimons maintenant l'écart type de cette variable à l'aide d'un intervalle de confiance de 95 % de certitude.

Cette fois,

Population: $X = $ la fréquence cardiaque
$X$: $N(\mu \; ; \sigma^2)$
? ?

Échantillon: $n = 150$
$\bar{x} = 67$
$s_{n-1}^2 = 24{,}1611$

On veut estimer $\sigma$ avec 95 % de certitude.

$\mu$ inconnu et $X$: normale

cinquième distribution.

$$P\left[x_1 \leqslant \frac{(n-1) \cdot S_{n-1}^2}{\sigma^2} \leqslant x_2\right] = 0,95$$

$$\chi_{149}^2$$

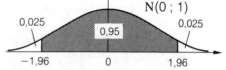

où $x_1 \simeq \dfrac{1}{2}\left[-1,96 + \sqrt{2 \cdot 149 - 1}\right]^2 = 116,643$

et $x_2 \simeq \dfrac{1}{2}\left[+1,96 + \sqrt{2 \cdot 149 - 1}\right]^2 = 184,199$

$\rightarrow \quad P\left[116,643 \leqslant \dfrac{(n-1) \cdot S_{n-1}^2}{\sigma^2} \leqslant 184,199\right] = 0,95$

$\rightarrow \quad \sigma^2 \in \left[\dfrac{(n-1) \cdot s_{n-1}^2}{184,199} \; ; \; \dfrac{(n-1) \cdot s_{n-1}^2}{116,643}\right]$

$\in [19,54 \; ; \; 30,86]$   avec 95 % de certitude

$\rightarrow \quad \sigma \in [\; 4,42 \; ; \;\; 5,56]$   avec 95 % de certitude.

## Exercices

Effectuer les problèmes 4, 5, 6, et 7 de la section 12.3.

## 12.2.4. Intervalles de confiance pour estimer *p*, la proportion de succès à l'intérieur de la population

Cette fois, c'est la proportion de succès *p* à l'intérieur de la population que nous voulons estimer à l'aide d'un intervalle de confiance. Cette étude revêt une importance particulière, puisqu'elle est celle des sondages, qui font si souvent la manchette de nos journaux.

La technique employée pour bâtir un tel intervalle est sensiblement la même que celle que nous venons d'utiliser pour la moyenne et la variance, bien que la distribution proposée dans le tableau de la sous-section 12.2.1. soulève pour cette étude une difficulté spécifique à ce modèle. Illustrons donc tout cela à l'aide d'un exemple.

**EXEMPLE**

Une enquête effectuée auprès d'un échantillon de 1 000 adultes d'une région donnée révèle que 110 d'entre eux effectuent du travail au noir.

On voudrait utiliser ce résultat pour estimer, à l'aide d'un intervalle de confiance de 95% de certitude, la proportion de l'ensemble de la population adulte de cette région qui se livre à cette pratique.

Ici, nos données se résument à deux seules précisions au sujet de l'échantillon:

$$n = 1\ 000$$
$$\text{et } \bar{p} = 110/1\ 000 = 0,11.$$

Pour avoir droit à l'unique distribution proposée par le tableau de la sous-section 12.2.1. pour évaluer $p$, il faut d'abord s'assurer que $n \geqslant 30$, $np \geqslant 5$ et $nq \geqslant 5$.

On sait que $n = 1000 \geqslant 30$, mais $p$ et $q$ ne sont pas connus, l'objectif de cette étude étant précisément d'estimer $p$. Cependant, comme $\bar{p}$ et $\bar{q}$ peuvent servir d'estimations ponctuelles pour $p$ et $q$, et comme $n\bar{p} = 110 \geqslant 5$ et $n\bar{q} = 890 \geqslant 5$, il est raisonnable de croire que $np \geqslant 5$ et $nq \geqslant 5$. Nous pouvons donc utiliser cette sixième distribution proposée par le tableau de la sous-section 12.2.1.

Suivant le procédé habituel, celle-ci nous permet de poser que

$$P\left[-1,96 \leqslant \underbrace{\frac{\bar{P} - p}{\sqrt{\dfrac{pq}{n}}}}_{N(0\,;\,1)} \leqslant 1,96\right] = 0,95$$

$$\rightarrow p \in \left[\bar{p} - 1,96\sqrt{\frac{pq}{n}}\,;\, \bar{p} + 1,96\sqrt{\frac{pq}{n}}\right] \quad \text{avec 95\% de certitude.}$$

Cependant, cette dernière écriture soulève un problème. En effet, elle propose d'estimer $p$ à l'aide d'un intervalle défini à partir de la propre valeur (inconnue il va de soi) de ce paramètre.

Pour contourner cette difficulté, nous ferons appel encore une fois à l'estimation ponctuelle.

Il est clair que si nous voulons estimer $p$ à l'aide d'un intervalle de confiance, nous recherchons une estimation plus précise qu'une simple estimation ponctuelle par $\bar{p}$. Cependant, ce n'est pas vraiment la valeur de $p$, que nous évaluerons à $\bar{p}$, mais plutôt le **produit** $pq$, que nous estimerons par $\bar{p}\bar{q}$. Cette estimation aura alors de fortes chances de comporter une marge d'erreur mineure. Voici pourquoi:

— D'abord, on sait que plus $n$ est grand, plus une estimation ponctuelle a de chances d'être valable, à cause de la propriété de convergence d'un bon estimateur (et ici, $n$ est grand).

— D'autre part, comme c'est le **produit** $pq$ que nous estimerons de façon ponctuelle, si $\bar{p}$ diffère de $p$ en **sur**-estimant ce dernier, alors $\bar{q}$ différera obligatoirement de $q$ en **sous**-estimant celui-ci (car $\bar{p} + \bar{q} = 1$ comme $p + q = 1$) et vice versa.

— Ainsi, $\bar{p}$ et $\bar{q}$ étant déjà considérés comme des estimations valables de $p$ et $q$, $\bar{p}\bar{q}$ a beaucoup de chances d'être une estimation très valable de $pq$.

Donc, bien qu'il soit mathématiquement possible d'isoler $p$ dans l'utilisation de la distribution de

$$\frac{\bar{P} - p}{\sqrt{\dfrac{pq}{n}}} : N(0\ ;\ 1),$$

cette technique sera rejetée: elle demanderait un travail énorme pour mener, à toutes fins pratiques, à un résultat équivalent à celui que nous obtiendrons avec une estimation ponctuelle du produit $pq$ par $\bar{p}\bar{q}$.

Nous nous retrouvons donc, dans le problème de notre exemple, avec l'énoncé suivant:

$$p \in \left[\bar{p} - 1{,}96\ \sqrt{\frac{\bar{p}\bar{q}}{n}}\ ;\ \bar{p} + 1{,}96\ \sqrt{\frac{\bar{p}\bar{q}}{n}}\right] \quad \text{avec 95\% de certitude}$$

$$\rightarrow \quad p \in \left[ 0,11 - 1,96 \sqrt{\frac{0,11 \cdot 0,89}{1\ 000}} \; ; \; 0,11 + 1,96 \sqrt{\frac{0,11 \cdot 0,89}{1\ 000}} \right]$$

$$\in [0,11 - 0,02 \; ; \; 0,11 + 0,02]$$

$$\in [0,09 \; ; \; 0,13] \quad \text{avec } 95\% \text{ de certitude.}$$

### Présentation d'une telle étude dans les journaux

Une estimation de $p$ sous la forme

$$p \in \left[ \bar{p} - z \sqrt{\frac{\bar{p}\bar{q}}{n}} \; ; \; \bar{p} + z \sqrt{\frac{\bar{p}\bar{q}}{n}} \right] \quad \text{avec un certain degré de certitude}$$

revient à évaluer $p$ à

$$\bar{p} \pm \text{ une marge d'erreur} \left( = z \sqrt{\frac{\bar{p}\bar{q}}{n}} \right), \quad \begin{array}{l} \text{moyennant ce degré} \\ \text{de confiance.} \end{array}$$

Lors de la publication d'une estimation de ce type, les journaux vulgariseront généralement les détails d'un tel intervalle de la façon suivante:
— en gros titre, ils annonceront la valeur de $\bar{p}$;
— dans le texte discutant de la nouvelle, ils préciseront la marge d'erreur de l'estimation;
— enfin, vers la toute fin du texte, ils indiqueront le degré de certitude de cette estimation.

**EXEMPLE**  Ainsi, les résultats de l'enquête effectuée dans notre exemple pourraient être publiés comme suit:

11% DES ADULTES DE LA RÉGION X
EFFECTUENT DU TRAVAIL AU NOIR

... ce pourcentage comporte une marge d'erreur de 2% ...

... enfin, ce type de résultats est vrai dans 19 cas sur 20.

## Exercices

Faire les problèmes 8, 9, 10 et 11 de la section 12.3.

## 12.2.5. Taille d'échantillon requise pour assurer une estimation par intervalle de confiance d'une marge d'erreur maximale

L'utilisation des différentes distributions de probabilités du tableau de la sous-section 12.2.1., pour bâtir des intervalles de confiance, nous a conduits aux résultats suivants:

| Distribution de probabilités utilisée | Estimation associée (avec un certain degré de confiance) |
|---|---|
| $\dfrac{\overline{X} - \mu}{\dfrac{\sigma}{\sqrt{n}}}$ : $N(0\,;1)$ | $\mu \in \left[ \overline{x} - \dfrac{z \cdot \sigma}{\sqrt{n}}\,;\, \overline{x} + \dfrac{z \cdot \sigma}{\sqrt{n}} \right]$ |
| $\dfrac{\overline{X} - \mu}{\dfrac{S_{n-1}}{\sqrt{n}}}$ : $T_{n-1}$ | $\mu \in \left[ \overline{x} - \dfrac{t \cdot s_{n-1}}{\sqrt{n}}\,;\, \overline{x} + \dfrac{t \cdot s_{n-1}}{\sqrt{n}} \right]$ |
| $\dfrac{\overline{X} - \mu}{\dfrac{S_{n-1}}{\sqrt{n}}}$ : $N(0\,;1)$ | $\mu \in \left[ \overline{x} - \dfrac{z \cdot s_{n-1}}{\sqrt{n}}\,;\, \overline{x} + \dfrac{z \cdot s_{n-1}}{\sqrt{n}} \right]$ |
| $\dfrac{\displaystyle\sum_{}^{n} (X_i - \mu)^2}{\sigma^2}$ : $\chi_n^2$ | $\sigma^2 \in \left[ \dfrac{\displaystyle\sum_{}^{n} (x_i - \mu)^2}{x_2}\,;\, \dfrac{\displaystyle\sum_{}^{n} (x_i - \mu)^2}{x_1} \right]$ |
| $\dfrac{(n-1) \cdot S_{n-1}^2}{\sigma^2}$ : $\chi_{n-1}^2$ | $\sigma^2 \in \left[ \dfrac{(n-1) \cdot s_{n-1}^2}{x_2}\,;\, \dfrac{(n-1) \cdot s_{n-1}^2}{x_1} \right]$ |
| $\dfrac{\overline{P} - p}{\sqrt{\dfrac{pq}{n}}}$ : $N(0\,;1)$ | $p \in \left[ \overline{p} - \dfrac{z\sqrt{\overline{p}(1-\overline{p})}}{\sqrt{n}}\,;\, \overline{p} + \dfrac{z\sqrt{\overline{p}(1-\overline{p})}}{\sqrt{n}} \right]$ |

où $z$, $t$, $x_1$ et $x_2$ sont les valeurs particulières des variables des distributions utilisées pour bâtir ces intervalles, suivant le degré de certitude de ceux-ci.

## Analyse de la première de ces estimations

La première de ces estimations,

$$\mu \in \left[ \bar{x} - \frac{z \cdot \sigma}{\sqrt{n}} \; ; \; \bar{x} + \frac{z \cdot \sigma}{\sqrt{n}} \right] \quad \text{avec un certain degré de certitude,}$$

revient à évaluer $\mu$ à l'aide

d'une **estimation ponctuelle** de ce paramètre (par $\bar{x}$)

$$\pm \text{ une } \textbf{marge d'erreur } \frac{z \cdot \sigma}{\sqrt{n}} \, .$$

D'autre part, l'écriture de cette marge d'erreur nous indique que celle-ci diminue à mesure que $n$ augmente (à cause du $n$ au dénominateur).

Pour un degré de confiance donné, il est donc possible
— de fixer une marge d'erreur **maximale** à ne pas dépasser,
— puis de déterminer la taille minimale qu'il faudrait donner à un échantillon pour remplir cette exigence.

La marge d'erreur étant

$$\frac{z \cdot \sigma}{\sqrt{n}} \, ,$$

si nous notons $e$ la marge d'erreur **maximale** fixée à l'avance, alors

$$\frac{z \cdot \sigma}{\sqrt{n}} \leq e \quad \text{implique que} \quad \sqrt{n} \geq \frac{z \cdot \sigma}{e}$$

satisfera cette exigence.

### Règle

Dans un contexte où une **estimation de $\mu$ par intervalle de confiance** est effectuée à l'aide de la première distribution proposée par le tableau de la sous-section 12.2.1., cette estimation comportera, pour un degré de certitude donné, une marge d'erreur maximale $e$ en autant que

$$\sqrt{n} \geq \frac{z \cdot \sigma}{e} \quad \text{où} \quad z = \begin{array}{l} \text{la valeur particulière de } Z \text{ qui assure le degré} \\ \text{de certitude désiré.} \end{array}$$

**EXEMPLE**    Dans une usine d'embouteillage, une machine verse une quantité de boisson gazeuse par bouteille suivant un modèle normal dont la variance est de 25 ml$^2$.

On désire estimer la moyenne de cette distribution à l'aide d'un intervalle de confiance de 95 % de certitude.

Si on veut que la marge d'erreur d'un tel intervalle ne dépasse pas 0,5 ml, par exemple, le nombre minimal de bouteilles qu'il faudrait alors observer, comme échantillon, serait tel que

$$\sqrt{n} \geqslant \frac{z \cdot \sigma}{e} = \frac{1,96 \cdot 5}{0,5} = 19,6$$

soit tel que $n \geqslant 384,16$,

c'est-à-dire de 385 bouteilles.


## *Analyse des deuxième, troisième, quatrième et cinquième types d'estimation de ce tableau*

Pour chacun des deuxième, troisième, quatrième et cinquième types d'estimation présentés dans notre dernier tableau, les bornes de l'intervalle dépendent d'un résultat **expérimental** ($s_{n-1}$, $\sum (x_i - \mu)^2$ ou $s_{n-1}^2$). Il devient donc impossible de préciser **à l'avance** (avant d'aller chercher un échantillon) l'écriture de la marge d'erreur de telles estimations et d'en déduire la taille minimale d'échantillon nécessaire pour assurer une marge d'erreur maximale.


## *Étude du dernier de ces résultats*

Enfin, pour le dernier type d'estimation proposé dans ce tableau,

$$p \in \left[ \bar{p} - \frac{z\sqrt{\bar{p}(1-\bar{p})}}{\sqrt{n}} \, ; \, \bar{p} + \frac{z\sqrt{\bar{p}(1-\bar{p})}}{\sqrt{n}} \right] \quad \text{avec un certain degré de certitude,}$$

la marge d'erreur $\dfrac{z\sqrt{\bar{p}(1-\bar{p})}}{\sqrt{n}}$

semble dépendre, elle aussi, à première vue, du résultat expérimental $\bar{p}$. Cependant, il est possible de démontrer ici que quelle que soit la valeur de $\bar{p}$, le produit $\bar{p}(1-\bar{p})$ est toujours inférieur ou égal à 1/4.

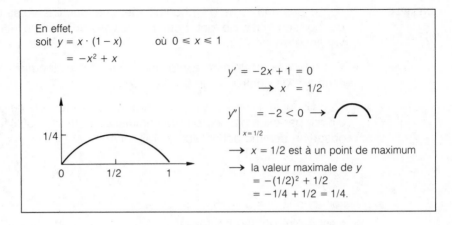

En effet,
soit $y = x \cdot (1 - x)$     où $0 \le x \le 1$
      $= -x^2 + x$

$y' = -2x + 1 = 0$

$\longrightarrow x = 1/2$

$y'' \Big|_{x=1/2} = -2 < 0 \longrightarrow$

$\longrightarrow x = 1/2$ est à un point de maximum

$\longrightarrow$ la valeur maximale de $y$
    $= -(1/2)^2 + 1/2$
    $= -1/4 + 1/2 = 1/4$.

Ainsi, quelle que soit la valeur de $\bar{p}$,

$$\frac{z\sqrt{\bar{p}(1-\bar{p})}}{\sqrt{n}} \le \frac{z\sqrt{1/4}}{\sqrt{n}} = \frac{z}{2\sqrt{n}}.$$

Pour que $e$ devienne la marge d'erreur maximale d'une telle estimation, il suffit donc que

$$\frac{z\sqrt{\bar{p}(1-\bar{p})}}{\sqrt{n}} \le \frac{z}{2\sqrt{n}} \le e \quad \text{c'est-à-dire que} \quad \sqrt{n} \ge \frac{z}{2e}.$$

*Règle*

Dans un contexte où une **estimation de $p$ par un intervalle de confiance** est effectuée à l'aide de la dernière distribution proposée par le tableau de la sous-section 12.2.1., si

$$\sqrt{n} \ge \frac{z}{2e} \quad \text{où} \quad z = \begin{array}{l} \text{la valeur particulière de } Z \text{ qui assure le degré} \\ \text{de certitude désiré,} \end{array}$$

alors cette estimation comportera assurément, pour ce degré de certitude, une marge d'erreur maximale $e$.

**EXEMPLE**     On prévoit tirer un échantillon d'une certaine population afin de connaître la proportion de ses membres qui sont favorables au parti A. Quelle doit être la taille minimale de cet échantillon, si on veut qu'un intervalle de confiance de 95% de certitude devant estimer cette proportion comporte une marge d'erreur maximale de 2%?

Ici, $n$ doit être tel que

$$\sqrt{n} \geqslant \frac{z}{2e} = \frac{1,96}{2 \cdot 0,02} = 49, \quad \text{soit} \quad n \geqslant 2\,401.$$

### Exercices

Faire les problèmes 12 et suivants de la section 12.3.

## 12.3. PROBLÈMES

1. Au contrôle de la qualité d'une papeterie, on sait que la résistance à l'éclatement des feuilles d'un lot de papier est distribuée « normalement », avec un écart type de 0,6 lbf/po². Afin de connaître la résistance moyenne d'un de ces lots, on mesure la résistance de 10 feuilles tirées au hasard de cette production. On obtient, pour cet échantillon, une résistance moyenne de 16,42 lbf/po². À l'aide de ces résultats,

   a) à combien les contrôleurs estimeront-ils la résistance moyenne de l'ensemble des feuilles de ce lot?

   b) donner un intervalle de confiance de 90% de certitude qui permettrait d'estimer ce paramètre.

2. On sait que le temps nécessaire (en minutes) à des souris pour effectuer un certain parcours dans un labyrinthe est distribué selon une loi normale. Afin de connaître la moyenne de ce caractère, on soumet un échantillon de 20 souris à cette expérience. On obtient, pour ces essais, un temps moyen de 8 minutes et une variance non corrigée de 1,368 min². Utiliser ces résultats pour

   a) estimer, de façon ponctuelle, le temps moyen nécessaire à une souris pour effectuer ce parcours;

   b) estimer ce paramètre à l'aide d'un intervalle de confiance de 95% de certitude.

3. Afin de savoir combien de messages publicitaires un adulte québécois reçoit quotidiennement, on observe une journée complète d'un échantillon de 100 Québécois adultes et on note qu'en moyenne,

ces individus ont reçu 275 messages publicitaires et cela avec une variance corrigée de 5 625 messages². À l'aide de ces résultats,

a) estimer, de façon ponctuelle, le nombre moyen de messages qu'un Québécois adulte reçoit quotidiennement;

b) estimer ce paramètre à l'aide d'un intervalle de confiance de 95 % de certitude.

4. Les contrôleurs de la qualité d'une compagnie de produits laitiers savent que le poids des blocs de beurre d'un certain lot de la production est distribué « normalement », autour d'un poids moyen de 465 grammes. Afin de connaître la variance de ce poids, ils pèsent un échantillon de 30 blocs de ce lot. Ils calculent que $\sum (x_i - \mu)^2$ de cet échantillon est de 7,65 grammes² et que son écart type non corrigé est de 0,5 gramme. Considérant ces résultats,

a) à combien ces contrôleurs estimeront-ils la variance du poids de cette production?

b) donner un intervalle de confiance qui permettrait d'estimer cette variance avec 90 % de certitude?

5. On sait que le temps de fabrication (en heures) d'un certain appareil, dans une compagnie, est distribué « normalement ». Afin de connaître, entre autres, la variance de cette variable, on note le temps de fabrication de 50 appareils choisis au hasard et avec remise. L'écart type corrigé du temps, à l'intérieur de cet échantillon, est de 0,75 heure. À l'aide de ce résultat,

a) estimer, de façon ponctuelle, la variance du temps de fabrication;

b) estimer ce paramètre à l'aide d'un intervalle de confiance de 95 % de certitude.

6. On estime que le coût hebdomadaire actuel du panier d'épicerie, pour une famille de quatre personnes (deux adultes et deux enfants) résidant à Sherbrooke, est distribué selon un modèle normal. Afin de connaître les paramètres de cette distribution, on prélève un échantillon de 25 de ces familles et on note le montant de leur épicerie de cette semaine. On obtient un montant moyen de 155 $, avec un écart type non corrigé de 15 $.

a) Estimer, de façon ponctuelle, le coût actuel moyen du panier d'épicerie d'une famille de quatre personnes résidant à Sherbrooke.

b) Estimer ce paramètre à l'aide d'un intervalle de confiance de 90 % de certitude.

c) Estimer, de façon ponctuelle, l'écart type du coût actuel du panier d'épicerie d'une famille de quatre personnes résidant à Sherbrooke.

d) Estimer ce paramètre à l'aide d'un intervalle de confiance de 90% de certitude.

7. Une compagnie d'alimentation vient de modifier sa recette de biscuits aux brisures de chocolat. Elle sait que le poids d'un paquet de 40 de ces nouveaux biscuits est distribué « normalement ». En prévision de l'emballage et de l'étiquettage de ce nouveau produit, elle voudrait connaître la moyenne et l'écart type de ce poids. On tire donc un échantillon de 125 paquets de 40 biscuits et on les pèse. On obtient un poids moyen, pour cet échantillon, de 352 grammes par paquet et une variance corrigée de 2,5 g$^2$.

a) Estimer, de façon ponctuelle, la moyenne et l'écart type réels du poids d'un paquet de 40 biscuits.

b) Estimer cette moyenne à l'aide d'un intervalle de confiance de 95% de certitude.

c) Estimer cet écart type à l'aide d'un intervalle de confiance de 95% de certitude.

8. Sur un échantillon de 125 étudiants d'un collège interrogés pour savoir s'ils ont l'intention de voter aux prochaines élections de leur association, 45 ont répondu positivement.

a) Estimer, de façon ponctuelle, la proportion de l'ensemble des étudiants de cette institution qui ont l'intention de voter aux prochaines élections.

b) Estimer ce paramètre à l'aide d'un intervalle de confiance de 95% de certitude.

c) Comment rapporterait-on les résultats de ce sondage dans le journal étudiant de ce collège?

9. On sait que la variance de l'âge des Québécois qui font partie de clubs de l'âge d'or est de 41,5 ans$^2$. Afin de connaître l'âge moyen de ces individus, on a prélevé un échantillon de 250 membres de tels clubs et on a obtenu, pour ce groupe, un âge moyen de 69,2 ans.

a) À combien peut-on maintenant estimer l'âge moyen des membres de clubs de l'âge d'or au Québec?

b) Utiliser un intervalle de confiance de 95% de certitude pour estimer ce paramètre.

10. Afin de connaître la proportion des automobilistes d'une région donnée qui attachent leur ceinture de sécurité, on observe un échantillon de 250 de ces individus. On constate que 162 d'entre eux attachent leur ceinture. À l'aide de cette observation,

   a) estimer la proportion de l'ensemble des automobilistes de cette région qui utilisent leur ceinture de sécurité;

   b) estimer ce paramètre à l'aide d'un intervalle de confiance de 95% de certitude.

11. Récemment, un journal annonçait que, d'après un sondage, 45% de la population était favorable à un certain parti politique. Le journal complétait sa nouvelle en mentionnant que ce pourcentage comportait une marge d'erreur de 4% et, enfin, il ajoutait la phrase suivante: « Ces résultats sont vrais dans 19 cas sur 20 ».
D'après ces informations, quelle était la taille de l'échantillon interrogé pour ce sondage?

12. On sait que l'écart type de la distance entre le domicile et le lieu de travail des résidants d'une région donnée est de 6 km. Afin de connaître la moyenne de cette distance, on se propose de prélever un échantillon chez les résidants de cette région. Quelle doit être la taille minimale de cet échantillon si on veut s'assurer qu'un intervalle de confiance de 95% de certitude, pour estimer cette moyenne, comportera une marge d'erreur maximale de 1 km?

13. Afin de savoir quelle proportion des étudiants québécois obtiendraient au moins une note de passage pour une certaine dictée, au sortir de leur cours collégial, on aimerait donner cette dictée à un échantillon d'étudiants de ce niveau. Quelle doit être la taille de cet échantillon si on veut qu'il permette d'évaluer la proportion réelle de l'ensemble des étudiants qui réussiraient cette épreuve, à l'aide d'un intervalle de confiance de 90% de certitude comportant une marge d'erreur maximale de 4%?

14. Au problème 9 de la présente section, quelle aurait dû être la taille de l'échantillon pour que l'intervalle de confiance (de 95% de certitude) comporte une marge d'erreur maximale de 0,5 an?

15. Combien d'étudiants de plus aurait-il fallu interroger, au problème 8, pour que l'intervalle de confiance comporte une marge d'erreur maximale de 5%?

16. Au contrôle de la qualité d'une usine d'automobiles, on désire connaître la révolution moyenne d'un certain modèle de voiture, à 100 km/h et en cinquième vitesse. De plus, on aimerait savoir quelle

proportion des autos de ce modèle nécessitent un réajustement du système de freins après l'installation de celui-ci. On sait cependant que ce type de révolution est distribué selon une loi normale dont l'écart type est de 625 r/min. Quelle taille minimale d'échantillon les contrôleurs devront-ils fixer s'ils veulent être capables d'estimer ces deux paramètres à l'aide d'intervalles de confiance de 95% de certitude qui comporteront des marges d'erreur maximales respectives de 100 r/min pour la révolution moyenne et de 7% pour la proportion de réajustements nécessaires?

17. Au problème 1 de la présente section, combien de feuilles aurait-il fallu observer pour obtenir la même marge d'erreur que celle que nous avons obtenue avec un intervalle de confiance de 90% de certitude, mais cette fois avec un intervalle de confiance de 95% de certitude?

# CHAPITRE 13

# Tests d'hypothèses au sujet de $\mu$, $\sigma^2$ et $p$

Les tests d'hypothèses constituent une deuxième forme d'inférence statistique, de conclusion portée sur la population à partir d'un échantillon unique tiré de celle-ci.

Alors que l'estimation avait pour but de cerner le plus précisément possible la valeur inconnue d'un paramètre de la population, les tests chercheront plutôt à confronter deux hypothèses exprimant deux tendances différentes au sujet de ce paramètre, et à déterminer, au regard de l'échantillon observé, laquelle des deux semble la plus vraisemblable.

## 13.1. STRUCTURE DE BASE D'UN TEST D'HYPOTHÈSES

### Point de départ

Deux hypothèses sont confrontées, au sujet d'un paramètre d'une population donnée.

### Principe du test

Décider, au regard d'un échantillon tiré de cette population, laquelle de ces deux hypothèses on conserve et laquelle on rejette.

*Caractéristiques échantillonnales utilisées*

— Si les hypothèses du test portent sur la moyenne $\mu$ de la population: c'est au regard de la moyenne d'échantillon $\bar{x}$ que nous porterons notre conclusion.

— Si les hypothèses portent plutôt sur la variance $\sigma^2$ de la population: c'est en nous appuyant sur le résultat échantillonnal de $s_{n-1}^2$, la variance corrigée d'échantillon, que nous prendrons notre décision.

— Enfin, si les hypothèses portent sur $p$, une proportion de succès à l'intérieur de la population: c'est la valeur du $\bar{p}$ d'échantillon qui guidera cette décision.

## 13.2. LES DEUX HYPOTHÈSES

### 13.2.1. Noms et notations

Les deux hypothèses d'un test seront toujours de l'un et l'autre des types suivants:

> — d'une part, l'**hypothèse nulle**, notée $H_0$, qui présente une proposition **simple**;
>
> — d'autre part, l'**hypothèse alternative**, notée $H_1$, qui présente une proposition **composée** (c'est-à-dire une proposition qui comprend tout un intervalle de valeurs possibles).

**EXEMPLE**

Considérons l'exemple suivant:

— première hypothèse: le Q.I. moyen des étudiants du collégial est de 110;

— deuxième hypothèse: le Q.I. moyen des étudiants du collégial est supérieur à 110.

Un test confrontant ces deux hypothèses les présenterait comme suit:

$H_0$: $\mu = 110$    hypothèse nulle (simple)
$H_1$: $\mu > 110$    hypothèse alternative (composée).

## 13.2.2. Différents couples d'hypothèses possibles

Voici, suivant le paramètre dont il sera question dans le problème, la liste des différents couples d'hypothèses que nous pourrons confronter:

|  | au sujet de $\mu$ | au sujet de $\sigma^2$ | au sujet de $p$ |
|---|---|---|---|
| premier cas (test unilatéral) | $H_0: \mu = \mu_0$ <br> $H_1: \mu > \mu_0$ | $H_0: \sigma^2 = \sigma_0^2$ <br> $H_1: \sigma^2 > \sigma_0^2$ | $H_0: p = p_0$ <br> $H_1: p > p_0$ |
| deuxième cas (test unilatéral) | $H_0: \mu = \mu_0$ <br> $H_1: \mu < \mu_0$ | $H_0: \sigma^2 = \sigma_0^2$ <br> $H_1: \sigma^2 < \sigma_0^2$ | $H_0: p = p_0$ <br> $H_1: p < p_0$ |
| troisième cas (test bilatéral) | $H_0: \mu = \mu_0$ <br> $H_1: \mu \neq \mu_0$ | $H_0: \sigma^2 = \sigma_0^2$ <br> $H_1: \sigma^2 \neq \sigma_0^2$ | $H_0: p = p_0$ <br> $H_1: p \neq p_0$ |

## 13.3. CHOIX DU COUPLE D'HYPOTHÈSES À CONFRONTER, SELON LE CONTEXTE DU PROBLÈME PROPOSÉ

### 13.3.1. Un test est toujours appliqué sur une hypothèse $H_0$

*Règle*

> Bien que très souvent, dans le contexte pratique d'un problème donné, l'objectif soit de vérifier la véracité d'une **hypothèse composée**, un test sera toujours appliqué sur une **hypothèse simple** que l'on confrontera, par la suite, à cette hypothèse composée.

Le principe sous-jacent à cette règle est le suivant: un test voudra se référer à une valeur fixe, à une donnée qui, étant unique, proposera une distribution de probabilités bien déterminée et, de là, des limites de décision précises.

Une hypothèse composée proposant plutôt un intervalle, une infinité de valeurs, ne pourrait donc pas satisfaire cette exigence.

**EXEMPLE**

Des ingénieurs à l'emploi d'une compagnie qui fabrique des pneus de bicyclettes prétendent qu'une modification à la structure d'un pneu d'un certain modèle serait capable d'en prolonger la durée d'usage qui, jusqu'à ce jour, était en moyenne de 5 000 km.

Ici, vérifier l'efficacité de cette modification revient à vérifier, entre autres, la validité de l'hypothèse suivante: $\mu > 5\,000$.

Cependant, comme un test doit toujours,

— d'une part, **confronter deux hypothèses**,

— d'autre part, **partir d'une hypothèse simple** qui servira de point de référence,

cette étude nous obligerait à juxtaposer les deux propositions suivantes:

$H_0$: $\mu = 5\,000$

$H_1$: $\mu > 5\,000$.


## 13.3.2. Choix des hypothèses

Tout en respectant la règle qui veut qu'un test soit toujours appliqué sur une hypothèse simple, c'est le contexte du problème qui décidera du choix des hypothèses à confronter.

Voici, par exemple, les couples d'hypothèses qu'on associerait à certaines situations concrètes spécifiques:

| Contexte du problème | Hypothèses choisies |
|---|---|
| On prétend que la moyenne de la population est inférieure à un certain nombre $\mu_0$. | $H_0$: $\mu = \mu_0$ <br> $H_1$: $\mu < \mu_0$ |
| On prétend que la moyenne de la population est supérieure à un certain nombre $\mu_0$. | $H_0$: $\mu = \mu_0$ <br> $H_1$: $\mu > \mu_0$ |
| On prétend que la moyenne de la population est égale à un certain nombre $\mu_0$. | $H_0$: $\mu = \mu_0$ <br> $H_1$: $\mu \neq \mu_0$ |

(On établirait de la même manière un choix d'hypothèses portant sur la variance $\sigma^2$ ou sur une proportion de succès $p$ de la population.)


## Exercices

Effectuer le numéro 1 de la section 13.11.

# 13.4. PROCÉDÉ D'UN TEST D'HYPOTHÈSES

Le procédé de base d'un test est simplement celui-ci: on tire de la population un échantillon sur lequel on calcule la caractéristique $\bar{x}$, $s^2_{n-1}$ ou $\bar{p}$ selon le cas.

Suivant que cette valeur d'échantillon semble confirmer davantage l'hypothèse $H_0$ ou l'hypothèse $H_1$, on décide de conserver la plus plausible des deux et, ainsi, de rejeter l'autre à laquelle celle-ci était confrontée.

**EXEMPLE**

Revenons à l'exemple de la sous-section 13.3.1. portant sur la durée d'usage de pneus de bicyclettes dans lequel on voulait effectuer un test confrontant

$$H_0: \ \mu = 5\,000$$
$$\text{et } \ H_1: \ \mu > 5\,000.$$

Pour effectuer ce test, on devra d'abord prélever un échantillon de pneus fabriqués suivant cette nouvelle technique, échantillon sur lequel on calculera la durée de vie moyenne $\bar{x}$.

Si cette moyenne d'échantillon $\bar{x}$ tourne autour de 5 000, on considérera que la moyenne réelle $\mu$ de l'ensemble de ces nouveaux pneus est aussi de 5 000, donc que la modification n'a pas vraiment amélioré le rendement du produit. On conservera alors $H_0$ pour rejeter $H_1$.

Par contre, si cette moyenne $\bar{x}$ se situe, de **façon significative**, au-dessus de 5 000, on rejettera l'hypothèse $H_0$ pour accepter plutôt $H_1$, c'est-à-dire qu'on considérera que les ingénieurs ont effectivement trouvé une technique capable de prolonger la durée de vie moyenne de leur produit.

# 13.5. RÈGLE DE DÉCISION: BORNE(S) ET RÉGION CRITIQUE

Ce sont donc les résultats de l'échantillon qui justifieront une décision de conserver ou de rejeter une hypothèse. Mais quelles sont les balises qui orienteront ce choix? À partir de quelle valeur d'un résultat échantillonnal décidera-t-on de rejeter une hypothèse pour en accepter une autre?

### 13.5.1. Borne

Comme nous l'avons déjà mentionné, c'est l'hypothèse simple, proposant une valeur précise pour le paramètre, qui sert de référence pour une étude donnée. Par comparaison à la valeur proposée dans cette hypothèse, on se fixe donc une « **borne** »

— d'un côté de laquelle on décide de donner raison à $H_0$ (donc de conserver cette hypothèse)

— et de l'autre côté de laquelle on décide de rejeter $H_0$ pour accepter de préférence $H_1$, plus vraisemblable dans un tel cas.

### 13.5.2. Région critique

DÉFINITION

> L'intervalle des résultats d'échantillon situés du côté de la borne pour lequel on décide de rejeter $H_0$ porte le nom de **région critique** ou **zone de rejet de $H_0$**.

### 13.5.3. Règle de décision (situation de la région critique)

C'est la forme de l'hypothèse alternative $H_1$ qui détermine la zone de rejet de $H_0$. Ainsi:

— Avec les hypothèses: $H_0$: $\mu = \mu_0$
$H_1$: $\mu > \mu_0$

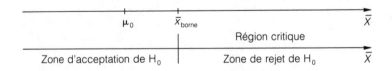

si le $\bar{x}$ d'échantillon est inférieur ou égal à la frontière $\bar{x}_{borne}$, on considère que l'échantillon confirme l'hypothèse $H_0$ ($\mu = \mu_0$) et on décide de conserver cette hypothèse.

Par contre, si le $\bar{x}$ d'échantillon dépasse la valeur $\bar{x}_{borne}$, on considère que l'échantillon confirme plutôt l'hypothèse $H_1$ ($\mu > \mu_0$) et on décide de rejeter $H_0$ pour accepter de préférence $H_1$.

— Avec les hypothèses: $H_0$: $\mu = \mu_0$
                             $H_1$: $\mu < \mu_0$

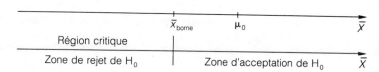

si le $\bar{x}$ d'échantillon est supérieur ou égal à la frontière $\bar{x}_{borne}$, on considère que l'échantillon confirme l'hypothèse $H_0$ ($\mu = \mu_0$) et on décide de conserver cette hypothèse.

Par contre, si le $\bar{x}$ d'échantillon est inférieur à la valeur $\bar{x}_{borne}$, on considère que l'échantillon confirme plutôt l'hypothèse $H_1$ ($\mu < \mu_0$) et on décide de rejeter $H_0$ pour accepter de préférence $H_1$.

— Enfin, avec les hypothèses: $H_0$: $\mu = \mu_0$
                             $H_1$: $\mu \neq \mu_0$

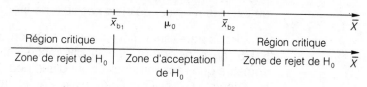

si le $\bar{x}$ d'échantillon est supérieur ou égal à la frontière $\bar{x}_{b_1}$ et inférieur ou égal à la frontière $\bar{x}_{b_2}$, on considère que l'échantillon confirme l'hypothèse $H_0$ ($\mu = \mu_0$) et on décide de conserver cette hypothèse.

Par contre, si le $\bar{x}$ d'échantillon est inférieur à la valeur $\bar{x}_{b_1}$ ou supérieur à la valeur $\bar{x}_{b_2}$, on considère que l'échantillon confirme plutôt l'hypothèse $H_1$ ($\mu \neq \mu_0$) et on décide de rejeter $H_0$ pour accepter de préférence $H_1$.

**NOTE**

On procéderait de la même manière s'il s'agissait d'hypothèses portant sur la variance $\sigma^2$ ou sur une proportion de succès $p$ de la population.

### Test « unilatéral » ou « bilatéral »

Les deux premiers modèles de tests que nous venons de décrire sont qualifiés d'« unilatéraux » à cause de leur région critique composée d'un seul intervalle continu.

Le troisième porte le nom de « bilatéral », sa zone de rejet étant partagée en deux sous-intervalles.

Revenons au problème de pneus, cité précédemment. Dans ce cas,

$H_0$: $\mu = 5\,000$

$H_1$: $\mu > 5\,000$.

On pourrait, ici, fixer la borne des moyennes d'échantillon à 5 075, par exemple.

Ainsi:

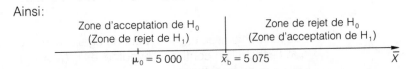

si la durée moyenne des pneus d'un échantillon tiré du produit modifié donne une valeur inférieure ou égale à 5 075 km, on considérera que l'échantillon confirme l'hypothèse $H_0$ et, de là, on rejettera l'hypothèse proposée par les ingénieurs. (En effet, même si $\bar{x} \neq \mu_0$, on décidera de conserver $H_0$. C'est qu'on admettra alors que la différence entre $\mu_0 = 5\,000$ et la valeur de $\bar{x}$ n'est attribuable qu'au fait qu'un échantillon n'est pas nécessairement un portrait exact de la population, mais bien un seul de tous les $n$-uplets qu'il est possible de tirer de cette population.)

Par contre, si la moyenne d'échantillon dépasse la borne, fixée à 5 075, on considérera que la différence est assez significative pour admettre que l'échantillon provient d'une population ayant une moyenne supérieure à 5 000. On décidera alors de rejeter $H_0$ pour accepter plutôt $H_1$ et, ainsi, donner raison aux ingénieurs.

### Exercices

Faire le numéro 2 de la section 13.11.

## 13.6. ANALYSE D'UN TEST D'HYPOTHÈSES

Comment savoir si le choix de la borne qu'on s'est fixée (de part et d'autre de laquelle on décide d'accepter ou de rejeter une hypothèse) est valable ou non? C'est à cette question que nous tenterons progressivement de répondre maintenant.

Pour l'instant, nous savons que,

— d'une part, on décide de la validité d'une hypothèse portant sur l'ensemble de la population à partir d'un simple échantillon tiré de celle-ci;

— d'autre part, il est toujours possible (bien que souvent peu probable) d'obtenir un échantillon vraiment différent de la population.

Une décision prise lors d'un test d'hypothèses comporte donc toujours des risques d'erreurs plus ou moins importants. Analysons ces risques.

## 13.6.1. Deux types d'erreurs possibles

Au niveau de la population, deux situations peuvent être réelles, l'une présentée par $H_0$ et l'autre par $H_1$.

**Si $H_0$ est vraie:**

un test peut nous amener

— soit à conserver $H_0$,    ce qui serait une bonne décision;

— soit à rejeter $H_0$,    ce qui constituerait une erreur que l'on qualifie, dans ce cas, « **de première espèce** ».
(pour accepter $H_1$)

**Si $H_1$ est vraie:**

un test peut nous amener

— soit à conserver $H_1$,    ce qui serait une bonne décision;
(c.-à-d. rejeter $H_0$)

— soit à rejeter $H_1$,    ce qui constituerait une erreur que l'on qualifie, dans ce cas, « **de deuxième espèce** ».
(c.-à-d. conserver $H_0$)

Nous pouvons représenter ces différentes possibilités à l'aide du tableau suivant:

| Décision \ Réalité | $H_0$ est vraie | $H_1$ est vraie |
|---|---|---|
| Rejeter $H_0$ | Mauvaise décision: erreur de première espèce | Bonne décision |
| Conserver $H_0$ | Bonne décision | Mauvaise décision: erreur de deuxième espèce |

## 13.6.2. Les risques d'erreurs $\alpha$ et $\beta$

On note:

$\alpha$ la **probabilité** d'effectuer une erreur de première espèce
et
$\beta$ la **probabilité** d'effectuer une erreur de deuxième espèce.

Ainsi, $\alpha$ = P[erreur de première espèce]

= P[mauvaise décision | $H_0$ est vraie]

= P[rejeter $H_0$ | $H_0$ est vraie]

et

$\beta$ = P[erreur de deuxième espèce]

= P[mauvaise décision | $H_1$ est vraie]

= P[rejeter $H_1$ | $H_1$ est vraie]

= P[accepter $H_0$ | $H_1$ est vraie].

## 13.6.3. Calculs de $\alpha$ et de $\beta$

Revenons à notre problème de pneus. Nous nous souviendrons que les hypothèses étaient les suivantes:

$H_0$: $\mu$ = 5 000
$H_1$: $\mu$ > 5 000

et qu'on avait fixé le $\overline{x}_{borne}$ à 5 075.

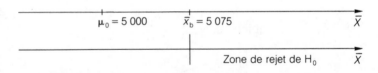

Imaginons qu'avant que les ingénieurs procèdent à leur modification, une étude avait démontré que la durée d'usage des pneus était distribuée suivant un modèle normal, de moyenne et de variance connues, soit celui de la loi

$$N(5\ 000\ ;\ 525^2).$$

Considérons, dans un premier temps, que la modification des ingénieurs n'a pas influencé l'aspect normal, ni la variance de la durée d'usage du produit. Nous nous retrouvons donc en présence de la distribution suivante:

$$X:\ N(\mu\ ;\ 525^2)$$

où $X$ représente la durée du produit modifié et pour laquelle $\mu$ est soumis aux deux hypothèses du test:

$H_0$: $\mu$ = 5 000
$H_1$: $\mu$ > 5 000.

Si $X$: $N(\mu ; 525^2)$      nous savons qu'alors

$\overline{X}$: $N\left(\mu ; \dfrac{525^2}{n}\right)$    où    $n =$ la taille de l'échantillon

et   $\overline{X} =$ l'ensemble des différentes moyennes d'échantillon (de taille $n$) possibles.

Ainsi,

$H_0$ sous-entend que   $\overline{X}$: $N\left(\mu_0 ; \dfrac{525^2}{n}\right) = N\left(5\,000 ; \dfrac{525^2}{n}\right)$

et $H_1$, que          $\overline{X}$: $N\left(\mu_1 ; \dfrac{525^2}{n}\right) = N\left(>5\,000 ; \dfrac{525^2}{n}\right)$

Illustrons cela graphiquement:

Courbe de distribution de $\overline{X}$ si $H_0$ est vraie          Courbe de distribution de $\overline{X}$ si $H_1$ est vraie

5 000   > 5 000    $\overline{x}_b = 5\,075$

Zone d'acceptation de $H_0$        Zone de rejet de $H_0$
Zone de rejet de $H_1$              Zone d'acceptation de $H_1$

— **Si $H_0$ est vraie:**

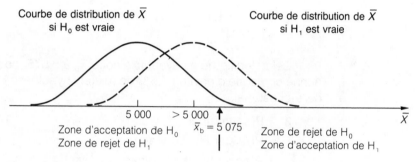

Probabilité
d'une bonne décision
$1 - \alpha$

$\alpha =$ Probabilité d'erreur de première espèce

Si $\overline{x} \in$ cette région      $\overline{x}_b$
on accepte $H_0$
$\longrightarrow$ bonne décision

Si $\overline{x} \in$ cette région
on rejette $H_0$
$\longrightarrow$ mauvaise décision:
erreur de première espèce

— **Si $H_1$ est vraie:**

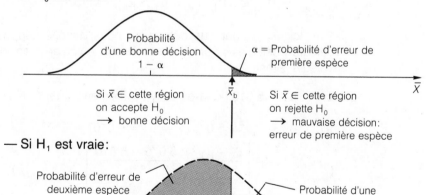

Probabilité d'erreur de
deuxième espèce

Probabilité d'une
bonne décision

$\beta$     $1 - \beta$

Si $\overline{x} \in$ cette région      $\overline{x}_b$
on accepte $H_0$
$\longrightarrow$ on rejette $H_1$
$\longrightarrow$ mauvaise décision:
erreur de deuxième espèce

Si $\overline{x} \in$ cette région
on rejette $H_0$
$\longrightarrow$ on accepte $H_1$
$\longrightarrow$ bonne décision

Effectuons maintenant les calculs de $\alpha$ et de $\beta$ pour ce problème et, pour ce faire, considérons que nous prendrons notre décision à partir d'un échantillon de 100 pneus.

$$\alpha = P[\text{se tromper} \mid H_0 \text{ vraie}]$$

$$= P[\text{rejeter } H_0 \mid H_0 \text{ vraie}]$$

$$= P[\overline{X} > \overline{x}_b \mid H_0 \text{ vraie}]$$

$$= P[\overline{X} > 5\,075 \mid \mu = \mu_0 = 5\,000]$$

$$= P\left[\frac{\overline{X} - \mu_0}{\dfrac{\sigma}{\sqrt{n}}} > \frac{5\,075 - 5\,000}{\dfrac{525}{10}}\right]$$

$$= P[Z > 1,43]$$

$$= 0,0764.$$

Cela signifie qu'en ayant fixé notre $\overline{x}_b$ à 5 075, nous nous sommes donné un risque d'environ 7,6 % de rejeter l'hypothèse $H_0$ au moment où celle-ci est vraie.

$$\beta = P[\text{se tromper} \mid H_1 \text{ vraie}]$$

$$= P[\text{rejeter } H_1 \mid H_1 \text{ vraie}]$$

$$= P[\text{accepter } H_0 \mid H_1 \text{ vraie}]$$

$$= P[\overline{X} \leqslant 5\,075 \mid \mu = \mu_1 > \mu_0].$$

Ici, $\mu_1$ n'étant pas déterminé, nous devons supposer différentes valeurs possibles pour ce paramètre et calculer $\beta$ en fonction de ces valeurs. Ainsi,

si $\quad \mu_1 = 5\,010 \left(\text{c.-à-d. si } H_1 \text{ sous-entend que } \overline{X}: \mathbf{N}\left(5\,010 ; \dfrac{525^2}{100}\right)\right)$,

alors $\quad \beta = P[\overline{X} \leqslant 5\,075 \mid \mu = \mu_1 = 5\,010]$

$$= P\left[\frac{\overline{X} - \mu_1}{\dfrac{\sigma}{\sqrt{n}}} \leqslant \frac{5\,075 - 5\,010}{\dfrac{525}{10}}\right]$$

$$= P[Z \leqslant 1,24]$$

$$= 0,8925$$

et, de la même manière,

si $\quad \mu_1 = 5\,020$, alors $\beta = 0,8531$ ;

si $\quad \mu_1 = 5\,030$, alors $\beta = 0,8051$ ;

si $\quad \mu_1 = 5\,040$, alors $\beta = 0,7486$;

... ... ...

si $\quad \mu_1 = 5\,100$, alors $\beta = 0,3156$;

... ... ...

si $\quad \mu_1 = 5\,200$, alors $\beta = 0,0087$.

Encore ici, représentons graphiquement cette étude:

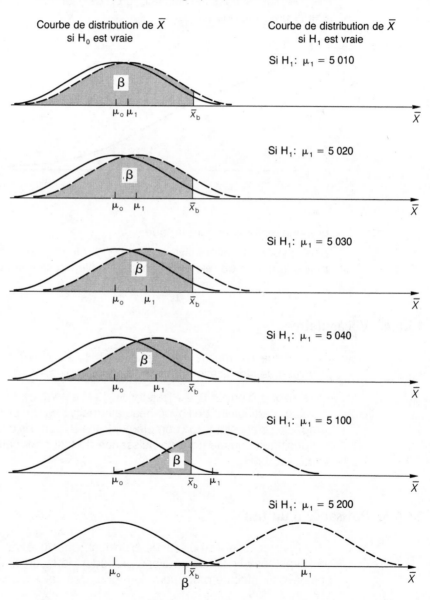

Nous observons donc que, pour une borne et une taille d'échantillon déterminées, nous obtenons

— un risque d'erreur $\alpha$ unique,

— un risque d'erreur $\beta$ variable, suivant l'écart entre $\mu_0$ et le $\mu_1$ sous-entendu dans l'hypothèse $H_1$: $\mu > \mu_0$.

De plus, si nous traçons la courbe de $\beta$ en fonction des différentes valeurs possibles de $\mu_1$:

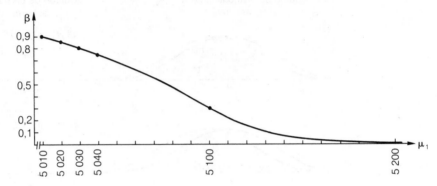

nous observons, encore là, que:

plus l'hypothèse alternative sous-entend une moyenne éloignée de $\mu_0$, moins le risque de rejeter $H_1$, lorsque celle-ci est vraie, est important.

### 13.6.4. Vocabulaire

— Le risque d'erreur $\alpha$ = P[rejeter $H_0$ | $H_0$ est vraie] porte le nom de **niveau de signification du test** ou, tout simplement, de **niveau du test**.

— Le risque d'erreur $\beta$ = P[rejeter $H_1$ | $H_1$ est vraie], calculé pour une valeur particulière de l'hypothèse alternative $H_1$, ne porte pas de nom spécial; c'est plutôt son complément, $1 - \beta$, que l'on désigne de façon spécifique sous le nom de **puissance du test** pour cette valeur particulière de $H_1$.

### 13.6.5. Puissance d'un test

Pour calculer la puissance d'un test, pour une valeur particulière de l'hypothèse $H_1$, nous pouvons procéder de façon similaire à ce que nous avons effectué précédemment pour des calculs de $\alpha$ et de $\beta$.

Ainsi,
si $\beta = P[\text{erreur} \mid H_1 \text{ est vraie}]$,
alors
la puissance du test $= 1 - \beta = P[\text{bonne décision} \mid H_1 \text{ est vraie}]$
$$= P[\text{accepter } H_1 \mid H_1 \text{ est vraie}]$$
$$= P[\text{rejeter } H_0 \mid H_1 \text{ est vraie}].$$

**EXEMPLE**      Dans notre exemple des pneus, si nous considérons comme valeur spécifique de $H_1$, $\mu_1 = 5\,010$,
nous obtenons:

$$1 - \beta = P[\overline{X} > \overline{x}_b \mid H_1 \text{ est vraie}]$$

$$= P[\overline{X} > 5\,075 \mid \mu = \mu_1 = 5\,010]$$

$$\left( \text{c.-à-d. si } H_1 \text{ sous-entend que } \overline{X} \colon \ N\left(5\,010\,;\,\frac{525^2}{100}\right)\right)$$

$$= P\left[\frac{\overline{X} - \mu_1}{\dfrac{\sigma}{\sqrt{n}}} > \frac{5\,075 - 5\,010}{\dfrac{525}{10}}\right]$$

$$= P[Z > 1{,}24]$$

$$= 0{,}1075.$$

Et, de la même manière,

si  $\mu_1 = 5\,020$,  alors  $1 - \beta = 0{,}1469$;

si  $\mu_1 = 5\,030$,  alors  $1 - \beta = 0{,}1949$;

si  $\mu_1 = 5\,040$,  alors  $1 - \beta = 0{,}2514$;

   ...     ...     ...

si  $\mu_1 = 5\,100$,  alors  $1 - \beta = 0{,}6844$;

   ...     ...     ...

si  $\mu_1 = 5\,200$,  alors  $1 - \beta = 0{,}9913$.

**REMARQUE**      Naturellement, le calcul de la puissance effectué directement, comme nous venons de le faire, donne le même résultat que si nous avions plutôt considéré $1 - $ « $\beta$ », ce risque $\beta$ ayant été calculé précédemment (à la sous-section 13.6.3.).

### Courbe de puissance d'un test

À la sous-section 13.6.3. nous avons tracé la courbe de $\beta$ de notre test, en fonction des différentes valeurs possibles pour $\mu_1$.

En général, dans l'étude d'un test d'hypothèses, c'est plutôt à la courbe de puissance, en fonction des différentes valeurs possibles pour $\mu_1$, qu'on s'intéressera.

Ainsi, pour ce même exemple des pneus, la courbe de puissance du test serait la suivante:

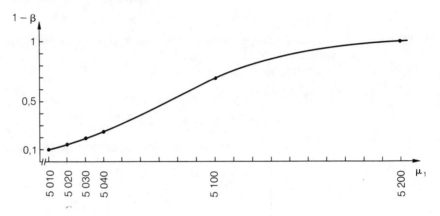

Cette fois nous y observons, il va de soi, que:

plus on considère une valeur de $\mu_1$ éloignée de $\mu_0$, plus la puissance du test est forte.

## 13.7. DISTRIBUTIONS DE PROBABILITÉS UTILISÉES POUR DES TESTS D'HYPOTHÈSES SUR $\mu$, $\sigma^2$ ET $p$

Pour les calculs de $\alpha$, $\beta$ et $1 - \beta$ de l'exemple précédent, nous avons utilisé la distribution de probabilités $\overline{X}$: $N(\mu \, ; \, \sigma^2/n)$ qui, sous sa forme centrée-réduite, devient

$$\frac{\overline{X} - \mu}{\dfrac{\sigma}{\sqrt{n}}} : N(0 \, ; \, 1).$$

Suivant le contexte des problèmes auxquels nous aurons affaire, nous pourrons faire appel aux autres modèles de probabilités présentés au chapitre 12 pour l'étude des intervalles de confiance.

Ainsi, devant une hypothèse $H_0$ portant sur l'un ou l'autre des paramètres $\mu$, $\sigma^2$ et $p$, nous nous référerons au tableau suivant:

*Distributions de probabilités utilisées si l'hypothèse $H_0$ est vraie*

| Hypothèse $H_0$ | Distribution de probabilités utilisée | Conditions d'application |
|---|---|---|
| $\mu = \mu_0$ | $\dfrac{\overline{X} - \mu_0}{\dfrac{\sigma}{\sqrt{n}}}$ : $N(0\,;1)$ | $\sigma^2$ connu et $\begin{cases} X: \text{normale} \\ \text{ou} \\ n \geqslant 30 \end{cases}$ |
| | $\dfrac{\overline{X} - \mu_0}{\dfrac{S_{n-1}}{\sqrt{n}}}$ : $T_{n-1}$ | $\sigma^2$ inconnu et $X$: normale |
| | $\dfrac{\overline{X} - \mu_0}{\dfrac{S_{n-1}}{\sqrt{n}}}$ : $N(0\,;1)$ | $\sigma^2$ inconnu et $n$ très grand $(n \geqslant 100)$ |
| $\sigma^2 = \sigma_0^2$ | $\dfrac{\sum\limits_{}^{n} (X_i - \mu)^2}{\sigma_0^2}$ : $\chi_n^2$ | $\mu$ connu et $X$: normale |
| | $\dfrac{(n-1) \cdot S_{n-1}^2}{\sigma_0^2}$ : $\chi_{n-1}^2$ | $\mu$ inconnu et $X$: normale |
| $p = p_0$ | $\dfrac{\overline{P} - p_0}{\sqrt{\dfrac{p_0 q_0}{n}}}$ : $N(0\,;1)$ | $n$ grand $(n \geqslant 30)$ et $np_0 \geqslant 5$ et $nq_0 \geqslant 5$ |

Lorsque ce sera l'hypothèse $H_1$, plutôt que $H_0$, que nous voudrons supposer vraie, nous utiliserons les mêmes modèles que ceux de ce tableau, en y remplaçant tout simplement les paramètres $\mu_0$, $\sigma_0^2$, $p_0$ et $q_0$ par $\mu_1$, $\sigma_1^2$, $p_1$ et $q_1$.

Ces dernières années, au Québec, la proportion de fumeurs chez les 18-55 ans a diminué de façon considérable.

L'an dernier, une enquête statistique précise (étude par intervalle de confiance avec un *n* important) révélait qu'elle était rendue à 38 %.

Afin de vérifier si cette proportion continue de décroître, on voudrait, cette année, procéder au test suivant:

1°) Prélever un échantillon de 400 personnes de cette catégorie d'âge.

2°) Calculer la proportion de fumeurs ($\bar{p}$) de cet échantillon.

3°) Si celle-ci est inférieure à 0,35, en déduire que la tendance à la baisse se poursuit dans l'ensemble de la population, alors que si elle est supérieure ou égale à 0,35, en déduire que cette tendance ne s'accentue pas.

On demande d'établir la valeur de ce test,

a) en calculant son risque d'erreur $\alpha$,

b) en calculant sa puissance $1 - \beta$ pour le cas où la proportion de fumeurs actuelle, dans la population, serait de 0,33.

Ce problème se présente comme suit:
$H_0$: $p = 0,38$
$H_1$: $p < 0,38$

$n = 400 \geqslant 30$,

$$np_0 = 400 \cdot 0,38 = 152 \geqslant 5 \quad \text{et} \quad nq_0 = 400 \cdot 0,62 = 248 \geqslant 5$$

et avec $p_1 = 0,33$

$$np_1 = 400 \cdot 0,33 = 132 \geqslant 5 \quad \text{et} \quad nq_1 = 400 \cdot 0,67 = 268 \geqslant 5$$

Ainsi

a) $\alpha = P[\text{rejeter } H_0 \mid H_0 \text{ vraie}]$

$= P[\bar{P} < 0,35 \mid p = p_0 = 0,38]$

$$= P\left[\frac{\bar{P} - p_0}{\sqrt{\dfrac{p_0 q_0}{n}}} < \frac{0,35 - 0,38}{\sqrt{\dfrac{0,38 \times 0,62}{400}}}\right]$$

$= P[Z < -1,24]$

$= 0,1075$

b) $1 - \beta$ = P[accepter $H_1$ | $H_1$ vraie]

$\quad\quad$ = P[rejeter $H_0$ | $H_1$ vraie]

$\quad\quad$ = $P[\bar{P} < 0,35 \mid p = p_1 = 0,33]$

$\quad\quad = P\left[\dfrac{\bar{P} - p_1}{\sqrt{\dfrac{p_1 q_1}{n}}} < \dfrac{0,35 - 0,33}{\sqrt{\dfrac{0,33 \times 0,67}{400}}}\right]$

$\quad\quad$ = $P[Z < 0,85]$

$\quad\quad$ = 0,8023.

**AUTRE EXEMPLE**

Dans une pizzeria, la pâte est préparée à l'aide d'une machine qui produit des boules dont le poids (en g), au moment de l'ajustement de la machine, était distribué selon une loi $N(225 ; 2,25)$.

Afin de vérifier si la moyenne de ce poids se maintient à 225 g, on se propose d'effectuer le test suivant:

1°) Peser un échantillon de 100 boules de pâte.

2°) Calculer le poids moyen ($\bar{x}$) de cet échantillon.

3°) Si cette moyenne $\bar{x}$ est inférieure à 224,7 g ou supérieure à 225,3 g, en déduire que le poids moyen de l'ensemble des boules produites n'est plus de 225 g, alors que si elle se situe entre ces bornes, en déduire que le poids moyen du produit n'a pas varié de façon significative.

Établir la valeur d'un tel test,

a) en calculant son risque d'erreur $\alpha$;

b) en calculant sa puissance $1 - \beta$ pour le cas où le poids moyen, pour l'ensemble de la production, serait passé à 224,5 g.

**NOTE**

On considérera ici que ni l'aspect normal de la distribution, ni sa variance 2,25 n'ont subi de modification significative depuis l'ajustement de la machine.

Cette fois, le problème consiste en un test bilatéral:

$H_0$: $\mu = 225$
$H_1$: $\mu \neq 225$

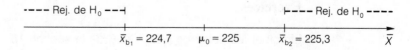

a) $\alpha = P[\text{rejeter } H_0 \mid H_0 \text{ vraie}]$

$$= P\left[\begin{array}{c} \bar{X} < 224,7 \\ \text{ou} \\ \bar{X} > 225,3 \end{array} \,\middle|\, \mu = \mu_0 = 225 \right]$$

$$= P\left[\frac{\bar{X} - \mu_0}{\dfrac{\sigma}{\sqrt{n}}} < \frac{224,7 - 225}{\dfrac{1,5}{10}}\right]$$

$$+ P\left[\frac{\bar{X} - \mu_0}{\dfrac{\sigma}{\sqrt{n}}} > \frac{225,3 - 225}{\dfrac{1,5}{10}}\right]$$

$$= P[Z < -2] + P[Z > 2]$$
$$= 2 \cdot 0,0228$$
$$= 0,0456$$

b) $1 - \beta = P[\text{accepter } H_1 \mid H_1 \text{ vraie}]$

$$= P[\text{rejeter } H_0 \mid H_1 \text{ vraie}]$$

$$= P\left[\begin{array}{c} \bar{X} < 224,7 \\ \text{ou} \\ \bar{X} > 225,3 \end{array} \,\middle|\, \mu = \mu_1 = 224,5 \right]$$

$$= P\left[\frac{\bar{X} - \mu_1}{\dfrac{\sigma}{\sqrt{n}}} < \frac{224,7 - 224,5}{\dfrac{1,5}{10}}\right]$$

$$+ P\left[\frac{\bar{X} - \mu_1}{\dfrac{\sigma}{\sqrt{n}}} > \frac{225,3 - 224,5}{\dfrac{1,5}{10}}\right]$$

$$= P[Z < 1,35] + P[Z > 5,33]$$
$$= 0,9115 + 0$$
$$= 0,9115.$$

## Exercices

Effectuer les numéros 3, 4, 5 et 6 de la section 13.11.

## 13.8. CONSTRUCTION D'UN TEST EN FONCTION D'EXIGENCES SPÉCIFIQUES

Jusqu'ici, nous avons toujours bâti un test d'hypothèses en procédant d'abord au choix de la ou des bornes à partir desquelles se définissaient les zones d'acceptation et de rejet de l'hypothèse $H_0$. Une fois ce choix fixé, nous passions ensuite à l'évaluation de ce test avec les calculs de son niveau de signification $\alpha$ et de sa puissance $1 - \beta$ pour certaines valeurs sous-entendues dans l'hypothèse $H_1$.

Très souvent, cependant, dans un problème relié à une situation de la vie courante, le contexte nous incitera plutôt à procéder dans un ordre inverse, c'est-à-dire à déterminer d'abord le risque d'erreur $\alpha$ d'un test pour en déduire, par la suite, la valeur qu'il faudra alors attribuer à la borne ou aux bornes.

Illustrons ceci en reprenant notre exemple des pneus, mais cette fois dans un contexte un peu plus élaboré.

**EXEMPLE**

Jusqu'ici, la mise en scène de ce problème était la suivante:

— lors d'une étude statistique antérieure précise, on avait établi que la durée d'usage (en km) d'un certain type de pneus était distribuée selon une loi $N(5\,000 \; ; 525^2)$;

— dernièrement, les ingénieurs de l'usine de fabrication de ce produit ont prétendu pouvoir améliorer la longévité de ces pneus.

Imaginons maintenant que le propriétaire de l'usine ait promis à ces ingénieurs une augmentation de 1 % de leur salaire actuel pour chaque 100 km gagnés sur la durée moyenne du produit.

Devant l'hypothèse proposée par ses employés, le patron doit donc vérifier s'ils ont droit ou non à une augmentation de salaire.

Cependant, avant de se lancer à nouveau dans une étude statistique détaillée et coûteuse, afin de connaître la durée moyenne précise des pneus modifiés, le patron décide plutôt de n'effectuer qu'un test d'hypothèses avec un échantillon de taille restreinte, soit de 100 pneus.

À la suite de ce test, s'il doit conclure que la durée moyenne de son produit a été effectivement rallongée, il procédera à une étude plus détaillée afin de calculer l'augmentation de salaire exacte qu'il doit à ses employés.

## Étude de ce test

Rappelons les hypothèses à confronter:

$H_0$: $\mu = 5\,000$
$H_1$: $\mu > 5\,000$

NOTE   Encore ici, on considérera que ni l'aspect normal, ni la variance de la distribution présentés par l'étude statistique antérieure n'ont été modifiés par les expériences des ingénieurs.

**Dans ce problème, ce qui doit d'abord retenir notre attention, c'est que le patron veut éviter les dépenses inutiles qu'entraînerait une nouvelle étude statistique poussée effectuée sans raison valable.**

Il faut donc s'assurer que la probabilité d'effectuer une enquête alors que cela n'est pas nécessaire, c'est-à-dire

$P$[considérer que $H_1$ est vraie | $H_0$ est vraie]

$= P$[rejeter $H_0$ | $H_0$ est vraie]

$= \alpha$

Le point de départ de ce test pourrait donc être le suivant:

fixer la valeur de $\alpha$ à 0,01.

De ce risque d'erreur, nous pouvons maintenant déduire quelle valeur expérimentale de $\bar{x}$ délimiterait la zone d'acceptation de $H_0$ et la région critique:

$\alpha = P$[rejeter $H_0$ | $H_0$ est vraie] $= 0,01$

$\longrightarrow P[\bar{X} > \bar{x}_b \mid \mu = \mu_0 = 5\,000] = 0,01$

$$\longrightarrow P\left[\frac{\bar{X} - \mu_0}{\dfrac{\sigma}{\sqrt{n}}} > \frac{\bar{x}_b - 5\,000}{\dfrac{525}{10}}\right] = 0,01$$

$$\longrightarrow P\left[Z > \frac{\bar{x}_b - 5\,000}{\dfrac{525}{10}}\right] = 0,01$$

$$\longrightarrow \frac{\bar{x}_b - 5\,000}{\dfrac{525}{10}} \simeq 2,33$$

$$\longrightarrow \bar{x}_b \simeq 5\,122.$$

La règle de décision d'un tel test serait donc la suivante:

— si $\bar{x} \leqslant 5\,122$, on conserve $H_0$

        c'est-à-dire qu'on considère que la longévité moyenne du produit n'a pas été améliorée de façon significative;

— si $\bar{x} > 5\,122$, on rejette $H_0$ pour accepter $H_1$

        c'est-à-dire qu'on approuve la version des ingénieurs: on admet que la durée moyenne des pneus a été augmentée.

**Ce test s'est donné comme priorité de protéger les intérêts du patron, mais prend-il soin aussi des intérêts des employés?**

Pour vérifier cela, considérons que, pour les ingénieurs, une augmentation de salaire ne devient significative qu'à partir de 2%. Ainsi, la puissance du test que nous venons de bâtir, pour le cas où les employés mériteraient une augmentation de 2% de leur salaire (c.-à-d. pour le cas où la durée moyenne du produit serait maintenant de 5 200 km), serait de:

$$1 - \beta = P[\text{accepter } H_1 \mid H_1 \text{ est vraie avec } \mu_1 = 5\,200]$$

$$= P[\bar{X} > 5\,122 \mid \mu = \mu_1 = 5\,200]$$

$$= P\left[ \frac{\bar{X} - \mu_1}{\dfrac{\sigma}{\sqrt{n}}} > \frac{5\,122 - 5\,200}{\dfrac{525}{10}} \right]$$

$$= P[Z > -1,49]$$

$$\simeq 0,93.$$

Un tel test est donc tout à fait valable puisqu'il limite, d'une part, le risque d'erreur du patron ($\alpha = 0,01$) et que, d'autre part, il accorde de bonnes chances aux employés d'être reconnus s'ils méritent de l'être ($1 - \beta = 0,93$).

# 13.9. APPLICATION D'UN TEST D'HYPOTHÈSES

Depuis le début de ce chapitre nous avons

— étudié les diverses composantes d'un test d'hypothèses,

— puis estimé la valeur d'un test, bâti soit à partir d'une borne, soit à partir d'un niveau de signification $\alpha$.

Cette forme de démarche plutôt théorique est celle du statisticien qui doit bâtir un test, l'analyser et l'évaluer.

Dans la pratique de la vie courante, par contre, on aura souvent à simplement effectuer un test d'hypothèses, c'est-à-dire à appliquer le processus défini précédemment et à le mener jusqu'à une prise de décision finale.

## 13.9.1. Méthode

En général, le mode d'application d'un test est le suivant:

À partir d'un risque d'erreur $\alpha$ fixé à l'avance,

1°) on détermine la ou les valeurs qui devront servir de bornes entre la zone d'acceptation de $H_0$ et la région critique;

2°) on observe la valeur expérimentale de l'échantillon;

3°) on compare cette dernière à l'autre (ou aux autres) et, suivant qu'elle appartient à la zone d'acceptation de $H_0$ ou à la région critique, on conserve $H_0$ ou on la rejette pour accepter, de préférence, $H_1$.

**EXEMPLE**

Dans une confiserie, au moment où on a réglé une machine qui produit des gros oeufs en chocolat, le poids de ces oeufs (en kg) était distribué selon une loi $N(1,05 ; 0,0001)$.

Après une journée de production, on veut tester, avec un niveau de signification de 0,05, si le réglage s'est maintenu, c'est-à-dire si

a) la moyenne n'a pas été modifiée,

et si

b) la variance n'a pas augmenté.

Pour ce faire on prélève un échantillon de 25 oeufs produits en fin de journée. La moyenne de cet échantillon est de 1,044 kg et son écart type corrigé, de 0,011 kg.

Effectuer chacun de ces 2 tests et conclure.

**NOTE**

Pour ces tests, on considérera que l'aspect normal de la distribution n'a pas été modifié, même si sa moyenne et sa variance peuvent l'avoir été.

Dans cet exemple,

a) le premier de ces tests se présente ainsi:

$H_0$: $\mu = 1,05$
$H_1$: $\mu \neq 1,05$

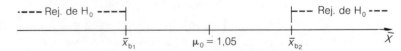

$$\alpha = P[\text{rejeter } H_0 \mid H_0 \text{ vraie}] = 0,05$$

$$\rightarrow P\left[\begin{array}{c} \bar{X} < \bar{x}_{b_1} \\ \text{ou} \\ \bar{X} > \bar{x}_{b_2} \end{array} \middle| \; \mu = \mu_0 = 1,05\right] = 0,05$$

$$\rightarrow P[\bar{X} < \bar{x}_{b_1} \mid \mu = \mu_0 = 1,05] + P[\bar{X} > \bar{x}_{b_2} \mid \mu = \mu_0 = 1,05] = 0,05$$

$$\rightarrow P\left[\underbrace{\frac{\bar{X} - \mu_0}{\dfrac{S_{n-1}}{\sqrt{n}}}}_{T_{24}} < \frac{\bar{x}_{b_1} - 1,05}{\dfrac{0,011}{5}}\right] = 0,025$$

$$\text{et } P\left[\underbrace{\frac{\bar{X} - \mu_0}{\dfrac{S_{n-1}}{\sqrt{n}}}}_{T_{24}} > \frac{\bar{x}_{b_2} - 1,05}{\dfrac{0,011}{5}}\right] = 0,025$$

$$\rightarrow \frac{\bar{x}_{b_1} - 1,05}{\dfrac{0,011}{5}} = -2,064 \text{ et } \frac{\bar{x}_{b_2} - 1,05}{\dfrac{0,011}{5}} = 2,064 \quad \rightarrow \begin{array}{c} \bar{x}_{b_1} = 1,045 \\ \text{et} \\ \bar{x}_{b_2} = 1,055. \end{array}$$

Comme $\bar{x} = 1,044 \in$ la zone de rejet de $H_0$ (car $\bar{x} = 1,044 < \bar{x}_{b_1}$) on rejette $H_0$; on considère donc que le poids moyen de ces oeufs n'est plus de 1,05 kg.

b) Le deuxième test se présente plutôt ainsi:

$H_0$: $\sigma^2 = 0,0001$
$H_1$: $\sigma^2 > 0,0001$

$$\alpha = P[\text{rejeter } H_0 \mid H_0 \text{ vraie}] = 0,05$$

$$\rightarrow P[S_{n-1}^2 > s_{n-1_b}^2 \mid \sigma^2 = \sigma_0^2 = 0,0001] = 0,05$$

$$\rightarrow P\left[\underbrace{\frac{(n-1) \cdot S_{n-1}^2}{\sigma_0^2}}_{\chi_{24}^2} > \frac{24 \cdot s_{n-1_b}^2}{0,0001}\right] = 0,05$$

$$\rightarrow \frac{24}{0,0001} \cdot s_{n-1_b}^2 = 36,415 \quad \rightarrow \quad s_{n-1_b}^2 = 0,000\ 15.$$

Comme $s_{n-1}^2 = 0,011^2 = 0,000\ 121 < s_{n-1_b}^2$, $s_{n-1}^2 \not\in$ la zone de rejet de $H_0$ et ainsi, on conserve $H_0$; on considère donc que la variance n'a pas augmenté.

**NOTE**    Le développement de la solution a) de cet exemple comporte un bout d'écriture à surveiller. En effet,

de $P[\overline{X} < \overline{x}_{b_1} \mid \mu = \mu_0 = 1,05] + \ldots = 0,05$

nous avons déduit que

$$P\left[\frac{\overline{X} - \mu_0}{\dfrac{S_{n-1}}{\sqrt{n}}} < \frac{\overline{x}_{b_1} - 1,05}{\dfrac{0,011}{5}}\right] = 0,025 \text{ et } \ldots$$

c'est-à-dire que de $\overline{X} < \overline{x}_{b_1}$

nous sommes passés à $\dfrac{\overline{X} - \mu_0}{\dfrac{S_{n-1}}{\sqrt{n}}} < \dfrac{\overline{x}_{b_1} - \mu_0}{\dfrac{s_{n-1}}{\sqrt{n}}}$ .

Par le fait même, nous avons attribué à la **variable** $S_{n-1}$ la valeur **particulière** $s_{n-1} = 0,011$ qu'elle a prise, à l'intérieur de l'échantillon.

Ceci doit être interprété de la façon suivante:

— d'abord, comme la distribution de probabilités utilisée pour ce test est définie à partir de $S_{n-1}$, il est possible d'obtenir tout un ensemble de $s_{n-1}$ différents, au moment du prélèvement d'un échantillon;

— un ensemble de possibilités pour $s_{n-1}$ amène donc un ensemble de possibilités pour $\overline{x}_b$, chacune dépendante de la valeur de $s_{n-1}$;

— en utilisant la valeur spécifique du $s_{n-1}$ d'un échantillon particulier, nous obtenons donc la valeur que nous devons attribuer à $\overline{x}_b$ **en fonction** de la valeur $s_{n-1}$ propre à cet échantillon.

Ainsi, dans notre exemple, lorsque nous avons déduit que $\overline{x}_{b_1}$ devait égaler 1,045, nous avons déduit, en réalité, qu'**étant donné la valeur du $s_{n-1}$ de notre échantillon**, nous devions attribuer à la borne $\overline{x}_{b_1}$ la valeur 1,045.

## Exercices

Faire les numéros 7 à 12 de la section 13.11.

# 13.10. PROPRIÉTÉS D'UN TEST D'HYPOTHÈSES

## 13.10.1. Inter-relation entre $\alpha$ et $\beta$

*Règle*

> **Pour une même taille d'échantillon** *n*, dans un test d'hypothèses, une augmentation du risque d'erreur $\alpha$ entraîne une diminution du risque d'erreur $\beta$ et, par le fait même, une augmentation de la puissance $1 - \beta$. De la même manière, une diminution du risque $\alpha$ entraîne une augmentation du risque $\beta$ et, par le fait même, une diminution de la puissance $1 - \beta$.

**EXEMPLE**

Illustrons d'abord graphiquement les hypothèses $H_0$ et $H_1$ de notre problème de pneus (dernière version):

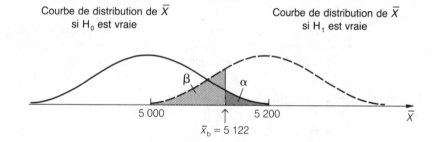

Courbe de distribution de $\overline{X}$ si $H_0$ est vraie

Courbe de distribution de $\overline{X}$ si $H_1$ est vraie

$\beta$   $\alpha$

5 000       5 200   $\overline{X}$

$\overline{x}_b = 5\ 122$

Dans cette version du problème (étudiée à la section 13.8.), imaginons que les employés considèrent qu'une puissance de 0,93, pour une augmentation de salaire de 2%, n'est pas suffisante (compte tenu que le patron, lui, a limité son risque d'erreur à 1%).

Un compromis pourrait être présenté de la façon suivante:

le patron augmente son risque d'erreur à 3%.

Dès lors,

$\alpha = \text{P[rejeter } H_0 \mid H_0 \text{ est vraie]} = 0{,}03$

$\longrightarrow \text{P}[\overline{X} > \overline{x}_b \mid \mu = \mu_0 = 5\ 000] = 0{,}03$

$\longrightarrow \text{P}\left[\dfrac{\overline{X} - \mu_0}{\dfrac{\sigma}{\sqrt{n}}} > \dfrac{\overline{x}_b - 5\ 000}{\dfrac{525}{10}}\right] = 0{,}03$

$$\longrightarrow \text{P}\left[Z > \frac{\bar{x}_b - 5\,000}{\dfrac{525}{10}}\right] = 0{,}03$$

$$\longrightarrow \frac{\bar{x}_b - 5\,000}{\dfrac{525}{10}} \simeq 1{,}88$$

$$\longrightarrow \bar{x}_b \simeq 5\,099$$

et avec ce nouveau $\bar{x}_b$,

$$1 - \beta = \text{P[accepter } H_1 \mid H_1 \text{ est vraie (avec } \mu_1 = 5\,200)]$$

$$= \text{P}[\bar{X} > \bar{x}_b \mid \mu = \mu_1 = 5\,200]$$

$$= \text{P}\left[Z > \frac{5\,099 - 5\,200}{\dfrac{525}{10}}\right]$$

$$= \text{P}[Z > -1{,}92]$$

$$\simeq 0{,}97.$$

Ainsi, le risque d'erreur du patron ayant été augmenté, celui envers les employés a été diminué et la garantie qu'ils obtiennent une augmentation de salaire, si elle est justifiée, a été augmentée.

### 13.10.2. Rôle de *n* dans un test

*Règle 1*

> **Pour une même borne donnée** à l'intérieur d'un test d'hypothèses, un accroissement de la valeur de *n* (la taille de l'échantillon) entraîne une diminution des deux risques d'erreurs, $\alpha$ et $\beta$.

**EXEMPLE**
Voici l'illustration graphique de notre premier exemple des pneus (sous-section 13.6.3.) pour lequel nous avions fixé le $\bar{x}_b$ à 5 075:

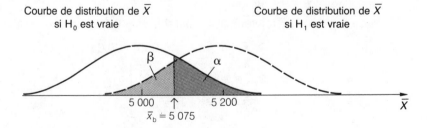

Courbe de distribution de $\bar{X}$ si $H_0$ est vraie — Courbe de distribution de $\bar{X}$ si $H_1$ est vraie

Un accroissement de la valeur de $n$ y entraînerait des courbes de distribution de $\bar{X}$, sous $H_0$ et $H_1$, plus étroites:

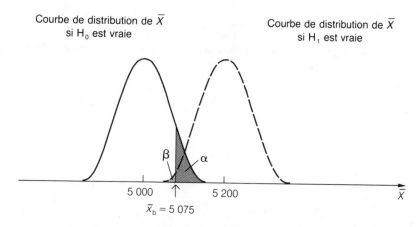

Courbe de distribution de $\bar{X}$
si $H_0$ est vraie

Courbe de distribution de $\bar{X}$
si $H_1$ est vraie

et ainsi, pour un même $\bar{x}_b = 5\,075$, $\alpha$ et $\beta$ seraient diminués.

*Règle 2*

> **Pour un même risque d'erreur** $\alpha$ à l'intérieur d'un test d'hypothèses, un accroissement de la valeur de $n$ (la taille de l'échantillon) entraîne une diminution du risque d'erreur $\beta$ et, par le fait même, une augmentation de la puissance $1 - \beta$.

EXEMPLE    Reprenons l'illustration du second exemple des pneus (section 13.8.) pour lequel nous avions fixé $\alpha = 0,01$:

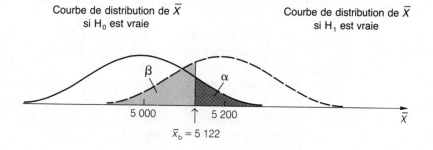

Courbe de distribution de $\bar{X}$
si $H_0$ est vraie

Courbe de distribution de $\bar{X}$
si $H_1$ est vraie

Un accroissement de la valeur de $n$ entraînerait, ici aussi, des courbes de distribution de $\overline{X}$, sous $H_0$ et $H_1$, plus étroites:

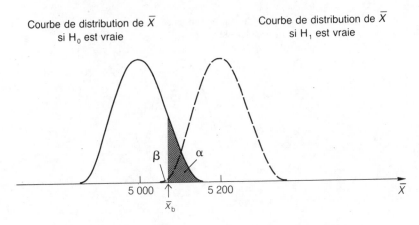

Courbe de distribution de $\overline{X}$
si $H_0$ est vraie

Courbe de distribution de $\overline{X}$
si $H_1$ est vraie

Mais, cette fois, le risque $\alpha$ étant maintenu, le $\overline{x}_b$ serait déplacé vers la gauche et ainsi, le risque $\beta$ serait diminué (augmentant ainsi la valeur de la puissance $1 - \beta$).

Par exemple, dans ce problème des pneus (version modifiée), avec un $\alpha$ fixé à 0,01, la puissance $1 - \beta$ pour $\mu_1 = 5\ 200$, qui était de 0,93 avec un $n$ de 100, passerait à peu près à 1 avec un $n$ de 400.

### Exercices

Faire les numéros 13 et 14 de la section suivante.

## 13.11. PROBLÈMES

1. Quel(s) couple(s) d'hypothèses devrait-on confronter dans chacun des cas suivants?

   a) Afin de vérifier l'efficacité d'une campagne publicitaire, l'association des producteurs de lait du Québec décide de comparer le quantité moyenne actuelle de lait qu'un adolescent québécois boit quotidiennement à celle qu'il buvait avant la publicité.

   b) On aimerait vérifier si l'administration d'un vaccin anti-grippe aux personnes âgées diminue effectivement la proportion de gens malades dans cette population.

c) Au contrôle de la qualité d'une fabrique de roues de bicyclettes, on doit s'assurer que le diamètre moyen des roues d'un certain type demeure constant et que la variance de cette mesure n'augmente pas au cours d'une journée de production.

2. Pour chacun des problèmes suivants, écrire les hypothèses à confronter, puis situer sur l'axe des réels
   — la variable utilisée pour effectuer le test d'hypothèses,
   — la valeur du paramètre proposée par l'hypothèse $H_0$,
   — la ou les bornes,
   — la région critique (ou zone de rejet de $H_0$),
   — la zone d'acceptation de $H_0$.

a) Avant la campagne publicitaire, la consommation quotidienne moyenne de lait chez les adolescents québécois était de 0,45 l. Afin de vérifier l'efficacité de sa campagne publicitaire, l'association des producteurs de lait décide de prélever un échantillon constitué de 100 adolescents québécois et de calculer la consommation quotidienne moyenne actuelle de lait pour l'ensemble des jeunes de cet échantillon. Si celle-ci est supérieure à 0,48 l, on conclura que la campagne est efficace. Par contre, si la moyenne échantillonnale est inférieure ou égale à 0,48 l, on en déduira que la publicité n'est pas significativement efficace.

b) Auparavant, 70% des personnes âgées avaient au moins une bonne grippe pendant l'hiver. Depuis quelques années, on administre un vaccin aux personnes âgées qui le désirent, afin de réduire ce problème. Pour vérifier si les résultats de cette expérience sont satisfaisants, on décide de prélever un échantillon de 150 personnes âgées à qui on a administré le vaccin et de noter la proportion de ces gens qui ont eu la grippe même avec ce vaccin. Si cette proportion est inférieure à 63%, on conclura que le vaccin est efficace, tandis qu'une proportion supérieure ou égale à 63% amènera à conclure qu'il ne l'est pas significativement.

c) Dans une usine, au début d'une journée de production, on sait que le diamètre moyen des roues de bicyclettes d'un certain modèle que l'on fabrique est de 61 cm et que la variance de ce diamètre est de 0,0225 cm². Afin de vérifier si cette moyenne se maintient et si la variance n'augmente pas, on tirera, au cours de la journée, un échantillon de 25 roues, que l'on mesurera. Si le diamètre moyen de cet échantillon est inférieur à 60,94 cm ou supérieur à 61,06 cm, on conclura que la moyenne de la production n'est plus ce qu'elle était; par contre, s'il se situe entre 60,94 et 61,06 cm, on considérera que la moyenne n'a pas été modifiée de façon significative. De même, si la variance corrigée de cet échantillon est supérieure à 0,034 cm², on considérera que la variance de la production a augmenté de façon significative, tandis que dans le cas contraire, on considérera qu'elle s'est maintenue à peu près comme elle était.

3. Dans une compagnie, le temps de fabrication (en heures) d'un certain appareil était distribué, jusqu'à récemment, selon une loi $N(6 ; 0,36)$.

Afin d'accélérer le processus de fabrication, on a récemment procédé à un réaménagement des appareils de la chaîne de montage. Pour vérifier si ce changement a été efficace, on décide d'effectuer le test suivant:

— D'abord, on admettra que le réaménagement n'aura affecté ni l'aspect normal du temps de fabrication, ni la variance de cette distribution.

— Ensuite, on tirera un échantillon de 125 appareils pour lesquels on notera le temps de fabrication.

— Si le temps moyen de cet échantillon est inférieur à 5,9 heures, on considérera que le réaménagement a été efficace, sinon on conclura qu'il a été inutile.

a) Présenter le schéma de ce test d'hypothèses.

b) Décrire, en termes de conséquences pratiques, en quoi consisterait une erreur de première espèce pour ce test.

c) Calculer le risque de faire une telle erreur.

d) Décrire, en termes de conséquences pratiques, en quoi consisterait une erreur de deuxième espèce pour ce test.

e) Calculer le risque de faire une telle erreur pour le cas où le temps moyen de fabrication serait maintenant de 5,85 heures.

f) Si le temps moyen de l'échantillon prélevé était de 5,95 heures, quelle conclusion porterait-on sur le réaménagement?

4. Jusqu'à ce jour, le taux de guérison d'une certaine maladie, chez les enfants, était de 15 %. Un médecin croit avoir trouvé un traitement plus efficace pour contrer cette maladie. Malheureusement, ce traitement est très pénible pour le patient. Il faut donc s'assurer de sa supériorité avant de le prescrire de façon régulière.

Pour ce faire, on se propose de procéder comme suit: on administrera le nouveau traitement à un échantillon de 125 enfants atteints de cette maladie et on observera le taux de guérison chez ces derniers. Si ce taux est supérieur à 20 %, on donnera le feu vert au nouveau traitement; sinon, on conservera plutôt la thérapie actuelle.

a) Présenter le schéma de ce test d'hypothèses.

b) Décrire, en termes de conséquences pratiques, le risque $\alpha$ de ce test.

c) Calculer $\alpha$.

d) Décrire, en termes de conséquences pratiques, le risque $\beta$ de ce test.

e) Calculer $\beta$ pour le cas où le nouveau traitement guérirait effectivement 25% des patients.

5. Une compagnie de transport essaie de régulariser son circuit routier. Jusqu'à maintenant, le temps nécessaire (en heures) pour effectuer un certain trajet était distribué « normalement », avec une variance de 0,25 h². Mais comme cette dernière était trop grande pour permettre un horaire serré, la compagnie a procédé à certains réaménagements dans le but de réduire ce paramètre.

Afin de vérifier si elle a atteint son objectif, on se propose maintenant d'effectuer le test suivant:

— on notera les temps d'un échantillon comprenant 20 de ces parcours, puis on calculera la variance corrigée de cet échantillon;

— si cette dernière est inférieure à 0,133 on considérera qu'on a effectivement réduit la variance du temps de ces trajets; sinon, on considérera qu'on n'a rien amélioré de façon significative.

Pour ce test, on admettra cependant que les réaménagements n'ont pas affecté l'aspect normal de la distribution étudiée.

a) Présenter le schéma de ce test d'hypothèses.

b) Calculer sa probabilité d'erreur de première espèce.

c) Calculer sa probabilité d'erreur de deuxième espèce, pour le cas où la variance réelle, après ces réaménagements, serait passée à 0,093.

d) Si le temps moyen $\mu$ du trajet étudié avait été connu avec précision, quel type de borne aurait-on plutôt inséré aux données du problème pour permettre l'étude du test? Quel aurait alors été le schéma de ce test?

6. Il y a 5 ans, l'âge des clients d'une certaine discothèque était distribué selon une loi $N(25 ; 5,5)$. Aujourd'hui, bien que l'on considère que cette variable doit toujours être distribuée normalement avec une variance de 5,5 ans², on a l'impression que l'âge moyen a changé. Pour vérifier cette hypothèse, on décide de calculer l'âge moyen d'un échantillon de 20 clients de cette discothèque et, si cette moyenne se situe entre 24 et 26 ans, on considérera que la moyenne d'âge de l'ensemble de la clientèle s'est maintenue autour

de 25 ans. Dans le cas contraire, on conclura qu'effectivement, la moyenne d'âge s'est modifiée au cours des 5 dernières années.

a) Présenter le schéma de ce test d'hypothèses.

b) Calculer la puissance de ce test pour le cas où la moyenne d'âge actuelle réelle serait de 27 ans.

7. Il y a deux mois, les BBM indiquaient qu'une certaine émission radiophonique attirait 25% des auditeurs d'une région donnée, à une heure d'antenne précise. Afin d'augmenter la cote d'écoute, on a procédé depuis à une vive campagne publicitaire.

Afin de vérifier l'efficacité de cette publicité, on a rejoint 250 personnes de la région qui écoutent la radio à cette heure et 28% d'entre elles ont affirmé écouter l'émission en question à ce temps d'antenne. Peut-on conclure, à l'aide d'un test de niveau de signification 0,05, que la publicité a été efficace?

8. Dans sa publicité, un garagiste prétend effectuer un certain type de travail en un temps moyen de 15 minutes. Un concurrent demande à une association de consommateurs de vérifier la véracité de cette publicité car, d'après lui, le temps réel serait supérieur au temps annoncé. Pour répondre à cette requête, l'association prélève un échantillon de 25 automobiles sur lesquelles on effectue le travail en question. Le temps moyen de ces opérations est de 18 minutes et leur écart type corrigé, de 2,5 minutes.

a) Si on sait qu'habituellement la distribution du temps d'un tel travail obéit à une loi normale, effectuer un test de niveau de signification 0,05 pour décider qui, du garagiste ou de son concurrent, a raison.

b) Calculer la puissance de ce test pour le cas où le temps moyen réel de cette opération serait de 17 minutes.

9. Un contracteur affirme que la résistance à la compression du béton qu'il utilise obéit à une loi normale dont la variance est de 2,25 mpa$^2$. Comme on a l'impression que la variance de son produit est supérieure à cela, on procède à 30 prélèvements de ce matériau et on obtient une variance corrigée, pour cet échantillon, de 2,7 mpa$^2$. Quelle conclusion un test de niveau de signification 0,10 nous permettrait-il de poser ici?

10. On sait que le diamètre des balles de baseball fabriquées par une certaine machine est distribué selon un modèle normal. Lorsqu'on a réglé la machine, le diamètre moyen était de 7 cm et la variance de cette variable était de 0,0025 cm$^2$. Afin de vérifier si, d'une part,

la moyenne a changé et si, d'autre part, la variance a augmenté, on prélève un échantillon de 60 balles de la production de cette machine. La moyenne de cet échantillon est de 7,03 cm et la variance non corrigée de 0,0028 cm$^2$.

Effectuer deux tests de niveau de signification 0,01 pour répondre à chacune des questions soulevées.

11. Des chercheurs qui avaient pour mission de composer un nouvel alliage dont la force serait particulièrement élevée ont mis au point un produit intéressant qu'ils voudraient maintenant tester. Ils aimeraient vérifier si la charge de rupture moyenne des tiges de 1 cm$^2$ de ce nouvel alliage est supérieure à 10,75 tonnes et si la variance de cette variable est inférieure à 4 tonnes$^2$. Pour ce faire, ils décident de vérifier la charge de rupture moyenne de 125 tiges de ce type de même que la variance corrigée de la charge de rupture de cet échantillon. Ils obtiennent, pour cet échantillon, une charge moyenne de 10,9 tonnes et une variance corrigée de 2,5 tonnes$^2$. S'ils admettent que la charge de rupture des tiges de 1 cm$^2$ de leur alliage est distribuée normalement, quelles conclusions porteront-ils sur leur nouveau produit en effectuant deux tests de niveau de signification 0,05?

12. Auparavant, une bière contenait en moyenne 112 calories par bouteille, mais on a tenté de l'« alléger » depuis en modifiant quelque peu son brassage. Afin de vérifier si on a atteint cet objectif, on a mesuré la teneur en calories de 200 bouteilles et on a obtenu, pour cet échantillon, une teneur moyenne de 109,2 calories, avec une variance corrigée de 69,39 cal$^2$.

    a) Que conclure sur la teneur en calories moyenne de cette bière modifiée? (Utiliser un test de niveau de signification 0,05.)

    b) Pour quels nombres moyens de calories par bouteille le test effectué en a) donnerait-il une puissance supérieure ou égale à 0,95?

13. Au numéro 4 de la présente section de problèmes, avec un échantillon de 125 patients et avec la borne que nous nous étions fixée, nous avons obtenu un risque d'erreur $\beta$ de 0,0985 pour le cas où le taux de guérison du nouveau traitement serait de 25 %. Avec la même borne que celle que nous nous étions fixée, quelle taille d'échantillon aurait-il fallu nous imposer pour que ce risque $\beta$ ne soit que de 0,01?

14. Dans la présentation de ce chapitre, nous avons beaucoup travaillé avec l'exemple des pneus. À la sous-section 13.10.1., entre autres,

nous avons montré que pour cet exemple, un $\alpha$ de 0,03 conduisait à un $\beta$ (pour $\mu_1 = 5\,200$) égal, lui aussi, à 0,03. Plutôt que de voir le problème de cette façon, nous aurait-il été possible de chercher simplement quelle valeur de $\bar{x}_b$ nous aurait amené des valeurs égales pour $\alpha$ et $\beta$ ?

# CHAPITRE 14

# Test d'ajustement du khi-carré

Encore dans ce chapitre, nous tenterons de vérifier le bien-fondé d'une hypothèse portant sur l'ensemble d'une population à l'aide d'un échantillon unique, prélevé à l'intérieur de celle-ci.

Cependant, cette fois, le contenu de l'hypothèse sera différent. Plutôt que de porter simplement sur l'un ou l'autre des paramètres spécifiques $\mu$, $\sigma^2$ ou $p$ d'une distribution, il portera sur l'ensemble de celle-ci, c'est-à-dire sur la loi de probabilité de la variable à l'étude.

## 14.1. LES HYPOTHÈSES À CONFRONTER

Les hypothèses d'un tel test se présenteront toujours sous cette forme:

$H_0$: la variable $X$ de la population est distribuée selon la loi de probabilité suivante: ...

$H_1$: la variable $X$ de la population n'obéit pas à cette loi.

EXEMPLE 1

On aimerait vérifier si un dé est régulier.

Pour ce faire, on définit d'abord la variable $X$ comme étant le nombre qu'on obtiendra en lançant ce dé, et le problème revient alors à confronter les hypothèses:

$H_0$: la distribution de probabilités de $X$ est la suivante:

| $x$ | 1 | 2 | 3 | 4 | 5 | 6 |
|------|-----|-----|-----|-----|-----|-----|
| $p(x)$ | 1/6 | 1/6 | 1/6 | 1/6 | 1/6 | 1/6 |

et

$H_1$: $X$ n'est pas distribué de cette façon.

**EXEMPLE 2**      On désire vérifier l'affirmation de certains biologistes qui prétendent que le nombre de bactéries par cm³ dans une certaine solution est soumis à une loi de Poisson de paramètre 2.

Soit $X$ = le nombre de bactéries par cm³ de solution, on aimerait donc confronter, ici, les hypothèses:

$H_0$: $X$ obéit à une loi $Po(2)$, c'est-à-dire

| $x$ | 0 | 1 | 2 | 3 | 4 | 5 | 6 | ... |
|------|------|------|------|------|------|------|------|-----|
| $p(x)$ | 0,1353 | 0,2707 | 0,2707 | 0,1804 | 0,0902 | 0,0361 | 0,0120 | ... |

et
$H_1$: $X$ n'obéit pas à une $Po(2)$.

**EXEMPLE 3**      Les employés d'un service municipal estiment que la consommation quotidienne en eau potable (en litres), par foyer, est soumise à une loi $N(1\,500\,;\,300^2)$.

Afin de vérifier le bien-fondé de cette hypothèse, on pourrait effectuer un test qui confronterait

$H_0$: $X$, la consommation ... obéit à une loi $N(1\,500\,;\,300^2)$, c'est-à-dire:

| $X_i$ | ... ; 600) | [600 ; 900) | [900 ; 1 200) | [1 200 ; 1 500) |
|-------|-----------|-------------|---------------|-----------------|
| $P[X \in X_i]$ | 0,0013 | 0,0215 | 0,1359 | 0,3413 |
| | [1 500 ; 1 800) | [1 800 ; 2 100) | [2 100 ; 2 400) | [2 400 ; ... |
| | 0,3413 | 0,1359 | 0,0215 | 0,0013 |

et
$H_1$: la consommation ... n'obéit pas à cette loi.

## 14.2. PRINCIPE D'APPLICATION DE CE TEST

Pour ce type de test, le contenu d'une hypothèse $H_0$ pourra donc toujours prendre la même forme:

$X$, variable définie pour l'ensemble de la population, est distribuée de la façon suivante:

| $X_i$ | $X_1$ | $X_2$ | ... | $X_k$ |
|-------|-------|-------|-----|-------|
| $p(X_i)$ | $p_1$ | $p_2$ | ... | $p_k$ |

où $\{X_1\,,\,X_2\,,\,...\,,\,X_k\}$ = une partition de l'ensemble des valeurs possibles de $X$

et, $\forall\, i \in \{1\,,\,2\,,\,...\,,\,k\}$, $p_i = p(X_i) = P[X \in X_i]$.

Afin de vérifier la véracité d'une telle hypothèse, on prélève un échantillon de cette population sur lequel on calcule chacun des $\overline{p}_i$ (c'est-à-dire chacune des fréquences relatives $f_i$) pour les différentes classes de valeurs $X_i$ proposées par $H_0$:

| $X_i$ | $X_1$ | $X_2$ | ... | $X_k$ |
|---|---|---|---|---|
| $\overline{p}_i (= f_i)$ | $\overline{p}_1$ | $\overline{p}_2$ | ... | $\overline{p}_k$ |

On compare ensuite ces deux tableaux (des $p_i$ et des $\overline{p}_i$).

— Si l'échantillon prélevé à l'intérieur de la population se comporte comme le modèle proposé par $H_0$ pour l'ensemble de la population, on considère que l'échantillon confirme cette hypothèse et on décide de conserver cette dernière.

— Si l'échantillon ne se conforme pas tout à fait au modèle proposé par $H_0$, on procède à l'analyse suivante:

  – la population est unique, c'est-à-dire distribuée suivant une loi de probabilité qui lui est propre;

  – au moment de tirer un échantillon de cette population, plusieurs échantillons différents sont possibles, donc certaines distorsions par rapport au modèle de la population sont possibles; si $H_0$ est vraie, certaines différences sont donc à prévoir entre le modèle proposé par cette hypothèse et celui de l'échantillon;

  – si les différences entre le tableau des $p_i$ et celui des $\overline{p}_i$ sont relativement mineures, on en attribue la cause à cet aspect aléatoire d'un tirage au hasard; on admet alors qu'il est vraisemblable que l'échantillon provienne d'une population distribuée suivant le modèle proposé par $H_0$ et on considère que cette hypothèse est acceptable.

— Si l'échantillon ne se comporte pas du tout selon le modèle proposé par $H_0$, on considère qu'il est vraiment peu probable (bien que toujours possible) qu'il provienne d'une population telle que décrite par cette hypothèse; on conclut alors qu'il provient d'une population soumise à une loi différente et on rejette $H_0$.

## 14.3. DISTRIBUTION DE PROBABILITÉS UTILISÉE POUR CE TEST

À partir de quel moment décidera-t-on que les différences entre la distribution de l'échantillon et celle proposée par l'hypothèse $H_0$ sont assez importantes pour permettre le rejet de $H_0$? Encore ici, il faudra prévoir une borne qui justifiera la décision.

Afin de déterminer cette borne, présentons d'abord une nouvelle distribution de probabilités.

## *Théorème*

Soit $H_0$, une hypothèse proposant une distribution pour une variable $X$ de la population,

soit $\{X_1, X_2, \ldots, X_k\}$, une partition de l'ensemble des valeurs possibles de $X$,

soit $\{p_1, p_2, \ldots, p_k\}$, l'ensemble des $p_i = P[X \in X_i]$ proposés par $H_0$,

soit $\{\overline{P}_1, \overline{P}_2, \ldots, \overline{P}_k\}$, l'ensemble des $\overline{P}_i = \dfrac{N_i}{n} = $

$$\dfrac{\text{nombre aléatoire, de résultats de l'échantillon} \in X_i}{n},$$

si $H_0$ est vraie,
si $n$ est grand ($n \geqslant 30$)
et si, $\forall\, i$, $np_i \geqslant 5$,

alors la variable $\displaystyle n \sum \frac{(\overline{P}_i - p_i)^2}{p_i}$

obéit à une loi $\chi^2_{k-1}$ si $H_0$ est assez complète pour décrire tous les $p_i$

et à une loi $\chi^2_{k-1-r}$ si on doit compléter $H_0$ par l'estimation ponctuelle de $r$ paramètres afin de pouvoir estimer ces différents $p_i$. (Mais nous laisserons tomber ce cas particulier pour l'instant; nous y reviendrons ultérieurement, avec des exemples adéquats.)

Nous ne démontrerons pas cet énoncé (la preuve dépassant le niveau de notre étude), mais voyons plutôt comment interpréter la distribution qu'il nous propose.

### *Interprétation*

Admettons que $H_0$ soit vraie. Comme il est toujours possible de tirer différents échantillons d'une population conforme à cette hypothèse, plusieurs valeurs différentes de $\overline{p}_i$ sont possibles, et ainsi, la variable

$$n \sum \frac{(\overline{P}_i - p_i)^2}{p_i}$$

peut prendre n'importe quelle valeur positive, suivant la distribution d'une variable soumise à une loi $\chi^2_{k-1}$.

Cependant, plus un échantillon sera distribué conformément au modèle proposé par $H_0$, plus ses $\bar{p}_i$ ressembleront aux $p_i$ de $H_0$ et plus la valeur particulière prise par cette variable à l'intérieur de l'échantillon tendra vers 0.

Par contre, bien qu'ils soient toujours possibles selon l'hypothèse $H_0$, des $\bar{p}_i$ déterminant pour la variable

$$n \sum \frac{(\bar{P}_i - p_i)^2}{p_i} ,$$

des valeurs éloignées de 0 de façon significative auront plus de chances d'être le reflet d'une population différente de celle proposée par $H_0$.

### Processus d'utilisation

Considérant ces différents aspects, on utilisera donc la distribution de probabilités que nous venons de décrire de la façon suivante:

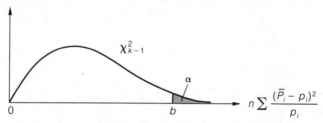

zone d'acceptation de $H_0$ | zone de rejet de $H_0$

— On fixera d'abord un risque d'erreur $\alpha$ (de l'ordre de 10%, 5% ou 1%).

— Comme $\alpha = P[\text{rejeter } H_0 \mid H_0 \text{ est vraie}]$,
on situera **tout ce risque d'erreur à l'extrême droite** de la surface située sous la courbe de $\chi^2_{k-1}$ et on déterminera ainsi une borne $b$ sur l'axe des valeurs possibles de la variable.

— On tirera un échantillon et on calculera la valeur **particulière** de la variable

$$n \sum \frac{(\bar{P}_i - p_i)^2}{p_i}$$

pour celui-ci.

— Si cette valeur est $\le b$, on conservera $H_0$,
par contre si elle est $> b$, on rejettera $H_0$ pour considérer que cet échantillon provient en réalité d'une population distribuée différemment du modèle proposé par cette hypothèse.

## 14.4. ÉCRITURE SIMPLIFIÉE DE LA VARIABLE UTILISÉE

Dans ce processus, le calcul de la valeur particulière de la variable

$$n \sum \frac{(\overline{P}_i - p_i)^2}{p_i} ,$$

pour l'échantillon tiré de la population, s'avérerait assez long et fastidieux. Afin d'alléger quelque peu ce calcul, on fera appel à une seconde écriture de cette variable, qui la décrit en termes de

$\{N_1 , N_2 , \dots , N_k\}$, l'ensemble des $N_i$

où $N_i =$ le nombre **aléatoire** de résultats de l'échantillon appartenant à $X_i$

plutôt qu'en termes de

$\{\overline{P}_1 , \overline{P}_2 , \dots , \overline{P}_k\}$, l'ensemble des $\overline{P}_i$.

*Énoncé*

$$n \sum \frac{(\overline{P}_i - p_i)^2}{p_i} = \sum \frac{N_i^2}{np_i} - n$$

**Preuve**

$$n \sum \frac{(\overline{P}_i - p_i)^2}{p_i} = n \sum \frac{\overline{P}_i^2 - 2\overline{P}_i p_i + p_i^2}{p_i}$$

$$= n \sum \left( \frac{\overline{P}_i^2}{p_i} - 2\overline{P}_i + p_i \right)$$

$$= n \left( \sum \frac{\overline{P}_i^2}{p_i} - 2\sum \overline{P}_i + \sum p_i \right)$$

$$= n \left( \sum \frac{\overline{P}_i^2}{p_i} - 2 + 1 \right)$$

$$= n \left( \sum \frac{\bar{P}_i^2}{p_i} - 1 \right)$$

$$= \sum \frac{n\bar{P}_i^2}{p_i} - n$$

$$= \sum \frac{n \left( \dfrac{N_i}{n} \right)^2}{p_i} - n$$

$$= \sum \frac{n \dfrac{N_i^2}{n^2}}{p_i} - n$$

$$= \sum \frac{N_i^2}{np_i} - n.$$

Par cette équivalence, le théorème énoncé à la section 14.3. pourra donc maintenant se lire ainsi:

Si $H_0$ est vraie,
si $n$ est grand ($n \geqslant 30$)
et si, $\forall\, i,\, np_i \geqslant 5$,

alors la variable $\sum \dfrac{N_i^2}{np_i} - n$

obéit à une loi $\chi_{k-1}^2$ si $H_0$ est assez complète pour décrire tous les $p_i$,

et à une loi $\chi_{k-1-r}^2$ si on doit d'abord estimer $r$ paramètres afin de compléter $H_0$.

et désormais, le processus d'utilisation de cette distribution proposé à la section 14.3. pourra être appliqué avec la forme

$$\sum \frac{N_i^2}{np_i} - n$$

de la variable.

## 14.5. EXEMPLES D'APPLICATIONS DE CE TEST

### 14.5.1. Premier exemple

Afin de vérifier s'il est régulier, on lance un dé 60 fois.

On obtient ainsi:  8 fois le nombre 1,
11 fois le nombre 2,
10 fois le nombre 3,
12 fois le nombre 4,
12 fois le nombre 5,
7 fois le nombre 6.

Que conclure? (Utiliser un test de niveau 0,05.)

Ici,

$H_0$: le dé est régulier

ou encore, soit $X$ = le nombre obtenu en lançant le dé,

alors

| $x$ | 1 | 2 | 3 | 4 | 5 | 6 |
|------|------|------|------|------|------|------|
| $p(x)$ | 1/6 | 1/6 | 1/6 | 1/6 | 1/6 | 1/6 |

et

$H_1$: le dé n'est pas régulier.

Calculons d'abord la valeur **particulière** de la variable

$$\sum \frac{N_i^2}{np_i} - n$$

pour l'échantillon tiré (c'est-à-dire pour les 60 lancers), à l'aide du tableau suivant:

| Valeurs | $p_i$ | $np_i$ | $n_i$ | $n_i^2$ | $\dfrac{n_i^2}{np_i}$ |
|---------|-------|--------|-------|---------|------------------------|
| 1 | 1/6 | 10 | 8 | 64 | 6,4 |
| 2 | 1/6 | 10 | 11 | 121 | 12,1 |
| 3 | 1/6 | 10 | 10 | 100 | 10 |
| 4 | 1/6 | 10 | 12 | 144 | 14,4 |
| 5 | 1/6 | 10 | 12 | 144 | 14,4 |
| 6 | 1/6 | 10 | 7 | 49 | 4,9 |
| | | | | | 62,2 |

Puisque $\forall\, i$, $np_i \geqslant 5$, nous pouvons poursuivre.

Cette valeur particulière est donc

$$\sum \frac{n_i^2}{np_i} - n = 62,2 - 60 = 2,2.$$

D'autre part, comme l'ensemble des valeurs possibles des différents lancers $\{1, 2, 3, 4, 5, 6\}$ est divisé en une partition de **6** sous-ensembles, $\{1\}, \{2\}, \{3\}, \{4\}, \{5\}, \{6\}$, notre variable est soumise, si $H_0$ est vraie, à une loi $\chi^2_{k-1}$ où $k = 6$, donc à une $\chi^2_5$.

Cherchons la borne pour une telle distribution:

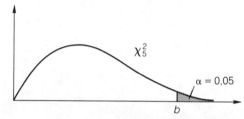

zone d'acceptation de $H_0$ | zone de rejet de $H_0$

Avec $\alpha = 0,05$, $b = 11,070$.

Enfin, comme la valeur échantillonnale $(2,2) \in$ la zone d'acceptation de $H_0$, nous considérons que l'échantillon confirme $H_0$. Nous concluons donc que le dé est bien régulier.


## 14.5.2. Deuxième exemple

Afin de vérifier l'affirmation de certains biologistes qui prétendent que, dans une certaine solution, le nombre de bactéries par $cm^3$ est soumis à une loi $Po(2)$, on analyse 50 unités de 1 $cm^3$ de cette solution, puisées au hasard. On obtient les résultats suivants:

4 analyses ne retracent aucune bactérie,
15 analyses retracent 1 bactérie,
13 analyses retracent 2 bactéries,
10 analyses retracent 3 bactéries,
5 analyses retracent 4 bactéries,
1 analyse retrace 5 bactéries,
1 analyse retrace 6 bactéries,
1 analyse retrace 7 bactéries
et aucune ne retrace plus de 7 bactéries.

Que conclure? (Utiliser un test de niveau 0,05).

Ici,

$H_0$: $X$, le nombre de bactéries par $cm^3$ de solution, obéit à une loi $Po(2)$, c'est-à-dire:

| $x$ | 0 | 1 | 2 | 3 | 4 | 5 | 6 |
|------|-------|-------|-------|-------|-------|-------|-------|
| $p(x)$ | 0,1353 | 0,2707 | 0,2707 | 0,1804 | 0,0902 | 0,0361 | 0,0120 |

| | 7 | 8 ou plus |
|--|-------|-----------|
| | 0,0034 | 0,0012 |

et

$H_1$: $X$ n'obéit pas à cette loi.

À l'aide du tableau suivant, calculons la valeur particulière de la variable

$$\sum \frac{N_i^2}{np_i} - n$$

pour l'échantillon obtenu:

| Nombre de bactéries | $p_i$ | $np_i$ | |
|---------------------|--------|--------|---------|
| 0 | 0,1353 | 6,765 | |
| 1 | 0,2707 | 13,535 | |
| 2 | 0,2707 | 13,535 | |
| 3 | 0,1804 | 9,020 | |
| 4 | 0,0902 | 4,510 | $np_i < 5$ |
| 5 | 0,0361 | 1,805 | " |
| 6 | 0,0120 | 0,600 | " |
| 7 | 0,0034 | 0,170 | " |
| 8 ou plus | 0,0012 | 0,060 | " |

Comme certains $np_i$ ne sont pas $\geq 5$, il nous faut regrouper différemment les valeurs possibles de $X$, par exemple de la façon suivante:

| Nombre de bactéries | $p_i$ | $np_i$ | $n_i$ | $n_i^2$ | $\dfrac{n_i^2}{np_i}$ |
|---------------------|--------|--------|-------|---------|-----------------------|
| 0 | 0,1353 | 6,765 | 4 | 16 | 2,365 |
| 1 | 0,2707 | 13,535 | 15 | 225 | 16,624 |
| 2 | 0,2707 | 13,535 | 13 | 169 | 12,486 |
| 3 | 0,1804 | 9,020 | 10 | 100 | 11,086 |
| 4 ou plus | 0,1429 | 7,145 | 8 | 64 | 8,957 |
| | | | | | 51,518 |

Pour l'échantillon, la valeur particulière de la variable est donc:

$$\sum \frac{n_i^2}{np_i} - n = 51{,}518 - 50 = 1{,}518.$$

Comme nous nous retrouvons maintenant avec seulement 5 classes de valeurs possibles pour le nombre de bactéries par cm³, notre variable est soumise, si $H_0$ est vraie, à une loi $\chi^2_{k-1}$ où $k = 5$, donc à une $\chi^2_4$.

La borne pour cette distribution, (avec un $\alpha$ de 0,05)

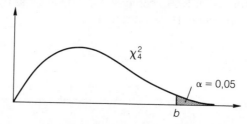

zone d'acceptation de $H_0$ | zone de rejet de $H_0$

est $b = 9{,}488$.

En comparant la valeur échantillonnale (1,518) à cette borne (9,488), nous constatons que la première est confortablement placée dans la zone d'acceptation de $H_0$. Nous conservons donc cette hypothèse et donnons ainsi raison aux biologistes.

## 14.5.3. Troisième exemple

Des manufacturiers évaluent la fabrication d'un certain tissu. On croit qu'avec la technique de tissage utilisée, on produit des ballots dont le nombre de défauts au m² obéit à une loi de Poisson.

Afin de vérifier cette hypothèse, on examine un échantillon composé de 80 surfaces de 1 m² de ce tissu. On obtient les résultats suivants:

25 surfaces ne comptent aucun défaut,
38 surfaces comptent 1 défaut,
15 surfaces comptent 2 défauts,
1 surface compte 3 défauts
et    1 surface compte 4 défauts.

Que peut-on conclure? (Effectuer un test de niveau 0,05.)

L'objectif de ce test consiste donc à confronter les hypothèses:

$H_0$: $X$, le nombre de défauts par m² de tissu, obéit à une loi de Poisson

et

$H_1$: $X$ n'obéit pas à une telle loi.

Cependant, **comme $H_0$ ne spécifie pas la valeur du paramètre $\lambda$ de cette distribution**, il nous faut trouver une façon de l'estimer, sans quoi il nous sera impossible de calculer les $p_i$ associés aux différentes classes de valeurs de $X$. **Nous compléterons donc cette hypothèse par une estimation ponctuelle de ce paramètre.**

Comme $\lambda$ correspond à « l'espérance » d'une variable soumise à une loi de Poisson, nous l'évaluerons ainsi:

$$\hat{\lambda} = \hat{\mu} = \bar{x} = \frac{\sum n_i x_i}{n} = \frac{25 \cdot 0 + 38 \cdot 1 + 15 \cdot 2 + 1 \cdot 3 + 1 \cdot 4}{80}$$

$$= 0,9375.$$

Nous considérerons donc, pour les calculs des différents $p_i$, que la distribution de $X$ proposée par $H_0$ est celle d'une variable soumise à une loi Po(0,9375), soit:

| $x$ | 0 | 1 | 2 | 3 | 4 | 5 | 6 ou plus |
|---|---|---|---|---|---|---|---|
| $p(x)$ | 0,3916 | 0,3671 | 0,1721 | 0,0538 | 0,0126 | 0,0024 | 0,0004 |

Le calcul de la valeur particulière de la variable

$$\sum \frac{N_i^2}{np_i} - n$$

prise par l'échantillon fait d'abord appel au tableau suivant:

| Nombre de défauts | $p_i$ | $np_i$ |
|---|---|---|
| 0 | 0,3916 | 31,328 |
| 1 | 0,3671 | 29,368 |
| 2 | 0,1721 | 13,768 |
| 3 | 0,0538 | 4,304 |
| 4 | 0,0126 | 1,008 |
| 5 ou plus | 0,0024 | 0,192 |

mais comme certains $np_i$ ne sont pas $\geq 5$, nous devons regrouper différemment nos classes de valeurs de $X$. Considérons donc ce nouveau tableau :

| Nombre de défauts | $p_i$ | $np_i$ | $n_i$ | $n_i^2$ | $\dfrac{n_i^2}{np_i}$ |
|---|---|---|---|---|---|
| 0 | 0,3916 | 31,328 | 25 | 625 | 19,950 |
| 1 | 0,3671 | 29,368 | 38 | 1 444 | 49,169 |
| 2 | 0,1721 | 13,768 | 15 | 225 | 16,342 |
| 3 ou plus | 0,0688 | 5,504 | 2 | 4 | 0,727 |
| | | | | | 86,188 |

et alors, $\sum \dfrac{n_i^2}{np_i} - n = 86{,}188 - 80 = 6{,}188.$

D'autre part, comme nous avons dû, pour chercher la borne, compléter $H_0$ par l'estimation de $r = 1$ paramètre, pour calculer les différents $p_i$, nous devons travailler avec une loi

$$\chi^2_{k-1-r} = \chi^2_{4-1-1} = \chi^2_2.$$

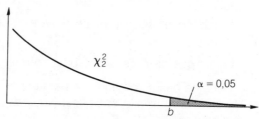

zone d'acceptation de $H_0$ | zone de rejet de $H_0$

Nous obtenons donc un $b = 5{,}991$.

En conclusion, comme la valeur échantillonnale (6,188) est supérieure à $b$ (5,991), nous décidons de rejeter $H_0$, c'est-à-dire que nous considérons que le nombre de défauts au $m^2$, pour ce tissu, n'obéit pas à une loi de Poisson.

## 14.5.4. Quatrième exemple

Avant d'établir ses nouveaux tarifs, une compagnie de téléphone relève la durée (en secondes) d'un échantillon de 200 appels interurbains de la catégorie 210 à 257 km et effectués en soirée, sur semaine.

Voici la compilation de ses relevés:

| Durée (en secondes) | Nombre d'appels |
|---|---|
| [ 0 ; 60 ) | 12 |
| [ 60 ; 120 ) | 8 |
| [120 ; 180 ) | 14 |
| [180 ; 240 ) | 42 |
| [240 ; 300 ) | 44 |
| [300 ; 360 ) | 31 |
| [360 ; 420 ) | 15 |
| [420 ; 480 ) | 9 |
| [480 ; 540 ) | 9 |
| [540 ; 600 ) | 6 |
| [600 ; 660 ) | 4 |
| [660 ; 720 ) | 1 |
| [720 ; 1 800) | 5 |

À l'aide de ces résultats, on demande d'effectuer un test de niveau 0,05 pour vérifier si la durée des appels de ce type est distribuée « normalement ».

Ici,

$H_0$: $X$, la durée (en secondes) de ce type d'appel, obéit à une loi normale

et

$H_1$: $X$ n'est pas distribué de façon « normale ».

Dans ce cas-ci, ce sont les paramètres $\mu$ et $\sigma^2$ de la loi proposée en $H_0$ qui n'ont pas été spécifiés. Nous devons donc procéder à leur estimation ponctuelle:

$$\hat{\mu} = \bar{x} = \frac{\sum n_i c_i}{n} = \ldots = 307{,}65$$

et

$$\hat{\sigma}^2 = s_{n-1}^2 = \frac{n}{n-1} \cdot s^2 = \frac{n}{n-1}\left(\sum \frac{n_i c_i^2}{n} - \bar{x}^2\right) = \ldots = 204{,}1356^2$$

et ainsi, pour les calculs des différents $p_i$, nous considérerons que la loi de probabilité proposée par $H_0$ est une $N(307{,}65 ; 204{,}1356^2)$.

Le tableau permettant le calcul de la valeur échantillonnale

$$\sum \frac{n_i^2}{np_i} - n$$

aurait d'abord l'aspect suivant:

| Classes | $p_i$ | $np_i$ |
|---|---|---|
| ... ; 60 ) | 0,1125 | 22,5 |
| [ 60 ; 120) | 0,0665 | 13,3 |
| [120 ; 180) | 0,0869 | 17,38 |
| [180 ; 240) | 0,1043 | 20,86 |
| [240 ; 300) | 0,1148 | 22,96 |
| [300 ; 360) | 0,1162 | 23,24 |
| [360 ; 420) | 0,1077 | 21,54 |
| [420 ; 480) | 0,0918 | 18,36 |
| [480 ; 540) | 0,0718 | 14,36 |
| [540 ; 600) | 0,0514 | 10,28 |
| [600 ; 660) | 0,0339 | 6,78 |
| [660 ; 720) | 0,0205 | 4,1 |
| [720 ; ... | 0,0217 | 4,34 |

**Ici, quelques points doivent retenir notre attention:**

— Le calcul des différents $p_i$

Chacun des $p_i$ de ce tableau correspond à $P[X \in X_i]$ sous une loi $N(307,65 ; 204,1356^2)$. Ainsi, $p_2 = P[60 \leq X < 120] = P[-1,2132 \leq Z < -0,9192] = 0,0665$ (avec interpolation linéaire).

— Les $p_i$ des classes des bouts de la distribution

Le total des $p_i$ doit, bien sûr, toujours donner 1 et, selon l'hypothèse $H_0$ proposée ici, l'ensemble des valeurs possibles de la variable $X$ doit théoriquement correspondre à l'intervalle $]-\infty ; +\infty[$.

Pour répondre à cette double condition, bien que le premier intervalle de valeurs proposé par le relevé des résultats de l'échantillon ait été borné à gauche par la valeur finie 0, on lui a fait correspondre, sous l'hypothèse $H_0$, l'intervalle ... ; 60) plutôt que [0 ; 60). Il en est de même pour le dernier intervalle qui, plutôt que d'avoir été défini par [720 ; 1 800), a pris la forme de [720 ; ..., sous l'hypothèse $H_0$.

— Les $np_i \geq 5$

Enfin, comme ce tableau comporte deux $np_i$ non $\geq 5$, nous procéderons au regroupement des deux dernières classes en une seule, afin de pouvoir utiliser le modèle de probabilités proposé pour l'application de ce test.

Nous pouvons donc maintenant passer au calcul de

$$\sum \frac{n_i^2}{np_i} - n$$

à l'aide du tableau suivant:

| Classes | $p_i$ | $np_i$ | $n_i$ | $n_i^2$ | $\dfrac{n_i^2}{np_i}$ |
|---|---|---|---|---|---|
| ... ; 60 ) | 0,1125 | 22,5 | 12 | 144 | 6,4 |
| [ 60 ; 120) | 0,0665 | 13,3 | 8 | 64 | 4,81 |
| [120 ; 180) | 0,0869 | 17,38 | 14 | 196 | 11,28 |
| [180 ; 240) | 0,1043 | 20,86 | 42 | 1 764 | 84,56 |
| [240 ; 300) | 0,1148 | 22,96 | 44 | 1 936 | 84,32 |
| [300 ; 360) | 0,1162 | 23,24 | 31 | 961 | 41,35 |
| [360 ; 420) | 0,1077 | 21,54 | 15 | 225 | 10,45 |
| [420 ; 480) | 0,0918 | 18,36 | 9 | 81 | 4,41 |
| [480 ; 540) | 0,0718 | 14,36 | 9 | 81 | 5,64 |
| [540 ; 600) | 0,0514 | 10,28 | 6 | 36 | 3,50 |
| [600 ; 660) | 0,0339 | 6,78 | 4 | 16 | 2,36 |
| [660 ; ... | 0,0422 | 8,44 | 6 | 36 | 4,27 |
| | | | | | 263,35 |

$$\rightarrow \ \sum \frac{n_i^2}{np_i} - n = 263{,}35 - 200 = 63{,}35.$$

Pour le calcul de la borne $b$, comme nos valeurs sont maintenant regroupées en $k = 12$ classes et que nous avons dû estimer $r = 2$ paramètres afin de compléter $H_0$, nous devons utiliser une loi

$$\chi^2_{k-1-r} = \chi^2_{12-1-2} = \chi^2_9.$$

Ainsi,

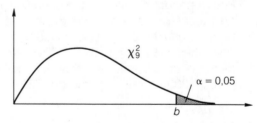

zone d'acceptation de $H_0$ | zone de rejet de $H_0$

$b = 16{,}919.$

Comme la valeur échantillonnale (63,35) se situe nettement dans la région critique, nous décidons du rejet de l'hypothèse $H_0$, c'est-à-dire que nous concluons que la durée des appels du type considéré ici n'est pas distribuée « normalement ».

# 14.6. PROBLÈMES

1. Chez les mufliers, on retrouve des plantes à fleurs rouges, blanches ou roses. D'après les lois de Mendel, si l'on croise deux plantes à fleurs roses, on devrait obtenir, à la génération suivante, 25% de plantes à fleurs rouges, 50% à fleurs roses et 25% à fleurs blanches.

   Pour vérifier cette théorie, on observe un échantillon constitué de 200 plantes provenant de croisements de plantes à fleurs roses. On constate que 43 d'entre elles ont des fleurs rouges, 109 des fleurs roses et 48 des fleurs blanches.

   Ces résultats confirment-ils la théorie de Mendel?

   Répondre à l'aide d'un test d'ajustement de niveau 0,05.

2. On estime qu'au Québec, pour une municipalité comptant de 2 000 à 5 000 habitants, le nombre d'appels par mois au poste des incendies de la municipalité obéit à une loi $Po(4)$. Afin de vérifier cette hypothèse, on tire un échantillon de 100 mois, sélectionnés au hasard et avec remise, parmi les 36 derniers mois, dans l'ensemble de ces localités. On obtient la distribution suivante:

   | Nombre d'appels/mois | Nombre de mois |
   |:---:|:---:|
   | 0 | 1 |
   | 1 | 7 |
   | 2 | 15 |
   | 3 | 20 |
   | 4 | 22 |
   | 5 | 17 |
   | 6 | 9 |
   | 7 | 8 |
   | 8 | 0 |
   | 9 | 0 |
   | 10 | 1 |

   Utiliser cet échantillon pour tester, avec un niveau de signification de 0,05, l'hypothèse d'une variable soumise à une loi $Po(4)$.

3. Au contrôle de la qualité d'une papeterie, on veut vérifier si la résistance à l'éclatement des feuilles d'un lot de papier est bien distribuée

« normalement ». On tire donc un échantillon de 125 feuilles de ce lot. Voici la compilation de leur résistance à l'éclatement (en lbf/po²):

| Résistance (lbf/po²) | Nombre de feuilles |
|---|---|
| [15,25 ; 15,50) | 3 |
| [15,50 ; 15,75) | 5 |
| [15,75 ; 16,00) | 9 |
| [16,00 ; 16,25) | 14 |
| [16,25 ; 16,50) | 15 |
| [16,50 ; 16,75) | 24 |
| [16,75 ; 17,00) | 23 |
| [17,00 ; 17,25) | 12 |
| [17,25 ; 17,50) | 12 |
| [17,50 ; 17,75) | 6 |
| [17,75 ; 18,00) | 2 |

Que doit-on conclure? Utiliser un test d'ajustement de niveau 0,05.

*Note.*— La moyenne de cet échantillon est de 16,649 et l'écart type corrigé, de 0,564.

# CHAPITRE 15
# Comparaison de deux populations

On peut faire des estimations ou des tests d'hypothèses sur des quantités innombrables de sujets différents. Dans chacun des cas, le problème premier consiste à trouver une variable dont les paramètres ou la distribution de probabilités puissent fournir une référence théorique. Ensuite, les techniques d'estimation ou d'application de tests sont toujours les mêmes, adaptées, bien sûr, à ce modèle de probabilité.

En complément aux inférences que nous venons de présenter au sujet d'une variable définie à l'intérieur d'une population unique, nous aborderons maintenant la comparaison du comportement d'une même variable à l'intérieur de deux populations différentes.

Notre objectif n'étant que d'ouvrir une porte sur ce sujet avant de terminer notre étude, nous nous limiterons aux deux premiers points d'une telle analyse: la comparaison de deux moyennes et celle de deux proportions. Pour chacun de ces thèmes, nous procéderons à des estimations ponctuelles et par intervalles de confiance, et nous effectuerons des tests d'hypothèses.

## 15.1. ÉCHANTILLONS INDÉPENDANTS

La comparaison de deux populations, puisqu'elle s'effectue toujours à l'aide d'inférences statistiques (à moins de connaître l'ensemble des éléments de chacune), s'appuie essentiellement sur les données de deux échantillons, prélevés respectivement dans l'une et l'autre de ces populations.

Pour chacun de ces échantillons notre théorie supposera, encore ici, qu'il aura été tiré selon le mode du hasard simple avec remise (ou un mode équivalent). De plus, **tous les théorèmes et toutes les distributions de probabilités particulières** de ce chapitre **exigeront**, comme critère essentiel, que ces échantillons soient **indépendants** entre eux.

C'est donc une condition que nous considérerons comme sous-entendue dans chacun des énoncés théoriques de ce chapitre, et comme respectée dans chacun des exemples et des exercices.

## 15.2. NOTATION

Les paramètres (de populations ou d'échantillons) et les variables présentés dans ce chapitre sont les mêmes que ceux définis précédemment au sujet d'une population unique ou sont des composés de ceux-ci. Notre notation sera donc la même que celle utilisée jusqu'ici, à cette seule différence que nous distinguerons à l'aide des indices 1 et 2 les éléments reliés à la population 1 et ceux de la population 2.

## 15.3. COMPARAISON DE DEUX MOYENNES

L'objectif de notre première étude étant d'arriver à comparer, sans même avoir à connaître l'une ou l'autre de façon précise, les moyennes respectives $\mu_1$ et $\mu_2$ de deux populations différentes, quant à une même variable donnée, c'est par le biais de la différence des moyennes de ces populations $\mu_1 - \mu_2$ que nous aborderons ce point. À ce sujet, voici d'abord un théorème.

### 15.3.1. Théorème

*Énoncé*

> Considérant 2 populations différentes 1 et 2,
>
> soit $X_1$, une variable distribuée à l'intérieur de la population 1,
>
> et $X_2$, la même variable, mais distribuée cette fois à l'intérieur de la population 2,
>
> 1) alors $E[\overline{X}_1 - \overline{X}_2] = \mu_1 - \mu_2$
>
>    et
>
>    $$V[\overline{X}_1 - \overline{X}_2] = \frac{\sigma_1^2}{n_1} + \frac{\sigma_2^2}{n_2}.$$

2) Si $X_1 : N(\mu_1 ; \sigma_1^2)$
et $X_2 : N(\mu_2 ; \sigma_2^2)$,

alors $\overline{X}_1 - \overline{X}_2 : N\left(\mu_1 - \mu_2 ; \dfrac{\sigma_1^2}{n_1} + \dfrac{\sigma_2^2}{n_2}\right)$

ou

$$\frac{\overline{X}_1 - \overline{X}_2 - (\mu_1 - \mu_2)}{\sqrt{\dfrac{\sigma_1^2}{n_1} + \dfrac{\sigma_2^2}{n_2}}} : N(0 ; 1).$$

3) Si $X_1 :$ loi de probabilité quelconque
et $X_2 :$ loi de probabilité quelconque,

si $n_1$ est grand $(n_1 \geqslant 30)$
et $n_2$ est grand $(n_2 \geqslant 30)$,

alors $\overline{X}_1 - \overline{X}_2 : \simeq N\left(\mu_1 - \mu_2 ; \dfrac{\sigma_1^2}{n_1} + \dfrac{\sigma_2^2}{n_2}\right)$

ou

$$\frac{\overline{X}_1 - \overline{X}_2 - (\mu_1 - \mu_2)}{\sqrt{\dfrac{\sigma_1^2}{n_1} + \dfrac{\sigma_2^2}{n_2}}} : \simeq N(0 ; 1).$$

4) Si $X_1 : N(\mu_1 ; \sigma_1^2)$
et $X_2 :$ loi de probabilité quelconque et $n_2 \geqslant 30$

ou

si $X_1 :$ loi de probabilité quelconque et $n_1 \geqslant 30$
et $X_2 : N(\mu_2 ; \sigma_2^2)$,

alors $\overline{X}_1 - \overline{X}_2 : \simeq N\left(\mu_1 - \mu_2 ; \dfrac{\sigma_1^2}{n_1} + \dfrac{\sigma_2^2}{n_2}\right)$

ou

$$\frac{\overline{X}_1 - \overline{X}_2 - (\mu_1 - \mu_2)}{\sqrt{\dfrac{\sigma_1^2}{n_1} + \dfrac{\sigma_2^2}{n_2}}} : \simeq N(0 ; 1).$$

*Preuve*

1) $E[\overline{X}_1 - \overline{X}_2] = E[\overline{X}_1] + E[(-1)\overline{X}_2]$

   $\qquad\qquad\quad = E[\overline{X}_1] + (-1)E[\overline{X}_2]$

   $\qquad\qquad\quad = E[\overline{X}_1] - E[\overline{X}_2]$

   $\qquad\qquad\quad = \mu_1 - \mu_2$ (théorème 1 du chapitre 11),

   $V[\overline{X}_1 - \overline{X}_2] = V[\overline{X}_1] + V[(-1)\overline{X}_2]$ ($\overline{X}_1$ et $\overline{X}_2$ indépendants)

   $\qquad\qquad\quad = V[\overline{X}_1] + (-1)^2 V[\overline{X}_2]$

   $\qquad\qquad\quad = V[\overline{X}_1] + V[\overline{X}_2]$

   $\qquad\qquad\quad = \dfrac{\sigma_1^2}{n_1} + \dfrac{\sigma_2^2}{n_2}$ (théorème 1 du chapitre 11).

2) Si $X_1 \;:\; N(\mu_1\,;\sigma_1^2)$
   et $X_2 \;:\; N(\mu_2\,;\sigma_2^2)$,

   alors $\overline{X}_1 \colon N\left(\mu_1\,;\dfrac{\sigma_1^2}{n_1}\right)$

   et $\quad \overline{X}_2 \colon N\left(\mu_2\,;\dfrac{\sigma_2^2}{n_2}\right)$

   (théorème 4 du chapitre 11).

   Dès lors,

   $\overline{X}_1 - \overline{X}_2 \colon N\left(\mu_1 - \mu_2\,;\dfrac{\sigma_1^2}{n_1} + \dfrac{\sigma_2^2}{n_2}\right)$ (combinaison linéaire de variables indépendantes soumises chacune à une loi normale)

   ou

   $\dfrac{\overline{X}_1 - \overline{X}_2 - (\mu_1 - \mu_2)}{\sqrt{\dfrac{\sigma_1^2}{n_1} + \dfrac{\sigma_2^2}{n_2}}} \;:\; N(0\,;1).$

3) Si $X_1$: loi de probabilité quelconque
   et $X_2$: loi de probabilité quelconque,

   si $n_1$ est grand ($n_1 \geqslant 30$)
   et $n_2$ est grand ($n_2 \geqslant 30$),

   alors $\overline{X}_1 \colon \simeq N\left(\mu_1\,;\dfrac{\sigma_1^2}{n_1}\right)$

   et $\quad \overline{X}_2 \colon \simeq N\left(\mu_2\,;\dfrac{\sigma_2^2}{n_2}\right)$

   (théorème 5 du chapitre 11).

Ainsi,

$$\overline{X}_1 - \overline{X}_2 : \simeq N\left(\mu_1 - \mu_2 \; ; \; \frac{\sigma_1^2}{n_1} + \frac{\sigma_2^2}{n_2}\right)$$

(combinaison linéaire de variables indépendantes soumises chacune à une loi normale)

ou

$$\frac{\overline{X}_1 - \overline{X}_2 - (\mu_1 - \mu_2)}{\sqrt{\dfrac{\sigma_1^2}{n_1} + \dfrac{\sigma_2^2}{n_2}}} : \simeq N(0 \; ; \; 1).$$

4) Ici, la démonstration s'effectue simplement en associant les parties 2) et 3) de la présente preuve.

## 15.3.2. Estimation ponctuelle de $\mu_1 - \mu_2$

La première conclusion de ce théorème nous permet d'observer que la variable $\overline{X}_1 - \overline{X}_2$ est un estimateur sans biais pour $\mu_1 - \mu_2$, et convergent vers cette différence.

Cette double propriété nous suggère donc un mode d'estimation ponctuelle de la différence $\mu_1 - \mu_2$:

$$\widehat{\mu_1 - \mu_2} = \overline{x}_1 - \overline{x}_2$$

où $\overline{x}_1$ = la moyenne d'un échantillon unique tiré de la population 1
et $\overline{x}_2$ = la moyenne d'un échantillon unique tiré de la population 2.

## 15.3.3. Estimation par intervalle de confiance

Grâce aux distributions de probabilités qu'elles nous proposent, les deuxième, troisième et quatrième conclusions de ce théorème nous permettent d'estimer la différence $\mu_1 - \mu_2$ à l'aide d'intervalles de confiance.

EXEMPLE

Dans un collège A (= la population 1), il est de tradition que les notes du cours de Math-103 soient distribuées avec une variance de 49, alors que dans un collège B (= la population 2) la tradition veut que cette variance soit plutôt de 64. Afin de comparer les moyennes de notes des deux collèges, pour la dernière session complétée, on tire un échantillon constitué de 35 notes du collège A et un autre, de 40 notes, du collège B. La moyenne du premier de ces échantillons est de 72, alors que celle du second n'est que de 69.

On demande d'utiliser ces données pour estimer la différence $\mu_1 - \mu_2$ des moyennes de notes de cette matière entre les 2 collèges à l'aide d'un intervalle de confiance de 95 % de certitude.

Voici, de façon schématique, comment répondre à cette demande :

Populations : $X_1$ = la note de Math-103 d'un étudiant du collège *A*
: loi de probabilité quelconque
et $\sigma_1^2 = 49$

$X_2$ = la note de Math-103 d'un étudiant du collège B
: loi de probabilité quelconque
et $\sigma_2^2 = 64$

Échantillons : $n_1 = 35 \ (\geqslant 30)$ et $\overline{x}_1 = 72$
$n_2 = 40 \ (\geqslant 30)$ et $\overline{x}_2 = 69$

On veut estimer $\mu_1 - \mu_2$ avec 95 % de certitude.

$$P\left[ -1,96 \leqslant \frac{\overline{X}_1 - \overline{X}_2 - (\mu_1 - \mu_2)}{\sqrt{\dfrac{\sigma_1^2}{n_1} + \dfrac{\sigma_2^2}{n_2}}} \leqslant 1,96 \right] = 0,95$$

$$\simeq N(0\,;\,1)$$

$$\longrightarrow P\left[ \overline{X}_1 - \overline{X}_2 - 1,96 \sqrt{\frac{\sigma_1^2}{n_1} + \frac{\sigma_2^2}{n_2}} \leqslant \mu_1 - \mu_2 \leqslant \overline{X}_1 - \overline{X}_2 + 1,96 \sqrt{\frac{\sigma_1^2}{n_1} + \frac{\sigma_2^2}{n_2}} \right] = 0,95$$

$$\longrightarrow \mu_1 - \mu_2 \in \left[ \overline{x}_1 - \overline{x}_2 - 1,96 \sqrt{\frac{\sigma_1^2}{n_1} + \frac{\sigma_2^2}{n_2}} \,;\, \overline{x}_1 - \overline{x}_2 + 1,96 \sqrt{\frac{\sigma_1^2}{n_1} + \frac{\sigma_2^2}{n_2}} \right]$$

$$\in \left[ 72 - 69 - 1,96 \sqrt{\frac{49}{35} + \frac{64}{40}} \,;\, 72 - 69 + 1,96 \sqrt{\frac{49}{35} + \frac{64}{40}} \right]$$

$$\in [-0,395\,;\,6,395] \qquad \text{avec 95 \% de certitude.}$$

## *Autres distributions de probabilités permettant une estimation par intervalle de confiance de la différence $\mu_1 - \mu_2$*

Comme pour l'étude d'une seule population, les distributions de probabilités proposées par le théorème que nous venons d'énoncer soulèvent un problème: on ne peut les utiliser que dans les cas très rares où l'on connaît les valeurs respectives de $\sigma_1^2$ et de $\sigma_2^2$ des populations 1 et 2.

Pour remédier à cette difficulté, deux autres distributions particulières s'ajoutent à celles-là pour venir compléter le tableau suivant.

*Distributions de probabilités utilisées pour bâtir des intervalles de confiance visant à estimer la différence $\mu_1 - \mu_2$*

| Distribution de probabilités utilisée | Conditions d'application |
|---|---|
| $\dfrac{\overline{X}_1 - \overline{X}_2 - (\mu_1 - \mu_2)}{\sqrt{\dfrac{\sigma_1^2}{n_1} + \dfrac{\sigma_2^2}{n_2}}} : N(0\,;\,1)$ | $\sigma_1^2$ et $\sigma_2^2$ connus et $\begin{cases} X_1 \text{: normale} \\ \text{ou } n_1 \geqslant 30 \\ \text{et} \\ X_2 \text{: normale} \\ \text{ou } n_2 \geqslant 30 \end{cases}$ |
| $\dfrac{\overline{X}_1 - \overline{X}_2 - (\mu_1 - \mu_2)}{\sqrt{\left(\dfrac{1}{n_1} + \dfrac{1}{n_2}\right)\dfrac{(n_1-1)S_{n_1-1}^2 + (n_2-1)S_{n_2-1}^2}{n_1 + n_2 - 2}}} : T_{n_1 + n_2 - 2}$ | $\sigma_1^2$ et $\sigma_2^2$ inconnus mais considérés égaux et $\begin{cases} X_1 \text{: normale} \\ \text{et} \\ X_2 \text{: normale} \end{cases}$ |
| $\dfrac{\overline{X}_1 - \overline{X}_2 - (\mu_1 - \mu_2)}{\sqrt{\dfrac{S_{n_1-1}^2}{n_1} + \dfrac{S_{n_2-1}^2}{n_2}}} : N(0\,;\,1)$ | et $\begin{cases} \sigma_1^2 \text{ et } \sigma_2^2 \text{ inconnus} \\ n_1 \geqslant 100 \text{ et } n_2 \geqslant 100 \end{cases}$ |

**NOTE**

Dans ce tableau, les lois de probabilité des distributions dont les conditions d'application précisent des valeurs minimales de $n_1$ et de $n_2$ ne sont, en réalité, que des **approximations** des lois réelles, qui seront d'autant plus justes que les valeurs de $n_1$ et de $n_2$ seront grandes.

## Exercices

Effectuer le premier problème de la section 15.5.

### 15.3.4. Tests d'hypothèses

En plus des estimations par intervalles de confiance, les distributions proposées dans le dernier tableau nous permettent aussi d'effectuer des tests d'hypothèses au sujet de la différence $\mu_1 - \mu_2$.

Dans un contexte de comparaison des moyennes respectives de deux populations, il est en effet facile d'imaginer des situations où l'on aimerait confronter deux hypothèses, proposant chacune une comparaison différente entre ces deux paramètres.

#### *Couples d'hypothèses*

Comme pour l'étude d'une seule population, les couples d'hypothèses à confronter, pour ces tests, doivent toujours être composés d'abord d'une hypothèse nulle simple (sur laquelle on effectue le test) et d'une hypothèse alternative composée (que l'on accepte advenant le rejet de l'hypothèse nulle). Les trois types de couples que nous pourrons étudier sont donc les suivants:

$H_0: \mu_1 = \mu_2$      $H_0: \mu_1 = \mu_2$      $H_0: \mu_1 = \mu_2$

$H_1: \mu_1 > \mu_2$      $H_1: \mu_1 < \mu_2$      $H_1: \mu_1 \neq \mu_2$

que l'on peut écrire aussi sous la forme:

$H_0: \mu_1 - \mu_2 = 0$      $H_0: \mu_1 - \mu_2 = 0$      $H_0: \mu_1 - \mu_2 = 0$

$H_1: \mu_1 - \mu_2 > 0$      $H_1: \mu_1 - \mu_2 < 0$      $H_1: \mu_1 - \mu_2 \neq 0$

#### *Borne(s) et région critique*

Ces hypothèses devant ainsi porter sur la différence $\mu_1 - \mu_2$, c'est au regard de la différence $\bar{x}_1 - \bar{x}_2$ des moyennes des deux échantillons, tirés respectivement des deux populations, que nous déciderons de l'acceptation de $H_0$ ou du rejet de celle-ci au profit de $H_1$.

Encore ici, c'est à partir d'une borne, $(\bar{x}_1 - \bar{x}_2)_b$, que nous fixerons l'alternative de notre prise de décision. Suivant l'ensemble des valeurs possibles de la différence $\bar{x}_1 - \bar{x}_2$, les zones d'acceptation et de rejet (région critique) de $H_0$, en fonction des différents couples d'hypothèses, seront déterminées de la façon suivante:

— Premier cas: $H_0$: $\mu_1 - \mu_2 = 0$
$H_1$: $\mu_1 - \mu_2 > 0$

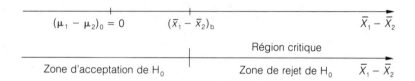

— Deuxième cas: $H_0$: $\mu_1 - \mu_2 = 0$
$H_1$: $\mu_1 - \mu_2 < 0$

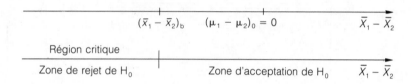

— Troisième cas: $H_0$: $\mu_1 - \mu_2 = 0$
$H_1$: $\mu_1 - \mu_2 \neq 0$

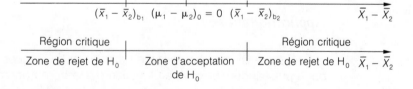

## Distributions de probabilités

Les distributions de probabilités utilisées pour ces tests d'hypothèses sont les mêmes que celles proposées pour l'étude par intervalles de confiance de la différence $\mu_1 - \mu_2$. Si nous les utilisons dans l'hypothèse où $H_0$ est vraie, elles prennent la forme suivante:

***Distributions de probabilités utilisées si l'hypothèse***
***$H_0$: $\mu_1 - \mu_2 = 0$ est vraie***

| Distribution de probabilités utilisée | Conditions d'application |
|---|---|
| $\dfrac{\bar{X}_1 - \bar{X}_2}{\sqrt{\dfrac{\sigma_1^2}{n_1} + \dfrac{\sigma_2^2}{n_2}}}$ : $N(0\,;1)$ | $\sigma_1^2$ et $\sigma_2^2$ connus  et $\begin{cases} X_1\text{: normale} \\ \text{ou } n_1 \geq 30 \\ \text{et} \\ X_2\text{: normale} \\ \text{ou } n_2 \geq 30 \end{cases}$ |
| $\dfrac{\bar{X}_1 - \bar{X}_2}{\sqrt{\left(\dfrac{1}{n_1} + \dfrac{1}{n_2}\right)\dfrac{(n_1 - 1)S_{n_1-1}^2 + (n_2 - 1)S_{n_2-1}^2}{n_1 + n_2 - 2}}}$ : $T_{n_1+n_2-2}$ | $\sigma_1^2$ et $\sigma_2^2$ inconnus mais considérés égaux  et $\begin{cases} X_1\text{: normale} \\ \text{et} \\ X_2\text{: normale} \end{cases}$ |
| $\dfrac{\bar{X}_1 - \bar{X}_2}{\sqrt{\dfrac{S_{n_1-1}^2}{n_1} + \dfrac{S_{n_2-1}^2}{n_2}}}$ : $N(0\,;1)$ | et $\begin{cases} \sigma_1^2 \text{ et } \sigma_2^2 \text{ inconnus} \\ n_1 \geq 100 \text{ et } n_2 \geq 100 \end{cases}$ |

## *Application du test*

Encore ici, il serait possible de calculer les risques d'erreur $\alpha$ et $\beta$, ou la puissance d'un test, en fonction d'une borne donnée. Cependant, dans cette étude, nous nous limiterons à la simple application d'un test pour un risque $\alpha$ fixé à l'avance.

**EXEMPLE**

Deux employés postulent un même poste. Se prétendant plus qualifié que son confrère, l'employé A affirme qu'il règle ses dossiers en un temps moyen inférieur à celui de B. Afin de vérifier ses dires, la direction de la compagnie relève le temps pris par chacun de ces employés pour compléter un échantillon de 15 dossiers. Elle calcule, pour ces échantillons, un temps moyen de 4,35 heures par dossier pour l'employé A et de 4,75 heures pour l'employé B, et des variances corrigées respectives de 0,40 et de 0,36 $h^2$. D'autre part, ces patrons estiment que le temps nécessaire pour compléter ce type de dossier est distribué « normalement » autant pour l'un que pour l'autre de ces employés, et que les variances de ces variables sont égales entre elles. Quelle conclusion portera donc la direction de cette entreprise si elle effectue un test avec un niveau de signification ($\alpha$) de 0,05?

Ici, soit $\mu_1$ = le temps moyen nécessaire à l'employé A
et $\mu_2$ = le temps moyen nécessaire à l'employé B,

les hypothèses à confronter sont alors les suivantes:

$H_0$: $\mu_1 = \mu_2$ $\qquad$ c'est-à-dire $\qquad$ $H_0$: $\mu_1 - \mu_2 = 0$
$H_1$: $\mu_1 < \mu_2$ $\qquad\qquad\qquad\qquad$ $H_1$: $\mu_1 - \mu_2 < 0$.

$\alpha = P[\text{erreur} \mid H_0 \text{ est vraie}] = 0{,}05$

$\rightarrow P[\text{rejeter } H_0 \mid H_0 \text{ est vraie}] = 0{,}05$

$\rightarrow P[\bar{X}_1 - \bar{X}_2 < (\bar{x}_1 - \bar{x}_2)_b \mid \mu_1 - \mu_2 = 0] = 0{,}05$

$$\rightarrow P\left[ \underbrace{\frac{\bar{X}_1 - \bar{X}_2}{\sqrt{\left(\dfrac{1}{n_1} + \dfrac{1}{n_2}\right) \dfrac{(n_1 - 1)S^2_{n_1-1} + (n_2 - 1)S^2_{n_2-1}}{n_1 + n_2 - 2}}}}_{T_{15+15-2} = T_{28}} \right.$$

$$\left. < \frac{(\bar{x}_1 - \bar{x}_2)_b}{\sqrt{\left(\dfrac{1}{15} + \dfrac{1}{15}\right) \dfrac{(14 \cdot 0{,}40) + (14 \cdot 0{,}36)}{15 + 15 - 2}}} \right] = 0{,}05$$

$$\rightarrow \frac{(\bar{x}_1 - \bar{x}_2)_b}{\sqrt{\dfrac{2}{15} \cdot \dfrac{5{,}6 + 5{,}04}{28}}} = -1{,}701$$

$\rightarrow (\bar{x}_1 - \bar{x}_2)_b = -1{,}701 \cdot 0{,}225 = -0{,}383.$

Comme la direction calcule une différence $\bar{x}_1 - \bar{x}_2 = 4{,}35 - 4{,}75 = -0{,}40$ ($< -0{,}383$) entre ses deux échantillons et que ce résultat appartient à la région critique, elle conclura que $H_0$ est fausse et que c'est plutôt $H_1$ qui est vraie, c'est-à-dire que l'employé A a raison.

**Exercices**

Faire le numéro 2 de la section 15.5.

## 15.4. COMPARAISON DE DEUX PROPORTIONS

Tentons maintenant de comparer, toujours sans avoir à en connaître l'une ou l'autre, les proportions respectives de succès $p_1$ et $p_2$ à l'intérieur de deux populations différentes, un « succès » étant défini de la même manière dans chacune de celles-ci. Comme pour la comparaison de deux moyennes, abordons cette étude par le biais de la différence $p_1 - p_2$ et encore ici, présentons d'abord un théorème.

### 15.4.1. Théorème

*Énoncé*

Considérant un « succès » défini de la même manière dans deux populations différentes 1 et 2,

soit $\overline{P}_1$, la proportion de succès aléatoire d'un échantillon tiré de la population 1,

et $\overline{P}_2$, la proportion de succès aléatoire d'un échantillon tiré de la population 2,

1) alors $E[\overline{P}_1 - \overline{P}_2] = p_1 - p_2$

et

$$V[\overline{P}_1 - \overline{P}_2] = \frac{p_1 q_1}{n_1} + \frac{p_2 q_2}{n_2} \, .$$

2) Si $n_1 \geqslant 30$, $n_1 p_1 \geqslant 5$ et $n_1 q_1 \geqslant 5$
et $n_2 \geqslant 30$, $n_2 p_2 \geqslant 5$ et $n_2 q_2 \geqslant 5$,

alors $\overline{P}_1 - \overline{P}_2 : \simeq N\left(p_1 - p_2 \, ; \frac{p_1 q_1}{n_1} + \frac{p_2 q_2}{n_2}\right)$

ou

$$\frac{\overline{P}_1 - \overline{P}_2 - (p_1 - p_2)}{\sqrt{\dfrac{p_1 q_1}{n_1} + \dfrac{p_2 q_2}{n_2}}} : \simeq N(0 \, ; 1).$$

*Preuve*

1)  $\begin{aligned}
E[\bar{P}_1 - \bar{P}_2] &= E[\bar{P}_1] + E[(-1)\bar{P}_2] \\
&= E[\bar{P}_1] + (-1)E[(\bar{P}_2] \\
&= E[\bar{P}_1] - E[\bar{P}_2] \\
&= p_1 - p_2 \qquad \text{(théorème 3 du chapitre 11),}
\end{aligned}$

$\begin{aligned}
V[\bar{P}_1 - \bar{P}_2] &= V[\bar{P}_1] + V[(-1)\bar{P}_2] \qquad (\bar{P}_1 \text{ et } \bar{P}_2 \text{ indépendants}) \\
&= V[\bar{P}_1] + (-1)^2 V[\bar{P}_2] \\
&= V[\bar{P}_1] + V[\bar{P}_2] \\
&= \frac{p_1 q_1}{n_1} + \frac{p_2 q_2}{n_2} \qquad \text{(théorème 3 du chapitre 11).}
\end{aligned}$

2)  Si $n_1 \geqslant 30$, $n_1 p_1 \geqslant 5$ et $n_1 q_1 \geqslant 5$,

   alors $\bar{P}_1 : \simeq N\left(p_1 ; \dfrac{p_1 q_1}{n_1}\right)$      (théorème 6 du chapitre 11).

   Si $n_2 \geqslant 30$, $n_2 p_2 \geqslant 5$ et $n_2 q_2 \geqslant 5$,

   alors $\bar{P}_2 : \simeq N\left(p_2 ; \dfrac{p_2 q_2}{n_2}\right)$      (théorème 6 du chapitre 11).

   Dès lors,

   $\bar{P}_1 - \bar{P}_2 : \simeq N\left(p_1 - p_2 ; \dfrac{p_1 q_1}{n_1} + \dfrac{p_2 q_2}{n_2}\right)$    (combinaison linéaire de variables indépendantes soumises chacune à une loi normale)

   ou

   $$\frac{\bar{P}_1 - \bar{P}_2 - (p_1 - p_2)}{\sqrt{\dfrac{p_1 q_1}{n_1} + \dfrac{p_2 q_2}{n_2}}} : \simeq N(0 ; 1).$$

## 15.4.2. Estimation ponctuelle de $p_1 - p_2$

Cette fois, la première conclusion de notre théorème nous permet d'observer que la variable $\bar{P}_1 - \bar{P}_2$ est un estimateur non biaisé pour $p_1 - p_2$, et convergent vers cette différence.

L'usage de cette double propriété nous amène donc à estimer la différence $p_1 - p_2$, de façon ponctuelle, de la manière suivante:

$$\widehat{p_1 - p_2} = \bar{p}_1 - \bar{p}_2$$

où $\bar{p}_1$ = la proportion de succès dans un échantillon unique tiré de la population 1

et $\bar{p}_2$ = la proportion de succès dans un échantillon unique tiré de la population 2.

## 15.4.3. Estimation par intervalle de confiance

La deuxième conclusion de notre théorème nous permet d'estimer cette différence $p_1 - p_2$ à l'aide d'intervalles de confiance.

EXEMPLE Un échantillon de 150 individus de la région de Montréal compte 15 personnes souffrant du « rhume des foins », alors qu'un échantillon de 200 individus de la région de Québec n'en compte que 14. Utiliser ces résultats pour estimer la différence entre les proportions de gens souffrant de cette allergie dans ces 2 régions, avec un intervalle de confiance de 95 % de certitude.

Voici, de façon schématique toujours, la solution de ce problème:

Populations: la population 1 = l'ensemble des individus de la région de Montréal et
la population 2 = l'ensemble des individus de la région de Québec

Échantillons: $n_1 = 150$ ($\geq 30$) et $\bar{p}_1 = 15/150 = 0,1$
(il est donc raisonnable de croire que $n_1 p_1 \geq 5$ et $n_1 q_1 \geq 5$)
$n_2 = 200$ ($\geq 30$) et $\bar{p}_2 = 14/200 = 0,07$
(il est donc raisonnable de croire que $n_2 p_2 \geq 5$ et $n_2 q_2 \geq 5$)

On veut estimer $p_1 - p_2$ avec 95 % de certitude.

$$P\left[ -1,96 \leq \frac{\bar{P}_1 - \bar{P}_2 - (p_1 - p_2)}{\sqrt{\dfrac{p_1 q_1}{n_1} + \dfrac{p_2 q_2}{n_2}}} \leq 1,96 \right] = 0,95$$

$$\downarrow$$
$$N(0 ; 1)$$

$$\rightarrow \quad P\left[\bar{P}_1 - \bar{P}_2 - 1,96\sqrt{\frac{p_1 q_1}{n_1} + \frac{p_2 q_2}{n_2}} \leqslant p_1 - p_2 \leqslant \right.$$

$$\left. \bar{P}_1 - \bar{P}_2 + 1,96\sqrt{\frac{p_1 q_1}{n_1} + \frac{p_2 q_2}{n_2}}\right] = 0,95$$

$$\rightarrow \quad p_1 - p_2 \in \left[\bar{p}_1 - \bar{p}_2 - 1,96\sqrt{\frac{\bar{p}_1 \bar{q}_1}{n_1} + \frac{\bar{p}_2 \bar{q}_2}{n_2}} \; ; \right.$$

$$\left. \bar{p}_1 - \bar{p}_2 + 1,96\sqrt{\frac{\bar{p}_1 \bar{q}_1}{n_1} + \frac{\bar{p}_2 \bar{q}_2}{n_2}}\right]$$

$$\in \left[(0,1 - 0,07) - 1,96\sqrt{\frac{0,1 \cdot 0,9}{150} + \frac{0,07 \cdot 0,93}{200}} \; ; \right.$$

$$\left. (0,1 - 0,07) + 1,96\sqrt{\frac{0,1 \cdot 0,9}{150} + \frac{0,07 \cdot 0,93}{200}}\right]$$

$\in [-0,030 \; ; 0,090]$     avec 95 % de certitude

(en estimant de façon ponctuelle les produits $p_1 q_1$ par $\bar{p}_1 \bar{q}_1$ et $p_2 q_2$ par $\bar{p}_2 \bar{q}_2$, comme nous l'avons fait pour $pq$ au chapitre 12).

## Exercices

Faire le numéro 3 de la section 15.5.

### 15.4.4. Tests d'hypothèses

Comme dans l'étude d'une comparaison de moyennes, il est possible d'imaginer des tests visant à confronter deux hypothèses différentes sur la comparaison des proportions de succès à l'intérieur de deux populations.

### Couples d'hypothèses

Encore ici, on doit effectuer le test sur une hypothèse nulle simple que l'on compare à une hypothèse alternative composée. Les trois couples d'hypothèses que nous pourrons ainsi confronter sont donc les suivants:

| | | |
|---|---|---|
| $H_0: p_1 = p_2$ | $H_0: p_1 = p_2$ | $H_0: p_1 = p_2$ |
| $H_1: p_1 > p_2$ | $H_1: p_1 < p_2$ | $H_1: p_1 \neq p_2$ |

que l'on peut écrire aussi sous la forme:

$$H_0: p_1 - p_2 = 0 \qquad H_0: p_1 - p_2 = 0 \qquad H_0: p_1 - p_2 = 0$$
$$H_1: p_1 - p_2 > 0 \qquad H_1: p_1 - p_2 < 0 \qquad H_1: p_1 - p_2 \neq 0$$

## *Borne(s) et région critique*

Comme ces hypothèses porteront sur la différence $p_1 - p_2$, c'est à partir de la différence $\bar{p}_1 - \bar{p}_2$ des proportions des deux échantillons, prélevés respectivement dans chacune des populations, que nous déciderons de conserver l'hypothèse $H_0$ ou de la rejeter au profit de l'hypothèse $H_1$.

Cette fois, notre borne sera notée $(\bar{p}_1 - \bar{p}_2)_b$ et, suivant l'ensemble des valeurs possibles de la différence $\bar{p}_1 - \bar{p}_2$, nous fixerons les zones d'acceptation et de rejet de $H_0$, en fonction des différents couples d'hypothèses, de la façon suivante:

— Premier cas: $H_0: p_1 - p_2 = 0$
$\qquad\qquad\quad H_1: p_1 - p_2 > 0$

— Deuxième cas: $H_0: p_1 - p_2 = 0$
$\qquad\qquad\quad\; H_1: p_1 - p_2 < 0$

— Troisième cas: $H_0: p_1 - p_2 = 0$
$\qquad\qquad\quad\; H_1: p_1 - p_2 \neq 0$

## *Distribution de probabilités*

Si $n_1 \geqslant 30$, $n_1 p_1 \geqslant 5$ et $n_1 q_1 \geqslant 5$
et $n_2 \geqslant 30$, $n_2 p_2 \geqslant 5$ et $n_2 q_2 \geqslant 5$,

et si $H_0$ est vraie, c'est-à-dire si $p_1 - p_2 = 0$, la distribution de probabilités proposée par le théorème de la sous-section 15.4.1. prend la forme suivante:

$$\frac{\bar{P}_1 - \bar{P}_2}{\sqrt{\dfrac{p_1 q_1}{n_1} + \dfrac{p_2 q_2}{n_2}}} : \simeq N(0 \; ; \; 1) \qquad \begin{array}{l} \text{où } p_1 = p_2 = p \\ \text{et } q_1 = q_2 = q \end{array}$$

ou

$$\frac{\bar{P}_1 - \bar{P}_2}{\sqrt{pq\left(\dfrac{1}{n_1} + \dfrac{1}{n_2}\right)}} : \simeq N(0 \; ; \; 1)$$

Au moment d'effectuer un test sur la différence $p_1 - p_2$, si nous voulons faire appel à cette distribution, comme $p$ et $q$ ne sont pas connus, nous devons, comme nous l'avons fait pour la recherche d'intervalles de confiance, en estimer le produit de façon ponctuelle.

Si $H_0$ est vraie, $p$ correspond à la proportion de succès **commune** à l'intérieur de chacune des deux populations. La meilleure estimation ponctuelle que nous pouvons alors faire de ce produit $pq$ est $\bar{p}\,\bar{q}$

où $\bar{p}$ = la proportion de succès dans l'ensemble des deux échantillons

$$= \frac{\text{le nombre total de succès dans l'ensemble des 2 échantillons}}{n_1 + n_2}$$

et $\bar{q} = 1 - \bar{p}$.

Ainsi, dans l'hypothèse où $H_0$: $p_1 - p_2 = 0$ est vraie, la forme que nous donnerons à la distribution de probabilités proposée par le théorème de la sous-section 15.4.1. sera la suivante:

| Distribution de probabilités utilisée | Conditions d'application |
|---|---|
| $\dfrac{\bar{P}_1 - \bar{P}_2}{\sqrt{\bar{p}\,\bar{q}\left(\dfrac{1}{n_1} + \dfrac{1}{n_2}\right)}} : \simeq N(0 \; ; \; 1)$ | $n_1 \geqslant 30$, $n_1 p_1 \geqslant 5$ et $n_1 q_1 \geqslant 5$<br>et<br>$n_2 \geqslant 30$, $n_2 p_2 \geqslant 5$ et $n_2 q_2 \geqslant 5$ |

## Application du test

Encore ici, notre étude se limitera à la simple application d'un tel test, pour un risque d'erreur $\alpha$ fixé à l'avance.

**EXEMPLE**

Afin de vérifier si la proportion de gauchers est la même chez les filles et chez les garçons d'une certaine polyvalente, on tire un échantillon de 250 filles et un autre de 200 garçons. Parmi ces élèves, 37 filles et 35 garçons sont gauchers. Sur la base de ces résultats, doit-on croire que dans cette école la proportion de gauchers est la même pour les deux groupes? Répondre à l'aide d'un test de niveau 0,05.

Dans ce problème, $n_1 = 250 \ (\geqslant 30)$ et $n_2 = 200 \ (\geqslant 30)$; et comme $n_1 \bar{p}_1 = 37$ et $n_2 \bar{p}_2 = 35$, il est raisonnable de croire que $n_1 p_1 \geqslant 5$ et $n_1 q_1 \geqslant 5$, et que $n_2 p_2 \geqslant 5$ et $n_2 q_2 \geqslant 5$.

Si l'on note

$p_1$, la proportion de gauchers chez les filles de cette école
et $p_2$, la proportion de gauchers chez les garçons,

les hypothèses à confronter sont alors les suivantes:

$H_0$: $p_1 = p_2$           c'est-à-dire           $H_0$: $p_1 - p_2 = 0$
$H_1$: $p_1 \neq p_2$                                 $H_1$: $p_1 - p_2 \neq 0$

```
-- Rejet de H₀ --|                                    |-- Rejet de H₀ --·
────────────────┼──────────────────┼──────────────────┼──────────────→
        (p̄₁ − p̄₂)ᵦ₁    (p₁ − p₂)₀ = 0      (p̄₁ − p̄₂)ᵦ₂      P̄₁ − P̄₂
```

$\alpha = $ P[erreur | $H_0$ est vraie] $= 0,05$

$\longrightarrow$ P[rejeter $H_0$ | $H_0$ est vraie] $= 0,05$

$\longrightarrow$ P$\left[ \begin{array}{c} \bar{P}_1 - \bar{P}_2 < (\bar{p}_1 - \bar{p}_2)_{b_1} \\ \text{ou} \\ \bar{P}_1 - \bar{P}_2 > (\bar{p}_1 - \bar{p}_2)_{b_2} \end{array} \middle| \ H_0 \text{ est vraie} \right] = 0,05$

$\longrightarrow$ P$[\bar{P}_1 - \bar{P}_2 < (\bar{p}_1 - \bar{p}_2)_{b_1} | H_0$ est vraie$] = 0,025$

et P$[\bar{P}_1 - \bar{P}_2 > (\bar{p}_1 - \bar{p}_2)_{b_2} | H_0$ est vraie$] = 0,025$

$\longrightarrow$ P$\left[ \dfrac{\bar{P}_1 - \bar{P}_2}{\sqrt{\bar{p}\,\bar{q}\left(\dfrac{1}{n_1} + \dfrac{1}{n_2}\right)}} < \dfrac{(\bar{p}_1 - \bar{p}_2)_{b_1}}{\sqrt{\bar{p}\,\bar{q}\left(\dfrac{1}{n_1} + \dfrac{1}{n_2}\right)}} \right] = 0,025$

$\downarrow$
$N(0 \ ; 1)$

$$\text{et } P\left[\frac{\bar{P}_1 - \bar{P}_2}{\sqrt{\bar{p}\,\bar{q}\left(\dfrac{1}{n_1} + \dfrac{1}{n_2}\right)}} > \frac{(\bar{p}_1 - \bar{p}_2)_{b_2}}{\sqrt{\bar{p}\,\bar{q}\left(\dfrac{1}{n_1} + \dfrac{1}{n_2}\right)}}\right] = 0,025$$

$$\downarrow$$

$$N(0\,;1)$$

$$\rightarrow \quad \frac{(\bar{p}_1 - \bar{p}_2)_{b_1}}{\sqrt{\bar{p}\,\bar{q}\left(\dfrac{1}{n_1} + \dfrac{1}{n_2}\right)}} = -1,96 \quad \text{et} \quad \frac{(\bar{p}_1 - \bar{p}_2)_{b_2}}{\sqrt{\bar{p}\,\bar{q}\left(\dfrac{1}{n_1} + \dfrac{1}{n_2}\right)}} = 1,96$$

$$\text{où} \quad \bar{p} = \frac{37 + 35}{250 + 200} = \frac{72}{450} = 0,16 \quad \text{et} \quad \bar{q} = 0,84$$

$$\rightarrow \quad (\bar{p}_1 - \bar{p}_2)_{b_1} = -1,96\sqrt{0,16 \cdot 0,84 \cdot \left(\frac{1}{250} + \frac{1}{200}\right)} = -0,0682$$

$$\text{et}$$

$$(\bar{p}_1 - \bar{p}_2)_{b_2} = 1,96\sqrt{0,16 \cdot 0,84 \cdot \left(\frac{1}{250} + \frac{1}{200}\right)} = 0,0682.$$

Comme la différence entre les proportions de gauchers des deux échantillons prélevés est $\bar{p}_1 - \bar{p}_2 = (37/250) - (35/200) = -0,027$, cette valeur appartient à la région d'acceptation de $H_0$. On considère donc que dans cette école la proportion de gauchers est relativement la même pour les filles et les garçons.

### Exercices

Faire le numéro 4 de la section suivante.

## 15.5. PROBLÈMES

1. Dans une usine de produits alimentaires, deux machines remplissent des boîtes de céréales. On estime que le poids qu'elles distribuent, par boîte, obéit à une loi normale pour l'une et l'autre et ce, avec des variances égales entre elles. Afin d'estimer la différence des moyennes $\mu_1$ et $\mu_2$ des distributions respectives de ces machines A et B, les contrôleurs de la qualité de cette usine rélèvent le poids des céréales de 28 boîtes provenant de la machine A et de 34 boîtes provenant de la machine B. La moyenne du premier de ces échantillons est de 680 g et sa variance corrigée, de 4 g², alors que pour

le second échantillon, la moyenne est de 681 g et la variance corrigée, de 4,2 g$^2$. Utiliser ces données pour estimer la différence $\mu_1 - \mu_2$

a) de façon ponctuelle;

b) à l'aide d'un intervalle de confiance de 90% de certitude.

2. Des couturiers prétendent que la taille moyenne des femmes d'une région A est supérieure à celle des femmes d'une région B. Pour vérifier leur intuition, ils mesurent 125 femmes de la région A et 150 de la région B. La taille moyenne de leur premier échantillon est de 167 cm et sa variance corrigée, de 23,25 cm$^2$; pour le deuxième échantillon, la taille moyenne est de 163 cm et la variance corrigée, de 20,25 cm$^2$. Que concluront ces couturiers, s'ils effectuent un test de niveau 0,05?

3. Sur des échantillons de 450 hommes et de 525 femmes, 216 hommes et 285 femmes sont favorables à un certain projet de loi. À combien peut-on estimer la différence « proportion des hommes − proportion des femmes » favorables à ce projet, pour l'ensemble de la population?

a) Effectuer cette estimation de façon ponctuelle.

b) Effectuer cette estimation à l'aide d'un intervalle de confiance de 95% de certitude.

4. Afin de mieux diriger sa publicité, une compagnie propriétaire des droits d'un jeu électronique aimerait comparer, chez les jeunes de 10 à 12 ans et chez ceux de 13 à 15 ans qui possèdent un tel jeu, la proportion des utilisateurs d'un certain logiciel. Elle prélève donc un échantillon constitué de 250 détenteurs de ce jeu âgés entre 10 et 12 ans et un autre, de 300 jeunes, âgés entre 13 et 15 ans. L'étude révèle que 100 enfants du premier échantillon et 144 du second utilisent ce logiciel. Si la compagnie prétend qu'à l'heure actuelle, les plus jeunes l'utilisent moins que les plus vieux, ces échantillons lui donnent-ils tort ou raison? Répondre à l'aide d'un test de niveau 0,05.

# Problèmes récapitulatifs

## Probabilités

1. Dans un certain club d'achats, on estime que le montant brut (en $) dépensé par un membre, le mois dernier, obéit à une loi $N(135,60 ; 1\ 750)$.

   a) Si l'on choisit un de ces membres au hasard, quelle est la probabilité qu'il ait dépensé, le mois dernier, un montant brut inférieur à 125 $?

   b) Si on tire de ce club un échantillon de 20 membres, quelle est la probabilité que:
      1) celui-ci compte plus de 12 individus ayant dépensé moins de 125 $ (brut) le mois dernier?
      2) celui-ci compte plus de 12 individus ayant dépensé au moins 125 $ (brut) le mois dernier?
      3) le montant brut moyen dépensé par les individus de cet échantillon, le mois dernier, se situe entre 130 $ et 140 $?
      4) le montant brut total dépensé par les 20 individus de cet échantillon, le mois dernier, dépasse 3 000 $?

   c) Si on tire de ce club un échantillon de 225 membres, quelle est la probabilité que:
      1) celui-ci compte entre 80 et 90 individus ayant dépensé moins de 125 $ (brut) le mois dernier? (80 et 90 inclus)
      2) la proportion des individus de cet échantillon ayant dépensé moins de 125 $ (brut), le mois dernier, se situe au-dessus de 0,5?
      3) le montant brut moyen dépensé par les individus de cet échantillon, le mois dernier, se situe entre 130 $ et 140 $?
      4) le montant brut total dépensé par les 225 individus de cet échantillon, le mois dernier, se situe entre 29 000 $ et 30 000 $?

   d) S'il en coûte 5 $ par mois pour être membre et qu'en plus, tous les achats sont taxables à 9%, quelle est la probabilité qu'un membre choisi au hasard ait dû verser un montant total de plus de 150 $ au club le mois dernier?

e) Si on tire un échantillon de 5 membres de ce club, quelle est la probabilité que celui-ci compte plus de 3 individus ayant déboursé un montant total de plus de 150 $ le mois dernier?

## *Statistique*

2.  On a mesuré, pour chacun des individus d'un échantillon composé de 144 hommes, la dépense énergétique occasionnée par une heure de tennis. Voici les résultats de ces mesures, où le nombre de calories perdues est exprimé en fonction du poids de l'individu:

| Nombre de calories dépensées par kg de poids de l'individu | Effectif |
|---|---|
| [4,0 ; 4,5) | 1 |
| [4,5 ; 5,0) | 3 |
| [5,0 ; 5,5) | 10 |
| [5,5 ; 6,0) | 22 |
| [6,0 ; 6,5) | 36 |
| [6,5 ; 7,0) | 36 |
| [7,0 ; 7,5) | 22 |
| [7,5 ; 8,0) | 10 |
| [8,0 ; 8,5) | 3 |
| [8,5 ; 9,0) | 1 |

(Quel degré de perfection pour un échantillon! Comme un tel cadeau du ciel simplifiera les calculs de cette dernière étude, profitons-en donc tout simplement.)

a)  Donner la notation, la formule et la valeur de:

   *1)* la moyenne
   *2)* la variance
   *3)* la variance corrigée   } de cet échantillon.
   *4)* l'écart type
   *5)* l'écart type corrigé

b)  Utiliser les données de cet échantillon pour vérifier, en effectuant un test d'ajustement du khi-carré de niveau $\alpha = 0{,}05$, que la dépense énergétique/kg de poids, chez les hommes, obéit à une loi normale.

c) À l'aide des résultats de cet échantillon, estimer, de façon ponctuelle,
   1) la dépense énergétique moyenne occasionnée par un tel exercice, chez un homme;
   2) l'écart type de cette variable;
   3) la proportion des hommes pour lesquels un tel exercice entraîne une perte d'au moins 7,5 calories/kg de poids.

d) Utiliser ces résultats pour estimer, à l'aide d'un intervalle de confiance de 95 % de certitude, la variance de la dépense énergétique provoquée par un tel exercice, chez un homme.

e) Pierre a choisi de faire du tennis en croyant que la perte énergétique moyenne occasionnée par un tel exercice était de 7 calories/kg de poids.
   1) Au regard de notre échantillon, doit-on conclure que la perte moyenne réelle est inférieure à celle estimée par Pierre? Répondre à l'aide d'un test de niveau 0,05.
   2) Calculer la puissance du test précédent, pour le cas où la dépense moyenne réelle serait de 6,5 calories/kg de poids.
   3) Pour quelles valeurs de la dépense moyenne réelle le test effectué donnerait-il une puissance supérieure ou égale à 95 %?

f) Pour un échantillon de 150 femmes soumises à ce même exercice, la dépense énergétique moyenne est de 6,4 calories/kg de poids et la variance corrigée de cette variable est de 0,62 calorie$^2$/kg$^2$. Une comparaison de ces résultats à ceux de l'échantillon des hommes conduirait-elle à la confirmation ou au rejet de l'hypothèse qui veut que la dépense énergétique moyenne occasionnée par un tel exercice soit la même chez les hommes et chez les femmes? Répondre à l'aide d'un test de niveau 0,05.

# Solutionnaire

## CHAPITRE 1

1. a) 1) L'ensemble des couples québécois.
      2) L'ensemble des 750 couples prélevés au hasard.
      3) Le nombre d'enfants par couple.
      4) Quantitatif discret.

   b) 1) L'ensemble des foyers québécois utilisant un lave-vaisselle.
      2) L'ensemble des 500 foyers choisis au hasard.
      3) Le détergent à vaisselle préféré.
      4) Qualitatif.

   c) 1) L'ensemble des citoyens canadiens.
      2) Ici, comme on interroge la population au complet, il n'y a pas d'échantillon, il n'est question que d'une population.
      3) L'âge des individus.
      4) Quantitatif continu.

   d) 1) Le nouvel alliage.
      2) Les 200 tiges soumises au test.
      3) La résistance des tiges de 1 cm de diamètre composées du nouvel alliage.
      4) Quantitatif continu.

   e) 1) — Pour le nombre d'oeufs par ponte:
            l'ensemble des pontes des grenouilles de la région.
         — Pour la dimension des oeufs:
            l'ensemble des oeufs contenus dans ces pontes.
      2) — Les 50 pontes choisies au hasard.
         — Les 750 oeufs choisis au hasard.
      3) — Le nombre d'oeufs contenus dans une ponte.
         — La dimension de ces oeufs.
      4) — Quantitatif discret.
         — Quantitatif continu.

f) *1)* L'ensemble des cégépiens du Québec.
   *2)* Les 100 cégépiens sélectionnés au hasard.
   *3)* Le type de musique préféré des étudiants.
   *4)* Qualitatif.

g) *1)* L'eau du réseau.
   *2)* Les 50 bouteilles prélevées.
   *3)* La concentration en fer de l'eau.
   *4)* Quantitatif continu.

2. a) Quantitatif discret.

   b) Qualitatif.

   c) Quantitatif discret.

   d) Quantitatif continu.

   e) Quantitatif continu.

3. a) L'ensemble des 25 étudiants d'une classe de biologie.

   b) Non.

   c) Le groupe sanguin des étudiants.

   d) Qualitatif.

   e)

| Groupe sanguin | $N_i$ | $f_i$ |
|:---:|:---:|:---:|
| O+ | 9 | 9/25 |
| A+ | 8 | 8/25 |
| B+ | 3 | 3/25 |
| AB+ | 1 | 1/25 |
| O− | 1 | 1/25 |
| A− | 2 | 2/25 |
| B− | 1 | 1/25 |

f)

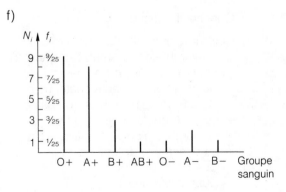

g)

| $X_i$ | $N_i$ | Nombre de degrés |
|-------|-------|------------------|
| O+    | 9     | 129,6            |
| A+    | 8     | 115,2            |
| B+    | 3     | 43,2             |
| AB+   | 1     | 14,4             |
| O−    | 1     | 14,4             |
| A−    | 2     | 28,8             |
| B−    | 1     | 14,4             |

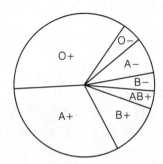

h)

4. a) Une espèce particulière de dauphins.

b) Oui, les 25 dauphins soumis à l'expérience.

c) Le nombre d'essais nécessaires pour réussir une certaine épreuve de sauvetage.

d) Quantitatif discret.

e)

| $x_i$ | $n_i$ | $f_i$ |
|-------|-------|-------|
| 1     | 3     | 3/25  |
| 2     | 12    | 12/25 |
| 3     | 8     | 8/25  |
| 4     | 2     | 2/25  |

f)

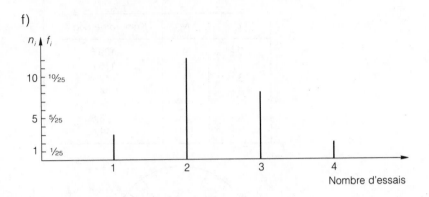

Nombre d'essais

5. a) Elles ont porté sur une population.

b) L'ensemble des jours du mois.

c) Le nombre quotidien de cigarettes allumées.

d) Quantitatif discret.

e)

| Nombre de cigarettes | Nombre de jours |
|:---:|:---:|
| 0 | 2 |
| 1 | 1 |
| 2 | 1 |
| 3 | 7 |
| 4 | 12 |
| 5 | 8 |

f)

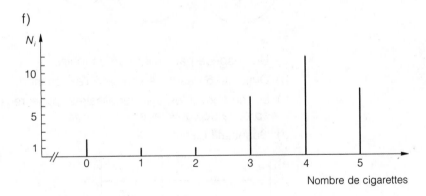

Nombre de cigarettes

6. a) Elles portent sur une population.

b) L'ensemble des élèves masculins de deuxième année de ce professeur.

c) La taille (en cm) des élèves.

d) Quantitatif continu.

e) 

| Valeur discrète | Intervalle associé | $N_i$ |
|---|---|---|
| 124 | [123,5 ; 124,5) | 3 |
| 125 | [124,5 ; 125,5) | 5 |
| 126 | [125,5 ; 126,5) | 17 |
| 127 | [126,5 ; 127,5) | 36 |
| 128 | [127,5 ; 128,5) | 51 |
| 129 | [128,5 ; 129,5) | 66 |
| 130 | [129,5 ; 130,5) | 50 |
| 131 | [130,5 ; 131,5) | 35 |
| 132 | [131,5 ; 132,5) | 16 |
| 133 | [132,5 ; 133,5) | 6 |
| 134 | [133,5 ; 134,5) | 2 |

f)

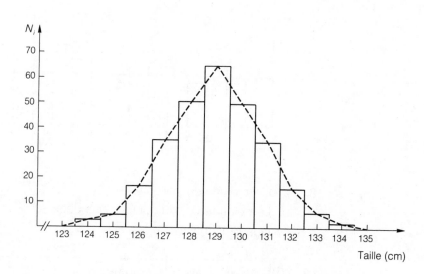

7. a) Elles portent sur une population.

b) Le nombre d'années d'ancienneté des employés.

c) Quantitatif continu.

d)

| Valeur discrète | Intervalle associé | $f_i$ |
|---|---|---|
| 0 | [ 0 ; 1 ) | 6/124 |
| 1 | [ 1 ; 2 ) | 8/124 |
| 2 | [ 2 ; 3 ) | 6/124 |
| 3 | [ 3 ; 4 ) | 5/124 |
| 4 | [ 4 ; 5 ) | 4/124 |
| 5 | [ 5 ; 6 ) | 8/124 |
| 6 | [ 6 ; 7 ) | 6/124 |
| 7 | [ 7 ; 8 ) | 5/124 |
| 8 | [ 8 ; 9 ) | 9/124 |
| 9 | [ 9 ; 10) | 11/124 |
| 10 | [10 ; 11) | 13/124 |
| 11 | [11 ; 12) | 16/124 |
| 12 | [12 ; 13) | 9/124 |
| 13 | [13 ; 14) | 7/124 |
| 14 | [14 ; 15) | 7/124 |
| 15 | [15 ; 16) | 4/124 |

e)

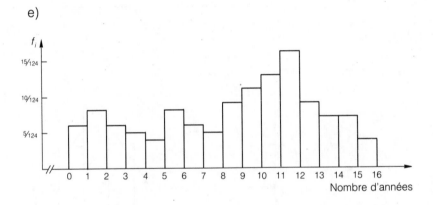

8. a) Celle d'un échantillon.

b) Le poids (en g) du contenu des pots.

c) Quantitatif continu.

d)

| Valeur discrète | Intervalle associé | $n_i$ | $f_i$ |
|---|---|---|---|
| 19 | [18,5 ; 19,5) | 1 | 1/75 |
| 20 | [19,5 ; 20,5) | 7 | 7/75 |
| 21 | [20,5 ; 21,5) | 31 | 31/75 |
| 22 | [21,5 ; 22,5) | 24 | 24/75 |
| 23 | [22,5 ; 23,5) | 11 | 11/75 |
| 24 | [23,5 ; 24,5) | 1 | 1/75 |

e)

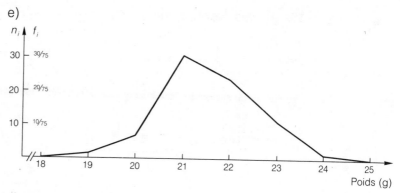

9.  a) Celles d'une population.

    b) L'ensemble des jours du mois d'août 1986.

    c) La température maximale (en °C) de ces journées.

    d) Quantitatif continu.

e)

| Valeur discrète | Intervalle associé | $N_i$ |
|---|---|---|
| 13 | [12,5 ; 13,5) | 1 |
| 14 | [13,5 ; 14,5) | 0 |
| 15 | [14,5 ; 15,5) | 0 |
| 16 | [15,5 ; 16,5) | 1 |
| 17 | [16,5 ; 17,5) | 1 |
| 18 | [17,5 ; 18,5) | 0 |
| 19 | [18,5 ; 19,5) | 2 |
| 20 | [19,5 ; 20,5) | 5 |
| 21 | [20,5 ; 21,5) | 3 |
| 22 | [21,5 ; 22,5) | 2 |
| 23 | [22,5 ; 23,5) | 6 |
| 24 | [23,5 ; 24,5) | 1 |
| 25 | [24,5 ; 25,5) | 4 |
| 26 | [25,5 ; 26,5) | 5 |

f)

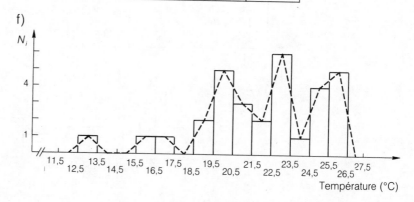

10. a) Quantitatif continu.

b)

| Classe | $n_i$ |
|---|---|
| [ 30 ; 45 ) | 1 |
| [ 45 ; 60 ) | 2 |
| [ 60 ; 75 ) | 9 |
| [ 75 ; 90 ) | 35 |
| [ 90 ; 105) | 12 |
| [105 ; 120) | 1 |

c)

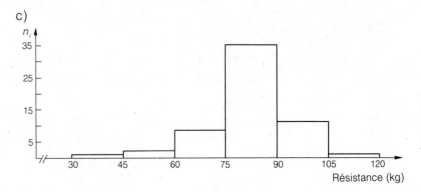

11. a) Ils sont ceux d'une population.

b) L'ensemble des jours du mois dernier.

c) Quantitatif discret.

d)

| $[B_{i-1} ; B_i)$ | $N_i$ | $f_i$ |
|---|---|---|
| [ 70 ; 90 ) | 4 | 4/30 |
| [ 90 ; 110) | 7 | 7/30 |
| [110 ; 130) | 4 | 4/30 |
| [130 ; 150) | 4 | 4/30 |
| [150 ; 170) | 3 | 3/30 |
| [170 ; 190) | 5 | 5/30 |
| [190 ; 210) | 3 | 3/30 |

e)

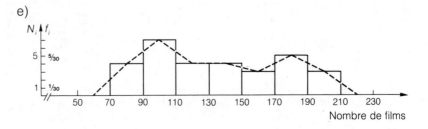

12.

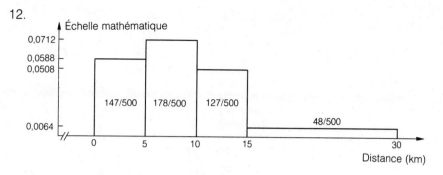

13. a) Elles sont celles d'un échantillon.

b) Les cent couples choisis au hasard.

c)

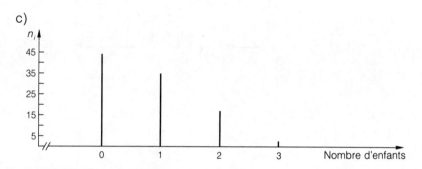

d)

| $x_i$ | $F_i$ |
|-------|-------|
| 0 | 0,45 |
| 1 | 0,80 |
| 2 | 0,97 |
| 3 | 1 |

e)

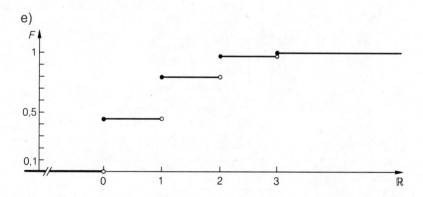

14.

a)

| Surface (m²) | $F_i$ |
|---|---|
| [ 35 ; 55 ) | 0,03 |
| [ 55 ; 65 ) | 0,15 |
| [ 65 ; 75 ) | 0,27 |
| [ 75 ; 85 ) | 0,50 |
| [ 85 ; 95 ) | 0,75 |
| [ 95 ; 105) | 0,92 |
| [105 ; 145) | 1 |

b)

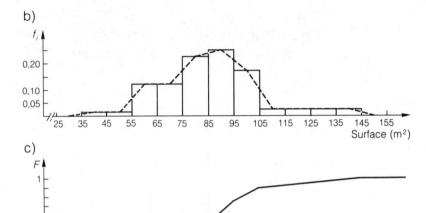

c)

15. a) Elles sont celles d'une population.

b) L'ensemble des 200 membres du syndicat.

c) Le nombre d'heures travaillées au cours du dernier mois, pour ces membres.

d) Quantitatif continu.

e)

| Nombre d'heures travaillées | $F_i$ |
|---|---|
| [ 0 ; 60 ) | 0,04 |
| [ 60 ; 90 ) | 0,14 |
| [ 90 ; 120) | 0,14 |
| [120 ; 150) | 0,44 |
| [150 ; 180) | 0,94 |
| [180 ; 210) | 1 |

f)

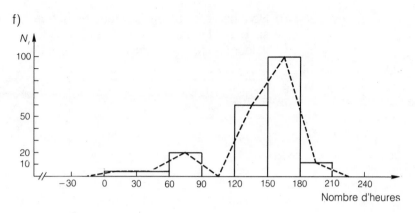

g)

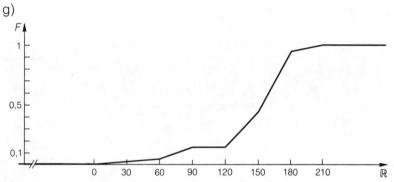

16. a) Le style d'émission préféré des auditeurs, en après-midi.
    b) Qualitatif.
    c)

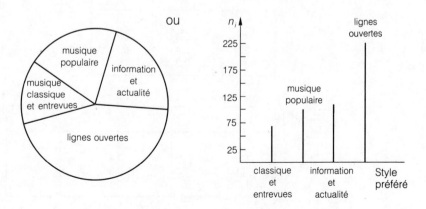

d) Non, car le caractère à l'étude étant qualitatif, il nous est impossible d'ordonner, de la plus petite à la plus grande, les différentes valeurs prises par celui-ci.

17.

a)

| Nombre de personnes soignées | $F_i$ |
|---|---|
| 1 | 0,552 |
| 2 | 0,906 |
| 3 | 0,978 |
| 4 | 1 |

b)

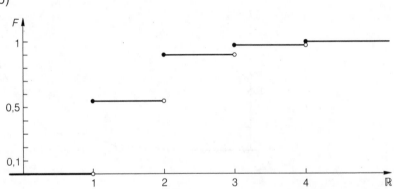

18.

a)

| $X_i$ | $f_i$ | $F_i$ |
|---|---|---|
| 28 | 0,1 | 0,1 |
| 29 | 0,3 | 0,4 |
| 30 | 0,4 | 0,8 |
| 31 | 0,2 | 1 |

b)

| $[B_{i-1} ; B_i)$ | $f_i$ | $F_i$ |
|---|---|---|
| [100 ; 125) | 0,2 | 0,2 |
| [125 ; 150) | 0,4 | 0,6 |
| [150 ; 175) | 0,3 | 0,9 |
| [175 ; 200) | 0,1 | 1 |

19.

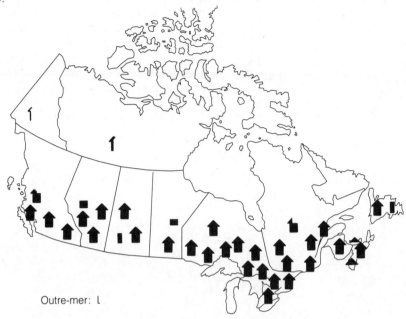

Outre-mer: L

**↑** = 500 écoles ou établissements d'enseignement.

## *CHAPITRE 2*

1.  a) $\bar{x} = \dfrac{\sum n_i x_i}{n} = 2{,}36$ essais

   b) $\mu = \dfrac{\sum X_i}{N} = 137$ films

   c) $\mu = \dfrac{\sum N_i C_i}{N} = 134{,}67$ films

   d) $\mu = \sum f_i C_i = 84{,}85$ m²

2.  La moyenne réelle est de 137 films, alors que la moyenne approximée (à cause du regroupement des valeurs en classes) est de 134,67 films.
    Évidemment, un regroupement de valeurs en classes nous fait perdre une certaine précision par rapport à la distribution originale. Cependant, plus la taille d'un tel ensemble de données sera grande, moins les différences auront de chances d'être importantes entre

les paramètres de ces deux distributions (ce qui n'est pas le cas, dans cet exemple, avec une population de seulement 30 éléments). De plus, un bon choix de classes (enveloppant sans distorsion les valeurs réelles) favorisera une ressemblance étroite entre les valeurs des paramètres des deux distributions. Mais n'oublions pas l'avantage d'un tel procédé: cela nous permet de percevoir de façon beaucoup plus globale l'ensemble des valeurs d'une distribution.

3. a) 192 grains
   b) 6,5 chiots
   c) 8 072,22 $
   d) 0,13 mg/l
   e) 34 140,63 $

4. a) $\mu$ = 3,6129 cigarettes
      $Md$ = 4 cigarettes
      $Mo$ = 4 cigarettes
   b) $\bar{x}$ = 0,78 enfant
      $md$ = 1 enfant
      $mo$ = 0 enfant
   c) $\bar{x}$ = 82 kg
      $md$ = 82,71 kg
      $mo$ = 82,5 kg
   d) $\mu$ = 128,98 cm
      $Md$ = 128,977 cm
      $Mo$ = 129 cm

5. $Md = 125 + \left(\dfrac{0,5 - 0,2}{0,6 - 0,2}\right) \cdot 25 = 143,75$

6. a) étendue = 3 essais     écart moyen = 0,672 essai
   b) étendue = 3 enfants     écart moyen = 0,702 enfant
   c) étendue = 11 cm     écart moyen = 1,437 cm
   d) étendue = 30 km     écart moyen = 4,552 km

7. a) $s^2 = \dfrac{\sum n_i c_i^2}{n} - \bar{x}^2 = 157,25$ kg$^2$

      $s = \sqrt{s^2} = 12,54$ kg

   b) $s^2 = \dfrac{\sum n_i x_i^2}{n} - \bar{x}^2 = 0,6916$ enfant$^2$

      $s = \sqrt{s^2} = 0,83$ enfant

c) $\sigma^2 = \sum f_i C_i^2 - \mu^2 = 328{,}2275 \ m^4$

$\sigma = \sqrt{\sigma^2} = 18{,}117 \ m^2$

8. a) $md = 7{,}893 \ km$

$\bar{x} = 8{,}74 \ km$

$s^2 = 33{,}7624 \ km^2$

$s = 5{,}81 \ km$

b) $Md = 1$ personne

$\mu = 1{,}564$ personne

$\sigma^2 = 0{,}5219$ personne$^2$

$\sigma = 0{,}7224$ personne

9. a) $c_{58} = 84{,}77 \ kg$

$c_{18} = 73 \ kg$

$d_9 = 98{,}75 \ kg$

$q_3 = 89{,}14 \ kg$

b) Entre $c_3$ et $c_4$.

c) Entre $c_{58}$ et $c_{59}$.

d) Entre $d_5$ et $d_6$.

e) Au $qn_1$.

10. a) $Mo = 165$ heures

$Md = 153{,}6$ heures

$\mu = 143{,}4$ heures

Étendue $= 210$ heures

E.M. $= 27{,}792$ heures

$\sigma = 37{,}37$ heures

$C_{29} = 135$ heures

$D_6 = 159{,}6$ heures

b) $C_{41}$

c) Avant le $Q_1$.

d) $C_{14} \in [90 \ ; \ 120]$

# CHAPITRE 3

1. a) Le quotient intellectuel des individus d'une population donnée.

b) Le salaire des employés d'une certaine compagnie dans laquelle quelques cadres gagneraient un salaire nettement supérieur à celui des autres.

c) L'ensemble des notes d'un étudiant brillant et vaillant, mais qui a une faiblesse dans l'une de ses matières.

d) La taille des clients d'une boutique de vêtements unisexes.

2.  Comme cette distribution ne contenait qu'un seul mode, et que les valeurs respectives de son mode, de sa médiane et de sa moyenne étaient à peu près égales, on devait s'attendre à une distribution unimodale à peu près symétrique.
(Vérifier la valeur de cet énoncé en observant la représentation graphique de cette distribution, dans le solutionnaire à la question 6. f du chapitre 1.)

3.  Si la moyenne est significativement inférieure à la médiane, c'est que certaines valeurs de la distribution sont exceptionnellement petites par rapport à l'ensemble, influençant ainsi la valeur de la moyenne, mais non celle de la médiane qui est plutôt calculée avec les valeurs du milieu de la distribution.
(La distribution du problème n° 9 du chapitre 1, avec une moyenne de 22,03° et une médiane de 22,58°, est un bon exemple d'une telle situation.)

4.  Si la moyenne est significativement supérieure à la médiane, c'est que certaines valeurs de la distribution sont exceptionnellement grandes par rapport à l'ensemble, influençant ainsi la valeur de la moyenne, mais non celle de la médiane qui est plutôt calculée avec les valeurs du milieu de la distribution.
(La distribution du problème n° 12 du chapitre 1, avec une moyenne de 8,74 km et une médiane de 7,89 km, est un bon exemple d'une telle situation.)

5.  a) La médiane.

b) La moyenne.

c) Le mode.

d) Le centile correspondant à 45 000 $.

6.  D'après l'étudiant, $P[57 \leq X \leq 87] > 8/9$ et,
par l'inégalité de Bienaymé-Tchébycheff,
$$P[\mu - k\sigma \leq X \leq \mu + k\sigma] > 1 - 1/k^2.$$

De là, $1 - 1/k^2 = 8/9 \longrightarrow k = 3$    (car $k > 0$)

et    $\left. \begin{array}{l} \mu + k\sigma = \mu + 3\sigma = 87 \\ \mu - k\sigma = \mu - 3\sigma = 57 \end{array} \right\} \longrightarrow \mu = 72$ et $\sigma^2 = 25.$

7. a)

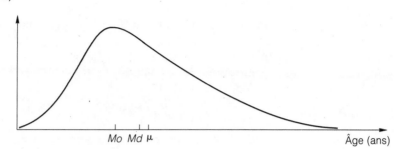

b)

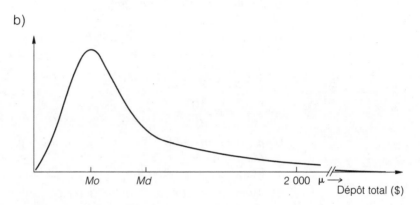

8. D'une part, le théorème de Bienaymé-Tchébycheff nous permet d'affirmer que
   — dans le première classe,
     plus de 8/9 des étudiants se situent entre 30 et 100, avec une moyenne de 75,
   — alors que dans la deuxième classe,
     plus de 8/9 des étudiants se situent entre 47 et 89, avec une moyenne de 68.

   D'autre part, les coefficients de variation respectifs des deux groupes sont les suivants:
   — pour la première classe:   C.V. = 0,2
   — pour la deuxième classe:   C.V. = 0,1.

   La première classe possède donc l'avantage de compter un certain nombre d'étudiants très forts et de présenter une moyenne supérieure à celle de la deuxième classe. Cependant, dans ce groupe, l'étendue des notes des étudiants est plus marquée et on compte des étudiants plus faibles que dans le deuxième groupe.

   La deuxième classe se situe donc derrière l'autre quant à la moyenne, mais elle offre l'avantage d'être beaucoup plus homogène.

## CHAPITRE 4

1. Soit $X$ = température en °C et $Y$ = température en °F,
   alors $Y = 1,8X + 32$
   et $\mu_Y = 1,8 \cdot 22,03 + 32 = 71,654°$
   $Md_Y = \ldots = 72,644°$
   $Mo_Y = \ldots = 73,4°$
   $\sigma_Y^2 = \ldots = 32,3028$ degrés$^2$
   $\sigma_Y = \ldots = 5,6826°$.

2. Soit $x$ = la longueur d'un parcours de l'échantillon (en km)
   et $y$ = le prix de ce parcours,
   alors $y = 0,5x + 2$
   et $md_y = 0,5 \cdot 7,893 + 2 = 5,95$ \$
   $\bar{y} = \ldots = 6,37$ \$
   $s_y^2 = \ldots = 8,44$ \$$^2$
   $s_y = \ldots = 2,91$ \$.

3. a) $Y = X + \dfrac{10}{100}X = 1,1X$ \qquad et \qquad $W = X + 5$.

   b) $\mu_Y = 1,1 \mu_X = 55$ \qquad\qquad $\mu_W = \mu_X + 5 = 55$
      $Md_Y = 1,1 Md_X = 66$ \qquad\qquad $Md_W = Md_X + 5 = 65$
      Étendue$_Y = 1,1$ Étendue$_X = 88$ \qquad Étendue$_W =$ Étendue$_X = 80$.

   c) Avant de répondre à cette question, cherchons d'abord pour quelle note originale, c'est-à-dire pour quelle valeur de $X$, les deux façons de majorer seraient équivalentes.

      Dans ce cas, $Y = W$
      $\longrightarrow 1,1 X = X + 5$
      $\longrightarrow X = 50$.

      Donc, pour un étudiant ayant une note originale de 50, l'une ou l'autre de ces transformations portera sa note à 55.
      Pour les étudiants dont la note initiale est supérieure à 50, le premier type de modification est sûrement plus avantageux que le second (un étudiant qui avait 80, par exemple, verrait sa note passer à $Y = 1,1 X = 1,1 \cdot 80 = 88$ avec la première modification et seulement à $W = X + 5 = 80 + 5 = 85$ avec la deuxième).
      Par contre, pour un étudiant qui a moins de 50 comme note originale, le deuxième type de transformation est plus avantageux (une note initiale de 40 ne passerait qu'à 44 avec une hausse de 10 %, alors qu'elle deviendrait 45 avec une augmentation de 5 points).

   d) D'une part, comme nous venons de le mentionner,
      — pour une note originale de 50, les deux modifications sont équivalentes;

— pour une note supérieure à 50, la première est plus avantageuse;

— pour une note inférieure à 50, la deuxième est préférable.

D'autre part, dans la distribution initiale, la médiane étant de 60, on retrouvait plus d'étudiants au-dessus qu'au-dessous de 50. Considérant ces deux points conjointement, on doit donc conclure que c'est le premier type de modification qui favoriserait le plus grand nombre d'étudiants.

e) Comme l'une et l'autre des modifications porteraient la moyenne à 55, et comme la première transformation favoriserait plus d'étudiants que la seconde, le professeur devrait sûrement choisir cette première façon de majorer.

4. a) $Y = X + \dfrac{5}{100} X = 1,05 X$ et $W = X + 3$.

b) $\mu_Y = 1,05 \mu_X = 68,25$ $\qquad$ $\mu_W = \mu_X + 3 = 68$
$Md_Y = 1,05\ Md_X = 63$ $\qquad$ $Md_W = Md_X + 3 = 63$
$\sigma_Y = 1,05\ \sigma_X = 7,35$ $\qquad$ $\sigma_W = \sigma_X = 7$.

c) Dans ce problème, les deux types de modifications seraient équivalentes pour une note originale de 60

$$Y = W$$
$$\longrightarrow\ 1,05\ X = X + 3$$
$$\longrightarrow\ X = 60$$

c'est-à-dire pour une note correspondant exactement à la médiane de la distribution originale.

Encore ici, les étudiants ayant une note initiale supérieure à 60 seraient avantagés par la première transformation, alors que ceux dont la note initiale est inférieure à 60 le seraient plutôt par la deuxième. Mais comme 60 correspond à la médiane de la distribution, on compterait autant d'étudiants avantagés par l'une ou l'autre de ces modifications.

Donc, aucune de ces transformations ne favoriserait un plus grand nombre d'étudiants.

d) Alors que ces deux modifications avantageraient autant d'étudiants l'une que l'autre,

— la première hausserait un peu plus la moyenne de la classe ($\mu_Y = 68,25$ et $\mu_W = 68$),

— mais la deuxième favoriserait les étudiants les plus faibles de la classe.

Le choix du professeur dépendra donc de l'objectif qu'il s'était fixé au moment où il a décidé de modifier les notes de ses étudiants.

5. Une façon de résoudre ce problème consisterait à augmenter chaque billet d'un montant fixe de 1,00 $ plus de 12,5 % de son prix actuel.

6. a) En posant $x' = \dfrac{x - 5\,212,5}{25}$, on obtient

| $[b_{i-1}\,;\,b_i]$ | $c_i$ | $c_i'$ | $n_i$ | $n_i c_i'$ | $n_i c_i'^2$ |
|---|---|---|---|---|---|
| [5 125 ; 5 150) | 5 137,5 | −3 | 4 | −12 | 36 |
| [5 150 ; 5 175) | 5 162,5 | −2 | 10 | −20 | 40 |
| [5 175 ; 5 200) | 5 187,5 | −1 | 15 | −15 | 15 |
| [5 200 ; 5 225) | 5 212,5 | 0 | 20 | 0 | 0 |
| [5 225 ; 5 250) | 5 237,5 | 1 | 10 | 10 | 10 |
| [5 250 ; 5 275) | 5 262,5 | 2 | 5 | 10 | 20 |
| [5 275 ; 5 300) | 5 287,5 | 3 | 1 | 3 | 9 |
|  |  |  | 65 | −24 | 130 |

$\bar{x}' = -24/65 = -0,3692$
$s_{x'}^2 = 130/65 - (-24/65)^2 = 1,8637$
$s_{x'} = 1,3652$.

De là, $x = 25x' + 5\,212,5$
et $\bar{x} = 25 \cdot (-24/65) + 5\,212,5 = 5\,203,269$
$s_x^2 = 625 \cdot (1,8637) = 1\,164,79$
$s_x = 25 \cdot (1,3652) = 34,129$.

b) En posant $X' = \dfrac{X - 1\,325}{50}$, on obtient

| $[B_{i-1}\,;\,B_i]$ | $C_i$ | $C_i'$ | $N_i$ | $N_i C_i'$ | $N_i C_i'^2$ |
|---|---|---|---|---|---|
| [1 050 ; 1 200) | 1 125 | −4 | 3 | −12 | 48 |
| [1 200 ; 1 250) | 1 225 | −2 | 8 | −16 | 32 |
| [1 250 ; 1 300) | 1 275 | −1 | 12 | −12 | 12 |
| [1 300 ; 1 350) | 1 325 | 0 | 10 | 0 | 0 |
| [1 350 ; 1 400) | 1 375 | 1 | 5 | 5 | 5 |
| [1 400 ; 1 500) | 1 450 | 2,5 | 2 | 5 | 12,5 |
|  |  |  | 40 | −30 | 109,5 |

$\mu_{x'} = -30/40 = -0,75$
$\sigma_{x'}^2 = 109,5/40 - (-0,75)^2 = 2,175$
$\sigma_{x'} = 1,4748$.

De là, $X = 50\,X' + 1\,325$
et $\mu_X = 50 \cdot (-0,75) + 1\,325 = 1\,287,5$
$\sigma_X^2 = 2\,500 \cdot (2,175) = 5\,437,5$
$\sigma_X = 50 \cdot (1,4748) = 73,74$.

## CHAPITRE 5

1.  a) 1/2      b) 2/3      c) 5/6      d) 1/6      e) 2/3

2.  a) 1/36     b) 1/9      c) 33/36    d) 11/18    e) 5/9

3.  a) 1/4      b) 1/2

4.  a) 3/8      b) 1/16     c) 1/4

5.  7/16

6.  a) 0,6      b) 0,8      c) 0,6      d) 0,3

7.  a) 19/90    b) 195/450 = 13/30     c) 13/90

8.  a) 2/3      b) 1/3

9.  a) 1/2      b) 3/8

10. a) 12/21    b) 9/21     c) 11/21    d) 17/21    e) 6/21
    f) 6/21

11. a) $\boxed{5\ |\ 7\ |\ 10\ |\ 6}$ = 2 100      b) $\dfrac{\boxed{1\ |\ 1\ |\ 1\ |\ 1}}{2\ 100}$

    c) $\dfrac{\boxed{1\ |\ 1\ |\ 10\ |\ 6}}{2\ 100}$      d) $\dfrac{\boxed{2\ |\ 3\ |\ 2\ |\ 6}}{2\ 100}$

12. a) $\boxed{6\ |\ 2}$      b) 3/4

13. a) $\boxed{26\ |\ 26\ |\ 26\ |\ 26\ |\ 26}$ = $26^5$      b) $\dfrac{\boxed{20\ |\ 26\ |\ 26\ |\ 26\ |\ 6}}{26^5}$

14. a) $\boxed{9\ |\ 10\ |\ 10\ |\ 10\ |\ 10\ |\ 10}$ = $9 \cdot 10^5$   b) $\dfrac{\boxed{7\ |\ 10\ |\ 10\ |\ 10\ |\ 10\ |\ 2}}{9 \cdot 10^5}$

15. a) $\boxed{3\ |\ 3\ |\ 3\ |\ 3}$ = $3^4$   b) $\boxed{3\ |\ 3\ |\ 3\ |\ 3} \cdot \boxed{3\ |\ 3\ |\ 3\ |\ 3}$ = $3^8$
    c) $\dfrac{\boxed{1\ |\ 1\ |\ 1\ |\ 1}}{3^4} = \dfrac{1}{3^4}$      d) $\dfrac{\boxed{3\ |\ 1\ |\ 1\ |\ 1}}{3^4}$
    e) $\dfrac{\boxed{3\ |\ 3\ |\ 3\ |\ 3} \cdot \boxed{1\ |\ 1\ |\ 1\ |\ 1}}{3^8} = \dfrac{3^4}{3^8} = \dfrac{1}{3^4}$

16. a) $\boxed{3\,|\,3\,|\,3\,|\,3\,|\,3} = 3^5$  b) $\dfrac{\boxed{1\,|\,1\,|\,1\,|\,1\,|\,1}}{3^5}$

c) $\dfrac{\boxed{3\,|\,1\,|\,1\,|\,1\,|\,1}}{3^5} = \dfrac{1}{3^4}$

17. a) $\boxed{6\,|\,6\,|\,6} = 6^3$  b) $\dfrac{\boxed{6\,|\,1\,|\,1}}{6^3} = \dfrac{1}{6^2}$

c) $1 - \dfrac{1}{6^2}$  d) $\dfrac{\boxed{1\,|\,1\,|\,1}}{6^3}$

18. a) $A_5^{15} = \boxed{15\,|\,14\,|\,13\,|\,12\,|\,11} = \dfrac{15!}{10!} = 360\,360$

b) $A_4^{80} = \boxed{80\,|\,79\,|\,78\,|\,77} = \dfrac{80!}{76!} = 37\,957\,920$

c) $P_9 = 9! = 362\,880.$

19. a) $\boxed{26\,|\,25\,|\,24\,|\,23} = A_4^{26}$  b) $\dfrac{\boxed{25\,|\,24\,|\,23\,|\,1}}{\boxed{26\,|\,25\,|\,24\,|\,23}} = \dfrac{1}{26}$

c) $\dfrac{\boxed{24\,|\,23\,|\,22\,|\,21}}{\boxed{26\,|\,25\,|\,24\,|\,23}} = \dfrac{22 \cdot 21}{26 \cdot 25}$  d) $\dfrac{\boxed{1\,|\,25\,|\,24\,|\,23}}{\boxed{26\,|\,25\,|\,24\,|\,23}} \cdot 4 = \dfrac{4}{26}$

20. a) $\boxed{10\,|\,9\,|\,8} = A_3^{10}$  b) $\dfrac{\boxed{1\,|\,1\,|\,1}}{A_3^{10}}$

c) $\dfrac{\boxed{8\,|\,7\,|\,6}}{\boxed{10\,|\,9\,|\,8}} = \dfrac{42}{90} = \dfrac{7}{15}$

21. a) $\boxed{26\,|\,25\,|\,24\,|\,23\,|\,22} = A_5^{26}$  b) $\dfrac{\boxed{20\,|\,24\,|\,23\,|\,22\,|\,6}}{\boxed{26\,|\,25\,|\,24\,|\,23\,|\,22}} = \dfrac{12}{65}$

$\dfrac{\boxed{25\,|\,24\,|\,23\,|\,22\,|\,21}}{\boxed{26\,|\,25\,|\,24\,|\,23\,|\,22}} = \dfrac{21}{26}$  $\dfrac{\boxed{1\,|\,25\,|\,24\,|\,23\,|\,22}}{\boxed{26\,|\,25\,|\,24\,|\,23\,|\,22}} \cdot 5 = \dfrac{5}{26}$

22. a) $12! = P_{12}$  b) $\dfrac{1 \cdot 11!}{12!} = \dfrac{1}{12}$

c) $\dfrac{\boxed{1\,|\,1\,|\,1\,|\,\ldots\,|\,1}}{\boxed{12\,|\,11\,|\,10\,|\,\ldots\,|\,1}} = \dfrac{1}{12!}$

23. a) $\dfrac{\boxed{1}\ \boxed{4}\ \boxed{3}}{\boxed{5}\ \boxed{4}\ \boxed{3}}\quad \dfrac{1}{5}$
b) $\dfrac{\boxed{4}\ \boxed{3}\ \boxed{2}}{\boxed{5}\ \boxed{4}\ \boxed{3}} = \dfrac{2}{5}$
c) $\dfrac{\boxed{1}\ \boxed{3}\ \boxed{2}}{\boxed{5}\ \boxed{4}\ \boxed{3}} = \dfrac{1}{10}$

24. a)

| 15 | 15 | 15 | 15 | 15 |
|----|----|----|----|----|
| 14 | 14 | 14 | 14 | 14 |
| 13 | 13 | ▨ | 13 | 13 |
| 12 | 12 | 13 | 12 | 12 |
| 11 | 11 | 12 | 11 | 11 |

$= (A_5^{15})^4 \cdot A_4^{15}$

$\simeq 5{,}5 \cdot 10^{26}$

b)

| 8 | 7 | 8 | 7 | 8 |
|---|---|---|---|---|
| 7 | 6 | 7 | 6 | 7 |
| 6 | 5 | ▨ | 5 | 6 |
| 5 | 4 | 6 | 4 | 5 |
| 4 | 3 | 5 | 3 | 4 |

$(A_5^{15})^4 \cdot A_4^{15}$

25. a) $\dfrac{\boxed{365}\ \boxed{364}\ \boxed{363}\ \boxed{362}\ \boxed{361}}{\boxed{365}\ \boxed{365}\ \boxed{365}\ \boxed{365}\ \boxed{365}} = \dfrac{A_5^{365}}{365^5}$

b) $\dfrac{\boxed{365}\ \boxed{1}\ \boxed{1}\ \boxed{1}\ \boxed{1}}{\boxed{365}\ \boxed{365}\ \boxed{365}\ \boxed{365}\ \boxed{365}} = \dfrac{1}{365^4}$

c) $1 - \dfrac{1}{365^4}$

26. a) $10!$     b) $\dfrac{6!\,5!}{10!}$     c) $\dfrac{2!\,5!\,5!}{10!}$

27. a) $10!$     b) $4!\,4!\,2!\,3!$     c) $\dfrac{4!\,4!\,2!\,3!}{10!}$

28. a) $10!$     b) $\dfrac{9!\,2!}{10!}$     c) $\dfrac{3!\,3!\,5!\,2!}{10!}$     d) $\dfrac{5!\,2!\,2!\,2!\,2!\,2!}{10!}$

29. a) $C_4^6$     b) $\boxed{6}\ \boxed{5}\ \boxed{4}\ \boxed{3} = A_4^6$

30. a) $\boxed{125}\ \boxed{124}\ \boxed{123}\ \boxed{122} = A_4^{125}$     b) $C_4^{125}$

31. a) $C_2^{18}$     b) $\boxed{18}\ \boxed{17}\ \boxed{16} = A_3^{18}$

32. $\boxed{8}\ \boxed{7}\ \boxed{6}\ \boxed{5}\ \boxed{4} = A_5^8$

33. $C_3^5$

34. a) $220$     b) $1\,081\,575$

c) $\dfrac{81!}{6!\,75!} = \dfrac{81 \cdot 80 \cdot 79 \cdot 78 \cdot 77 \cdot 76 \cdot 75!}{6!\qquad\quad 75!} = 324\,540\,216$

35. a) $C_3^5$     b) $\dfrac{C_3^3}{C_3^5}$     c) $\dfrac{C_2^2 C_1^3}{C_3^5}$

36. a) $C_3^9$     b) $\dfrac{C_2^5 C_1^4}{C_3^9}$

37. $C_2^{10}$

38. $C_3^8$

39. a) $C_5^{31}$ b) $\dfrac{C_5^{15}}{C_5^{31}}$ c) $\dfrac{C_1^{27}\,C_4^4}{C_5^{31}}$

40. a) $\dfrac{C_6^6}{C_6^{49}}=\dfrac{1}{C_6^{49}}$ b) $\dfrac{C_5^6\,C_1^1}{C_6^{49}}$ c) $\dfrac{C_5^6\,C_1^{42}}{C_6^{49}}$

d) $\dfrac{C_4^6\,C_2^{43}}{C_6^{49}}$ e) $\dfrac{C_6^6+C_5^6\,C_1^{43}+C_4^6\,C_2^{43}+C_3^6\,C_3^{43}}{C_6^{49}}$

41. a) $\dfrac{C_1^5\,C_2^{995}}{C_3^{1\,000}}$ b) $\dfrac{C_3^5}{C_3^{1\,000}}$ c) $\dfrac{C_3^{995}}{C_3^{1\,000}}$

42. a) $7!$ b) $\dfrac{4\cdot 5!\cdot 3}{7!}$

43. a) $\dfrac{8!}{2!\,3!}$ b) $\dfrac{(3\cdot 6!\cdot 2)/(2!\,3!)}{8!\qquad /(2!\,3!)}$ c) $\dfrac{5!}{\dfrac{8!}{2!\,3!}}$

44. a) $\dfrac{5!}{2!\,2!}$ b) $\dfrac{1}{\dfrac{5!}{2!\,2!}}$ c) $\dfrac{4!/2!}{5!/(2!\,2!)}$

45. a) $\boxed{26\,|\,25\,|\,24\,|\,23\,|\,22}=A_5^{26}$

b) $\overset{\text{v \ v \ c \ c \ c}}{\boxed{6\,|\,5\,|\,20\,|\,19\,|\,18}}\cdot\dfrac{5!}{2!\,3!}$ ou $C_2^6\,C_3^{20}\cdot 5!$

c) $\dfrac{\text{réponse de b)}}{\text{réponse de a)}}$

46. a) $\boxed{25\,|\,24\,|\,23\,|\,22\,|\,21}=A_5^{25}$ b) $\dfrac{\boxed{10\,|\,23\,|\,22\,|\,21\,|\,3}}{A_5^{25}}$

c) $\dfrac{\overset{\text{r \ r \ b \ b \ p}}{\boxed{10\,|\,9\,|\,12\,|\,11\,|\,3}}\cdot\dfrac{5!}{2!\,2!}}{A_5^{25}}$ ou $\dfrac{C_2^{10}\,C_2^{12}\,C_1^3\cdot 5!}{A_5^{25}}$

47. a) $\boxed{75\ |\ 74\ |\ 73} = A_3^{75}$    b) $\dfrac{\boxed{50\ |\ 49\ |\ 48}}{A_3^{75}} = \dfrac{A_3^{50}}{A_3^{75}}$

c) $\dfrac{\overset{h\quad h\quad f}{\boxed{50\ |\ 49\ |\ 25}} \cdot \dfrac{3!}{2!}}{A_3^{75}}$  ou  $\dfrac{C_2^{50}\, C_1^{25}\, P_3}{A_3^{75}}$

48. a) $26^5$    b) $\overset{c\quad c\quad v\quad v\quad v}{\boxed{20\ |\ 20\ |\ 6\ |\ 6\ |\ 6}} \cdot \dfrac{5!}{2!\,3!}$

49. a) $\dfrac{C_2^{20}\, C_3^{15}}{C_5^{35}}$

b) $\dfrac{C_2^{20}\, C_3^{15} + C_3^{20}\, C_2^{15} + C_4^{20}\, C_1^{15} + C_5^{20}}{C_5^{35}}$

c) $\dfrac{C_1^{20}\, C_4^{15} + C_0^{20}\, C_5^{15}}{C_5^{35}}$

d) $\dfrac{C_2^{20}\, C_3^{15} + C_1^{20}\, C_4^{15} + C_0^{20}\, C_5^{15}}{C_5^{35}}$

e) $C_1^{10}\, C_1^{20}\, C_3^5 + C_1^{10}\, C_2^{20}\, C_2^5 + C_1^{10}\, C_3^{20}\, C_1^5 +$

$\dfrac{C_2^{10}\, C_1^{20}\, C_2^5 + C_2^{10}\, C_2^{20}\, C_1^5 + C_3^{10}\, C_1^{20}\, C_1^5}{C_5^{35}}$

50. $\overset{c\quad c\quad c\quad v\quad v}{\boxed{20\ |\ 20\ |\ 20\ |\ 6\ |\ 6}} \cdot \dfrac{5!}{3!\,2!} + \overset{c\quad c\quad c\quad c\quad v}{\boxed{20\ |\ 20\ |\ 20\ |\ 20\ |\ 6}} \cdot \dfrac{5!}{4!} +$

$\overset{c\quad c\quad c\quad c\quad c}{\boxed{20\ |\ 20\ |\ 20\ |\ 20\ |\ 20}}$

51. $C_2^5 + C_3^5 + C_4^5 + C_5^5$

52. a) $10!$    b) $\dfrac{9!\,2!}{10!}$    c) $1 - \dfrac{9!\,2!}{10!}$

53. a) $26^5$    b) $1 - \dfrac{\boxed{26\ |\ 25\ |\ 24\ |\ 23\ |\ 22}}{26^5} = 1 - \dfrac{A_5^{26}}{26^5}$

54. a) $9 \cdot 10^4$    b) $1 - \dfrac{\boxed{8\ |\ 9\ |\ 9\ |\ 9\ |\ 9}}{9 \cdot 10^4}$

55. a) $C_4^9$     b) $\dfrac{C_2^2 C_2^7}{C_4^9}$     c) $\dfrac{C_1^1 C_3^7}{C_4^9}$     d) $\dfrac{C_4^7}{C_4^9}$

    e) $1 - \dfrac{C_2^2 C_2^7}{C_4^9}$     f) $\dfrac{C_1^2 C_3^7}{C_4^9}$

56. a) $C_3^{30}$     b) $\dfrac{C_3^3}{C_3^{30}}$     c) $\dfrac{C_1^{10} C_2^{20}}{C_3^{30}}$

    d) $\dfrac{C_1^1 C_2^{27}}{C_3^{30}}$     e) $\dfrac{C_2^3 C_1^{27} + C_3^3}{C_3^{30}}$

57. a) $C_3^{15} C_3^{12} C_3^9 C_3^6 C_3^3$     b) $\dfrac{C_2^2 C_1^{13} C_3^{12} C_3^9 C_3^6 C_3^3}{C_3^{15} C_3^{12} C_3^9 C_3^6 C_3^3}$

    c) $\dfrac{C_2^2 C_1^{12} C_3^{12} C_3^9 C_3^6 C_3^3}{C_3^{15} C_3^{12} C_3^9 C_3^6 C_3^3}$     d) $\dfrac{C_3^{12} C_3^9 C_3^9 C_3^6 C_3^3}{C_3^{15} C_3^{12} C_3^9 C_3^6 C_3^3}$

    e) $\dfrac{C_1^1 C_2^{14} C_3^{12} C_3^9 C_3^6 C_3^3 \cdot 2}{C_3^{15} C_3^{12} C_3^9 C_3^6 C_3^3}$     f) $\dfrac{C_2^2 C_1^{11} C_2^2 C_1^{10} C_3^9 C_3^6 C_3^3}{C_3^{15} C_3^{12} C_3^9 C_3^6 C_3^3}$

58. a) $C_4^{10} C_3^6 C_3^3$     b) $\dfrac{C_4^5 C_3^6 C_3^3}{C_4^{10} C_3^6 C_3^3}$

    c) $\dfrac{C_3^5 C_1^5 C_3^6 C_3^3 + C_4^5 C_3^6 C_3^3}{C_4^{10} C_3^6 C_3^3}$     d) $\dfrac{C_2^2 C_2^4 C_1^1 C_2^2 C_3^5}{C_4^{10} C_3^6 C_3^3}$

59. a) $\dfrac{C_4^{12} C_4^8 C_4^4}{3!}$     b) $\dfrac{\dfrac{C_2^2 C_2^{10} C_4^8 C_4^4 \cdot 3}{3!}}{\dfrac{C_4^{12} C_4^8 C_4^4}{3!}}$

60. a) $C_6^{12} C_4^6 C_2^2$

    b) $\dfrac{C_2^2 C_4^{10} C_4^6 C_2^2 + C_6^8 C_2^2 C_2^{10} C_2^2 + C_6^{10} C_4^4 C_2^2}{C_6^{12} C_4^6 C_2^2}$

61. a) $\dfrac{C_6^{12} C_3^6 C_3^3}{2!}$

    b) $\dfrac{\dfrac{C_2^2 C_4^{10} C_3^6 C_3^3 + C_6^9 C_2^2 C_1^{10} C_3^3 + C_6^9 C_3^3 C_2^2 C_1^{10}}{2!}}{\dfrac{C_6^{12} C_3^6 C_3^3}{2!}}$

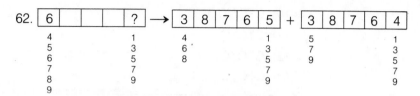

62. [6][ ][ ][?] → [3][8][7][6][5] + [3][8][7][6][4]

63. [3][8][7][6][4] + [3][8][7][6][5]

64. [5][ ][ ][?] → [2][24][23][22][5] + [3][24][23][22][6]

65. a) $7!$  b) $\dfrac{6!\,2!}{7!}$  c) $\dfrac{5!\,3!}{7!}$

66. a) $9!$  b) $\dfrac{4!\,2!\,2!\,2!\,2!\,2!}{9!}$

67. a) $C_5^{52}$

b) *Note.*— Ici, chacune des réponses devrait être divisée par celle de a).

    1) $C_2^4 C_3^{48}$

    2) $C_2^4 C_3^4$

    3) $C_2^4 C_2^4 C_1^{44}$

    4) $C_2^4 C_3^{48} + C_3^4 C_2^{48} + C_4^4 C_1^{48}$

    5) $C_1^{13} C_2^4 C_1^{12} C_3^4$  ou  $A_2^{13} C_2^4 C_3^4$

    6) $C_1^{13} C_2^4 C_3^{12} C_1^4 C_1^4 C_1^4$  ou  $\dfrac{C_1^{13} C_2^4 C_1^{12} C_1^4 C_1^{11} C_1^4 C_1^{10} C_1^4}{3!}$

    7) $C_1^1 C_2^4 C_3^{12} C_1^4 C_1^4 C_1^4$  ou  …

    8) $C_1^{13} C_3^4 C_2^{12} C_1^4 C_1^4$  ou  $\dfrac{C_1^{13} C_3^4 C_1^{12} C_1^4 C_1^{11} C_1^4}{2!}$

    9) $C_2^{13} C_2^4 C_2^4 C_1^{44}$  ou  $\dfrac{C_1^{13} C_2^4 C_1^{12} C_2^4 C_1^{44}}{2!}$

10) $C_1^9 C_4^4 (C_1^4)^5$

11) $C_1^9 C_4^4 C_1^4$

12) $C_1^9 C_4^4 C_1^1$

13) $C_1^1 C_4^4 C_1^1 = 1$

68. a) 1) $\boxed{12|11|10|9|8|7} = A_6^{12}$

2) $\dfrac{\boxed{6|10|9|8|7|5}}{\boxed{12|11|10|9|8|7}}$

3) $\dfrac{\overset{\substack{rd\\rge}}{\boxed{1|10|9|8|7|2}} + \overset{\substack{rd\\\cancel{rge}}}{\boxed{5|10|9|8|7|3}}}{\boxed{12|11|10|9|8|7}}$

4) $\dfrac{\overset{r\ \ r\ \ r\ \ \heartsuit\ \heartsuit\ \heartsuit}{\boxed{6|5|4|4|3|2}}}{\boxed{12|11|10|9|8|7}} \cdot \dfrac{6!}{3!\,3!}$

ou $\dfrac{C_3^6 C_3^4 \cdot 6!}{\boxed{12|11|10|9|8|7}}$

b) 1) $11!$  2) $\dfrac{2!\,6!\,4!\,2!}{11!}$  3) $\dfrac{9!\,3!}{11!}$

c) 1) $\dfrac{C_4^{12} C_4^8 C_4^4}{3!}$  2) $\dfrac{C_8^{12} C_2^4 C_2^2}{2!}$

d) 1) $C_3^{12} C_3^9 C_3^6 C_3^3$  2) $\dfrac{C_2^2 C_1^6 C_1^1 C_2^5 C_3^8 C_3^3}{C_3^{12} C_3^9 C_3^6 C_3^3}$

69. a) 1) $\boxed{9|9|9|9|9|9} = 9^6$

2) $\dfrac{\boxed{5|9|9|9|9|5}}{\boxed{9|9|9|9|9|9}}$

3) $\dfrac{\overset{sp\ sp\ sp\ a\ \ a\ \ a}{\boxed{5|5|5|2|2|2}}}{\boxed{9|9|9|9|9|9}} \cdot \dfrac{6!}{3!\,3!}$

4) $\dfrac{\overset{sp\ sp\ a\ \ a\ \ sc\ sc}{\boxed{5|5|2|2|2|2}}}{\boxed{9|9|9|9|9|9}} \cdot \dfrac{6!}{2!\,2!\,2!}$

*5)* $\dfrac{\boxed{9}\ \boxed{1}\ \boxed{1}\ \boxed{8}\ \boxed{1}\ \boxed{1}}{\boxed{9}\ \boxed{9}\ \boxed{9}\ \boxed{9}\ \boxed{9}\ \boxed{9}}$

*6)* $1 - P[\text{aucune période de sciences}] = 1 - \dfrac{7^6}{9^6}$

*7)* $\dfrac{\boxed{9}\ \boxed{8}\ \boxed{7}\ \boxed{6}\ \boxed{5}\ \boxed{4}}{\boxed{9}\ \boxed{9}\ \boxed{9}\ \boxed{9}\ \boxed{9}\ \boxed{9}} = \dfrac{A_6^9}{9^6}$

b) *1)* $\boxed{9}\ \boxed{8}\ \boxed{7}\ \boxed{6}\ \boxed{5}\ \boxed{4} = A_6^9$      *2)* $\dfrac{\boxed{5}\ \boxed{7}\ \boxed{6}\ \boxed{5}\ \boxed{4}\ \boxed{4}}{\boxed{9}\ \boxed{8}\ \boxed{7}\ \boxed{6}\ \boxed{5}\ \boxed{4}}$

*3)*
sp sp sp a a sc

$\dfrac{\boxed{5}\ \boxed{4}\ \boxed{3}\ \boxed{2}\ \boxed{1}\ \boxed{2}}{\boxed{9}\ \boxed{8}\ \boxed{7}\ \boxed{6}\ \boxed{5}\ \boxed{4}} \cdot \dfrac{6!}{3!\,2!}$ ou $\dfrac{C_3^5 C_2^2 C_1^2 \cdot 6!}{\boxed{9}\ \boxed{8}\ \boxed{7}\ \boxed{6}\ \boxed{5}\ \boxed{4}}$

*4)*
sp sp sp sp a sc

$\dfrac{\boxed{5}\ \boxed{4}\ \boxed{3}\ \boxed{2}\ \boxed{2}\ \boxed{2}}{\boxed{9}\ \boxed{8}\ \boxed{7}\ \boxed{6}\ \boxed{5}\ \boxed{4}} \cdot \dfrac{6!}{4!}$ ou $\dfrac{C_4^5 C_1^2 C_1^2 \cdot 6!}{\boxed{9}\ \boxed{8}\ \boxed{7}\ \boxed{6}\ \boxed{5}\ \boxed{4}}$

*5)*
sp          sp
gr          ind

$\dfrac{\boxed{3}\ \boxed{7}\ \boxed{6}\ \boxed{5}\ \boxed{4}\ \boxed{5} + \boxed{2}\ \boxed{7}\ \boxed{6}\ \boxed{5}\ \boxed{4}\ \boxed{6}}{\boxed{9}\ \boxed{8}\ \boxed{7}\ \boxed{6}\ \boxed{5}\ \boxed{4}}$

70. a) $7!$      b) $\dfrac{3!\,3!\,3!}{7!}$      c) $\dfrac{2!\,3!\,3!\,2!}{7!}$

71. a) $\boxed{6}\ \boxed{6}\ \boxed{6}\ \boxed{6}\ \boxed{6} = 6^5$      b) $\dfrac{\boxed{1}\ \boxed{3}\ \boxed{6}\ \boxed{6}\ \boxed{6}}{6^5}$

c)
5   5   6   6   6

$\dfrac{\boxed{1}\ \boxed{1}\ \boxed{1}\ \boxed{1}\ \boxed{1}}{6^5} \cdot \dfrac{5!}{2!\,3!}$      d)
p   p   p   i   i

$\dfrac{\boxed{3}\ \boxed{3}\ \boxed{3}\ \boxed{3}\ \boxed{3}}{6^5} \cdot \dfrac{5!}{3!\,2!}$

e) $\dfrac{\boxed{5}\ \boxed{5}\ \boxed{5}\ \boxed{5}\ \boxed{5}}{6^5}$      f) $1 - \text{réponse de e)}$

g) $1 - \dfrac{\boxed{3}\ \boxed{3}\ \boxed{3}\ \boxed{3}\ \boxed{3}}{6^5}$      h) $1 - \dfrac{\boxed{6}\ \boxed{5}\ \boxed{4}\ \boxed{3}\ \boxed{2}}{6^5}$

i) $\dfrac{\boxed{2}\ \boxed{1}\ \boxed{1}\ \boxed{1}\ \boxed{1}}{6^5} \cdot 5!$      j) $\dfrac{\boxed{6}\ \boxed{1}\ \boxed{5}\ \boxed{1}\ \boxed{1}}{6^5} \cdot \dfrac{5!}{2!\,3!}$

72. a) $\dfrac{C_2^5 C_3^8}{C_5^{16}}$ 　　　　b) $\dfrac{C_2^5 C_3^{11} + C_3^3 C_2^{13} - C_2^5 C_3^3}{C_5^{16}}$

c) $\dfrac{C_3^8 C_2^8 + C_4^8 C_1^8 + C_5^8}{C_5^{16}}$

73. a) $\dfrac{C_5^{20} C_5^{15} C_5^{10} C_5^5}{4!}$ 　　b) $C_5^{20} C_5^{15} C_5^{10} C_5^5$

c) $C_1^1 C_4^{12} C_2^2 C_3^8 C_5^{16} C_5^5$

74. a)

$$\dfrac{\boxed{1}\ \boxed{1}\ \boxed{1}\ \boxed{1}\ \boxed{1}}{\boxed{1\,461}\,\boxed{1\,461}\,\boxed{1\,461}\,\boxed{1\,461}\,\boxed{1\,461}}$$

$$+\ \dfrac{\boxed{1\,460}\ \boxed{4}\ \boxed{4}\ \boxed{4}\ \boxed{4}}{\boxed{1\,461}\,\boxed{1\,461}\,\boxed{1\,461}\,\boxed{1\,461}\,\boxed{1\,461}}$$

b)

$$\dfrac{\boxed{1}\ \boxed{1\,460}\ \boxed{1\,456}\ \boxed{1\,452}\ \boxed{1\,448}}{\boxed{1\,461}\,\boxed{1\,461}\,\boxed{1\,461}\,\boxed{1\,461}\,\boxed{1\,461}} \cdot 5$$

$$+\ \dfrac{\boxed{1\,460}\ \boxed{1\,456}\ \boxed{1\,452}\ \boxed{1\,448}\ \boxed{1\,444}}{\boxed{1\,461}\,\boxed{1\,461}\,\boxed{1\,461}\,\boxed{1\,461}\,\boxed{1\,461}}$$

75. a) 1) $C_4^{10}$ 　　　2) $\dfrac{C_1^4 C_1^3 C_1^2 C_1^1}{C_4^{10}}$

3) $\dfrac{C_1^1 C_3^9}{C_4^{10}} + \dfrac{C_1^1 C_3^9}{C_4^{10}} - \dfrac{C_2^2 C_2^8}{C_4^{10}}$

b) 1) $\boxed{10}\,\boxed{9}\,\boxed{8}\,\boxed{7}\,\boxed{6}\,\boxed{5}\,\boxed{4} = A_7^{10}$

2) $\dfrac{\boxed{3}\ \boxed{\ }\ \boxed{\ }\ \boxed{\ }\ \boxed{\ }\ \boxed{?}}{A_7^{10}}$

$$\longrightarrow\ \dfrac{\overset{\text{é br}}{\boxed{1}\,\boxed{8}\,\boxed{7}\,\boxed{6}\,\boxed{5}\,\boxed{4}\,\boxed{2}} + \overset{\text{é br}}{\boxed{2}\,\boxed{8}\,\boxed{7}\,\boxed{6}\,\boxed{5}\,\boxed{4}\,\boxed{3}}}{A_7^{10}}$$

3) $\dfrac{\overset{\text{c c c é é p p}}{\boxed{4}\,\boxed{3}\,\boxed{2}\,\boxed{3}\,\boxed{2}\,\boxed{2}\,\boxed{1}}}{A_7^{10}} \cdot \dfrac{7!}{3!\,2!\,2!}$ 　ou　 $\dfrac{C_3^4 C_2^3 C_2^2 \cdot P_7}{A_7^{10}}$

c) 1) $10!$ 　　　2) $\dfrac{4!\,4!\,3!\,2!}{10!}$

d) 1) $9!$           2) $\dfrac{7!\,3!}{9!}$

76. a) $\dfrac{C_{10}^{30}\,C_{10}^{20}\,C_{10}^{10}}{3!}$      b) $\dfrac{C_{10}^{30}\,C_{10}^{20}\,C_{5}^{10}\,C_{5}^{5}}{2!\,2!}$

     c) $C_{10}^{30}\,C_{10}^{20}\,C_{10}^{10}$      d) $C_{1}^{1}\,C_{9}^{17}\,C_{2}^{2}\,C_{8}^{8}\,C_{10}^{26}$

77. $\dfrac{1}{32}\,x^5 - \dfrac{5}{16}\,x^4 y^3 + \dfrac{5}{4}\,x^3 y^6 - \dfrac{5}{2}\,x^2 y^9 + \dfrac{5}{2}\,xy^{12} - y^{15}$

78. $x^{12} + 18x^{11} + 135x^{10} + 540x^9 + 1\,215x^8 + 1\,458x^7 + 729x^6$.

79. Dans ce développement, chaque terme est de la forme $C_r^{12}(2x)^{12-r}(-x^{-2})^r$.

     a) Pour le $8^{\text{ème}}$ terme, $r = 7$;

        donc ce terme $= C_7^{12}(2x)^{12-7}(-x^{-2})^7 = \dfrac{-25\,344}{x^9}$.

     b) Pour que $C_r^{12}(2x)^{12-r}(-x^{-2})^r = \ldots x^3$,

        il faut que $x^{12-r} \cdot x^{-2r} = x^3$

           $\longrightarrow x^{12-3r} = x^3 \longrightarrow 12 - 3r = 3 \longrightarrow r = 3$;

        le terme cherché est donc $C_3^{12}(2x)^{12-3}(-x^{-2})^3 = -112\,640\,x^3$.

     c) Ici, il faut que $C_r^{12}(2x)^{12-r}(-x^{-2})^r = \ldots x^0$;

        le terme cherché est donc $126\,720$.

80. Comme il peut se manger 1 ou 2 ou ... ou 25 chocolats différents, il peut donc se produire $C_1^{25} + C_2^{25} + \ldots + C_{25}^{25}$ situations différentes, soit

$$\sum_{r=1}^{25} C_r^{25} = \left(\sum_{r=0}^{25} C_r^{25}\right) - C_0^{25} = (2^{25} - 1) \text{ situations.}$$

81. $\displaystyle\sum_{r=5}^{20} C_r^{20} = \left(\sum_{r=0}^{20} C_r^{20}\right) - (C_0^{20} + C_1^{20} + C_2^{20} + C_3^{20} + C_4^{20})$

        $= (2^{20} - 6\,196)$ façons possibles.

## CHAPITRE 6

1. $P(> 3 \mid \text{pair}) = 2/3$

2. a) $P(\text{jaune} \mid 3) = 1/3$      b) $P(\text{j. ou n.} \mid 3) = 2/3$

3. a) $1/3$      b) $0{,}8$      c) $0{,}4$      d) $4/7$      e) $3/7$

4. a) $3/8$      b) $1/2$      c) $1/2$      d) $3/4$

5.  a) 1/2     b) 17/26    c) 1/13     d) 0

6.  1/2

7.  a) $\dfrac{\boxed{1\ 8\ 7}}{\boxed{10\ 9\ 8}} \cdot \dfrac{3!}{2!}$  ou  $\dfrac{C_1^1 C_2^8\, 3!}{\boxed{10\ 9\ 8}}$

    b) $P(B \mid A) = \dfrac{\#(B \cap A)}{\#(A)} = \dfrac{\boxed{1\ 8\ 7} \cdot \dfrac{3!}{2!}}{\boxed{1\ 9\ 8} \cdot \dfrac{3!}{2!}}$  ou  $\dfrac{C_1^1 C_2^8 \cdot 3!}{C_1^1 C_2^9 \cdot 3!}$

8.  a) $\dfrac{C_1^1 C_2^6}{C_3^7}$     b) $\dfrac{C_2^2 C_1^5}{C_1^1 C_2^6}$     c) $\dfrac{C_1^1 C_2^5}{C_1^1 C_2^6}$

9.  a) $\dfrac{C_1^{11} C_4^4}{C_5^{15}}$     b) $\dfrac{C_1^{11} C_4^4}{C_1^{27} C_4^4}$

10. $\dfrac{C_6^6}{C_3^6 C_3^{43} + C_4^6 C_2^{43} + C_5^6 C_1^{43} + C_6^6}$

11. a) $\dfrac{C_3^3 C_3^3 C_3^9 C_3^6 C_3^3}{C_3^3 C_3^{12} C_3^9 C_3^6 C_3^3}$     b) $\dfrac{C_3^3 C_2^3 C_1^8 C_3^9 C_3^6 C_3^3}{C_3^3 C_3^{12} C_3^9 C_3^6 C_3^3}$

12. a) $P(O \cap F) = P(F \mid O) \cdot P(O) = (3/17) \cdot (17/28) = 3/28$

    b) $P(F) = P(F \mid O) \cdot P(O) + P(F \mid Q) \cdot P(Q)$
    $= [(3/17) \cdot (17/28)] + [(6/11) \cdot (11/28)] = 9/28$

    c) $P(O \mid F) = \dfrac{P(F \mid O) \cdot P(O)}{P(F \mid O) \cdot P(O) + P(F) \mid Q) \cdot P(Q)} = \dfrac{3/28}{9/28} = \dfrac{1}{3}$

13. a) $P(F \cap D) = P(D \mid F) \cdot P(F) = 0{,}4 \cdot 0{,}4 = 0{,}16$

    b) $P(D) = P(D \mid F) \cdot P(F) + P(D \mid H) \cdot P(H)$
    $= (0{,}4 \cdot 0{,}4) + (0{,}6 \cdot 0{,}6) = 0{,}16 + 0{,}36 = 0{,}52$

    c) $P(F \mid D) = \dfrac{\text{réponse de a)}}{\text{réponse de b)}} = \dfrac{0{,}16}{0{,}52} = \dfrac{4}{13}$

14. a) $P(\text{garçon} \cap \text{bio.}) = P(\text{bio.} \mid \text{garçon}) \cdot P(\text{garçon})$
    $= 0{,}35 \cdot 0{,}6 = 0{,}21$

    b) $P(\text{math.}) = P(\text{math.} \mid \text{garçon}) \cdot P(\text{garçon})$
    $+ P(\text{math.} \mid \text{fille}) \cdot P(\text{fille})$
    $= (0{,}55 \cdot 0{,}6) + (0{,}6 \cdot 0{,}4) = 0{,}57$

c) $P(\text{fille} \mid \text{fr.}) = \dfrac{P(\text{fr.} \mid \text{fille}) \cdot P(\text{fille})}{P(\text{fr.} \mid \text{garçon}) \cdot P(\text{garçon}) + P(\text{fr.} \mid \text{fille}) \cdot P(\text{fille})}$

$= \dfrac{0{,}95 \cdot 0{,}4}{(0{,}9 \cdot 0{,}6) + (0{,}95 \cdot 0{,}4)} = \dfrac{0{,}38}{0{,}92} = 0{,}413$

15. a) $P(D \cap R) = P(R \mid D) \cdot P(D) = 0{,}70 \cdot 0{,}15 = 0{,}105$
   b) $P(D \cap \bar{R}) = P(\bar{R} \mid D) \cdot P(D) = 0{,}30 \cdot 0{,}15 = 0{,}045$

16. a) $P(100\,\$ \mid \text{env. 1}) \cdot P(\text{env. 1}) = (1/4) \cdot (1/13) = 1/52$
   b) $P(10\,\$) = P(10\,\$ \cap \text{env. 1}) + P(10\,\$ \cap \text{env. 2})$
   $= P(10\,\$ \mid \text{env. 1}) \cdot P(\text{env. 1})$
   $\qquad\qquad\qquad + P(10\,\$ \mid \text{env. 2}) \cdot P(\text{env. 2})$
   $= [(1/4) \cdot (1/13)] + [(1/3) \cdot (3/13)] = 5/52$
   c) $P(5\,\$) = P(5\,\$ \cap \text{env. 1}) + P(5\,\$ \cap \text{env. 2}) + P(5\,\$ \cap \text{cons.})$
   $= P(5\,\$ \mid \text{env. 1}) \cdot P(\text{env. 1}) + P(5\,\$ \mid \text{env. 2}) \cdot P(\text{env. 2})$
   $\qquad\qquad\qquad + P(5\,\$ \mid \text{cons.}) \cdot P(\text{cons.})$
   $= [(1/4) \cdot (1/13)] + [(1/3) \cdot (3/13)] + [1 \cdot (9/13)]$
   $= 41/52$
   d) $P(\text{env. 1} \mid 5\,\$) = \dfrac{P(5\,\$ \cap \text{env. 1})}{P(5\,\$)}$

   $= \dfrac{P(5\,\$ \mid \text{env. 1}) \cdot P(\text{env. 1})}{P(5\,\$)} = \dfrac{(1/4) \cdot (1/13)}{\text{réponse de c)}}$
   $= 1/41$

17. a) $P(\text{Pierre}) = P(\text{Pierre} \mid \text{garçon}) \cdot P(\text{garçon}) = (1/3) \cdot (1/3) = 1/9$
   b) $P(\text{Anne}) = P(\text{Anne} \mid \text{fille}) \cdot P(\text{fille}) = (2/5) \cdot (2/3) = 4/15$
   c) $P(\text{Marie}) = P(\text{Marie} \mid \text{fille}) \cdot P(\text{fille}) = (1/5) \cdot (2/3) = 2/15$

18. a) $0{,}29$   b) $0{,}09 + 0{,}08 + 0{,}15 + 0{,}05 + 0{,}03 = 0{,}4$   c) $0{,}09$

   d) $P(\text{Montréal} \mid \text{BMX}) = \dfrac{P(\text{Montréal} \cap \text{BMX})}{P(\text{BMX})} = \dfrac{0{,}09}{0{,}29} = \dfrac{9}{29}$

   e) $P(\text{BMX} \mid \text{Montréal}) = \dfrac{P(\text{Montréal} \cap \text{BMX})}{P(\text{Montréal})} = \dfrac{0{,}09}{0{,}4} = \dfrac{9}{40}$

19. $P(\text{dé pipé} \mid 6) = \dfrac{P(\text{dé pipé} \cap 6)}{P(6)}$

   $= \dfrac{P(\text{dé pipé} \cap 6)}{P(\text{dé régulier} \cap 6) + P(\text{dé pipé} \cap 6)}$

$$= \frac{P(6 \mid \text{pipé}) \cdot P(\text{pipé})}{P(6 \mid \text{régulier}) \cdot P(\text{régulier}) + P(6 \mid \text{pipé}) \cdot P(\text{pipé})}$$

$$= \frac{(6/21) \cdot (1/2)}{[(1/6) \cdot (1/2)] + [(6/21) \cdot (1/2)]} = \frac{12}{19}$$

20. a)

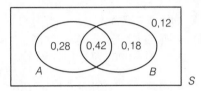

b) 0,42/0,6 = 0,7     c) 0,28     d) 0,28/0,40 = 0,7

e) 1) $P(A) \cdot P(B) = 0,7 \times 0,6 = 0,42$
   2) $P(A \cap B) = 0,42$
   3) Comme $P(A \cap B) = P(A) \cdot P(B)$, $A$ et $B$ sont indépendants l'un de l'autre.

f) $P(A \cap B) \neq 0$, alors $A$ et $B$ sont compatibles.

21. a) 1) P(vert pair) = 18/36 = 1/2 ⎫
       P(rouge impair) = 18/36 = 1/2 ⎭
       $\longrightarrow$ P(vert pair) · P(rouge impair) = (1/2) · (1/2) = 1/4

   2) P(vert pair et rouge impair) = 9/36 = 1/4

   3) P(vert pair) · P(rouge impair) = P(vert pair ∩ rouge impair), alors il s'agit d'événements indépendants l'un de l'autre.

b) 1) P(somme = 6) = 5/36 ⎫
      P(rouge pair) = 18/36 = 1/2 ⎭
      $\longrightarrow$ P(somme = 6) · P(rouge pair) = (5/36) · (1/2) = 5/72

   2) P(somme de 6 et rouge pair) = 2/36 = 1/18

   3) P(somme = 6) · P(rouge pair) $\neq$ P(somme = 6 ∩ rouge pair), alors il s'agit d'événements dépendants, d'événements liés entre eux.

c) 1) P(somme = 7) = 6/36 = 1/6 ⎫
      P(rouge pair) = 18/36 = 1/2 ⎭
      $\longrightarrow$ P(somme = 7) · P(rouge pair) = (1/6) · (1/2) = 1/12

2) P(somme de 7 et rouge pair) = 3/36 = 1/12

3) Comme   P(somme = 7) · P(rouge   pair) = P(somme = 7 ∩ rouge pair), il s'agit d'événements indépendants l'un de l'autre.

22. a) 1) P(♣) = 13/52 = 1/4 ⎫ ⟶ P(♣) · P(as) =
       P(as) = 4/52 = 1/13 ⎭              (1/4) · (1/13) = 1/52

    2) P(as et ♣) = 1/52

    3) Comme P(♣) · P(as) = P(as ∩ ♣), il s'agit d'événements indépendants l'un de l'autre.

   b) 1) P(♣) = 13/52 = 1/4 ⎫ ⟶ P(♣) · P(noire) =
         P(noire) = 26/52 = 1/2 ⎭              (1/4) · (1/2) = 1/8

      2) P(♣ et noire) = P(♣) = 1/4

      3) Comme P(♣) · P(noire) ≠ P(♣ ∩ noire), il s'agit d'événements dépendants, d'événements liés entre eux.

23. a) 1) P(1$^{er}$ p) = 2/4 = 1/2 ⎫ ⟶ P(1$^{er}$ p) · P(2$^{ème}$ f) =
       P(2$^{ème}$ f) = 2/4 = 1/2 ⎭              (1/2) · (1/2) = 1/4

    2) P(1$^{er}$ p et 2$^{ème}$ f) = 1/4

    3) Comme P(1$^{er}$ p) · P(2$^{ème}$ f) = P(1$^{er}$ p ∩ 2$^{ème}$ f), il s'agit d'événements indépendants l'un de l'autre.

   b) 1) P(pp ou ff) = 2/4 = 1/2 ⎫ ⟶ P(pp ou ff) · P(1$^{er}$ p) =
         P(1$^{er}$ p) = 2/4 = 1/2 ⎭              (1/2) · (1/2) = 1/4

      2) P((pp ou ff) et (1$^{er}$ p)) = P(pp) = 1/4

      3) Comme P(pp ou ff) · P(1$^{er}$ p) = P(pp), il s'agit d'événements indépendants l'un de l'autre.

24. 1) P(syndiqué) = 58/75 ⎫ ⟶ P(syndiqué) · P(homme) =
       P(homme) = 60/75 = 4/5 ⎭              (58/75) · (4/5) = 232/375

    2) P(syndiqué et homme) = 48/75

    3) P(syndiqué) · P(homme) ≠ P(homme syndiqué), alors il s'agit d'événements dépendants, d'événements liés entre eux.

25. 1) P(syndiqué) = 68/85 ⎫ ⟶ P(syndiqué) · P(homme) =
       P(homme) = 60/85 = 12/17 ⎭              (68/85) · (12/17) = 48/85

    2) P(syndiqué et homme) = 48/85

    3) P(syndiqué) · P(homme) = P(homme syndiqué), alors il s'agit d'événements indépendants l'un de l'autre.

26. a) 1/2    b) 0    c) 1/8    d) 3/8    e) 1/4    f) 3/4    g) 7/8

  h) 1) P(plus vieux est un garçon) = 1/2 ⎱
     P(un seul garçon) = 3/8           ⎰
     → P(plus vieux est un garçon) · P(un seul garçon) =
                                       $(1/2) \cdot (3/8) = 3/16$

  2) P(plus vieux garçon ∩ un seul garçon) = P(gff) = 1/8

  3) Comme P(plus vieux garçon) · P(un seul garçon) ≠ P(gff), il
     s'agit d'événements dépendants, d'événements liés entre
     eux.

27. a) P(homme vivant ∩ femme vivante)
        = P(homme vivant) · P(femme vivante)
                                        (à cause de l'indépendance)
        = $(1/20) \cdot (1/15) = 1/300$

  b) P(homme mort ∩ femme morte)
        = $(19/20) \cdot (14/15) = 266/300$

  c) P(homme vivant ∩ femme morte) + P(homme mort ∩ femme
                                                     vivante)
        = $[(1/20) \cdot (14/15)] + [(19/20) \cdot (1/15)]$
        = 33/300

28. a) $P(A \cap B \cap C) = P(A) \cdot P(B) \cdot P(C) = 0,8 \cdot 0,5 \cdot 0,4 = 0,16$
  b) $P(\overline{A} \cap \overline{B} \cap \overline{C}) = P(\overline{A}) \cdot P(\overline{B}) \cdot P(\overline{C}) = 0,2 \cdot 0,5 \cdot 0,6 = 0,06$
  c) $P(A \cap \overline{B} \cap \overline{C}) + P(\overline{A} \cap B \cap \overline{C}) + P(\overline{A} \cap \overline{B} \cap C) = 0,34$

29. a) $P(A \cap \overline{A} \cap \overline{A}) + P(\overline{A} \cap A \cap \overline{A}) + P(\overline{A} \cap \overline{A} \cap A)$
        $$= \left( \frac{3}{4} \cdot \frac{1}{4} \cdot \frac{1}{4} \right) \cdot 3 = \frac{9}{64}$$

     $$1 - P(\overline{A} \cap \overline{A} \cap \overline{A}) = 1 - \left( \frac{1}{4} \cdot \frac{1}{4} \cdot \frac{1}{4} \right) = \frac{63}{64}$$

     $$\left( \frac{3}{4} \cdot \frac{1}{4} \cdot \frac{1}{4} \right) \cdot 3 \cdot \left( \frac{2}{3} \cdot \frac{1}{3} \cdot \frac{1}{3} \right) \cdot 3 = \frac{1}{32}$$

  b) $P(A) + P(\overline{A} \cap A) + P(\overline{A} \cap \overline{A} \cap A)$
        $$= \frac{3}{4} + \left( \frac{1}{4} \cdot \frac{3}{4} \right) + \left( \frac{1}{4} \cdot \frac{1}{4} \cdot \frac{3}{4} \right) = \frac{63}{64}$$

     ou      $1 - P(\overline{A} \cap \overline{A} \cap \overline{A})$
        $$= 1 - \left( \frac{1}{4} \cdot \frac{1}{4} \cdot \frac{1}{4} \right) = 1 - \frac{1}{64} = \frac{63}{64}$$

     $$P(\overline{B} \cap \overline{B} \cap \overline{B}) = \frac{1}{3} \cdot \frac{1}{3} \cdot \frac{1}{3} = \frac{1}{27}$$

## CHAPITRE 7

1. a)

| $x_i$ | 1 | 2 | 3 | 4 | 5 | 6 |
|-------|------|------|------|------|------|------|
| $p(x_i)$ | 1/21 | 2/21 | 3/21 | 4/21 | 5/21 | 6/21 |

b)

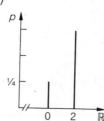

c) $E[X] = 4,\overline{3}$

$V[X] = 2,\overline{2} \longrightarrow \sqrt{V[X]} = 1,49$

2. a)

| $x_i$ | 0 | 2 |
|-------|-----|-----|
| $p(x_i)$ | 1/4 | 3/4 |

b)

c) $E[X] = 1,5$

$V[X] = 0,75 \longrightarrow \sqrt{V[X]} = 0,866$

3. a)

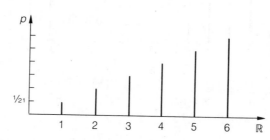

| $x_i$ | 1 | 2 | 3 | 4 | 5 | 6 |
|-------|-----|-----|-----|-----|-----|-----|
| $p(x_i)$ | 1/6 | 1/6 | 1/6 | 1/6 | 1/6 | 1/6 |

| $y_j$ | 2 | 3 | 4 | 5 | 6 | 7 | 8 | 9 | 10 | 11 | 12 |
|-------|------|------|------|------|------|------|------|------|------|------|------|
| $p(y_j)$ | $\frac{1}{36}$ | $\frac{2}{36}$ | $\frac{3}{36}$ | $\frac{4}{36}$ | $\frac{5}{36}$ | $\frac{6}{36}$ | $\frac{5}{36}$ | $\frac{4}{36}$ | $\frac{3}{36}$ | $\frac{2}{36}$ | $\frac{1}{36}$ |

b)

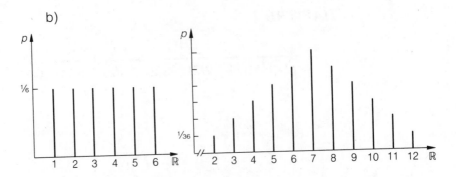

c) $E[X] = 3,5$        $E[Y] = 7$
   $V[X] = 2,916$       $V[Y] = 5,833$
   $\sqrt{V[X]} = 1,708$    $\sqrt{V[Y]} = 2,415$

4.  a) $k = 1/10$    b) $P[X < 3] = 4/5$        c) $E[X] = 1,6$
                        $P[1 \leqslant X < 3] = 7/10$       $V[X] = 0,84$
                        $P[0,5 \leqslant X < 5] = 9/10$     $\sqrt{V[X]} = 0,92$

5.  a) Non, car une fonction de probabilité ne peut pas prendre de valeur négative.

    b) Non, car $\sum f(x_i) \neq 1$.

    c) Oui, car 1) $\forall\, i, \quad f(x_i) \in [0, 1]$
       et 2) $\sum_i f(x_i) = 1$.

6.  a)

| $x_i$    | $-50$ | $10$ | $25$ |
|----------|-------|------|------|
| $p(x_i)$ | $1/2$ | $1/4$| $1/4$|

    b) 1/2, 1/2, 1/4, 1.

    c) $E[X] = -16\ 1/4¢$        $V[X] = 1\ 167,1875¢^2$        $\sqrt{V[X]} = 34,16¢$

7.  $X$ = gain net (en ¢) = gain brut − mise
    $\longrightarrow X = \{100\,, 75\,, 50\,, 25\,, 0\,, -25\}$

        c'est-à-dire  100¢ pour un as de pique,
                       75¢ pour un as non de pique,
                       50¢ pour une figure de pique,
                       25¢ pour une figure non de pique,
                        0¢ pour un pique simple (ni figure, ni as),
                      −25¢ pour toute autre carte.

    a)

| $x_i$    | $-25$  | $0$   | $25$  | $50$  | $75$  | $100$ |
|----------|--------|-------|-------|-------|-------|-------|
| $p(x_i)$ | $27/52$| $9/52$| $9/52$| $3/52$| $3/52$| $1/52$|

    b) $E[X] = 0,48¢$        $V[X] = 1\ 093,5¢^2$        $\sqrt{V[X]} = 33,07¢$

8.

| $x_i$ | 1 | 2 | 3 | 5 | 7 |
|---|---|---|---|---|---|
| $p(x_i)$ | 1/10 | 2/10 | 4/10 | 2/10 | 1/10 |

9. a)

| $x_i$ | −50 | 0 | 50 | 450 |
|---|---|---|---|---|
| $p(x_i)$ | 0,58 | 0,25 | 0,16 | 0,01 |

b) $E[X] = -16,5¢$      $V[X] = 3\,602,75¢^2$

10. a)

| $x_i$ | −1 | 1 | 2 | 3 |
|---|---|---|---|---|
| $p(x_i)$ | 125/216 | 75/216 | 15/216 | 1/216 |

b) $E[X] = -0,079\ \$$      $V[X] = 1,239\ \$^2$      $\sqrt{V[X]} = 1,113\ \$$

11. a) C'est le jeu du numéro 7, car c'est celui qui offre la plus grande espérance de gain. Il est d'ailleurs le seul dont l'espérance de gain est positive.

b) Cela dépend:
un jeu qui offre une plus grande variance de gains comporte, par le fait même, des différences plus importantes entre les gains et les pertes possibles. Il peut s'agir d'un jeu où certains gains possibles sont élevés, mais certaines pertes aussi. Il peut aussi s'agir d'un jeu où certains gains possibles sont très importants mais la probabilité de les obtenir est très faible, alors que les pertes possibles sont peu importantes mais la probabilité de les obtenir, très forte.

12. a)

| $x_i$ | 1 | 2 | 3 | 4 | 5 | 6 |
|---|---|---|---|---|---|---|
| $F_1(x_i)$ | 1/6 | 2/6 | 3/6 | 4/6 | 5/6 | 1 |

| $y_i$ | 2 | 3 | 4 | 5 | 6 | 7 | 8 | 9 | 10 | 11 | 12 |
|---|---|---|---|---|---|---|---|---|---|---|---|
| $F_2(y_i)$ | $\frac{1}{36}$ | $\frac{3}{36}$ | $\frac{6}{36}$ | $\frac{10}{36}$ | $\frac{15}{36}$ | $\frac{21}{36}$ | $\frac{26}{36}$ | $\frac{30}{36}$ | $\frac{33}{36}$ | $\frac{35}{36}$ | 1 |

b)

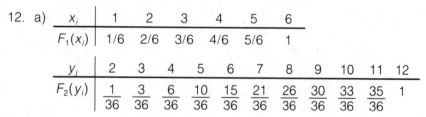
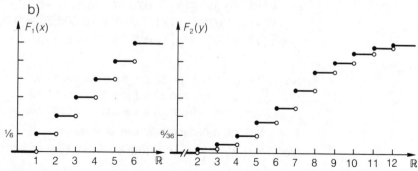

c) — $P[X \leqslant 5] = F_1(5) = 5/6$

— $P[2 < X \leqslant 5] = P[X \leqslant 5] - P[X \leqslant 2] = F_1(5) - F_1(2)$
$$= (5/6) - (2/6) = 1/2$$

— $P[2,5 < X \leqslant 4,2] = P[X \leqslant 4,2] - P[X \leqslant 2,5]$
$$= F_1(4,2) - F_1(2,5) = (4/6) - (2/6) = 1/3$$

— $P[5 < Y < 10] = P[Y < 10] - P[Y \leqslant 5]$
$$= F_2(9) - F_2(5) = 30/36 - 10/36 = 5/9$$

— $P[Y > 9] = 1 - P[Y \leqslant 9] = 1 - F_2(9)$
$$= 1 - (30/36) = 1/6$$

— $P[10 < Y < 15] = P[Y < 15] - P[Y \leqslant 10]$
(Et ici, $P[Y < 15] = P[Y \leqslant 15]$
car $P[Y = 15] = 0$)
$$= P[Y \leqslant 15] - P[Y \leqslant 10]$$
$$= F_2(15) - F_2(10) = 1 - (33/36) = 1/12$$

13. Soit $Y$ = somme de deux dés, donc $E[Y] = 7$
$V[Y] = 5,833$
$\sqrt{V[Y]} = 2,415,$

soit $W$ = gain net (en \$) = gain brut − mise,

alors $W = 0,5Y - 5$

et $E[W] = 0,5 \cdot E[Y] - 5 = 0,5 \cdot 7 - 5 = -1,50$ \$
$V[W] = (0,5)^2 \cdot V[Y] = 0,25 \cdot 5,833 = 1,46$ \$$^2$
$\sqrt{V[W]} = 0,5 \cdot \sqrt{V[Y]} = 0,5 \cdot (2,415) = 1,21$ \$.

14. Soit $X$ = gain net en ¢, donc $E[X] = -16,5$¢
$V[X] = 3\ 602,75$¢$^2$,

soit $Y$ = gain net en \$,

alors $Y = \dfrac{1}{100} \cdot X = 0,01 \cdot X$

et $E[Y] = 0,01 \cdot E[X] = 0,01 \cdot (-16,5) = -0,165$ \$
$V[Y] = (0,01)^2 \cdot V[X] = (0,01)^2 \cdot 3\ 602,75 = 0,360\ 275$ \$$^2$
$\sqrt{V[Y]} = 0,01 \cdot \sqrt{V[X]} = 0,01 \cdot (60,02) = 0,60$ \$.

15. Soit $X_1$ = gain net (en \$) au jeu du numéro 9,
$X_2$ = gain net (en \$) au jeu du numéro 10,
$X_3$ = gain net (en \$) au jeu du numéro 13,

soit $Y$ = gain net total de ces 3 jeux,

alors $Y = X_1 + X_2 + X_3$ (où $X_1$, $X_2$ et $X_3$ sont indépendants)

et $E[Y] = E[X_1] + E[X_2] + E[X_3]$
$$= -0{,}165 - 0{,}079 - 1{,}5 = -1{,}744 \text{ \$}$$

$V[Y] = V[X_1] + V[X_2] + V[X_3]$
$$= 0{,}3603 + 1{,}239 + 1{,}46 = 3{,}06 \text{ \$}^2$$

$\sqrt{V[Y]} = \sqrt{3{,}06} = 1{,}749 \text{ \$}$

16. Soit $X_1 = $ gain net (en \$) au jeu du numéro 9,
    $X_2 = $ gain net (en \$) au jeu du numéro 10,
    $X_3 = $ gain net (en \$) au jeu du numéro 13,

    soit $Y = $ gain net total du joueur,

    alors $Y = X_{11} + X_{12} + X_{13} + X_{14} + X_{15} + X_{21} + X_{22} + X_{23} + X_3$
    (où tous les $X_{ij}$ ou $X_i$ sont indépendants entre eux)
    **et non pas $Y = 5 \cdot X_1 + 3 \cdot X_2 + X_3$**

    et $E[Y] = E[X_{11}] + E[X_{12}] + E[X_{13}] + ... + E[X_3]$
    $$= E[X_1] + E[X_1] + ... + E[X_1] + E[X_2]$$
    $$+ E[X_2] + E[X_2] + E[X_3]$$
    $$= 5 \cdot E[X_1] + 3 \cdot E[X_2] + E[X_3]$$
    $$= 5 \cdot (-0{,}165) + 3 \cdot (-0{,}079) - 1{,}5 = -2{,}562 \text{ \$}$$

    $V[Y] = V[X_{11}] + V[X_{12}] + V[X_{13}] + ... + V[X_3]$
    $$= 5 \cdot (0{,}360) + 3 \cdot (1{,}239) + 1{,}46 = 6{,}977 \text{ \$}^2$$

    $\sqrt{V[Y]} = \sqrt{6{,}977} = 2{,}64 \text{ \$}.$

17. a) Soit $X = $ le nombre de douzaines de paniers/jour pour un cueilleur,

    alors

| $x_i$ | 3 | 4 | 5 | 6 |
|---|---|---|---|---|
| $p(x_i)$ | 0,10 | 0,35 | 0,45 | 0,10 |

    et $E[X] = 4{,}55$ douzaines
    $V[X] = 0{,}6475$ douzaine$^2$
    $\sqrt{V[X]} = 0{,}805$ douzaine.

    b) Soit $Y = $ le salaire journalier d'un cueilleur,

    alors $Y = 10 \cdot X + 15$

    et $E[Y] = 10 \cdot E[X] + 15 = 60{,}5 \text{ \$}$
    $V[Y] = 10^2 \cdot V[X] = 64{,}75 \text{ \$}^2$
    $\sqrt{V[Y]} = 10\sqrt{V[X]} = 8{,}05 \text{ \$}.$

    c) Soit $W = $ le salaire total de 20 cueilleurs,

    alors $W = Y_1 + Y_2 + ... + Y_{20}$
    (où tous les $Y_i$ sont indépendants entre eux)
    **et non pas $W = 20 \cdot Y$**

et $\quad E[W] = E[Y_1] + E[Y_2] + \ldots + E[Y_{20}]$
$$= 20 \cdot E[Y_1] = 1\,210 \$$$
$$V[W] = V[Y_1] + V[Y_2] + \ldots + V[Y_{20}]$$
$$= 20 \cdot V[Y_1] = 1\,295 \$^2$$
$$\sqrt{V[W]} = \sqrt{1\,295} = 35,99 \$.$$

18. a) Soit $\quad X$ = le nombre de jours de travail pour une semaine,

si

| $x_i$ | 0 | 1 | 2 | 3 |
|---|---|---|---|---|
| $p(x_i)$ | 1/5 | 1/5 | 2/5 | 1/5 |

,

alors $\quad E[X] = 1,6$ jour
$$V[X] = 1,04 \text{ jour}^2$$
$$\sqrt{V[X]} = 1,02 \text{ jour}.$$

b) Soit $\quad Y$ = le nombre de jours de travail pour un mois (4 semaines),

alors $\quad Y = X_1 + X_2 + X_3 + X_4$
(où tous les $X_i$ sont indépendants entre eux)
**et non pas $Y = 4 \cdot X$**

et $\quad E[Y] = E[X_1] + E[X_2] + E[X_3] + E[X_4]$
$$= 4 \cdot E[X_1] = 6,4 \text{ jours}$$
$$V[Y] = V[X_1] + V[X_2] + V[X_3] + V[X_4]$$
$$= 4 \cdot V[X_1] = 4,16 \text{ jours}^2$$
$$\sqrt{V[Y]} = \sqrt{4,16} = 2,04 \text{ jours.}$$

c) Soit $\quad W$ = le salaire pour un mois de 4 semaines,
alors $\quad W = 200 \cdot Y + 400$

et $\quad E[W] = 200 \cdot E[Y] + 400 = 1\,680 \$$
$$V[W] = 200^2 \cdot V[Y] = 166\,400 \$^2$$
$$\sqrt{V[W]} = 200 \cdot \sqrt{V[Y]} = 408 \$.$$

## CHAPITRE 8

1. $n = 20$ essais
└→ à chaque essai: succès = joue $\longmapsto p = 0,05$
échec = ne joue pas $\longmapsto q = 0,95$
$X$ = nombre de joueurs à la Bourse dans l'échantillon
$X$: $\quad B(20 ; 0,05)$
a) $P[X = 1] = 0,3774$

b) $P[X = 1 \text{ ou } 2] = 0,3774 + 0,1887 = 0,5661$

c) $P[X < 5] = 0,3585 + 0,3774 + 0,1887 + 0,0596$
$$+ 0,0133 = 0,9975$$

d) $P[X \geqslant 1] = 1 - P[X < 1] = 1 - 0,3585 = 0,6415$

2.  $n = 5$ essais

    └─▶ à chaque essai:  succès = pile  ↦ $p = 0,3$
    
    échec = face  ↦ $q = 0,7$

    $X$ = nombre de pile obtenus

    $X$:  $\mathbf{B}(5 ; 0,3)$

    a) $P[X = 2] = 0,3087$

    b) $P[X = 2 \text{ ou } 3] = 0,3087 + 0,1323 = 0,441$

    c) $P[X \geqslant 2] = 0,3087 + 0,1323 + 0,0284 + 0,0024 = 0,4718$
    
    ou
    $$= 1 - P[X < 2] = 1 - (0,1681 + 0,3602) = 0,4717$$

    (N.B.: La différence entre ces deux réponses est attribuable à l'arrondissement de la quatrième décimale des $p(x)$, dans la table.)

    d) $P[X = 0 \text{ ou } 1 \text{ ou } 2] = 0,1681 + 0,3602 + 0,3087 = 0,8370$

3.  $n = 25$ essais

    └─▶ à chaque essai:  succès = fervent du t.-r.  ↦ $p = 0,4$
    
    échec = non fervent  ↦ $q = 0,6$

    $X$ = nombre de fervents du télé-roman observés

    $X$:  $\mathbf{B}(25 ; 0,4)$

    a) $P[X = 10] = 0,1612$

    b) $P[10 \leqslant X \leqslant 15] = 0,1612 + ... + 0,0212 = 0,5623$

    c) $P[X \leqslant 5] = 0,0000 + ... + 0,0199 = 0,0293$

    d) $P[X > 5] = 1 - P[X \leqslant 5] = 0,9707$

4.  a) $0,35^2 \cdot 0,65^8 = 0,0039$ (N.B.: Pas de binômiale ici)

    b) $0,35^2 = 0,1225$ (Ici, on peut y voir une binômiale avec $n = 2$)

    c) $X$ = nombre de garçons ⟶ $X$: $\mathbf{B}(10 ; 0,35)$
    $$\longrightarrow P[X = 2] = 0,1757$$

5.  $n = 15$ essais

    | à chaque essai: | à chaque essai: |
    |---|---|
    | succès = majeur ↦ $p = 0,55$ | succès' = mineur ↦ $p' = 0,45$ |
    | $X$ = nombre de majeurs | $X'$ = nombre de mineurs |
    | $X$: $\mathbf{B}(15 ; 0,55)$ | $X' = \mathbf{B}(15 ; 0,45)$ |

a) $P[X = 8] = P[X' = 7] = 0,2013$

b) $P[5 \leqslant X \leqslant 8] = P[7 \leqslant X' \leqslant 10] = 0,5223$

c) $P[X < 5] = P[X' > 10] = 0,0254$

d) $P[X \geqslant 12] = P[X' \leqslant 3] = 0,0425$

e) $P[X < 12] = P[X' > 3] = 1 - P[X' \leqslant 3] = 1 - 0,0425 = 0,9575$

6.  a) $P[X = 5] = P[X' = 3] = 0,2787$

b) $P[X = 4, 5 \text{ ou } 6] = P[X' = 4, 3 \text{ ou } 2] = 0,7199$

c) $P[X = 8] = P[X' = 0] = 0,0168$

d) $P[X \leqslant 7] = 1 - P[X = 8] = 1 - P[X' = 0] = 1 - 0,0168 = 0,9832$

7.  $n = 5$
$X$ = nombre de fois où on arrive quitte
$X$:   $B(5 ; 0,25)$
$P[X \geqslant 1] = 1 - P[X = 0] = 1 - 0,2373 = 0,7627$

8.  $n = 20$
$X$ = nombre d'objets défectueux
$X$:   $B(20 ; 0,08)$

a) $P[X = 1] = C_1^{20} \cdot (0,08) \cdot (0,92)^{19} = 0,3282$

b) $P[X \leqslant 4] = P[X = 0] + ... + P[X = 4]$
$= C_0^{20} \cdot (0,08)^0 \cdot (0,92)^{20} + C_1^{20} \cdot (0,08) \cdot (0,92)^{19} + ...$
$= 0,1887 + 0,3282 + 0,2711 + 0,1414 + 0,0523$
$= 0,9817$

c) $P[X > 1] = 1 - P[X = 0] - P[X = 1]$
$= 0,4831$

d) $P[X \leqslant 4]$ = réponse de b) $= 0,9817$

9.  $0,2122$

10. Soit $Y$: $B(1 ; p)$,
alors la distribution de probabilités de $Y$ est la suivante:

| $y$ | 0 | 1 |
|-----|---|---|
| $p(y)$ | $q$ | $p$ |

et $E[Y] = 0 \cdot q + 1 \cdot p = p$
$V[Y] = 0^2 \cdot q + 1^2 \cdot p - p^2 = p - p^2$
$= p(1 - p)$
$= pq.$

Maintenant, comme $X$ peut être défini de la façon suivante:
$X = Y_1 + ... + Y_n$
   = somme de $n$ variables indépendantes où, $\forall\ i$, $Y_i$: $B(1 ; p)$
$E[X] = E[Y_1] + ... + E[Y_n] = p + ... + p = np$
et
$V[X] = V[Y_1] + ... + V[Y_n] = pq + ... + pq = npq$
$\qquad\qquad\qquad\qquad\qquad\qquad\qquad$ (à cause de l'indépendance).

11. $n = 17$   et   $p = 0{,}75$

12. a) Soit   $X$ = le nombre de cases rouges obtenues après avoir appuyé sur le bouton,

   alors $X$: $B(25 ; 0{,}10)$

   et   $E[X] = 2{,}5$      $V[X] = 2{,}25$.

   Soit   $Y$ = le gain net d'un tel jeu = $1 \cdot X - 4$,

   alors $E[Y] = 1 \cdot E[X] - 4 = -1{,}5$ \$

   et   $V[Y] = 1^2 \cdot V[X] = 2{,}25$ \$$^2$.

   b) Pour faire de l'argent, il faut obtenir au moins 5 cases rouges, donc $P[X \geqslant 5] = 0{,}098$.

   c) Soit   $W = Y_1 + ... + Y_5$      où ...,

   alors $E[W] = -7{,}5$ \$   et   $V[W] = 11{,}25$ \$$^2$.

13. a) Soit   $X$ = nombre de 6 obtenus avec les 5 dés,

   alors $X$:   $B(5 ; 1/6)$   et   $E[X] = 0{,}8\overline{3}$   $V[X] = 0{,}69\overline{4}$.

   Soit   $Y$ = nombre de pile obtenus avec les 3 pièces,

   alors $Y$:   $B(3 ; 1/2)$   et   $E[Y] = 1{,}5$   $V[Y] = 0{,}75$.

   Soit   $W$ = gain (en \$) = $X - Y = X + (-Y)$,

   alors $E[W] = E[X] + E[-Y] = E[X] + (-1) \cdot E[Y] = -0{,}\overline{6}$ \$

   et $V[W] = V[X] + V[-Y] = V[X] + (-1)^2 \cdot V[Y] = 1{,}\overline{4}$ \$$^2$.

   b) $P[W = 0] =$

$$\begin{bmatrix} P[X=0 \text{ et } Y=0] \\ + \\ P[X=1 \text{ et } Y=1] \\ + \\ P[X=2 \text{ et } Y=2] \\ + \\ P[X=3 \text{ et } Y=3] \end{bmatrix} = \begin{bmatrix} P[X=0] \cdot P[Y=0] \\ + \\ P[X=1] \cdot P[Y=1] \\ + \\ P[X=2] \cdot P[Y=2] \\ + \\ P[X=3] \cdot P[Y=3] \end{bmatrix} = \begin{matrix} (0{,}4019 \cdot 0{,}1250) \\ + \\ (0{,}4019 \cdot 0{,}3750) \\ + \\ (0{,}1608 \cdot 0{,}3750) \\ + \\ (0{,}0322 \cdot 0{,}1250) \end{matrix}$$

$$= 0{,}2653$$

c) $P[W<0] = P[X-Y<0] = P[X<Y] =$

$$\begin{bmatrix} P[X=0 \text{ et } Y=1] \\ + \\ P[X=0 \text{ et } Y=2] \\ + \\ P[X=0 \text{ et } Y=3] \\ + \\ P[X=1 \text{ et } Y=2] \\ + \\ P[X=1 \text{ et } Y=3] \\ + \\ P[X=2 \text{ et } Y=3] \end{bmatrix} = \begin{bmatrix} P[X=0] \cdot P[Y=1] \\ + \\ P[X=0] \cdot P[Y=2] \\ + \\ P[X=0] \cdot P[Y=3] \\ + \\ P[X=1] \cdot P[Y=2] \\ + \\ P[X=1] \cdot P[Y=3] \\ + \\ P[X=2] \cdot P[Y=3] \end{bmatrix} \quad \begin{array}{c} (0{,}4019 \cdot 0{,}3750) \\ + \\ (0{,}4019 \cdot 0{,}3750) \\ + \\ (0{,}4019 \cdot 0{,}1250) \\ + \\ (0{,}4019 \cdot 0{,}3750) \\ + \\ (0{,}4019 \cdot 0{,}1250) \\ + \\ (0{,}1608 \cdot 0{,}1250) \end{array}$$

$$= 0{,}5727$$

d) 0,1620

14. Soit $X$ = nombre d'individus souffrant...,

alors $X$: $B(n\,;0{,}02)$

$P[X \geqslant 1] > 0{,}95 \longrightarrow 1 - P[X=0] > 0{,}95 \longrightarrow P[X=0] < 0{,}05$

$\longrightarrow C_0^n (0{,}02)^0 (0{,}98)^n < 0{,}05$

$\longrightarrow 1 \cdot 1 \cdot (0{,}98)^n < 0{,}05 \longrightarrow 0{,}98^n < 0{,}05$

$\longrightarrow \log(0{,}98^n) < \log 0{,}05 \longrightarrow n \cdot \log 0{,}98 < \log 0{,}05$

$$\longrightarrow n > \frac{\log 0{,}05}{\log 0{,}98} \longrightarrow n > 148{,}28.$$

Il faut donc un échantillon d'au moins 149 individus.

15. Au moins 7 fois.

16. Soit $X$ = nombre de détenteurs d'un doctorat dans l'échantillon,

alors $X$: $B(400\,;0{,}005) \simeq Po(2)$, car $n \geqslant 50$ et $np \leqslant 10$.

En considérant $X$: $B(400\,;0{,}005)$,

$P[X=2] = C_2^{400} \cdot (0{,}005)^2 \cdot (0{,}995)^{398}$

$\qquad\quad = 0{,}2713$.

En considérant $X$: $Po(2)$,

$P[X=2] = 0{,}2707$.

On constate donc facilement la similitude des deux réponses.

17. Soit $X$ = nombre de chandails défectueux dans l'échantillon,

alors $X$: $B(100\,;0{,}015) \simeq Po(1{,}5)$, car $n \geqslant 50$ et $np \leqslant 10$.

a) 0,2510    b) 0,8088    c) 0,4422

18. Soit $X$ = nombre de personnes de langue maternelle française,

alors $X$:  $B(200 ; 0,99)$.

Ici, $p$ est beaucoup trop grand pour permettre une approximation par une loi de Poisson. Cependant, si on considère

$X'$ = nombre de personnes dont la langue maternelle n'est pas le français,

alors $X'$:  $B(200 ; 0,01) \simeq Po(2)$,  car $n \geqslant 50$ et $np' \leqslant 10$

et ainsi, $P[194 \leqslant X \leqslant 198] = P[2 \leqslant X' \leqslant 6]$

$\simeq 0,2707 + 0,1804 + 0,0902 + 0,0361 + 0,0120 = 0,5894$

19.

$n \longrightarrow \infty$ essais (observations d'une minuscule surface de tissu)

à chaque essai:

succès = trouver un défaut dans cette surface

$\longmapsto p \longrightarrow 0$.

$X$ = nombre de défauts observés sur $n$ essais

$\longrightarrow$ $X$:  $B(n ; p) \simeq Po(\lambda)$

$\infty$ $0$    où $\lambda$ = espérance du nombre de défauts pour une surface globale de 3 m$^2$ de tissu

$= 0,2$.

Ainsi, $P[X = 0] \simeq 0,8187$.

20. 0,2510

21. 0,4972

22. Soit $X$ = nombre d'automobilistes servis en 1 minute,

alors $X$:  $B(n ; p) \simeq Po(0,75)$.

$\infty$ $0$

Ainsi, $P[X > 1] = 1 - P[X = 0] - P[X = 1]$

$\simeq 1 - \dfrac{e^{-0,75} \cdot (0,75)^0}{0!} - \dfrac{e^{-0,75} \cdot 0,75}{1!}$

$\simeq 1 - e^{-0,75} \cdot [1 + 0,75]$

$\simeq 0,1734$.

## CHAPITRE 9

1. a) 1°) $f(x) \geqslant 0$      si $0 < x \leqslant 4$
      $f(x) = 0$      ailleurs    $\longrightarrow f(x) \geqslant 0$   $\forall x \in \mathbb{R}$

    2°) $\displaystyle\int_{-\infty}^{+\infty} f(x)\,dx = \int_{-\infty}^{0} 0\,dx + \int_{0}^{4} \frac{1}{4\sqrt{x}}\,dx + \int_{4}^{+\infty} 0\,dx$

$$= C + \left(\frac{1}{2}\sqrt{x} + C\right)\Big|_{x=4} - \left(\frac{1}{2}\sqrt{x} + C\right)\Big|_{x=0} + 0$$

$$= 1 + C - 0 - C = 1$$

   b) $P[1/9 \leqslant X \leqslant 1/4] = \displaystyle\int_{1/9}^{1/4} f(x)\,dx = \ldots = 1/12$

      $P[1 < X < 14] = \displaystyle\int_{1}^{14} f(x)\,dx = \ldots = 1/2$

   c) $1/4\sqrt{3}$;   0.          d) 0

   e) $4/3$;   1,42;   1,19.

   f) $F: \mathbb{R} \longrightarrow [0\,;1]$
          $x \longmapsto 0$        si   $x \leqslant 0$
          $x \longmapsto \dfrac{1}{2}\sqrt{x}$    si   $0 < x \leqslant 4$
          $x \longmapsto 1$        si   $x > 4$

   g) $P[1/9 \leqslant X \leqslant 1/4] = F(1/4) - F(1/9) = 1/4 - 1/6 = 1/12$
      $P[1 < X < 14] = F(14) - F(1) = 1 - 1/2 = 1/2$

   h) $md = 1$     $qn_1 = 0,16$

2. $k = 6$

3. a) Oui $(a = 1)$        b) Oui $(a = 1/3)$
   c) Oui $(a = 1)$        d) Non (car $\exists\, x \mid f(x) < 0$)

4. a) Non, car $g$ n'est pas une fonction croissante.
   b) Non, car $\exists\, x \mid g(x) > 1$.
   c) Oui, car elle répond à toutes les conditions nécessaires.

5. a) 1°) $f(x) \geqslant 0$    $\forall x \in \mathbb{R}$

    2°) $\displaystyle\int_{-\infty}^{+\infty} f(x)\,dx = \int_{-\infty}^{0} 0\,dx + \int_{0}^{1} \frac{9}{4} x^2\,dx + \int_{1}^{2} 0\,dx$

$$+ \int_{2}^{4} \frac{1}{24} x\,dx + \int_{4}^{+\infty} 0\,dx$$

$$= 0 + \left(\frac{9x^3}{12} + C\right)\Bigg|_{x=0}^{x=1} + 0 + \left(\frac{x^2}{48} + C\right)\Bigg|_{x=2}^{x=4} + 0$$

$$= 0 + \frac{9}{12} - 0 + 0 + \frac{16}{48} - \frac{4}{48} + 0$$

$$= 1$$

b) $E[X] = 1{,}34$
$V[X] = 1{,}15$

c) $f(3) = 1/8$     $f(5) = 0$

d) 0

e) $F$: $\mathbb{R} \longrightarrow [0\;;1]$

$\quad x \longmapsto 0$     si $\;x \leqslant 0$

$\quad x \longmapsto \dfrac{3x^3}{4}$    si $\;0 < x \leqslant 1$

$\quad x \longmapsto \dfrac{3}{4}$     si $\;1 < x \leqslant 2$

$\quad x \longmapsto \dfrac{x^2}{48} + \dfrac{2}{3}$   si $\;2 < x \leqslant 4$

$\quad x \longmapsto 1$     si $\;x > 4$

f) $P[1/2 \leqslant X \leqslant 3] = \displaystyle\int_{1/2}^{3} f(x)\,dx = \ldots = 0{,}76$

$$= F(3) - F(1/2) = 0{,}76$$

g) $d_8 = 2{,}53$
$c_{75} \in [1\;;2]$
$md = 0{,}87$

## CHAPITRE 10

1.  Si $X$ est une variable aléatoire soumise à une loi de probabilité continue uniforme, alors

$\quad f$: $\mathbb{R} \longrightarrow \mathbb{R}$

$\qquad x \longmapsto \dfrac{1}{b-a}$   si $\;a \leqslant x \leqslant b$   (où $a < b$)

$\qquad x \longmapsto 0$    ailleurs.

Dès lors,

$$E[X] = \int_{-\infty}^{+\infty} x \cdot f(x) \cdot dx$$

$$= \int_{-\infty}^{a} x \cdot 0 \cdot dx + \int_{a}^{b} x \cdot \frac{1}{b-a} \cdot dx + \int_{b}^{\infty} x \cdot 0 \cdot dx$$

$$= 0 + \left( \frac{1}{b-a} \cdot \frac{x^2}{2} + C \right) \Bigg|_{x=a}^{x=b} + 0$$

$$= \frac{1}{b-a} \cdot \frac{b^2}{2} - \frac{1}{b-a} \cdot \frac{a^2}{2}$$

$$= \frac{b^2 - a^2}{2(b-a)} = \frac{(b-a) \cdot (b+a)}{2(b-a)} = \frac{a+b}{2} \ ,$$

$$V[X] = \int_{-\infty}^{+\infty} x^2 \cdot f(x) \cdot dx - (E[X])^2$$

$$= \int_{-\infty}^{a} x^2 \cdot 0 \cdot dx + \int_{a}^{b} x^2 \cdot \frac{1}{b-a} \cdot dx + \int_{b}^{\infty} x^2 \cdot 0 \cdot dx - \left( \frac{a+b}{2} \right)^2$$

$$= 0 + \left( \frac{1}{b-a} \cdot \frac{x^3}{3} + C \right) \Bigg|_{x=a}^{x=b} + 0 - \frac{(a+b)^2}{4}$$

$$= \frac{1}{b-a} \cdot \frac{b^3}{3} - \frac{1}{b-a} \cdot \frac{a^3}{3} - \frac{(a+b)^2}{4}$$

$$= \frac{b^3 - a^3}{3(b-a)} - \frac{(a+b)^2}{4}$$

$$= \frac{(b-a)(b^2 + ab + a^2)}{3(b-a)} - \frac{a^2 + 2ab + b^2}{4}$$

$$= \frac{4(b^2 + ab + a^2) - 3(a^2 + 2ab + b^2)}{12}$$

$$= \frac{4b^2 + 4ab + 4a^2 - 3a^2 - 6ab - 3b^2}{12} = \frac{a^2 - 2ab + b^2}{12}$$

$$= \frac{(a-b)^2}{12} \quad \text{ou} \quad \frac{(b-a)^2}{12}$$

2. a) $f:\ \mathbb{R} \longrightarrow \mathbb{R}$

   $x \longmapsto 1/80 \qquad$ si $\ 0 < x < 80$

   $x \longmapsto 0 \qquad\qquad$ ailleurs

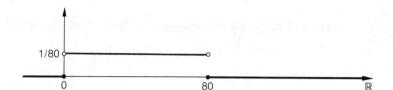

   b) 40 km   c) 533,3 km²   d) 11/16   e) 11/16   f) 3/4

3. a) $f:\ \mathbb{R} \longrightarrow \mathbb{R}$

   $x \longmapsto 1/15 \qquad$ si $\ 0 < x < 15$

   $x \longmapsto 0 \qquad\qquad$ ailleurs

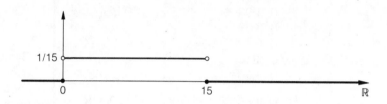

   b) 7,5 cm   c) 18,75 cm²   d) 7/15   e) 12/15

4. Soit $X$ = la distance entre le point $A$ de la ligne et le point où la lumière s'allume,

   alors la fonction de densité de probabilité de $X$ est la suivante:

   $f:\ \mathbb{R} \longrightarrow \mathbb{R}$

   $x \longmapsto 1/20 \qquad$ si $\ 0 \leqslant x \leqslant 20$

   $x \longmapsto 0 \qquad\qquad$ ailleurs.

   Soit $Y$ = le gain de ce jeu,

   alors la distribution de probabilités de $Y$ est la suivante:

| $y_i$ | $-2$ | 1 | 5 |
|---|---|---|---|
| $p(y_i)$ | $P[10 < X \leqslant 20]$ | $P[2 < X \leqslant 10]$ | $P[0 \leqslant X \leqslant 2]$ |

$=$

| $y_i$ | $-2$ | 1 | 5 |
|---|---|---|---|
| $p(y_i)$ | 1/2 | 2/5 | 1/10 |

   et $E[Y] = (-2 \cdot 1/2) + (1 \cdot 2/5) + (5 \cdot 1/10) = -0,10$ \$.

5. a) $f$: $\mathbb{R} \longrightarrow \mathbb{R}$

   $x \longmapsto 1$      si   $5 \leqslant x \leqslant 6$

   $x \longmapsto 0$      ailleurs

   b) 5 h 30     c) 1/12 h²     d) 1/2

6. a) Soit   $X =$ le **nombre** d'appels sur un intervalle de 5 heures,

   alors   $X$:   $\mathrm{B}(n\,;\,p) \simeq \mathrm{Po}(1,5)$.

   $\downarrow \quad \downarrow$

   $\infty \quad 0$

   Ainsi, $\mathrm{P}[X \geqslant 2] = 0{,}443$.

   b) Soit   $Y =$ le **moment** de l'appel,

   alors   $Y$:   continue uniforme

   et $\mathrm{P}[21 \leqslant Y \leqslant 22] = 1/3$.

7. a) 0,3907      b) $c_{55} = 0{,}126$

   0,8907

   0,1093           $c_{70} = 0{,}524$

   0,3686

   0,8550           $c_{15} = -1{,}037$

   0,1314

   0,8686           $c_{35} = -0{,}385$

8. a) 0,4088      b) $c_{75} = 110{,}118$

   0,9772

   0,0228           $c_{60} = 103{,}8$

   0,2475

   0,5888           $c_{25} = 89{,}882$

   0,2525

   0,7475           $c_{45} = 98{,}115$

Calculs effectués avec interpolation linéaire entre les valeurs de la table de distribution de $Z$: $\mathrm{N}(0\,;\,1)$.

9. Si $X$: $\mathrm{N}(\mu\,;\,\sigma^2)$,

   alors $\mathrm{P}[\mu - \sigma \leqslant X \leqslant \mu + \sigma] = \mathrm{P}\left[\dfrac{\mu - \sigma - \mu}{\sigma} \leqslant Z \leqslant \dfrac{\mu + \sigma - \mu}{\sigma}\right]$

   $= \mathrm{P}[-1 \leqslant Z \leqslant 1]$

   $= 0{,}6826$.

   ...

10. a) $z = -0{,}5$      b) $z = 1$

11. a) 0,3085      b) 0,0928

12. 0,2283     (avec interpolation linéaire).

13. Soit $X$ = le nombre total de mg de calcium compris dans le déjeuner de Sylvain,

alors $X = X_1 + X_2 + X_3 + X_4$
= somme de 4 variables aléatoires indépendantes entre elles

où $X_1$: $N(20 ; 1)$, $X_2$: $N(1,5 ; 0,25)$,
$X_3$: $N(35 ; 4)$ et $X_4$: $N(288 ; 100)$.

Ainsi $X$: $N(344,5 ; 105,25)$

et $P[X < 325] = 0,0287$.

14. $n = 200$ essais
└→ à chaque essai: succès = fumeur $\longmapsto$ $p = 0,3$
échec = non fumeur $\longmapsto$ $q = 0,7$.

Soit $X$ = nombre de fumeurs obtenus sur l'ensemble des 200 essais,

alors $X$: $B(200 ; 0,3) \simeq N(200 \cdot 0,3 ; 200 \cdot 0,3 \cdot 0,7)$
$\simeq N(60 ; 42)$ car $n \geqslant 30$,
$np \geqslant 5$
et $nq \geqslant 5$.

Ainsi,

a) $P[X \leqslant 65] \simeq P[X < 65,5] = P[Z < 0,85] = 0,8023$
└→ $X$: $B(200 ; 0,3)$ └→ $X$: $N(60 ; 42)$

b) $P[50 \leqslant X \leqslant 100] \simeq P[49,5 < X < 100,5] = P[-1,62 < Z < 6,25]$
$= 0,9474$
└→ $X$: $B(200 ; 0,3)$ └→ $X$: $N(60 ; 42)$

15. $0,0495$

16. a) Soit $X$ = la longueur (en cm) de la ouananiche tirée,
alors $X$: $N(55 ; 16)$
et $P[X < 65] = P[Z < 2,5] = 0,9938$.

b) Soit $Y$ = la longueur de la truite selon les dires du conteur,
alors $Y = X + 0,20 \cdot X + 2 = 1,2 \cdot X + 2$
et ainsi, $Y$: $N(1,2 \cdot 55 + 2 ; (1,2)^2 \cdot 16) = N(68 ; 23,04)$.
De là, $P[Y < 65] = P[Z < -0,625] = 0,2660$.

435

c) $n = 150$ essais

        └──→ à chaque

        essai:    succès $=$ truite mesurant entre
                            56,5 et 57,5 cm

              ↦ $p = P[56,5 < X < 57,5]$
                  où $X =$ longueur d'une truite
                    : $N(55 \,; 16)$

                  $= P[0,375 < Z < 0,625] = 0,0879$

        et échec $= ...$

            ↦ $q = 0,9121$.

Soit   $W =$ nombre de truites mesurant entre 56,5 et 57,5 cm
           $=$ nombre de succès au cours des 150 essais,

alors  $W$:   $B(150 \,; 0,0879) \simeq N(150 \cdot 0,0879 \,;$
                                  $150 \cdot 0,0879 \cdot 0,9121)$
            $\simeq N(13,185 \,; 12,026)$,  car  $n \geqslant 30$
                                     $np \geqslant 5$
                             et $nq \geqslant 5$

et $P[W < 12]$     $\simeq$     $P[W < 11,5] = P[Z < -0,486]$
                                                $\simeq 0,3135$.

    └─ $W$: $B(150 \,; 0,0879)$   └──→ $W$: $N(13,185 \,; 12,026)$

17. a) Soit   $X =$ distance entre le début de la ligne AB et le point où
              la lumière s'allume,

    alors $X$:   continue uniforme·

    et $P[X \leqslant 5$ ou $X \geqslant 25] = 1/3$.

    b) $n = 90$ essais

             └──→ à chaque essai: succès $=$ la lumière s'allume dans
                                        l'une des extrémités

                      ↦ $p = 1/3$
                et échec $= ...$
                    ↦ $q = 2/3$.

    Soit   $Y =$ nombre de fois où la lumière s'allume dans l'une des
             extrémités,

    alors  $Y$:   $B(90 \,; 1/3) \simeq N(30 \,; 20)$   car $n \geqslant 30$,
                                    $np \geqslant 5$ et $nq \geqslant 5$

    et $P[Y > 40]$    $\simeq$   $P[Y > 40,5] = P[Z > 2,35] = 0,0094$.

      └─ $Y$: $B(90 \,; 1/3)$   └──→ $Y$: $N(30 \,; 20)$

18. a) $n = 200$ essais
  └→à chaque
      essai:     succès = véhicule de poids $> 1\,300$ kg
                  $\longmapsto p = P[X > 1\,300]$
                      où $X$ = poids d'un véhicule
                          : $N(1\,100 ; 40\,000)$
                      $= P[Z > 1] = 0,1587.$

  Soit $Y$ = nombre de véhicules de poids supérieur à $1\,300$ kg,

  alors $Y$:  $B(200 ; 0,1587) \simeq N(31,74 ; 26,70)$
        car $n \geqslant 30$, $np \geqslant 5$ et $nq \geqslant 5$

  et $P[Y \geqslant 25]$    $\simeq$        $P[Y > 24,5] = P[Z > -1,40]$
        └→$Y$: $B(200 ; 0,1587)$  └→$Y$: $N(31,74 ; 26,70)$          $= 0,9192.$

  b) Soit $W$ = poids d'un chargement de 30 véhicules,

  alors $W = X_1 + \ldots + X_{30}$

      = somme de 30 variables aléatoires indépendantes
        où chaque $X_i$: $N(1\,100 ; 40\,000)$
        : $N(33\,000 ; 1\,200\,000)$.

  Dès lors,
  $P[W > 40\,000] \doteq P[Z > 6,39] \simeq 0.$

19. $n = 300$ essais
    └→à chaque essai: succès = lame à rejeter
          $\longmapsto p = P[X < 30,6$ ou $X > 31,4]$
              où $X$ = longueur   d'une
              lame
                  : $N(31 ; 0,04)$
              $= 0,0456.$

  Soit $Y$ = nombre de lames à rejeter,

  alors $Y$:  $B(300 ; 0,0456) \simeq N(13,68 ; 13,056)$
        car $n \geqslant 30$, $np \geqslant 5$ et $nq \geqslant 5$

  et $P[Y < 10]$    $\simeq$        $P[Y < 9,5] = P[Z < -1,16] = 0,123.$
        └→$Y$: $B(300 ; 0,0456)$  └→$Y$: $N(13,68 ; 13,056)$

# CHAPITRE 11

1.  a)

| $X_i$ | $N_i$ |
|-------|-------|
| 0 | 10 |
| 1 | 25 |
| 2 | 15 |

$\mu = 1{,}1$

$\sigma^2 = 0{,}49$

$p = 0{,}2$

b)

| $x_i$ | 0 | 1 | 2 |
|-------|------|-------|-------|
| $p(x_i)$ | 10/50 | 25/50 | 15/50 |

$\longrightarrow E[X] = 1{,}1$ et $V[X] = 0{,}49$

c)

| $(x_1, x_2)$ | $p(x_1, x_2)$ | $\bar{x} = \dfrac{\sum x_i}{2}$ | $s^2 = \dfrac{\sum x_i^2}{2} - \bar{x}^2$ | $\bar{p}$ |
|--------------|---------------|-------------|-------------|-----------|
| (0,0) | 100/2 500 | 0 | 0 | 2/2 = 1 |
| (0,1) | 250/2 500 | 0,5 | 0,25 | 1/2 = 0,5 |
| (0,2) | 150/2 500 | 1 | 1 | 0,5 |
| (1,0) | 250/2 500 | 0,5 | 0,25 | 0,5 |
| (1,1) | 625/2 500 | 1 | 0 | 0 |
| (1,2) | 375/2 500 | 1,5 | 0,25 | 0 |
| (2,0) | 150/2 500 | 1 | 1 | 0,5 |
| (2,1) | 375/2 500 | 1,5 | 0,25 | 0 |
| (2,2) | 225/2 500 | 2 | 0 | 0 |

| $\bar{x}$ | 0 | 0,5 | 1 | 1,5 | 2 |
|-----------|------|------|------|------|------|
| $p(\bar{x})$ | 100/2 500 | 500/2 500 | 925/2 500 | 750/2 500 | 225/2 500 |

$\longrightarrow E[\bar{X}] = 1{,}1$ et $V[\bar{X}] = 0{,}245$

| $s^2$ | 0 | 0,25 | 1 |
|-------|------|------|------|
| $p(s^2)$ | 950/2 500 | 1 250/2 500 | 300/2 500 |

$\longrightarrow E[S^2] = 0{,}245$ et $V[S^2] = 0{,}091\ 225$

| $\bar{p}$ | 0 | 0,5 | 1 |
|-----------|------|------|------|
| $p(\bar{p})$ | 1 600/2 500 | 800/2 500 | 100/2 500 |

$\longrightarrow E[\bar{P}] = 0{,}20$ et $V[\bar{P}] = 0{,}08$

2. a) — $\mu$        b) — $\bar{x}$
   — $\sigma^2$           — $s^2$
   — $p$             — $\bar{p}$

   c) — $(x_1, x_2, ..., x_n)$
   — $(X_1, X_2, ..., X_n)$

   d) — $\bar{X}$      e) — $S^2$      f) — $\bar{P}$
   — $E[\bar{X}]$        — $E[S^2]$       — $E[\bar{P}]$
   — $V[\bar{X}]$        — $V[S^2]$       — $V[\bar{P}]$

3. a) — moyenne de la population
   — moyenne d'un échantillon particulier
   — moyenne d'échantillon aléatoire
   — espérance de la moyenne d'échantillon aléatoire
   — variance de la moyenne d'échantillon aléatoire

   b) — variance de la population
   — variance d'un échantillon particulier
   — variance d'échantillon aléatoire
   — espérance de la variance d'échantillon aléatoire
   — variance de la variance d'échantillon aléatoire

   c) — proportion de succès à l'intérieur de la population
   — proportion de succès à l'intérieur d'un échantillon particulier
   — proportion de succès aléatoire, à l'intérieur d'un échantillon
   — espérance de la proportion de succès aléatoire, à l'intérieur d'un échantillon
   — variance de la proportion de succès aléatoire, à l'intérieur d'un échantillon

4. ...

5. a) $E[\bar{X}] = \mu = 18,7$

   b) $V[\bar{X}] = \dfrac{\sigma^2}{n} = \dfrac{13,3}{100} = 0,133$

   c) $E[S^2] = \dfrac{(n-1)}{n} \cdot \sigma^2 = \dfrac{99}{100} \cdot 13,3 = 13,167$

   d) ???

   e) $E[\bar{P}] = p = 0,07$

   f) $V[\bar{P}] = \dfrac{pq}{n} = \dfrac{(0,07) \cdot (0,93)}{100} = 0,000\,651$

6. Comme $X$: $N(19 ; 2,25)$, alors $\bar{X}$: $N(19 ; 0,045)$
   et ainsi, $P[18,7 < \bar{X} < 19,3] = P[-1,41 < Z < 1,41] = 0,8414$.

7. Comme $n \geqslant 30$, $np \geqslant 5$ et $nq \geqslant 5$,
   alors $\bar{P} \colon \simeq N(0,17 \; ; 0,000\,564\,4)$
   et ainsi, $P[\bar{P} > 0,20] \simeq P[Z > 1,26] = 0,1038$.

8. Comme $X \colon N(9 \; ; 0,5625)$, alors $\bar{X} \colon N(9 \; ; 0,028\,125)$
   et ainsi, $P[\bar{X} < 8,5] = P[Z < -2,98] = 0,0014$.

9. Comme $n \geqslant 30$, $np \geqslant 5$ et $nq \geqslant 5$,
   alors $\bar{P} \colon \simeq N(0,45 \; ; 0,001\,237\,5)$
   et ainsi, $P[\bar{P} < 0,44 \text{ ou } \bar{P} > 0,46] \simeq P[Z < -0,28 \text{ ou } Z > 0,28]$
   $$= 0,7794.$$

10. a) Comme $n \geqslant 30$, alors $\bar{X} \colon \simeq N(30 \; ; 225/100) = N(30 \; ; 2,25)$
    et ainsi, $P[\bar{X} < 28] \simeq P[Z < -1,33] = 0,0918$.

    b) Comme $n \geqslant 30$, $np \geqslant 5$ et $nq \geqslant 5$,
    alors $\bar{P} \colon \simeq N(0,05 \; ; 0,000\,475)$
    et ainsi, $P[\bar{P} < 0,045] \simeq P[Z < -0,23] = 0,4090$.

11. a) Comme $X \colon N(1\,500 \; ; 300^2)$, alors $\bar{X} \colon N(1\,500 \; ; 400)$
    et ainsi, $P[1\,475 < \bar{X} < 1\,525] = P[-1,25 < Z < 1,25] = 0,7888$.

    b) Soit $p$ = la proportion, pour l'ensemble de la population, des consommations quotidiennes, par foyer, comprises entre 1 200 et 1 800 litres d'eau
    $$= P[1\,200 < X < 1\,800] = P[-1 < Z < 1]$$
    $$= 0,6826,$$
    comme $n \geqslant 30$, $np \geqslant 5$ et $nq \geqslant 5$, alors $\bar{P} \colon \simeq N(p \; ; pq/n)$
    où $p = 0,6826$.

    Ainsi, $\bar{P} \colon \simeq N(0,6826 \; ; 0,000\,96)$
    et $P[\bar{P} > 0,70] \simeq P[Z > 0,56] = 0,2877$.

## CHAPITRE 12

1. a) $\hat{\mu} = \bar{x} = 16,42 \text{ lbf/po}^2$
   b) $[16,11 \; ; 16,73]$

2. a) $\hat{\mu} = \bar{x} = 8 \text{ minutes}$
   b) $\mu \in [7,44 \; ; 8,56]$ avec 95 % de certitude

3. a) $\hat{\mu} = \bar{x} = 275$ messages

   b) $\mu \in [260,3 \: ; 289,7]$ avec 95 % de certitude

4. a) $\hat{\sigma}^2 = s_{n-1}^2 = \dfrac{n}{n-1} \cdot s^2 = \dfrac{30}{29} \cdot (0,5)^2 = 0,2586 \: g^2$

   b) $[0,175 \: ; 0,414]$

5. a) $\hat{\sigma}^2 = s_{n-1}^2 = (0,75)^2 = 0,5625 \: h^2$

   b) $\sigma^2 \in [0,395 \: ; 0,886]$ avec 95 % de certitude

6. a) $\hat{\mu} = \bar{x} = 155 \: \$$

   b) $\mu \in [149,76 \: ; 160,24]$ avec 90 % de certitude

   c) $\hat{\sigma} = s_{n-1} = \sqrt{\dfrac{n}{n-1}} \cdot s = \sqrt{\dfrac{25}{24}} \cdot 15 = 15,31 \: \$$

   d) $\sigma \in [12,43 \: ; 20,16]$ avec 90 % de certitude

7. a) $\hat{\mu} = \bar{x} = 352 \: g \qquad \hat{\sigma} = s_{n-1} = \sqrt{s_{n-1}^2} = 1,58 \: g$

   b) $\mu \in [351,72 \: ; 352,28]$ avec 95 % de certitude

   c) $\sigma \in [1,41 \: ; 1,81]$ avec 95 % de certitude

8. a) $\hat{p} = \bar{p} = 0,36$    b) $p \in [0,28 \: ; 0,44]$ avec 95 % de certitude

   c) Un sondage révèle que 36 % des étudiants du collège ont l'inten-
   tion de voter aux prochaines élections de leur association.
   Ce pourcentage comporte une marge d'erreur de 8 %.
   *Note:* Ce type de résultat est vrai dans 19 cas sur 20.

9. a) $\hat{\mu} = \bar{x} = 69,2$ ans  b) $\mu \in [68,4 \: ; 70,0]$ avec 95 % de certitude

10. a) $\hat{p} = \bar{p} = 0,648$    b) $p \in [0,589 \: ; 0,707]$ avec 95 % de certitude

11. 594

12. 139

13. 423

14. 638

15. 260

16. 196

17. 15

# CHAPITRE 13

1. a) $H_0: \mu = \mu_0$
      $H_1: \mu > \mu_0$

   b) $H_0: p = p_0$
      $H_1: p < p_0$

   c) $H_0: \mu = \mu_0$
      $H_1: \mu \neq \mu_0$

      $H_0: \sigma^2 = \sigma_0^2$
      $H_1: \sigma^2 > \sigma_0^2$

2. a) $H_0: \mu = 0,45$
      $H_1: \mu > 0,45$

   – zone d'acceptation de $H_0$ · +– – – · zone de rejet de $H_0$ – – – –

   $\mu_0 = 0,45$    $\bar{x}_b = 0,48$    $\bar{X}$

   b) $H_0: p = 0,70$
      $H_1: p < 0,70$

   – – – · zone de rejet de $H_0$ – – –+– zone d'acceptation de $H_0$ –

   $\bar{p}_b = 0,63$    $p_0 = 0,70$    $\bar{P}$

   c) $H_0: \mu = 61$
      $H_1: \mu \neq 61$

   – – zone de rejet — +  zone d'acceptation  +– — zone de rejet – – –
   de $H_0$              de $H_0$              de $H_0$

   $\bar{x}_{b_1}$      $\mu_0$      $\bar{x}_{b_2}$      $\bar{X}$
   60,94         61         61,06

   $H_0: \sigma^2 = 0,0225$
   $H_1: \sigma^2 > 0,0225$

   – · zone d'acceptation de $H_0$ · +– – – zone de rejet de $H_0$ – – – –

   $\sigma_0^2 = 0,0225$    $s_{n-1_b}^2 = 0,034$    $S_{n-1}^2$

3. a) $H_0: \mu = 6$
      $H_1: \mu < 6$

   · – – zone de rejet de $H_0$ · – – – + · zone d'acceptation de $H_0$ – –

   $\bar{x}_b = 5,9$    $\mu_0 = 6$    $\bar{X}$

   b) se tromper de la première façon
      = se tromper | $H_0$ est vraie
      = rejeter $H_0$ | $H_0$ est vraie
      = considérer que le réaménagement a été efficace alors qu'il ne
        l'a pas été

   c) $\alpha = P[\text{rejeter } H_0 \mid H_0 \text{ vraie}]$
      $= P[\bar{X} < 5,9 \mid \mu = \mu_0 = 6] = 0,0314$

   d) se tromper de la deuxième façon
      = se tromper | $H_1$ est vraie
      = rejeter $H_1$ | $H_1$ est vraie
      = accepter $H_0$ | $H_1$ est vraie
      = considérer que le réaménagement n'a rien changé alors qu'il
        a été efficace

   e) $\beta = P[\text{accepter } H_0 \mid H_1 \text{ vraie}]$
      $= P[\bar{X} \geqslant 5,9 \mid \mu = \mu_1 = 5,85] = 0,1762$

   f) On conclurait qu'il a été inutile.

4.  a) $H_0$: $p = 0,15$    ·zone d'acceptation de $H_0$ ┼─── ·zone de rejet de $H_0$ ────
    $H_1$: $p > 0,15$ _____

    $p_0 = 0,15$      $\bar{P}_b = 0,20$               $\bar{P}$

    b) $\alpha$ = P[rejeter $H_0$ | $H_0$ vraie]
    = probabilité de croire que le nouveau traitement est plus effi-
    cace que l'ancien alors qu'en réalité il ne l'est pas.

    c) $\alpha$ = P[rejeter $H_0$ | $H_0$ vraie]
    = P[$\bar{P} > 0,20$ | $p = p_0 = 0,15$] = 0,0582

    d) $\beta$ = P[rejeter $H_1$ | $H_1$ vraie]
    = probabilité de considérer que le nouveau traitement est équi-
    valent à l'ancien alors qu'en réalité il est plus efficace que
    ce dernier.

    e) $\beta$ = P[rejeter $H_1$ | $H_1$ vraie]
    = P[accepter $H_0$ | $H_1$ vraie]
    = P[$\bar{P} < 0,20$ | $p = p_1 = 0,25$] = 0,0985

5.  a) $H_0$: $\sigma^2 = 0,25$  ·zone de rejet de $H_0$┼────·zone d'acceptation de $H_0$ ·────
    $H_1$: $\sigma^2 < 0,25$ _____

    $s^2_{n-1_b} = 0,133$      $\sigma^2_0 = 0,25$        $S^2_{n-1}$

    b) $\alpha$ = P[rejeter $H_0$ | $H_0$ vraie]
    = P[$S^2_{n-1} < 0,133$ | $\sigma^2 = \sigma^2_0 = 0,25$] = 0,05

    c) $\beta$ = P[rejeter $H_1$ | $H_1$ vraie]
    = P[accepter $H_0$ | $H_1$ vraie]
    = P[$S^2_{n-1} \geq 0,133$ | $\sigma^2 = \sigma^2_1 = 0,093$] = 0,10

    d) $\sum (x_i - \mu)^2_b$

    ─── zone de rejet de $H_0$ ───┼· zone d'acceptation de $H_0$ ──

    $\sum (x_i - \mu)^2_b$        $\sum (X_i - \mu)^2$

6.  a) $H_0$: $\mu = 25$    zone de rejet    zone d'acceptation    zone de rejet
    $H_1$: $\mu \neq 25$ ────· de $H_0$ ·───┼─── · de $H_0$ ·────┼──── ·de $H_0$ ·────

    $\bar{X}_{b_1} = 24$   $\mu_0 = 25$   $\bar{X}_{b_2} = 26$       $\bar{X}$

    b) $1 - \beta$ = P[accepter $H_1$ | $H_1$ vraie]
    = P[rejeter $H_0$ | $H_1$ vraie]
    = P[$\bar{X} < 24$ ou $\bar{X} > 26$ | $\mu = \mu_1 = 27$] = 0,9719

7.  $H_0$: $p = 0,25$   ·zone d'acceptation de $H_0$┼──── ·zone de rejet de $H_0$ ─────
    $H_1$: $p > 0,25$ _____

    $p_0 = 0,25$      $\bar{p}_b$             $\bar{P}$

$$\alpha = P[\text{rejeter } H_0 \mid H_0 \text{ vraie}] = 0,05$$
$$= P[\bar{P} > \bar{p}_b \mid p = p_0 = 0,25] = 0,05$$

$$= P\left[\frac{\bar{P} - p_0}{\sqrt{\dfrac{p_0 q_0}{n}}} > \frac{\bar{p}_b - 0,25}{\sqrt{\dfrac{0,25 \cdot 0,75}{250}}}\right] = 0,05$$

$$= P\left[Z > \frac{\bar{p}_b - 0,25}{\sqrt{\dfrac{0,25 \cdot 0,75}{250}}}\right] = 0,05$$

$$\longrightarrow \frac{\bar{p}_b - 0,25}{0,027} = 1,645$$

$$\longrightarrow \bar{p}_b = 0,295.$$

Et comme $\bar{p} = 0,28 \in$ zone d'acceptation de $H_0$, on considérera que la campagne publicitaire n'a pas vraiment été efficace.

8.  $H_0$: $\mu = 15$    − · zone d'acceptation de $H_0$ − + − − − zone de rejet de $H_0$ · − − − −
    $H_1$: $\mu > 15$

    $\mu_0 = 15$ · · · · · $\bar{x}_b$ · · · · · $\bar{X}$

a) $\alpha = 0,05 \longrightarrow \bar{x}_b = 15,8555$
    On admettra donc facilement que c'est le concurrent qui a raison.

b) $\simeq 0,98$

9.  $H_0$: $\sigma^2 = 2,25$    zone d'acceptation de $H_0$ + − − − · zone de rejet de $H_0$ − − − − −
    $H_1$: $\sigma^2 > 2,25$

    $\sigma_0^2 = 2,25$ · · · · · $s_{n-1_b}^2$ · · · · · $S_{n-1}^2$

$\alpha = 0,10 \longrightarrow s_{n-1_b}^2 = 3,03$

On conclura donc que la variance de la résistance du béton utilisé par le contracteur est bien de 2,25 mpa$^2$.

10. $H_0$: $\mu = 7$    zone de rejet    zone d'acceptation    zone de rejet
    $H_1$: $\mu \neq 7$    − − − − de $H_0$ · − − − + − − − − · de $H_0$ − − − − + − − − de $H_0$ · − − − −

    $\bar{x}_{b_1}$ · · · · · $\mu_0 = 7$ · · · · · $\bar{x}_{b_2}$ · · · · · $\bar{X}$

$\alpha = 0,01 \longrightarrow \bar{x}_{b_1} = 6,982$ et $\bar{x}_{b_2} = 7,018$
On conclura donc que la moyenne a été modifiée.

$H_0$: $\sigma^2 = 0,0025$ − zone d'acceptation de $H_0$ + − − − · zone de rejet de $H_0$ · − − − −
$H_1$: $\sigma^2 > 0,0025$

    $\sigma_0^2 = 0,0025$ · · · · · $s_{n-1_b}^2$ · · · · · $S_{n-1}^2$

$\alpha = 0,01 \longrightarrow s_{n-1_b}^2 = 0,0037$

On conclura donc que la variance n'a pas augmenté.

11. $H_0$: $\mu = 10{,}75$
    $H_1$: $\mu > 10{,}75$

    – zone d'acceptation de $H_0$ –+– – – –zone de rejet de $H_0$ – – – –

    $\mu_0 = 10{,}75$     $\bar{x}_b$     $\bar{X}$

$\alpha = 0{,}05 \longrightarrow \bar{x}_b = 10{,}98$

Ils concluront donc que la charge de rupture moyenne des tiges de ce nouvel alliage n'est pas supérieure à 10,75 tonnes.

$H_0$: $\sigma^2 = 4$
$H_1$: $\sigma^2 < 4$

– zone de rejet de $H_0$ ·+– – – zone d'acceptation de $H_0$ – – –

$S^2_{n-1_b}$     $\sigma^2_0 = 4$     $S^2_{n-1}$

$$\alpha = P\left[\underbrace{\frac{(n-1)\cdot S^2_{n-1}}{\sigma^2_0}}_{\chi^2_{124}} < \frac{124 \cdot s^2_{n-1_b}}{4}\right] = 0{,}05$$

$$\longrightarrow 31 \cdot s^2_{n-1_b} = \frac{1}{2}[-1{,}645 + \sqrt{247}]^2$$

$$\longrightarrow s^2_{n-1_b} = 3{,}19$$

Ils concluront donc que la variance de la résistance de leur produit est inférieure à 4 tonnes$^2$.

12. a) $H_0$: $\mu = 112$
       $H_1$: $\mu < 112$

    – – – · zone de rejet de $H_0$ – – –+· zone d'acceptation de $H_0$·–

    $\bar{x}_b$     $\mu_0 = 112$     $\bar{X}$

$\alpha = 0{,}05 \longrightarrow \bar{x}_b = 111{,}03$

On considérera donc qu'on a effectivement réduit la teneur en calories moyenne de cette bière.

b) $1 - \beta = P[\text{accepter } H_1 \mid H_1 \text{ vraie}]$
$= P[\text{rejeter } H_0 \mid H_1 \text{ vraie}]$
$= P[\bar{X} < 111{,}03 \mid \mu = \mu_1]$

$$= P\left[Z < \frac{111{,}03 - \mu_1}{\sqrt{\dfrac{69{,}39}{200}}}\right] \geq 0{,}95$$

$$\longrightarrow \frac{111{,}03 - \mu_1}{\sqrt{\dfrac{69{,}39}{200}}} \geq 1{,}645 \longrightarrow \mu_1 \leq 110{,}06$$

Donc pour 110,06 calories et moins.

13.  $\beta = P[\overline{P} \leqslant 0,20 \mid p = p_1 = 0,25] = 0,01$

$$= P\left[Z \leqslant \frac{0,20 - 0,25}{\sqrt{\dfrac{0,25 \cdot 0,75}{n}}}\right] = 0,01 \quad \longrightarrow \quad \frac{0,20 - 0,25}{\sqrt{\dfrac{0,25 \cdot 0,75}{n}}} = -2,327$$

$$\longrightarrow \quad n = 406$$

14.  Bien sûr!

Comme  $\alpha = P[\overline{X} > \overline{x}_b \mid \mu = \mu_0 = 5\,000]$

$$= P\left[Z > \frac{\overline{x}_b - 5\,000}{\dfrac{525}{10}}\right]$$

et  $\quad \beta = P[\overline{X} \leqslant \overline{x}_b \mid \mu = \mu_1 = 5\,200]$

$$= P\left[Z \leqslant \frac{\overline{x}_b - 5\,200}{\dfrac{525}{10}}\right]$$

alors  $\quad \alpha = \beta$

$$\longrightarrow P\left[Z > \frac{\overline{x}_b - 5\,000}{\dfrac{525}{10}}\right] = P\left[Z \leqslant \frac{\overline{x}_b - 5\,200}{\dfrac{525}{10}}\right]$$

$$\longrightarrow \frac{\overline{x}_b - 5\,000}{52,5} = -\left(\frac{\overline{x}_b - 5\,200}{52,5}\right) \quad \begin{array}{l}\text{(à cause de la}\\ \text{symétrie de la courbe}\\ \text{d'une variable } Z\text{: } N(0\text{ ; }1))\end{array}$$

$$\longrightarrow \overline{x}_b - 5\,000 = -\overline{x}_b + 5\,200 \longrightarrow 2\overline{x}_b = 10\,200$$
$$\longrightarrow \overline{x}_b = 5\,100.$$

(À noter: la différence entre cette réponse et le $\overline{x}_b = 5\,099$ obtenu à la sous-section 13.10.1. est attribuable à l'imprécision de notre table de $Z$: $N(0\text{ ; }1)$ pour un $\alpha = 0,03$.)

# CHAPITRE 14

1.  $H_0$: $X$, la couleur des fleurs, est distribué comme suit:

| $x$ | rouge | rose | blanc |
|-----|-------|------|-------|
| $p(x)$ | 0,25 | 0,5 | 0,25 |

$H_1$: $X$ n'est pas distribué comme tel.

| Couleur | $p_i$ | $np_i$ | $n_i$ | $n_i^2$ | $\dfrac{n_i^2}{np_i}$ |
|---------|-------|--------|-------|---------|-----------------------|
| rouge | 0,25 | 50 | 43 | 1 849 | 36,98 |
| rose | 0,50 | 100 | 109 | 11 881 | 118,81 |
| blanc | 0,25 | 50 | 48 | 2 304 | 46,08 |

Valeur échantillonnale: $\displaystyle\sum \frac{n_i^2}{np_i} - n = 201{,}87 - 200 = 1{,}87$

Borne, avec une $\chi_2^2$: $b = 5{,}991$.

Conclusion: on accepte $H_0$. L'échantillon confirme la théorie.

2.  $H_0$: $X$, le nombre d'appels/mois au poste des incendies, obéit à une loi $Po(4)$
    $H_1$: $X$ n'obéit pas à cette loi.

**Tableau avec modalités non regroupées:**

| Nombre d'appels | $p_i$ | $np_i$ | |
|-----------------|-------|--------|--|
| 0 | 0,0183 | 1,83 | |
| 1 | 0,0733 | 7,33 | |
| 2 | 0,1465 | 14,65 | |
| 3 | 0,1954 | 19,54 | |
| 4 | 0,1954 | 19,54 | |
| 5 | 0,1563 | 15,63 | |
| 6 | 0,1042 | 10,42 | |
| 7 | 0,0595 | 5,95 | |
| 8 | 0,0298 | 2,98 | |
| 9 | 0,0132 | 1,32 | |
| 10 | 0,0053 | 0,53 | |
| 11 | 0,0019 | 0,19 | |
| 12 | 0,0006 | 0,06 | |
| 13 | 0,0002 | 0,02 | |
| 14 | 0,0001 | 0,01 | |
| 15 ou plus | 0,0000 | 0,00 | |

Tableau avec modalités regroupées, pour assurer des $np_i \geq 5$:

| Nombre d'appels | $p_i$ | $np_i$ | $n_i$ | $n_i^2$ | $\dfrac{n_i^2}{np_i}$ |
|---|---|---|---|---|---|
| 0 ou 1 | 0,0916 | 9,16 | 8 | 64 | 6,99 |
| 2 | 0,1465 | 14,65 | 15 | 225 | 15,36 |
| 3 | 0,1954 | 19,54 | 20 | 400 | 20,47 |
| 4 | 0,1954 | 19,54 | 22 | 484 | 24,77 |
| 5 | 0,1563 | 15,63 | 17 | 289 | 18,49 |
| 6 | 0,1042 | 10,42 | 9 | 81 | 7,77 |
| 7 | 0,0595 | 5,95 | 8 | 64 | 10,76 |
| 8 ou plus | 0,0511 | 5,11 | 1 | 1 | 0,20 |
| | | | | | 104,81 |

Valeur échantillonnale: $\sum \dfrac{n_i^2}{np_i} - n = 104{,}81 - 100 = 4{,}81$.

Borne, avec une $\chi_7^2$: $b = 14{,}067$.

Conclusion: on accepte $H_0$. On considère que le nombre d'appels par mois obéit bien à une loi $Po(4)$.

3. $H_0$: $X$, la résistance d'une feuille de papier (en lbf/po²), obéit à une loi normale

   $H_1$: $X$ n'obéit pas à une telle loi.

   2 estimations ponctuelles: $\hat{\mu} = \bar{x} = 16{,}649$

   $\hat{\sigma} = s_{n-1} = 0{,}564$.

Tableau avec classes non regroupées:

| Résistance | $p_i$ | $np_i$ |
|---|---|---|
| ... ; 15,50) | 0,0209 | 2,61 |
| [15,50 ; 15,75) | 0,0346 | 4,33 |
| [15,75 ; 16,00) | 0,0694 | 8,68 |
| [16,00 ; 16,25) | 0,1149 | 14,36 |
| [16,25 ; 16,50) | 0,1561 | 19,51 |
| [16,50 ; 16,75) | 0,1751 | 21,89 |
| [16,75 ; 17,00) | 0,1621 | 20,26 |
| [17,00 ; 17,25) | 0,1237 | 15,46 |
| [17,25 ; 17,50) | 0,0776 | 9,70 |
| [17,50 ; 17,75) | 0,0401 | 5,01 |
| [17,75 ; ... | 0,0255 | 3,19 |

Tableau avec classes regroupées, pour assurer des $np_i \geqslant 5$:

| Résistance | $p_i$ | $np_i$ | $n_i$ | $n_i^2$ | $\dfrac{n_i^2}{np_i}$ |
|---|---|---|---|---|---|
| ... ; 15,75) | 0,0555 | 6,94 | 8 | 64 | 9,22 |
| [15,75 ; 16,00) | 0,0694 | 8,68 | 9 | 81 | 9,33 |
| [16,00 ; 16,25) | 0,1149 | 14,36 | 14 | 196 | 13,65 |
| [16,25 ; 16,50) | 0,1561 | 19,51 | 15 | 225 | 11,53 |
| [16,50 ; 16,75) | 0,1751 | 21,89 | 24 | 576 | 26,31 |
| [16,75 ; 17,00) | 0,1621 | 20,26 | 23 | 529 | 26,11 |
| [17,00 ; 17,25) | 0,1237 | 15,46 | 12 | 144 | 9,31 |
| [17,25 ; 17,50) | 0,0776 | 9,70 | 12 | 144 | 14,85 |
| [17,50 ; ... | 0,0656 | 8,20 | 8 | 64 | 7,80 |
| | | | | | 128,11 |

Valeur échantillonnale: $\sum \dfrac{n_i^2}{np_i} - n = 128,11 - 125 = 3,11$.

Borne, avec une $\chi_6^2$: $b = 12,592$.

Conclusion: on accepte $H_0$. On considère que la résistance des feuilles obéit bien à une loi normale.

## CHAPITRE 15

1. a) $\widehat{\mu_1 - \mu_2} = \bar{x}_1 - \bar{x}_2 = 680 - 681 = -1$ g

   b) $\mu_1 - \mu_2 \in [-1,865 \ ; -0,135]$ avec 90% de certitude.

2. $H_0$: $\mu_1 - \mu_2 = 0$
   $H_1$: $\mu_1 - \mu_2 > 0$

   $\alpha = 0,05 \longrightarrow (\bar{x}_1 - \bar{x}_2)_b = 0,932$.

   Ils concluront donc qu'effectivement, la taille moyenne des femmes de la région A est supérieure à celle des femmes de la région B.

3. a) $\widehat{p_1 - p_2} = \bar{p}_1 - \bar{p}_2 = 0,480 - 0,543 = -0,063$

   b) $p_1 - p_2 \in [-0,126 \ ; 0]$ avec 95% de certitude.

4. $H_0$: $p_1 - p_2 = 0$
   $H_1$: $p_1 - p_2 < 0$

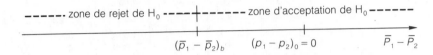

$\alpha = 0,05 \longrightarrow (\overline{p}_1 - \overline{p}_2)_b = -0,07.$

Ces échantillons confirment donc les intuitions de la compagnie qui veulent que les plus jeunes utilisent le logiciel en proportion significativement inférieure à celle des plus âgés.


## *PROBLÈMES RÉCAPITULATIFS*

1. a) Soit $X =$ le montant brut dépensé par un membre,

   alors $X$: $N(135,60 \; ; 1\,750)$

   $P[X < 125] = P[Z < -0,2534] = 0,40.$

   b) *1)* $n = 20$ essais

   $\quad \longrightarrow$ à chaque essai: succès $= x < 125 \longmapsto p = 0,40$
   $\qquad\qquad\qquad\qquad$ échec $= x \geqslant 125 \longmapsto q = 0,60$

   $Y =$ **nombre** d'individus pour lesquels $x < 125$

   $Y$: $B(20 \; ; 0,40)$

   $P[Y > 12] = 0,0146 + 0,0049 + 0,0013 + 0,0003 + 0,0000$
   $\qquad\qquad\quad + ...$
   $\qquad\quad = 0,0211$

   *2)* $n = 20$ essais

   | à chaque essai: | à chaque essai: |
   |---|---|
   | succès $= x \geqslant 125$ | succès$' = x < 125$ |
   | $\longmapsto p = 0,60$ | $\longmapsto p' = 0,40$ |
   | $W =$ **nombre** d'individus pour lesquels $x \geqslant 125$ | $W' =$ **nombre** d'individus pour lesquels $x < 125$ |
   | $W$: $B(20 \; ; 0,60)$ | $W'$: $B(20 \; ; 0,40)$ |
   | $P[W > 12] =$ | $= P[W' < 8]$ |
   | | $= 0,1659 + 0,1244 + ...$ |
   | | $= 0,4158$ |

3) Soit $\bar{X}$ = le montant brut **moyen** dépensé,

alors $\bar{X}$: $N\left(135,60 ; \dfrac{1\,750}{20}\right) = N(135,60 ; 87,5)$

$P[130 \leqslant \bar{X} \leqslant 140] = P[-0,60 \leqslant Z \leqslant 0,47] = 0,4065.$

4) Soit $M$ = le montant brut **total** des 20 individus

$= X_1 + X_2 + \dots + X_{20},$

alors $M$: $N(2\,712 ; 35\,000)$

$P[M > 3\,000] = P[Z > 1,54] = 0,0618.$

c) 1) $n = 225$ essais

$\hookrightarrow$ à chaque essai: succès $= x < 125 \longmapsto p = 0,40$

échec $= x \geqslant 125 \longmapsto q = 0,60$

$Y$ = **nombre** d'individus pour lesquels $x < 125$

$Y$: $B(225 ; 0,40) \simeq N(90 ; 54)$

car $n \geqslant 30$, $np \geqslant 5$ et $nq \geqslant 5$

et $P[80 \leqslant Y \leqslant 90] \simeq P[79,5 \leqslant Y \leqslant 90,5]$

$= P[-1,43 \leqslant Z \leqslant 0,07].$

$= 0,4515$

$\hookrightarrow Y$: $B(225 ; 0,40)$     $\hookrightarrow Y$: $N(90 ; 54)$

2) Soit $\bar{P}$ = la **proportion** des individus de l'échantillon, pour lesquels $x < 125$,

alors $\bar{P}$: $\simeq N\left(p ; \dfrac{pq}{n}\right) = N(0,40 ; 0,0011)$

car $n \geqslant 30$, $np \geqslant 5$ et $nq \geqslant 5$

$P[\bar{P} > 0,5] = P[Z > 3,015] = 0,0013.$

3) Soit $\bar{X}$ = le montant brut **moyen** dépensé,

alors $\bar{X}$: $N\left(135,60 ; \dfrac{1\,750}{225}\right) = N(135,60 ; 7,78)$

$P[130 \leqslant \bar{X} \leqslant 140] = P[-2,01 \leqslant Z \leqslant 1,58] = 0,9207.$

4) Soit $M$ = le montant brut **total** des 225 individus

$= X_1 + X_2 + \dots + X_{225},$

alors $M$: $N(30\,510 ; 393\,750).$

$P[29\,000 \leqslant M \leqslant 30\,000] = P[-2,41 \leqslant Z \leqslant -0,81] = 0,2010.$

d) Soit $V$ = le montant total dépensé par un membre

$= 1,09X + 5$

alors $V$: $N(152,804 ; 2\,079,175)$

$P[V > 150] = P[Z > -0,06] = 0,5239.$

e) $n = 5$ essais

$\llcorner$ à chaque essai: succès $= v > 150 \longleftrightarrow p = 0,5239$

échec $= v \leqslant 150 \longleftrightarrow q = 0,4761$

$U = $ **nombre** d'individus pour lesquels $v > 150$

$U :$ $B(5 ; 0,5239)$

$$P[U > 3] = P[U = 4] + P[U = 5]$$
$$= C_4^5 (0,5239)^4 (0,4761)^1 + C_5^5 (0,5239)^5 (0,4761)^0$$
$$= 0,1793 + 0,0395 = 0,2188$$

2. a) 1) $\bar{x} = \dfrac{\sum n_i c_i}{n} = 6,5$ cal./kg

2) $s^2 = \dfrac{\sum n_i c_i^2}{n} - \bar{x}^2 = 0,618$ (cal./kg)$^2$

3) $s_{n-1}^2 = \dfrac{n}{n-1} s^2 = 0,622$ (cal./kg)$^2$

4) $s = \sqrt{s^2} = 0,786$ cal./kg

5) $s_{n-1} = \sqrt{s_{n-1}^2} = 0,789$ cal./kg

b) $H_0$: $X$, la dépense énergétique (en cal./kg), obéit à une loi normale

$H_1$: $X$ n'obéit pas à une telle loi.

**2** estimations ponctuelles: $\hat{\mu} = \bar{x} = 6,5$

$\hat{\sigma} = s_{n-1} = 0,789$

| Classe | $p_i$ | $np_i$ | |
|---|---|---|---|
| ... ; 4,5) | 0,0057 | 0,8208 | $\rightarrow np_i < 5$ |
| [4,5 ; 5,0) | 0,0230 | 3,3120 | $\rightarrow np_i < 5$ |
| [5,0 ; 5,5) | 0,0733 | 10,5552 | |
| [5,5 ; 6,0) | 0,1623 | 23,3712 | |
| [6,0 ; 6,5) | 0,2357 | 33,9408 | |
| [6,5 ; 7,0) | 0,2357 | 33,9408 | |
| [7,0 ; 7,5) | 0,1623 | 23,3712 | |
| [7,5 ; 8,0) | 0,0733 | 10,5552 | |
| [8,0 ; 8,5) | 0,0230 | 3,3120 | $\rightarrow np_i < 5$ |
| [8,5 ; ... | 0,0057 | 0,8208 | $\rightarrow np_i < 5$ |

*Note.—* Les calculs des $p_i$ de ce tableau ont été effectués sans interpolation linéaire, de la façon suivante:

$$p_1 = P[X < 4,5] = P[Z < -2,53] = 0,0057$$
$$p_2 = P[4,5 \leqslant X < 5,0] = P[-2,53 \leqslant Z < -1,90] = 0,0230$$
$$p_3 = P[5,0 \leqslant X < 5,5] = P[-1,90 \leqslant Z < -1,27] = 0,0733$$
$$p_4 = P[5,5 \leqslant X < 6,0] = P[-1,27 \leqslant Z < -0,63] = 0,1623$$
$$p_5 = P[6,0 \leqslant X < 6,5] = P[-0,63 \leqslant Z < 0] = 0,2357$$

$$\left.\begin{array}{l} p_6 = \ldots = p_5 \\ p_7 = \ldots = p_4 \\ p_8 = \ldots = p_3 \\ p_9 = \ldots = p_2 \\ p_{10} = \ldots = p_1 \end{array}\right\}$$ à cause de la symétrie (très particulière) des données de notre échantillon.

En regroupant les classes des bouts, à cause de certains $np_i < 5$, nous obtenons le tableau suivant:

| Classe | $p_i$ | $np_i$ | $n_i$ | $n_i^2$ | $\dfrac{n_i^2}{np_i}$ |
|---|---|---|---|---|---|
| ... ; 5,5) | 0,1020 | 14,6880 | 14 | 196 | 13,34 |
| [5,5 ; 6,0) | 0,1623 | 23,3712 | 22 | 484 | 20,71 |
| [6,0 ; 6,5) | 0,2357 | 33,9408 | 36 | 1 296 | 38,18 |
| [6,5 ; 7,0) | 0,2357 | 33,9408 | 36 | 1 296 | 38,18 |
| [7,0 ; 7,5) | 0,1623 | 23,3712 | 22 | 484 | 20,71 |
| [7,5 ; ... | 0,1020 | 14,6880 | 14 | 196 | 13,34 |
| | | | | | 144,46 |

Valeur échantillonnale: $\sum \dfrac{n_i^2}{np_i} - n = 144,46 - 144$
$$= 0,46.$$

Avec une $\chi^2_{6\text{-}1\text{-}2} = \chi^2_3$ et un $\alpha = 0,05$, $b = 7,815$

Comme $0,46 \ll 7,815$, l'échantillon confirme donc largement que la dépense énergétique/kg de poids, chez les hommes, obéit bien à une loi normale.

c) 1) $\hat{\mu} = \bar{x} = 6,5$ cal./kg

2) $\hat{\sigma} = s_{n-1} = 0,789$ cal./kg

3) $\hat{p} = \bar{p} = 14/144 = 0,097\overline{2}$

d) $P\left[x_1 \leqslant \dfrac{(n-1)S_{n-1}^2}{\sigma^2} \leqslant x_2\right] = 0,95$
$$\downarrow$$
$$\chi^2_{143}$$

où $x_1 \simeq \dfrac{1}{2} [-1,96 + \sqrt{2 \cdot 143 - 1}]^2 = 111,33$

et $x_2 \simeq \dfrac{1}{2} [\ 1,96 + \sqrt{2 \cdot 143 - 1}]^2 = 177,51$

$\longrightarrow \ \sigma^2 \in \left[ \dfrac{(n-1)s_{n-1}^2}{177,51} \ ; \ \dfrac{(n-1)s_{n-1}^2}{111,33} \right]$

$\in \left[ \dfrac{143 \cdot 0,622}{177,51} \ ; \ \dfrac{143 \cdot 0,622}{111,33} \right]$

$\in [0,501 \ ; 0,799]$ avec 95 % de certitude.

e) $H_0: \ \mu = 7$
   $H_1: \ \mu < 7$

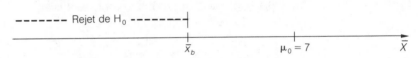

1) $\alpha = \ \mathrm{P}[\text{rejeter } H_0 \mid H_0 \text{ est vraie}] = 0,05$

$\longrightarrow \ \mathrm{P}[\overline{X} < \overline{x}_b \mid \mu = \mu_0 = 7] = 0,05$

$\longrightarrow \ \mathrm{P}\left[ \underbrace{\dfrac{\overline{X} - \mu_0}{\dfrac{S_{n-1}}{\sqrt{n}}}}_{N(0\,;\,1)} < \dfrac{\overline{x}_b - 7}{\dfrac{0,789}{12}} \right] = 0,05$

$\longrightarrow \ \dfrac{\overline{x}_b - 7}{\dfrac{0,789}{12}} = -1,645 \ \longrightarrow \ \overline{x}_b = 6,89$

Comme $\overline{x} = 6,5 < 6,89$, l'échantillon indique en effet que la perte énergétique moyenne réelle est inférieure à 7 cal./kg.

2) $1 - \beta = \mathrm{P}[\text{bonne décision} \mid H_1 \text{ est vraie}]$

$= \mathrm{P}[\text{rejeter } H_0 \mid \mu = \mu_1 = 6,5]$

$= \mathrm{P}[\overline{X} < \overline{x}_b \mid \mu = \mu_1 = 6,5]$

$= \mathrm{P}\left[ \underbrace{\dfrac{\overline{X} - \mu_1}{\dfrac{S_{n-1}}{\sqrt{n}}}}_{N(0\,;\,1)} < \dfrac{6,89 - 6,5}{\dfrac{0,789}{12}} \right]$

$= \mathrm{P}[Z < 5,93] \simeq 1$

*3)* $1 - \beta = P[\text{rejeter } H_0 \mid \mu = \mu_1] \geq 0,95$

$\quad \longrightarrow P[\overline{X} < \overline{x}_b \mid \mu = \mu_1] \geq 0,95$

$$\longrightarrow P\left[\dfrac{\overline{X} - \mu_1}{\dfrac{S_{n-1}}{\sqrt{n}}} < \dfrac{6,89 - \mu_1}{\dfrac{0,789}{12}}\right] \geq 0,95$$

$$\downarrow$$
$$N(0\,;\,1)$$

$$\longrightarrow \dfrac{6,89 - \mu_1}{\dfrac{0,789}{12}} \geq 1,645$$

$$\longrightarrow -\mu_1 \geq -6,78$$

$$\longrightarrow \mu_1 \leq 6,78$$

Donc pour 6,78 cal./kg et moins.

f) Soit $X_1$, la dépense énergétique chez les hommes
et $X_2$, la dépense énergétique chez les femmes,

alors $H_0$: $\mu_1 - \mu_2 = 0$
$\phantom{alors\ }H_1$: $\mu_1 - \mu_2 \neq 0$

$\alpha = P[\text{rejeter } H_0 \mid H_0 \text{ est vraie}] = 0,05$

$$\longrightarrow P\left[\begin{array}{c}\overline{X}_1 - \overline{X}_2 < (\overline{x}_1 - \overline{x}_2)_{b_1} \\ \text{ou} \\ \overline{X}_1 - \overline{X}_2 > (\overline{x}_1 - \overline{x}_2)_{b_2}\end{array} \,\middle|\, H_0 \text{ est vraie}\right] = 0,05$$

$\longrightarrow P\left[\overline{X}_1 - \overline{X}_2 < (\overline{x}_1 - \overline{x}_2)_{b_1} \mid H_0 \text{ est vraie}\right] = 0,025$

et $P\left[\overline{X}_1 - \overline{X}_2 > (\overline{x}_1 - \overline{x}_2)_{b_2} \mid H_0 \text{ est vraie}\right] = 0,025$

$$\longrightarrow P\left[\dfrac{\overline{X}_1 - \overline{X}_2}{\sqrt{\dfrac{S^2_{n_1-1}}{n_1} + \dfrac{S^2_{n_2-1}}{n_2}}} < \dfrac{(\overline{x}_1 - \overline{x}_2)_{b_1}}{\sqrt{\dfrac{0,622}{144} + \dfrac{0,62}{150}}}\right] = 0,025$$

$$\downarrow$$
$$N(0\,;\,1)$$

$$\text{et } P \left[ \frac{\overline{X}_1 - \overline{X}_2}{\sqrt{\dfrac{S^2_{n_1-1}}{n_1} + \dfrac{S^2_{n_2-1}}{n_2}}} > \frac{(\overline{x}_1 - \overline{x}_2)_{b_2}}{\sqrt{\dfrac{0{,}622}{144} + \dfrac{0{,}62}{150}}} \right] = 0{,}025$$

$$\downarrow$$

$$N(0\ ;\ 1)$$

$$\rightarrow \quad \frac{(\overline{x}_1 - \overline{x}_2)_{b_1}}{\sqrt{\dfrac{0{,}622}{144} + \dfrac{0{,}62}{150}}} = -1{,}96 \quad \rightarrow \quad (\overline{x}_1 - \overline{x}_2)_{b_1} = -0{,}18$$

et

$$\frac{(\overline{x}_1 - \overline{x}_2)_{b_2}}{\sqrt{\dfrac{0{,}622}{144} + \dfrac{0{,}62}{150}}} = 1{,}96 \quad \rightarrow \quad (\overline{x}_1 - \overline{x}_2)_{b_2} = 0{,}18$$

Et comme, avec nos deux échantillons, $\overline{x}_1 - \overline{x}_2 = 6{,}5 - 6{,}4 = -0{,}1 \in$ la zone d'acceptation de $H_0$, ces échantillons confirment bien l'hypothèse qui veut que la dépense énergétique moyenne soit la même pour les hommes et les femmes.

# Annexes

# TABLE 1: Distributions binômiales

Valeur tabulée: $P[X = x]$ où $X$: $B(n\,;\,p)$

| n | x | 0,05 | 0,10 | 0,15 | 0,20 | 0,25 | 0,30 | 0,35 | 0,40 | 0,45 | 0,50 |
|---|---|------|------|------|------|------|------|------|------|------|------|
| 1 | 0 | 0,9500 | 0,9000 | 0,8500 | 0,8000 | 0,7500 | 0,7000 | 0,6500 | 0,6000 | 0,5500 | 0,5000 |
|   | 1 | 0,0500 | 0,1000 | 0,1500 | 0,2000 | 0,2500 | 0,3000 | 0,3500 | 0,4000 | 0,4500 | 0,5000 |
| 2 | 0 | 0,9025 | 0,8100 | 0,7225 | 0,6400 | 0,5625 | 0,4900 | 0,4225 | 0,3600 | 0,3025 | 0,2500 |
|   | 1 | 0,0950 | 0,1800 | 0,2550 | 0,3200 | 0,3750 | 0,4200 | 0,4550 | 0,4800 | 0,4950 | 0,5000 |
|   | 2 | 0,0025 | 0,0100 | 0,0225 | 0,0400 | 0,0625 | 0,0900 | 0,1225 | 0,1600 | 0,2025 | 0,2500 |
| 3 | 0 | 0,8574 | 0,7290 | 0,6141 | 0,5120 | 0,4219 | 0,3430 | 0,2746 | 0,2160 | 0,1664 | 0,1250 |
|   | 1 | 0,1354 | 0,2430 | 0,3251 | 0,3840 | 0,4219 | 0,4410 | 0,4436 | 0,4320 | 0,4084 | 0,3750 |
|   | 2 | 0,0071 | 0,0270 | 0,0574 | 0,0960 | 0,1406 | 0,1890 | 0,2389 | 0,2880 | 0,3341 | 0,3750 |
|   | 3 | 0,0001 | 0,0010 | 0,0034 | 0,0080 | 0,0156 | 0,0270 | 0,0429 | 0,0640 | 0,0911 | 0,1250 |
| 4 | 0 | 0,8145 | 0,6561 | 0,5220 | 0,4096 | 0,3164 | 0,2401 | 0,1785 | 0,1296 | 0,0915 | 0,0625 |
|   | 1 | 0,1715 | 0,2916 | 0,3685 | 0,4096 | 0,4219 | 0,4116 | 0,3845 | 0,3456 | 0,2995 | 0,2500 |
|   | 2 | 0,0135 | 0,0486 | 0,0975 | 0,1536 | 0,2109 | 0,2646 | 0,3105 | 0,3456 | 0,3675 | 0,3750 |
|   | 3 | 0,0005 | 0,0036 | 0,0115 | 0,0256 | 0,0469 | 0,0756 | 0,1115 | 0,1536 | 0,2005 | 0,2500 |
|   | 4 | 0,0000 | 0,0001 | 0,0005 | 0,0016 | 0,0039 | 0,0081 | 0,0150 | 0,0256 | 0,0410 | 0,0625 |
| 5 | 0 | 0,7738 | 0,5905 | 0,4437 | 0,3277 | 0,2373 | 0,1681 | 0,1160 | 0,0778 | 0,0503 | 0,0312 |
|   | 1 | 0,2036 | 0,3280 | 0,3915 | 0,4096 | 0,3955 | 0,3602 | 0,3124 | 0,2592 | 0,2059 | 0,1562 |
|   | 2 | 0,0214 | 0,0729 | 0,1382 | 0,2048 | 0,2637 | 0,3087 | 0,3364 | 0,3456 | 0,3369 | 0,3125 |
|   | 3 | 0,0011 | 0,0081 | 0,0244 | 0,0512 | 0,0879 | 0,1323 | 0,1811 | 0,2304 | 0,2757 | 0,3125 |
|   | 4 | 0,0000 | 0,0004 | 0,0022 | 0,0064 | 0,0146 | 0,0284 | 0,0488 | 0,0768 | 0,1128 | 0,1562 |
|   | 5 | 0,0000 | 0,0000 | 0,0001 | 0,0003 | 0,0010 | 0,0024 | 0,0053 | 0,0102 | 0,0185 | 0,0312 |
| 6 | 0 | 0,7351 | 0,5314 | 0,3771 | 0,2621 | 0,1780 | 0,1176 | 0,0754 | 0,0467 | 0,0277 | 0,0156 |
|   | 1 | 0,2321 | 0,3543 | 0,3993 | 0,3932 | 0,3560 | 0,3025 | 0,2437 | 0,1866 | 0,1359 | 0,0938 |
|   | 2 | 0,0305 | 0,0984 | 0,1762 | 0,2458 | 0,2966 | 0,3241 | 0,3280 | 0,3110 | 0,2780 | 0,2344 |
|   | 3 | 0,0021 | 0,0146 | 0,0415 | 0,0819 | 0,1318 | 0,1852 | 0,2355 | 0,2765 | 0,3032 | 0,3125 |
|   | 4 | 0,0001 | 0,0012 | 0,0055 | 0,0154 | 0,0330 | 0,0595 | 0,0951 | 0,1382 | 0,1861 | 0,2344 |
|   | 5 | 0,0000 | 0,0001 | 0,0004 | 0,0015 | 0,0044 | 0,0102 | 0,0205 | 0,0369 | 0,0609 | 0,0938 |
|   | 6 | 0,0000 | 0,0000 | 0,0000 | 0,0001 | 0,0002 | 0,0007 | 0,0018 | 0,0041 | 0,0083 | 0,0156 |
| 7 | 0 | 0,6983 | 0,4783 | 0,3206 | 0,2097 | 0,1335 | 0,0824 | 0,0490 | 0,0280 | 0,0152 | 0,0078 |
|   | 1 | 0,2573 | 0,3720 | 0,3960 | 0,3670 | 0,3115 | 0,2471 | 0,1848 | 0,1306 | 0,0872 | 0,0547 |
|   | 2 | 0,0406 | 0,1240 | 0,2097 | 0,2753 | 0,3115 | 0,3177 | 0,2985 | 0,2613 | 0,2140 | 0,1641 |
|   | 3 | 0,0036 | 0,0230 | 0,0617 | 0,1147 | 0,1730 | 0,2269 | 0,2679 | 0,2903 | 0,2918 | 0,2734 |
|   | 4 | 0,0002 | 0,0026 | 0,0109 | 0,0287 | 0,0577 | 0,0972 | 0,1442 | 0,1935 | 0,2388 | 0,2734 |
|   | 5 | 0,0000 | 0,0002 | 0,0012 | 0,0043 | 0,0115 | 0,0250 | 0,0466 | 0,0774 | 0,1172 | 0,1641 |
|   | 6 | 0,0000 | 0,0000 | 0,0001 | 0,0004 | 0,0013 | 0,0036 | 0,0084 | 0,0172 | 0,0320 | 0,0547 |
|   | 7 | 0,0000 | 0,0000 | 0,0000 | 0,0000 | 0,0001 | 0,0002 | 0,0006 | 0,0016 | 0,0037 | 0,0078 |
| 8 | 0 | 0,6634 | 0,4305 | 0,2725 | 0,1678 | 0,1001 | 0,0576 | 0,0319 | 0,0168 | 0,0084 | 0,0039 |
|   | 1 | 0,2793 | 0,3826 | 0,3847 | 0,3355 | 0,2670 | 0,1977 | 0,1373 | 0,0896 | 0,0548 | 0,0312 |
|   | 2 | 0,0515 | 0,1488 | 0,2376 | 0,2936 | 0,3115 | 0,2965 | 0,2587 | 0,2090 | 0,1569 | 0,1094 |
|   | 3 | 0,0054 | 0,0331 | 0,0839 | 0,1468 | 0,2076 | 0,2541 | 0,2786 | 0,2787 | 0,2568 | 0,2188 |
|   | 4 | 0,0004 | 0,0046 | 0,0185 | 0,0459 | 0,0865 | 0,1361 | 0,1875 | 0,2322 | 0,2627 | 0,2734 |
|   | 5 | 0,0000 | 0,0004 | 0,0026 | 0,0092 | 0,0231 | 0,0467 | 0,0808 | 0,1239 | 0,1719 | 0,2188 |
|   | 6 | 0,0000 | 0,0000 | 0,0002 | 0,0011 | 0,0038 | 0,0100 | 0,0217 | 0,0413 | 0,0703 | 0,1094 |
|   | 7 | 0,0000 | 0,0000 | 0,0000 | 0,0001 | 0,0004 | 0,0012 | 0,0033 | 0,0079 | 0,0164 | 0,0312 |
|   | 8 | 0,0000 | 0,0000 | 0,0000 | 0,0000 | 0,0000 | 0,0001 | 0,0002 | 0,0007 | 0,0017 | 0,0039 |

# TABLE 1: Distributions binômiales (suite)

| n | x | 0,05 | 0,10 | 0,15 | 0,20 | 0,25 | p 0,30 | 0,35 | 0,40 | 0,45 | 0,50 |
|---|---|------|------|------|------|------|------|------|------|------|------|
| 9 | 0 | 0,6302 | 0,3874 | 0,2316 | 0,1342 | 0,0751 | 0,0404 | 0,0207 | 0,0101 | 0,0046 | 0,0020 |
|   | 1 | 0,2985 | 0,3874 | 0,3679 | 0,3020 | 0,2253 | 0,1556 | 0,1004 | 0,0605 | 0,0339 | 0,0176 |
|   | 2 | 0,0629 | 0,1722 | 0,2597 | 0,3020 | 0,3003 | 0,2668 | 0,2162 | 0,1612 | 0,1110 | 0,0703 |
|   | 3 | 0,0077 | 0,0446 | 0,1069 | 0,1762 | 0,2336 | 0,2668 | 0,2716 | 0,2508 | 0,2119 | 0,1641 |
|   | 4 | 0,0006 | 0,0074 | 0,0283 | 0,0661 | 0,1168 | 0,1715 | 0,2194 | 0,2508 | 0,2600 | 0,2461 |
|   | 5 | 0,0000 | 0,0008 | 0,0050 | 0,0165 | 0,0389 | 0,0735 | 0,1181 | 0,1672 | 0,2128 | 0,2461 |
|   | 6 | 0,0000 | 0,0001 | 0,0006 | 0,0028 | 0,0087 | 0,0210 | 0,0424 | 0,0743 | 0,1160 | 0,1641 |
|   | 7 | 0,0000 | 0,0000 | 0,0000 | 0,0003 | 0,0012 | 0,0039 | 0,0098 | 0,0212 | 0,0407 | 0,0703 |
|   | 8 | 0,0000 | 0,0000 | 0,0000 | 0,0000 | 0,0001 | 0,0004 | 0,0013 | 0,0035 | 0,0083 | 0,0176 |
|   | 9 | 0,0000 | 0,0000 | 0,0000 | 0,0000 | 0,0000 | 0,0000 | 0,0001 | 0,0003 | 0,0008 | 0,0020 |
| 10 | 0 | 0,5987 | 0,3487 | 0,1969 | 0,1074 | 0,0563 | 0,0282 | 0,0135 | 0,0060 | 0,0025 | 0,0010 |
|    | 1 | 0,3151 | 0,3874 | 0,3474 | 0,2684 | 0,1877 | 0,1211 | 0,0725 | 0,0403 | 0,0207 | 0,0098 |
|    | 2 | 0,0746 | 0,1937 | 0,2759 | 0,3020 | 0,2816 | 0,2335 | 0,1757 | 0,1209 | 0,0763 | 0,0439 |
|    | 3 | 0,0105 | 0,0574 | 0,1298 | 0,2013 | 0,2503 | 0,2668 | 0,2522 | 0,2150 | 0,1665 | 0,1172 |
|    | 4 | 0,0010 | 0,0112 | 0,0401 | 0,0881 | 0,1460 | 0,2001 | 0,2377 | 0,2508 | 0,2384 | 0,2051 |
|    | 5 | 0,0001 | 0,0015 | 0,0085 | 0,0264 | 0,0584 | 0,1029 | 0,1536 | 0,2007 | 0,2340 | 0,2461 |
|    | 6 | 0,0000 | 0,0001 | 0,0012 | 0,0055 | 0,0162 | 0,0368 | 0,0689 | 0,1115 | 0,1596 | 0,2051 |
|    | 7 | 0,0000 | 0,0000 | 0,0001 | 0,0008 | 0,0031 | 0,0090 | 0,0212 | 0,0425 | 0,0746 | 0,1172 |
|    | 8 | 0,0000 | 0,0000 | 0,0000 | 0,0001 | 0,0004 | 0,0014 | 0,0043 | 0,0106 | 0,0229 | 0,0439 |
|    | 9 | 0,0000 | 0,0000 | 0,0000 | 0,0000 | 0,0000 | 0,0001 | 0,0005 | 0,0016 | 0,0042 | 0,0098 |
|    | 10 | 0,0000 | 0,0000 | 0,0000 | 0,0000 | 0,0000 | 0,0000 | 0,0000 | 0,0001 | 0,0003 | 0,0010 |
| 11 | 0 | 0,5688 | 0,3138 | 0,1673 | 0,0859 | 0,0422 | 0,0198 | 0,0088 | 0,0036 | 0,0014 | 0,0005 |
|    | 1 | 0,3293 | 0,3835 | 0,3248 | 0,2362 | 0,1549 | 0,0932 | 0,0518 | 0,0266 | 0,0125 | 0,0054 |
|    | 2 | 0,0867 | 0,2131 | 0,2866 | 0,2953 | 0,2581 | 0,1998 | 0,1395 | 0,0887 | 0,0513 | 0,0269 |
|    | 3 | 0,0137 | 0,0710 | 0,1517 | 0,2215 | 0,2581 | 0,2568 | 0,2254 | 0,1774 | 0,1259 | 0,0806 |
|    | 4 | 0,0014 | 0,0158 | 0,0536 | 0,1107 | 0,1721 | 0,2201 | 0,2428 | 0,2365 | 0,2060 | 0,1611 |
|    | 5 | 0,0001 | 0,0025 | 0,0132 | 0,0388 | 0,0803 | 0,1321 | 0,1830 | 0,2207 | 0,2360 | 0,2256 |
|    | 6 | 0,0000 | 0,0003 | 0,0023 | 0,0097 | 0,0268 | 0,0566 | 0,0985 | 0,1471 | 0,1931 | 0,2256 |
|    | 7 | 0,0000 | 0,0000 | 0,0003 | 0,0017 | 0,0064 | 0,0173 | 0,0379 | 0,0701 | 0,1128 | 0,1611 |
|    | 8 | 0,0000 | 0,0000 | 0,0000 | 0,0002 | 0,0011 | 0,0037 | 0,0102 | 0,0234 | 0,0462 | 0,0806 |
|    | 9 | 0,0000 | 0,0000 | 0,0000 | 0,0000 | 0,0001 | 0,0005 | 0,0018 | 0,0052 | 0,0126 | 0,0269 |
|    | 10 | 0,0000 | 0,0000 | 0,0000 | 0,0000 | 0,0000 | 0,0000 | 0,0002 | 0,0007 | 0,0021 | 0,0054 |
|    | 11 | 0,0000 | 0,0000 | 0,0000 | 0,0000 | 0,0000 | 0,0000 | 0,,0000 | 0,0000 | 0,0002 | 0,0005 |
| 12 | 0 | 0,5404 | 0,2824 | 0,1422 | 0,0687 | 0,0317 | 0,0138 | 0,0057 | 0,0022 | 0,0008 | 0,0002 |
|    | 1 | 0,3413 | 0,3766 | 0,3012 | 0,2062 | 0,1267 | 0,0712 | 0,0368 | 0,0174 | 0,0075 | 0,0029 |
|    | 2 | 0,0988 | 0,2301 | 0,2924 | 0,2835 | 0,2323 | 0,1678 | 0,1088 | 0,0639 | 0,0339 | 0,0161 |
|    | 3 | 0,0173 | 0,0852 | 0,1720 | 0,2362 | 0,2581 | 0,2397 | 0,1954 | 0,1419 | 0,0923 | 0,0537 |
|    | 4 | 0,0021 | 0,0213 | 0,0683 | 0,1329 | 0,1936 | 0,2311 | 0,2367 | 0,2128 | 0,1700 | 0,1208 |
|    | 5 | 0,0002 | 0,0038 | 0,0193 | 0,0532 | 0,1032 | 0,1585 | 0,2039 | 0,2270 | 0,2225 | 0,1934 |
|    | 6 | 0,0000 | 0,0005 | 0,0040 | 0,0155 | 0,0401 | 0,0792 | 0,1281 | 0,1766 | 0,2124 | 0,2256 |
|    | 7 | 0,0000 | 0,0000 | 0,0006 | 0,0033 | 0,0115 | 0,0291 | 0,0591 | 0,1009 | 0,1489 | 0,1934 |
|    | 8 | 0,0000 | 0,0000 | 0,0001 | 0,0005 | 0,0024 | 0,0078 | 0,0199 | 0,0420 | 0,0762 | 0,1208 |
|    | 9 | 0,0000 | 0,0000 | 0,0000 | 0,0001 | 0,0004 | 0,0015 | 0,0048 | 0,0125 | 0,0277 | 0,0537 |
|    | 10 | 0,0000 | 0,0000 | 0,0000 | 0,0000 | 0,0000 | 0,0002 | 0,0008 | 0,0025 | 0,0068 | 0,0161 |
|    | 11 | 0,0000 | 0,0000 | 0,0000 | 0,0000 | 0,0000 | 0,0000 | 0,0001 | 0,0003 | 0,0010 | 0,0029 |
|    | 12 | 0,0000 | 0,0000 | 0,0000 | 0,0000 | 0,0000 | 0,0000 | 0,0000 | 0,0000 | 0,0001 | 0,0002 |

# TABLE 1: Distributions binômiales (suite)

| n | x | 0,05 | 0,10 | 0,15 | 0,20 | 0,25 | p 0,30 | 0,35 | 0,40 | 0,45 | 0,50 |
|---|---|------|------|------|------|------|------|------|------|------|------|
| 13 | 0 | 0,5133 | 0,2542 | 0,1209 | 0,0550 | 0,0238 | 0,0097 | 0,0037 | 0,0013 | 0,0004 | 0,0001 |
|    | 1 | 0,3512 | 0,3672 | 0,2774 | 0,1787 | 0,1029 | 0,0540 | 0,0259 | 0,0113 | 0,0045 | 0,0016 |
|    | 2 | 0,1109 | 0,2448 | 0,2937 | 0,2680 | 0,2059 | 0,1388 | 0,0836 | 0,0453 | 0,0220 | 0,0095 |
|    | 3 | 0,0214 | 0,0997 | 0,1900 | 0,2457 | 0,2517 | 0,2181 | 0,1651 | 0,1107 | 0,0660 | 0,0349 |
|    | 4 | 0,0028 | 0,0277 | 0,0838 | 0,1535 | 0,2097 | 0,2337 | 0,2222 | 0,1845 | 0,1350 | 0,0873 |
|    | 5 | 0,0003 | 0,0055 | 0,0266 | 0,0691 | 0,1258 | 0,1803 | 0,2154 | 0,2214 | 0,1989 | 0,1571 |
|    | 6 | 0,0000 | 0,0008 | 0,0063 | 0,0230 | 0,0559 | 0,1030 | 0,1546 | 0,1968 | 0,2169 | 0,2095 |
|    | 7 | 0,0000 | 0,0001 | 0,0011 | 0,0058 | 0,0186 | 0,0442 | 0,0833 | 0,1312 | 0,1775 | 0,2095 |
|    | 8 | 0,0000 | 0,0000 | 0,0001 | 0,0011 | 0,0047 | 0,0142 | 0,0336 | 0,0656 | 0,1089 | 0,1571 |
|    | 9 | 0,0000 | 0,0000 | 0,0000 | 0,0001 | 0,0009 | 0,0034 | 0,0101 | 0,0243 | 0,0495 | 0,0873 |
|    | 10 | 0,0000 | 0,0000 | 0,0000 | 0,0000 | 0,0001 | 0,0006 | 0,0022 | 0,0065 | 0,0162 | 0,0349 |
|    | 11 | 0,0000 | 0,0000 | 0,0000 | 0,0000 | 0,0000 | 0,0001 | 0,0003 | 0,0012 | 0,0036 | 0,0095 |
|    | 12 | 0,0000 | 0,0000 | 0,0000 | 0,0000 | 0,0000 | 0,0000 | 0,0000 | 0,0001 | 0,0005 | 0,0016 |
|    | 13 | 0,0000 | 0,0000 | 0,0000 | 0,0000 | 0,0000 | 0,0000 | 0,0000 | 0,0000 | 0,0000 | 0,0001 |
| 14 | 0 | 0,4877 | 0,2288 | 0,1028 | 0,0440 | 0,0178 | 0,0068 | 0,0024 | 0,0008 | 0,0002 | 0,0001 |
|    | 1 | 0,3593 | 0,3559 | 0,2539 | 0,1539 | 0,0832 | 0,0407 | 0,0181 | 0,0073 | 0,0027 | 0,0009 |
|    | 2 | 0,1229 | 0,2570 | 0,2912 | 0,2501 | 0,1802 | 0,1134 | 0,0634 | 0,0317 | 0,0141 | 0,0056 |
|    | 3 | 0,0259 | 0,1142 | 0,2056 | 0,2501 | 0,2402 | 0,1943 | 0,1366 | 0,0845 | 0,0462 | 0,0222 |
|    | 4 | 0,0037 | 0,0349 | 0,0998 | 0,1720 | 0,2202 | 0,2290 | 0,2022 | 0,1549 | 0,1040 | 0,0611 |
|    | 5 | 0,0004 | 0,0078 | 0,0352 | 0,0860 | 0,1468 | 0,1963 | 0,2178 | 0,2066 | 0,1701 | 0,1222 |
|    | 6 | 0,0000 | 0,0013 | 0,0093 | 0,0322 | 0,0734 | 0,1262 | 0,1759 | 0,2066 | 0,2088 | 0,1833 |
|    | 7 | 0,0000 | 0,0002 | 0,0019 | 0,0092 | 0,0280 | 0,0618 | 0,1082 | 0,1574 | 0,1952 | 0,2095 |
|    | 8 | 0,0000 | 0,0000 | 0,0003 | 0,0020 | 0,0082 | 0,0232 | 0,0510 | 0,0918 | 0,1398 | 0,1833 |
|    | 9 | 0,0000 | 0,0000 | 0,0000 | 0,0003 | 0,0018 | 0,0066 | 0,0183 | 0,0408 | 0,0762 | 0,1222 |
|    | 10 | 0,0000 | 0,0000 | 0,0000 | 0,0000 | 0,0003 | 0,0014 | 0,0049 | 0,0136 | 0,0312 | 0,0611 |
|    | 11 | 0,0000 | 0,0000 | 0,0000 | 0,0000 | 0,0000 | 0,0002 | 0,0010 | 0,0033 | 0,0093 | 0,0222 |
|    | 12 | 0,0000 | 0,0000 | 0,0000 | 0,0000 | 0,0000 | 0,0000 | 0,0001 | 0,0005 | 0,0019 | 0,0056 |
|    | 13 | 0,0000 | 0,0000 | 0,0000 | 0,0000 | 0,0000 | 0,0000 | 0,0000 | 0,0001 | 0,0002 | 0,0009 |
|    | 14 | 0,0000 | 0,0000 | 0,0000 | 0,0000 | 0,0000 | 0,0000 | 0,0000 | 0,0000 | 0,0000 | 0,0001 |
| 15 | 0 | 0,4633 | 0,2059 | 0,0874 | 0,0352 | 0,0134 | 0,0047 | 0,0016 | 0,0005 | 0,0001 | 0,0000 |
|    | 1 | 0,3658 | 0,3432 | 0,2312 | 0,1319 | 0,0668 | 0,0305 | 0,0126 | 0,0047 | 0,0016 | 0,0005 |
|    | 2 | 0,1348 | 0,2669 | 0,2856 | 0,2309 | 0,1559 | 0,0916 | 0,0476 | 0,0219 | 0,0090 | 0,0032 |
|    | 3 | 0,0307 | 0,1285 | 0,2184 | 0,2501 | 0,2252 | 0,1700 | 0,1110 | 0,0634 | 0,0318 | 0,0139 |
|    | 4 | 0,0049 | 0,0428 | 0,1156 | 0,1876 | 0,2252 | 0,2186 | 0,1792 | 0,1268 | 0,0780 | 0,0417 |
|    | 5 | 0,0006 | 0,0105 | 0,0449 | 0,1032 | 0,1651 | 0,2061 | 0,2123 | 0,1859 | 0,1404 | 0,0916 |
|    | 6 | 0,0000 | 0,0019 | 0,0132 | 0,0430 | 0,0917 | 0,1472 | 0,1906 | 0,2066 | 0,1914 | 0,1527 |
|    | 7 | 0,0000 | 0,0003 | 0,0030 | 0,0138 | 0,0393 | 0,0811 | 0,1319 | 0,1771 | 0,2013 | 0,1964 |
|    | 8 | 0,0000 | 0,0000 | 0,0005 | 0,0035 | 0,0131 | 0,0348 | 0,0710 | 0,1181 | 0,1647 | 0,1964 |
|    | 9 | 0,0000 | 0,0000 | 0,0001 | 0,0007 | 0,0034 | 0,0116 | 0,0298 | 0,0612 | 0,1048 | 0,1527 |
|    | 10 | 0,0000 | 0,0000 | 0,0000 | 0,0001 | 0,0007 | 0,0030 | 0,0096 | 0,0245 | 0,0515 | 0,0916 |
|    | 11 | 0,0000 | 0,0000 | 0,0000 | 0,0000 | 0,0001 | 0,0006 | 0,0024 | 0,0074 | 0,0191 | 0,0417 |
|    | 12 | 0,0000 | 0,0000 | 0,0000 | 0,0000 | 0,0000 | 0,0001 | 0,0004 | 0,0016 | 0,0052 | 0,0139 |
|    | 13 | 0,0000 | 0,0000 | 0,0000 | 0,0000 | 0,0000 | 0,0000 | 0,0001 | 0,0003 | 0,0010 | 0,0032 |
|    | 14 | 0,0000 | 0,0000 | 0,0000 | 0,0000 | 0,0000 | 0,0000 | 0,0000 | 0,0000 | 0,0001 | 0,0005 |
|    | 15 | 0,0000 | 0,0000 | 0,0000 | 0,0000 | 0,0000 | 0,0000 | 0,0000 | 0,0000 | 0,0000 | 0,0000 |

# TABLE 1: Distributions binômiales (suite)

| n | x | 0,05 | 0,10 | 0,15 | 0,20 | 0,25 | p 0,30 | 0,35 | 0,40 | 0,45 | 0,50 |
|---|---|------|------|------|------|------|------|------|------|------|------|
| 16 | 0 | 0,4401 | 0,1853 | 0,0743 | 0,0281 | 0,0100 | 0,0033 | 0,0010 | 0,0003 | 0,0001 | 0,0000 |
| | 1 | 0,3706 | 0,3294 | 0,2097 | 0,1126 | 0,0535 | 0,0228 | 0,0087 | 0,0030 | 0,0009 | 0,0002 |
| | 2 | 0,1463 | 0,2745 | 0,2775 | 0,2111 | 0,1336 | 0,0732 | 0,0353 | 0,0150 | 0,0056 | 0,0018 |
| | 3 | 0,0359 | 0,1423 | 0,2285 | 0,2463 | 0,2079 | 0,1465 | 0,0888 | 0,0468 | 0,0215 | 0,0085 |
| | 4 | 0,0061 | 0,0514 | 0,1311 | 0,2001 | 0,2252 | 0,2040 | 0,1553 | 0,1014 | 0,0572 | 0,0278 |
| | 5 | 0,0008 | 0,0137 | 0,0555 | 0,1201 | 0,1802 | 0,2099 | 0,2008 | 0,1623 | 0,1123 | 0,0667 |
| | 6 | 0,0001 | 0,0028 | 0,0180 | 0,0550 | 0,1101 | 0,1649 | 0,1982 | 0,1983 | 0,1684 | 0,1222 |
| | 7 | 0,0000 | 0,0004 | 0,0045 | 0,0197 | 0,0524 | 0,1010 | 0,1524 | 0,1889 | 0,1969 | 0,1746 |
| | 8 | 0,0000 | 0,0001 | 0,0009 | 0,0055 | 0,0197 | 0,0487 | 0,0923 | 0,1417 | 0,1812 | 0,1964 |
| | 9 | 0,0000 | 0,0000 | 0,0001 | 0,0012 | 0,0058 | 0,0185 | 0,0442 | 0,0840 | 0,1318 | 0,1746 |
| | 10 | 0,0000 | 0,0000 | 0,0000 | 0,0002 | 0,0014 | 0,0056 | 0,0167 | 0,0392 | 0,0755 | 0,1222 |
| | 11 | 0,0000 | 0,0000 | 0,0000 | 0,0000 | 0,0002 | 0,0013 | 0,0049 | 0,0142 | 0,0337 | 0,0667 |
| | 12 | 0,0000 | 0,0000 | 0,0000 | 0,0000 | 0,0000 | 0,0002 | 0,0011 | 0,0040 | 0,0115 | 0,0278 |
| | 13 | 0,0000 | 0,0000 | 0,0000 | 0,0000 | 0,0000 | 0,0000 | 0,0002 | 0,0008 | 0,0029 | 0,0085 |
| | 14 | 0,0000 | 0,0000 | 0,0000 | 0,0000 | 0,0000 | 0,0000 | 0,0000 | 0,0001 | 0,0005 | 0,0018 |
| | 15 | 0,0000 | 0,0000 | 0,0000 | 0,0000 | 0,0000 | 0,0000 | 0,0000 | 0,0000 | 0,0001 | 0,0002 |
| | 16 | 0,0000 | 0,0000 | 0,0000 | 0,0000 | 0,0000 | 0,0000 | 0,0000 | 0,0000 | 0,0000 | 0,0000 |
| 17 | 0 | 0,4181 | 0,1668 | 0,0631 | 0,0225 | 0,0075 | 0,0023 | 0,0007 | 0,0002 | 0,0000 | 0,0000 |
| | 1 | 0,3741 | 0,3150 | 0,1893 | 0,0957 | 0,0426 | 0,0169 | 0,0060 | 0,0019 | 0,0005 | 0,0001 |
| | 2 | 0,1575 | 0,2800 | 0,2673 | 0,1914 | 0,1136 | 0,0581 | 0,0260 | 0,0102 | 0,0035 | 0,0010 |
| | 3 | 0,0415 | 0,1556 | 0,2359 | 0,2393 | 0,1893 | 0,1245 | 0,0701 | 0,0341 | 0,0144 | 0,0052 |
| | 4 | 0,0076 | 0,0605 | 0,1457 | 0,2093 | 0,2209 | 0,1868 | 0,1320 | 0,0796 | 0,0411 | 0,0182 |
| | 5 | 0,0010 | 0,0175 | 0,0668 | 0,1361 | 0,1914 | 0,2081 | 0,1849 | 0,1379 | 0,0875 | 0,0472 |
| | 6 | 0,0001 | 0,0039 | 0,0236 | 0,0680 | 0,1276 | 0,1784 | 0,1991 | 0,1839 | 0,1432 | 0,0944 |
| | 7 | 0,0000 | 0,0007 | 0,0065 | 0,0267 | 0,0668 | 0,1201 | 0,1685 | 0,1927 | 0,1841 | 0,1484 |
| | 8 | 0,0000 | 0,0001 | 0,0014 | 0,0084 | 0,0279 | 0,0644 | 0,1134 | 0,1606 | 0,1883 | 0,1855 |
| | 9 | 0,0000 | 0,0000 | 0,0003 | 0,0021 | 0,0093 | 0,0276 | 0,0611 | 0,1070 | 0,1540 | 0,1855 |
| | 10 | 0,0000 | 0,0000 | 0,0000 | 0,0004 | 0,0025 | 0,0095 | 0,0263 | 0,0571 | 0,1008 | 0,1484 |
| | 11 | 0,0000 | 0,0000 | 0,0000 | 0,0001 | 0,0005 | 0,0026 | 0,0090 | 0,0242 | 0,0525 | 0,0944 |
| | 12 | 0,0000 | 0,0000 | 0,0000 | 0,0000 | 0,0001 | 0,0006 | 0,0024 | 0,0081 | 0,0215 | 0,0472 |
| | 13 | 0,0000 | 0,0000 | 0,0000 | 0,0000 | 0,0000 | 0,0001 | 0,0005 | 0,0021 | 0,0068 | 0,0182 |
| | 14 | 0,0000 | 0,0000 | 0,0000 | 0,0000 | 0,0000 | 0,0000 | 0,0001 | 0,0004 | 0,0016 | 0,0052 |
| | 15 | 0,0000 | 0,0000 | 0,0000 | 0,0000 | 0,0000 | 0,0000 | 0,0000 | 0,0001 | 0,0003 | 0,0010 |
| | 16 | 0,0000 | 0,0000 | 0,0000 | 0,0000 | 0,0000 | 0,0000 | 0,0000 | 0,0000 | 0,0000 | 0,0001 |
| | 17 | 0,0000 | 0,0000 | 0,0000 | 0,0000 | 0,0000 | 0,0000 | 0,0000 | 0,0000 | 0,0000 | 0,0000 |
| 18 | 0 | 0,3972 | 0,1501 | 0,0536 | 0,0180 | 0,0056 | 0,0016 | 0,0004 | 0,0001 | 0,0000 | 0,0000 |
| | 1 | 0,3763 | 0,3002 | 0,1704 | 0,0811 | 0,0338 | 0,0126 | 0,0042 | 0,0012 | 0,0003 | 0,0001 |
| | 2 | 0,1683 | 0,2835 | 0,2556 | 0,1723 | 0,0958 | 0,0458 | 0,0190 | 0,0069 | 0,0022 | 0,0006 |
| | 3 | 0,0473 | 0,1680 | 0,2406 | 0,2297 | 0,1704 | 0,1046 | 0,0547 | 0,0246 | 0,0095 | 0,0031 |
| | 4 | 0,0093 | 0,0700 | 0,1592 | 0,2153 | 0,2130 | 0,1681 | 0,1104 | 0,0614 | 0,0291 | 0,0117 |
| | 5 | 0,0014 | 0,0218 | 0,0787 | 0,1507 | 0,1988 | 0,2017 | 0,1664 | 0,1146 | 0,0666 | 0,0327 |
| | 6 | 0,0002 | 0,0052 | 0,0301 | 0,0816 | 0,1436 | 0,1873 | 0,1941 | 0,1655 | 0,1181 | 0,0708 |
| | 7 | 0,0000 | 0,0010 | 0,0091 | 0,0350 | 0,0820 | 0,1376 | 0,1792 | 0,1892 | 0,1657 | 0,1214 |
| | 8 | 0,0000 | 0,0002 | 0,0022 | 0,0120 | 0,0376 | 0,0811 | 0,1327 | 0,1734 | 0,1864 | 0,1669 |
| | 9 | 0,0000 | 0,0000 | 0,0004 | 0,0033 | 0,0139 | 0,0386 | 0,0794 | 0,1284 | 0,1694 | 0,1855 |
| | 10 | 0,0000 | 0,0000 | 0,0001 | 0,0008 | 0,0042 | 0,0149 | 0,0385 | 0,0771 | 0,1248 | 0,1669 |
| | 11 | 0,0000 | 0,0000 | 0,0000 | 0,0001 | 0,0010 | 0,0046 | 0,0151 | 0,0374 | 0,0742 | 0,1214 |
| | 12 | 0,0000 | 0,0000 | 0,0000 | 0,0000 | 0,0002 | 0,0012 | 0,0047 | 0,0145 | 0,0354 | 0,0708 |
| | 13 | 0,0000 | 0,0000 | 0,0000 | 0,0000 | 0,0000 | 0,0002 | 0,0012 | 0,0045 | 0,0134 | 0,0327 |

# TABLE 1: Distributions binômiales (suite)

| n | x | 0,05 | 0,10 | 0,15 | 0,20 | 0,25 | $p$ 0,30 | 0,35 | 0,40 | 0,45 | 0,50 |
|---|---|------|------|------|------|------|------|------|------|------|------|
| 18 | 14 | 0,0000 | 0,0000 | 0,0000 | 0,0000 | 0,0000 | 0,0000 | 0,0002 | 0,0011 | 0,0039 | 0,0117 |
|    | 15 | 0,0000 | 0,0000 | 0,0000 | 0,0000 | 0,0000 | 0,0000 | 0,0000 | 0,0002 | 0,0009 | 0,0031 |
|    | 16 | 0,0000 | 0,0000 | 0,0000 | 0,0000 | 0,0000 | 0,0000 | 0,0000 | 0,0000 | 0,0001 | 0,0006 |
|    | 17 | 0,0000 | 0,0000 | 0,0000 | 0,0000 | 0,0000 | 0,0000 | 0,0000 | 0,0000 | 0,0000 | 0,0001 |
|    | 18 | 0,0000 | 0,0000 | 0,0000 | 0,0000 | 0,0000 | 0,0000 | 0,0000 | 0,0000 | 0,0000 | 0,0000 |
| 19 | 0 | 0,3774 | 0,1351 | 0,0456 | 0,0144 | 0,0042 | 0,0011 | 0,0003 | 0,0001 | 0,0000 | 0,0000 |
|    | 1 | 0,3774 | 0,2852 | 0,1529 | 0,0685 | 0,0268 | 0,0093 | 0,0029 | 0,0008 | 0,0002 | 0,0000 |
|    | 2 | 0,1787 | 0,2852 | 0,2428 | 0,1540 | 0,0803 | 0,0358 | 0,0138 | 0,0046 | 0,0013 | 0,0003 |
|    | 3 | 0,0533 | 0,1796 | 0,2428 | 0,2182 | 0,1517 | 0,0869 | 0,0422 | 0,0175 | 0,0062 | 0,0018 |
|    | 4 | 0,0112 | 0,0798 | 0,1714 | 0,2182 | 0,2023 | 0,1491 | 0,0909 | 0,0467 | 0,0203 | 0,0074 |
|    | 5 | 0,0018 | 0,0266 | 0,0907 | 0,1636 | 0,2023 | 0,1916 | 0,1468 | 0,0933 | 0,0497 | 0,0222 |
|    | 6 | 0,0002 | 0,0069 | 0,0374 | 0,0955 | 0,1574 | 0,1916 | 0,1844 | 0,1451 | 0,0949 | 0,0518 |
|    | 7 | 0,0000 | 0,0014 | 0,0122 | 0,0443 | 0,0974 | 0,1525 | 0,1844 | 0,1797 | 0,1443 | 0,0961 |
|    | 8 | 0,0000 | 0,0002 | 0,0032 | 0,0166 | 0,0487 | 0,0981 | 0,1489 | 0,1797 | 0,1771 | 0,1442 |
|    | 9 | 0,0000 | 0,0000 | 0,0007 | 0,0051 | 0,0198 | 0,0514 | 0,0980 | 0,1464 | 0,1771 | 0,1762 |
|    | 10 | 0,0000 | 0,0000 | 0,0001 | 0,0013 | 0,0066 | 0,0220 | 0,0528 | 0,0976 | 0,1449 | 0,1762 |
|    | 11 | 0,0000 | 0,0000 | 0,0000 | 0,0003 | 0,0018 | 0,0077 | 0,0233 | 0,0532 | 0,0970 | 0,1442 |
|    | 12 | 0,0000 | 0,0000 | 0,0000 | 0,0000 | 0,0004 | 0,0022 | 0,0083 | 0,0237 | 0,0529 | 0,0961 |
|    | 13 | 0,0000 | 0,0000 | 0,0000 | 0,0000 | 0,0001 | 0,0005 | 0,0024 | 0,0085 | 0,0233 | 0,0518 |
|    | 14 | 0,0000 | 0,0000 | 0,0000 | 0,0000 | 0,0000 | 0,0001 | 0,0006 | 0,0024 | 0,0082 | 0,0222 |
|    | 15 | 0,0000 | 0,0000 | 0,0000 | 0,0000 | 0,0000 | 0,0000 | 0,0001 | 0,0005 | 0,0022 | 0,0074 |
|    | 16 | 0,0000 | 0,0000 | 0,0000 | 0,0000 | 0,0000 | 0,0000 | 0,0000 | 0,0001 | 0,0005 | 0,0018 |
|    | 17 | 0,0000 | 0,0000 | 0,0000 | 0,0000 | 0,0000 | 0,0000 | 0,0000 | 0,0000 | 0,0001 | 0,0003 |
|    | 18 | 0,0000 | 0,0000 | 0,0000 | 0,0000 | 0,0000 | 0,0000 | 0,0000 | 0,0000 | 0,0000 | 0,0000 |
|    | 19 | 0,0000 | 0,0000 | 0,0000 | 0,0000 | 0,0000 | 0,0000 | 0,0000 | 0,0000 | 0,0000 | 0,0000 |
| 20 | 0 | 0,3585 | 0,1216 | 0,0388 | 0,0115 | 0,0032 | 0,0008 | 0,0002 | 0,0000 | 0,0000 | 0,0000 |
|    | 1 | 0,3774 | 0,2702 | 0,1368 | 0,0576 | 0,0211 | 0,0068 | 0,0020 | 0,0005 | 0,0001 | 0,0000 |
|    | 2 | 0,1887 | 0,2852 | 0,2293 | 0,1369 | 0,0669 | 0,0278 | 0,0100 | 0,0031 | 0,0008 | 0,0002 |
|    | 3 | 0,0596 | 0,1901 | 0,2428 | 0,2054 | 0,1339 | 0,0716 | 0,0323 | 0,0123 | 0,0040 | 0,0011 |
|    | 4 | 0,0133 | 0,0898 | 0,1821 | 0,2182 | 0,1897 | 0,1304 | 0,0738 | 0,0350 | 0,0139 | 0,0046 |
|    | 5 | 0,0022 | 0,0319 | 0,1028 | 0,1746 | 0,2023 | 0,1789 | 0,1272 | 0,0746 | 0,0365 | 0,0148 |
|    | 6 | 0,0003 | 0,0089 | 0,0454 | 0,1091 | 0,1686 | 0,1916 | 0,1712 | 0,1244 | 0,0746 | 0,0370 |
|    | 7 | 0,0000 | 0,0020 | 0,0160 | 0,0545 | 0,1124 | 0,1643 | 0,1844 | 0,1659 | 0,1221 | 0,0739 |
|    | 8 | 0,0000 | 0,0004 | 0,0046 | 0,0222 | 0,0609 | 0,1144 | 0,1614 | 0,1797 | 0,1623 | 0,1201 |
|    | 9 | 0,0000 | 0,0001 | 0,0011 | 0,0074 | 0,0271 | 0,0654 | 0,1158 | 0,1597 | 0,1771 | 0,1602 |
|    | 10 | 0,0000 | 0,0000 | 0,0002 | 0,0020 | 0,0099 | 0,0308 | 0,0686 | 0,1171 | 0,1593 | 0,1762 |
|    | 11 | 0,0000 | 0,0000 | 0,0000 | 0,0005 | 0,0030 | 0,0120 | 0,0336 | 0,0710 | 0,1185 | 0,1602 |
|    | 12 | 0,0000 | 0,0000 | 0,0000 | 0,0001 | 0,0008 | 0,0039 | 0,0136 | 0,0355 | 0,0727 | 0,1201 |
|    | 13 | 0,0000 | 0,0000 | 0,0000 | 0,0000 | 0,0002 | 0,0010 | 0,0045 | 0,0146 | 0,0366 | 0,0739 |
|    | 14 | 0,0000 | 0,0000 | 0,0000 | 0,0000 | 0,0000 | 0,0002 | 0,0012 | 0,0049 | 0,0150 | 0,0370 |
|    | 15 | 0,0000 | 0,0000 | 0,0000 | 0,0000 | 0,0000 | 0,0000 | 0,0003 | 0,0013 | 0,0049 | 0,0148 |
|    | 16 | 0,0000 | 0,0000 | 0,0000 | 0,0000 | 0,0000 | 0,0000 | 0,0000 | 0,0003 | 0,0013 | 0,0046 |
|    | 17 | 0,0000 | 0,0000 | 0,0000 | 0,0000 | 0,0000 | 0,0000 | 0,0000 | 0,0000 | 0,0002 | 0,0011 |
|    | 18 | 0,0000 | 0,0000 | 0,0000 | 0,0000 | 0,0000 | 0,0000 | 0,0000 | 0,0000 | 0,0000 | 0,0002 |
|    | 19 | 0,0000 | 0,0000 | 0,0000 | 0,0000 | 0,0000 | 0,0000 | 0,0000 | 0,0000 | 0,0000 | 0,0000 |
|    | 20 | 0,0000 | 0,0000 | 0,0000 | 0,0000 | 0,0000 | 0,0000 | 0,0000 | 0,0000 | 0,0000 | 0,0000 |

# TABLE 1: Distributions binômiales (suite)

| n | x | 0,05 | 0,10 | 0,15 | 0,20 | 0,25 | *p* 0,30 | 0,35 | 0,40 | 0,45 | 0,50 |
|---|---|------|------|------|------|------|------|------|------|------|------|
| 25 | 0 | 0,2774 | 0,0718 | 0,0172 | 0,0038 | 0,0008 | 0,0001 | 0,0000 | 0,0000 | 0,0000 | 0,0000 |
|    | 1 | 0,3650 | 0,1994 | 0,0759 | 0,0236 | 0,0063 | 0,0014 | 0,0003 | 0,0000 | 0,0000 | 0,0000 |
|    | 2 | 0,2305 | 0,2659 | 0,1607 | 0,0708 | 0,0251 | 0,0074 | 0,0018 | 0,0004 | 0,0001 | 0,0000 |
|    | 3 | 0,0930 | 0,2265 | 0,2174 | 0,1358 | 0,0641 | 0,0243 | 0,0076 | 0,0019 | 0,0004 | 0,0001 |
|    | 4 | 0,0269 | 0,1384 | 0,2110 | 0,1867 | 0,1175 | 0,0572 | 0,0224 | 0,0071 | 0,0018 | 0,0004 |
|    | 5 | 0,0060 | 0,0646 | 0,1564 | 0,1960 | 0,1645 | 0,1030 | 0,0506 | 0,0199 | 0,0063 | 0,0016 |
|    | 6 | 0,0010 | 0,0239 | 0,0920 | 0,1633 | 0,1828 | 0,1472 | 0,0908 | 0,0442 | 0,0172 | 0,0053 |
|    | 7 | 0,0001 | 0,0072 | 0,0441 | 0,1108 | 0,1654 | 0,1712 | 0,1327 | 0,0800 | 0,0381 | 0,0143 |
|    | 8 | 0,0000 | 0,0018 | 0,0175 | 0,0623 | 0,1241 | 0,1651 | 0,1607 | 0,1200 | 0,0701 | 0,0322 |
|    | 9 | 0,0000 | 0,0004 | 0,0058 | 0,0294 | 0,0781 | 0,1336 | 0,1635 | 0,1511 | 0,1084 | 0,0609 |
|    | 10 | 0,0000 | 0,0001 | 0,0016 | 0,0118 | 0,0417 | 0,0916 | 0,1409 | 0,1612 | 0,1419 | 0,0974 |
|    | 11 | 0,0000 | 0,0000 | 0,0004 | 0,0040 | 0,0189 | 0,0536 | 0,1034 | 0,1465 | 0,1583 | 0,1328 |
|    | 12 | 0,0000 | 0,0000 | 0,0001 | 0,0012 | 0,0074 | 0,0268 | 0,0650 | 0,1140 | 0,1511 | 0,1550 |
|    | 13 | 0,0000 | 0,0000 | 0,0000 | 0,0003 | 0,0025 | 0,0115 | 0,0350 | 0,0760 | 0,1236 | 0,1550 |
|    | 14 | 0,0000 | 0,0000 | 0,0000 | 0,0001 | 0,0007 | 0,0042 | 0,0161 | 0,0434 | 0,0867 | 0,1328 |
|    | 15 | 0,0000 | 0,0000 | 0,0000 | 0,0000 | 0,0002 | 0,0013 | 0,0064 | 0,0212 | 0,0520 | 0,0974 |
|    | 16 | 0,0000 | 0,0000 | 0,0000 | 0,0000 | 0,0000 | 0,0004 | 0,0021 | 0,0088 | 0,0266 | 0,0609 |
|    | 17 | 0,0000 | 0,0000 | 0,0000 | 0,0000 | 0,0000 | 0,0001 | 0,0006 | 0,0031 | 0,0115 | 0,0322 |
|    | 18 | 0,0000 | 0,0000 | 0,0000 | 0,0000 | 0,0000 | 0,0000 | 0,0001 | 0,0009 | 0,0042 | 0,0143 |
|    | 19 | 0,0000 | 0,0000 | 0,0000 | 0,0000 | 0,0000 | 0,0000 | 0,0000 | 0,0002 | 0,0013 | 0,0053 |
|    | 20 | 0,0000 | 0,0000 | 0,0000 | 0,0000 | 0,0000 | 0,0000 | 0,0000 | 0,0000 | 0,0003 | 0,0016 |
|    | 21 | 0,0000 | 0,0000 | 0,0000 | 0,0000 | 0,0000 | 0,0000 | 0,0000 | 0,0000 | 0,0001 | 0,0004 |
|    | 22 | 0,0000 | 0,0000 | 0,0000 | 0,0000 | 0,0000 | 0,0000 | 0,0000 | 0,0000 | 0,0000 | 0,0001 |
|    | 23 | 0,0000 | 0,0000 | 0,0000 | 0,0000 | 0,0000 | 0,0000 | 0,0000 | 0,0000 | 0,0000 | 0,0000 |
|    | 24 | 0,0000 | 0,0000 | 0,0000 | 0,0000 | 0,0000 | 0,0000 | 0,0000 | 0,0000 | 0,0000 | 0,0000 |
|    | 25 | 0,0000 | 0,0000 | 0,0000 | 0,0000 | 0,0000 | 0,0000 | 0,0000 | 0,0000 | 0,0000 | 0,0000 |
| 30 | 0 | 0,2146 | 0,0424 | 0,0076 | 0,0012 | 0,0002 | 0,0000 | 0,0000 | 0,0000 | 0,0000 | 0,0000 |
|    | 1 | 0,3389 | 0,1413 | 0,0404 | 0,0093 | 0,0018 | 0,0003 | 0,0000 | 0,0000 | 0,0000 | 0,0000 |
|    | 2 | 0,2586 | 0,2277 | 0,1034 | 0,0337 | 0,0086 | 0,0018 | 0,0000 | 0,0000 | 0,0000 | 0,0000 |
|    | 3 | 0,1270 | 0,2361 | 0,1703 | 0,0785 | 0,0269 | 0,0072 | 0,0015 | 0,0003 | 0,0000 | 0,0000 |
|    | 4 | 0,0451 | 0,1771 | 0,2028 | 0,1325 | 0,0604 | 0,0208 | 0,0056 | 0,0012 | 0,0002 | 0,0000 |
|    | 5 | 0,0124 | 0,1023 | 0,1861 | 0,1723 | 0,1047 | 0,0464 | 0,0157 | 0,0041 | 0,0008 | 0,0001 |
|    | 6 | 0,0027 | 0,0474 | 0,1368 | 0,1795 | 0,1455 | 0,0829 | 0,0353 | 0,0115 | 0,0029 | 0,0006 |
|    | 7 | 0,0005 | 0,0180 | 0,0828 | 0,1538 | 0,1662 | 0,1219 | 0,0652 | 0,0263 | 0,0081 | 0,0019 |
|    | 8 | 0,0001 | 0,0058 | 0,0420 | 0,1106 | 0,1593 | 0,1501 | 0,1009 | 0,0505 | 0,0191 | 0,0055 |
|    | 9 | 0,0000 | 0,0016 | 0,0181 | 0,0676 | 0,1298 | 0,1573 | 0,1328 | 0,0823 | 0,0382 | 0,0133 |
|    | 10 | 0,0000 | 0,0004 | 0,0067 | 0,0355 | 0,0909 | 0,1416 | 0,1502 | 0,1152 | 0,0656 | 0,0280 |
|    | 11 | 0,0000 | 0,0001 | 0,0022 | 0,0161 | 0,0551 | 0,1103 | 0,1471 | 0,1396 | 0,0976 | 0,0509 |
|    | 12 | 0,0000 | 0,0000 | 0,0006 | 0,0064 | 0,0291 | 0,0749 | 0,1254 | 0,1474 | 0,1265 | 0,0806 |
|    | 13 | 0,0000 | 0,0000 | 0,0001 | 0,0022 | 0,0134 | 0,0444 | 0,0935 | 0,1360 | 0,1433 | 0,1115 |
|    | 14 | 0,0000 | 0,0000 | 0,0000 | 0,0007 | 0,0054 | 0,0231 | 0,0611 | 0,1101 | 0,1424 | 0,1354 |
|    | 15 | 0,0000 | 0,0000 | 0,0000 | 0,0002 | 0,0019 | 0,0106 | 0,0351 | 0,0783 | 0,1242 | 0,1445 |
|    | 16 | 0,0000 | 0,0000 | 0,0000 | 0,0000 | 0,0006 | 0,0042 | 0,0177 | 0,0489 | 0,0953 | 0,1354 |
|    | 17 | 0,0000 | 0,0000 | 0,0000 | 0,0000 | 0,0002 | 0,0015 | 0,0079 | 0,0269 | 0,0642 | 0,1115 |
|    | 18 | 0,0000 | 0,0000 | 0,0000 | 0,0000 | 0,0000 | 0,0005 | 0,0031 | 0,0129 | 0,0379 | 0,0806 |
|    | 19 | 0,0000 | 0,0000 | 0,0000 | 0,0000 | 0,0000 | 0,0001 | 0,0010 | 0,0054 | 0,0196 | 0,0509 |
|    | 20 | 0,0000 | 0,0000 | 0,0000 | 0,0000 | 0,0000 | 0,0000 | 0,0003 | 0,0020 | 0,0088 | 0,0280 |
|    | 21 | 0,0000 | 0,0000 | 0,0000 | 0,0000 | 0,0000 | 0,0000 | 0,0001 | 0,0006 | 0,0034 | 0,0133 |
|    | 22 | 0,0000 | 0,0000 | 0,0000 | 0,0000 | 0,0000 | 0,0000 | 0,0000 | 0,0002 | 0,0012 | 0,0055 |
|    | 23 | 0,0000 | 0,0000 | 0,0000 | 0,0000 | 0,0000 | 0,0000 | 0,0000 | 0,0000 | 0,0003 | 0,0019 |
|    | 24 | 0,0000 | 0,0000 | 0,0000 | 0,0000 | 0,0000 | 0,0000 | 0,0000 | 0,0000 | 0,0001 | 0,0006 |
|    | 25 | 0,0000 | 0,0000 | 0,0000 | 0,0000 | 0,0000 | 0,0000 | 0,0000 | 0,0000 | 0,0000 | 0,0001 |
| 26-30 | | 0,0000 | 0,0000 | 0,0000 | 0,0000 | 0,0000 | 0,0000 | 0,0000 | 0,0000 | 0,0000 | 0,0000 |

## TABLE 2: Distributions de Poisson

Valeur tabulée: $P[X = x]$ où $X: Po(\lambda)$

| $x$ | $\lambda$ | | | | | | | | | |
|---|---|---|---|---|---|---|---|---|---|---|
| | 0,1 | 0,2 | 0,3 | 0,4 | 0,5 | 0,6 | 0,7 | 0,8 | 0,9 | 1 |
| 0 | 0,9048 | 0,8187 | 0,7408 | 0,6703 | 0,6065 | 0,5488 | 0,4966 | 0,4493 | 0,4066 | 0,3679 |
| 1 | 0,0905 | 0,1637 | 0,2222 | 0,2681 | 0,3033 | 0,3293 | 0,3476 | 0,3595 | 0,3659 | 0,3679 |
| 2 | 0,0045 | 0,0164 | 0,0333 | 0,0536 | 0,0758 | 0,0988 | 0,1217 | 0,1438 | 0,1647 | 0,1839 |
| 3 | 0,0002 | 0,0011 | 0,0033 | 0,0072 | 0,0126 | 0,0198 | 0,0284 | 0,0383 | 0,0494 | 0,0613 |
| 4 | 0,0000 | 0,0001 | 0,0003 | 0,0007 | 0,0016 | 0,0030 | 0,0050 | 0,0077 | 0,0111 | 0,0153 |
| 5 | 0,0000 | 0,0000 | 0,0000 | 0,0001 | 0,0002 | 0,0004 | 0,0007 | 0,0012 | 0,0020 | 0,0031 |
| 6 | 0,0000 | 0,0000 | 0,0000 | 0,0000 | 0,0000 | 0,0000 | 0,0001 | 0,0002 | 0,0003 | 0,0005 |
| 7 | 0,0000 | 0,0000 | 0,0000 | 0,0000 | 0,0000 | 0,0000 | 0,0000 | 0,0000 | 0,0000 | 0,0001 |
| 8 | 0,0000 | 0,0000 | 0,0000 | 0,0000 | 0,0000 | 0,0000 | 0,0000 | 0,0000 | 0,0000 | 0,0000 |

| $x$ | $\lambda$ | | | | | | | | | |
|---|---|---|---|---|---|---|---|---|---|---|
| | 1,5 | 2 | 2,5 | 3 | 3,5 | 4 | 4,5 | 5 | 5,5 | 6 |
| 0 | 0,2231 | 0,1353 | 0,0821 | 0,0498 | 0,0302 | 0,0183 | 0,0111 | 0,0067 | 0,0041 | 0,0025 |
| 1 | 0,3347 | 0,2707 | 0,2052 | 0,1494 | 0,1057 | 0,0733 | 0,0500 | 0,0337 | 0,0225 | 0,0149 |
| 2 | 0,2510 | 0,2707 | 0,2565 | 0,2240 | 0,1850 | 0,1465 | 0,1125 | 0,0842 | 0,0618 | 0,0446 |
| 3 | 0,1255 | 0,1804 | 0,2138 | 0,2240 | 0,2158 | 0,1954 | 0,1687 | 0,1404 | 0,1133 | 0,0892 |
| 4 | 0,0471 | 0,0902 | 0,1336 | 0,1680 | 0,1888 | 0,1954 | 0,1898 | 0,1755 | 0,1558 | 0,1339 |
| 5 | 0,0141 | 0,0361 | 0,0668 | 0,1008 | 0,1322 | 0,1563 | 0,1708 | 0,1755 | 0,1714 | 0,1606 |
| 6 | 0,0035 | 0,0120 | 0,0278 | 0,0504 | 0,0771 | 0,1042 | 0,1281 | 0,1462 | 0,1571 | 0,1606 |
| 7 | 0,0008 | 0,0034 | 0,0099 | 0,0216 | 0,0385 | 0,0595 | 0,0824 | 0,1044 | 0,1234 | 0,1377 |
| 8 | 0,0001 | 0,0009 | 0,0031 | 0,0081 | 0,0169 | 0,0298 | 0,0463 | 0,0653 | 0,0849 | 0,1033 |
| 9 | 0,0000 | 0,0002 | 0,0009 | 0,0027 | 0,0066 | 0,0132 | 0,0232 | 0,0363 | 0,0519 | 0,0688 |
| 10 | 0,0000 | 0,0000 | 0,0002 | 0,0008 | 0,0023 | 0,0053 | 0,0104 | 0,0181 | 0,0285 | 0,0413 |
| 11 | 0,0000 | 0,0000 | 0,0000 | 0,0002 | 0,0007 | 0,0019 | 0,0043 | 0,0082 | 0,0143 | 0,0225 |
| 12 | 0,0000 | 0,0000 | 0,0000 | 0,0001 | 0,0002 | 0,0006 | 0,0016 | 0,0034 | 0,0065 | 0,0113 |
| 13 | 0,0000 | 0,0000 | 0,0000 | 0,0000 | 0,0001 | 0,0002 | 0,0006 | 0,0013 | 0,0028 | 0,0052 |
| 14 | 0,0000 | 0,0000 | 0,0000 | 0,0000 | 0,0000 | 0,0001 | 0,0002 | 0,0005 | 0,0011 | 0,0022 |
| 15 | 0,0000 | 0,0000 | 0,0000 | 0,0000 | 0,0000 | 0,0000 | 0,0001 | 0,0002 | 0,0004 | 0,0009 |
| 16 | 0,0000 | 0,0000 | 0,0000 | 0,0000 | 0,0000 | 0,0000 | 0,0000 | 0,0000 | 0,0001 | 0,0003 |
| 17 | 0,0000 | 0,0000 | 0,0000 | 0,0000 | 0,0000 | 0,0000 | 0,0000 | 0,0000 | 0,0000 | 0,0001 |
| 18 | 0,0000 | 0,0000 | 0,0000 | 0,0000 | 0,0000 | 0,0000 | 0,0000 | 0,0000 | 0,0000 | 0,0000 |

# TABLE 2: Distributions de Poisson (suite)

| x | λ 6,5 | 7 | 7,5 | 8 | 8,5 | 9 | 9,5 | 10 |
|---|---|---|---|---|---|---|---|---|
| 0 | 0,0015 | 0,0009 | 0,0006 | 0,0003 | 0,0002 | 0,0001 | 0,0001 | 0,0000 |
| 1 | 0,0098 | 0,0064 | 0,0041 | 0,0027 | 0,0017 | 0,0011 | 0,0007 | 0,0005 |
| 2 | 0,0318 | 0,0223 | 0,0156 | 0,0107 | 0,0074 | 0,0050 | 0,0034 | 0,0023 |
| 3 | 0,0688 | 0,0521 | 0,0389 | 0,0286 | 0,0208 | 0,0150 | 0,0107 | 0,0076 |
| 4 | 0,1118 | 0,0912 | 0,0729 | 0,0573 | 0,0443 | 0,0337 | 0,0254 | 0,0189 |
| 5 | 0,1454 | 0,1277 | 0,1094 | 0,0916 | 0,0752 | 0,0607 | 0,0483 | 0,0378 |
| 6 | 0,1575 | 0,1490 | 0,1367 | 0,1221 | 0,1066 | 0,0911 | 0,0764 | 0,0631 |
| 7 | 0,1462 | 0,1490 | 0,1465 | 0,1396 | 0,1294 | 0,1171 | 0,1037 | 0,0901 |
| 8 | 0,1188 | 0,1304 | 0,1373 | 0,1396 | 0,1375 | 0,1318 | 0,1232 | 0,1126 |
| 9 | 0,0858 | 0,1014 | 0,1144 | 0,1241 | 0,1299 | 0,1318 | 0,1300 | 0,1251 |
| 10 | 0,0558 | 0,0710 | 0,0858 | 0,0993 | 0,1104 | 0,1186 | 0,1235 | 0,1251 |
| 11 | 0,0330 | 0,0452 | 0,0585 | 0,0722 | 0,0853 | 0,0970 | 0,1067 | 0,1137 |
| 12 | 0,0179 | 0,0263 | 0,0366 | 0,0481 | 0,0604 | 0,0728 | 0,0844 | 0,0948 |
| 13 | 0,0089 | 0,0142 | 0,0211 | 0,0296 | 0,0395 | 0,0504 | 0,0617 | 0,0729 |
| 14 | 0,0041 | 0,0071 | 0,0113 | 0,0169 | 0,0240 | 0,0324 | 0,0419 | 0,0521 |
| 15 | 0,0018 | 0,0033 | 0,0057 | 0,0090 | 0,0136 | 0,0194 | 0,0265 | 0,0347 |
| 16 | 0,0007 | 0,0014 | 0,0026 | 0,0045 | 0,0072 | 0,0109 | 0,0157 | 0,0217 |
| 17 | 0,0003 | 0,0006 | 0,0012 | 0,0021 | 0,0036 | 0,0058 | 0,0088 | 0,0128 |
| 18 | 0,0001 | 0,0002 | 0,0005 | 0,0009 | 0,0017 | 0,0029 | 0,0046 | 0,0071 |
| 19 | 0,0000 | 0,0001 | 0,0002 | 0,0004 | 0,0008 | 0,0014 | 0,0023 | 0,0037 |
| 20 | 0,0000 | 0,0000 | 0,0001 | 0,0002 | 0,0003 | 0,0006 | 0,0011 | 0,0019 |
| 21 | 0,0000 | 0,0000 | 0,0000 | 0,0001 | 0,0001 | 0,0003 | 0,0005 | 0,0009 |
| 22 | 0,0000 | 0,0000 | 0,0000 | 0,0000 | 0,0001 | 0,0001 | 0,0002 | 0,0004 |
| 23 | 0,0000 | 0,0000 | 0,0000 | 0,0000 | 0,0000 | 0,0000 | 0,0001 | 0,0002 |
| 24 | 0,0000 | 0,0000 | 0,0000 | 0,0000 | 0,0000 | 0,0000 | 0,0000 | 0,0001 |
| 25 | 0,0000 | 0,0000 | 0,0000 | 0,0000 | 0,0000 | 0,0000 | 0,0000 | 0,0000 |

# TABLE 3: Distribution de Z: N(0 ; 1)

Valeur tabulée: P[0 ≤ Z ≤ z]

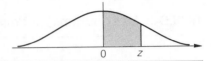

| z | 0,00 | 0,01 | 0,02 | 0,03 | 0,04 | 0,05 | 0,06 | 0,07 | 0,08 | 0,09 |
|---|------|------|------|------|------|------|------|------|------|------|
| 0,0 | 0,0000 | 0,0040 | 0,0080 | 0,0120 | 0,0160 | 0,0199 | 0,0239 | 0,0279 | 0,0319 | 0,0359 |
| 0,1 | 0,0398 | 0,0438 | 0,0478 | 0,0517 | 0,0557 | 0,0596 | 0,0636 | 0,0675 | 0,0714 | 0,0753 |
| 0,2 | 0,0793 | 0,0832 | 0,0871 | 0,0910 | 0,0948 | 0,0987 | 0,1026 | 0,1064 | 0,1103 | 0,1141 |
| 0,3 | 0,1179 | 0,1217 | 0,1255 | 0,1293 | 0,1331 | 0,1368 | 0,1406 | 0,1443 | 0,1480 | 0,1517 |
| 0,4 | 0,1554 | 0,1591 | 0,1628 | 0,1664 | 0,1700 | 0,1736 | 0,1772 | 0,1808 | 0,1844 | 0,1879 |
| 0,5 | 0,1915 | 0,1950 | 0,1985 | 0,2019 | 0,2054 | 0,2088 | 0,2123 | 0,2157 | 0,2190 | 0,2224 |
| 0,6 | 0,2257 | 0,2291 | 0,2324 | 0,2357 | 0,2389 | 0,2422 | 0,2454 | 0,2486 | 0,2517 | 0,2549 |
| 0,7 | 0,2580 | 0,2611 | 0,2642 | 0,2673 | 0,2704 | 0,2734 | 0,2764 | 0,2794 | 0,2823 | 0,2852 |
| 0,8 | 0,2881 | 0,2910 | 0,2939 | 0,2967 | 0,2995 | 0,3023 | 0,3051 | 0,3078 | 0,3106 | 0,3133 |
| 0,9 | 0,3159 | 0,3186 | 0,3212 | 0,3238 | 0,3264 | 0,3289 | 0,3315 | 0,3340 | 0,3365 | 0,3389 |
| 1,0 | 0,3413 | 0,3438 | 0,3461 | 0,3485 | 0,3508 | 0,3531 | 0,3554 | 0,3577 | 0,3599 | 0,3621 |
| 1,1 | 0,3643 | 0,3665 | 0,3686 | 0,3708 | 0,3729 | 0,3749 | 0,3770 | 0,3790 | 0,3810 | 0,3830 |
| 1,2 | 0,3849 | 0,3869 | 0,3888 | 0,3907 | 0,3925 | 0,3944 | 0,3962 | 0,3980 | 0,3997 | 0,4015 |
| 1,3 | 0,4032 | 0,4049 | 0,4066 | 0,4082 | 0,4099 | 0,4115 | 0,4131 | 0,4147 | 0,4162 | 0,4177 |
| 1,4 | 0,4192 | 0,4207 | 0,4222 | 0,4236 | 0,4251 | 0,4265 | 0,4279 | 0,4292 | 0,4306 | 0,4319 |
| 1,5 | 0,4332 | 0,4345 | 0,4357 | 0,4370 | 0,4382 | 0,4394 | 0,4406 | 0,4418 | 0,4429 | 0,4441 |
| 1,6 | 0,4452 | 0,4463 | 0,4474 | 0,4484 | 0,4495 | 0,4505 | 0,4515 | 0,4525 | 0,4535 | 0,4545 |
| 1,7 | 0,4554 | 0,4564 | 0,4573 | 0,4582 | 0,4591 | 0,4599 | 0,4608 | 0,4616 | 0,4625 | 0,4633 |
| 1,8 | 0,4641 | 0,4649 | 0,4656 | 0,4664 | 0,4671 | 0,4678 | 0,4686 | 0,4693 | 0,4699 | 0,4706 |
| 1,9 | 0,4713 | 0,4719 | 0,4726 | 0,4732 | 0,4738 | 0,4744 | 0,4750 | 0,4756 | 0,4761 | 0,4767 |
| 2,0 | 0,4772 | 0,4778 | 0,4783 | 0,4788 | 0,4793 | 0,4798 | 0,4803 | 0,4808 | 0,4812 | 0,4817 |
| 2,1 | 0,4821 | 0,4826 | 0,4830 | 0,4834 | 0,4838 | 0,4842 | 0,4846 | 0,4850 | 0,4854 | 0,4857 |
| 2,2 | 0,4861 | 0,4864 | 0,4868 | 0,4871 | 0,4875 | 0,4878 | 0,4881 | 0,4884 | 0,4887 | 0,4890 |
| 2,3 | 0,4893 | 0,4896 | 0,4898 | 0,4901 | 0,4904 | 0,4906 | 0,4909 | 0,4911 | 0,4913 | 0,4916 |
| 2,4 | 0,4918 | 0,4920 | 0,4922 | 0,4925 | 0,4927 | 0,4929 | 0,4931 | 0,4932 | 0,4934 | 0,4936 |
| 2,5 | 0,4938 | 0,4940 | 0,4941 | 0,4943 | 0,4945 | 0,4946 | 0,4948 | 0,4949 | 0,4951 | 0,4952 |
| 2,6 | 0,4953 | 0,4955 | 0,4956 | 0,4957 | 0,4959 | 0,4960 | 0,4961 | 0,4962 | 0,4963 | 0,4964 |
| 2,7 | 0,4965 | 0,4966 | 0,4967 | 0,4968 | 0,4969 | 0,4970 | 0,4971 | 0,4972 | 0,4973 | 0,4974 |
| 2,8 | 0,4974 | 0,4975 | 0,4976 | 0,4977 | 0,4977 | 0,4978 | 0,4979 | 0,4979 | 0,4980 | 0,4981 |
| 2,9 | 0,4981 | 0,4982 | 0,4982 | 0,4983 | 0,4984 | 0,4984 | 0,4985 | 0,4985 | 0,4986 | 0,4986 |
| 3,0 | 0,4987 | 0,4987 | 0,4987 | 0,4988 | 0,4988 | 0,4989 | 0,4989 | 0,4989 | 0,4990 | 0,4990 |
| 3,1 | 0,4990 | 0,4991 | 0,4991 | 0,4991 | 0,4992 | 0,4992 | 0,4992 | 0,4992 | 0,4993 | 0,4993 |
| 3,2 | 0,4993 | 0,4993 | 0,4994 | 0,4994 | 0,4994 | 0,4994 | 0,4994 | 0,4995 | 0,4995 | 0,4995 |
| 3,3 | 0,4995 | 0,4995 | 0,4995 | 0,4996 | 0,4996 | 0,4996 | 0,4996 | 0,4996 | 0,4996 | 0,4997 |
| 3,4 | 0,4997 | 0,4997 | 0,4997 | 0,4997 | 0,4997 | 0,4997 | 0,4997 | 0,4997 | 0,4997 | 0,4998 |
| 3,5 | 0,4998 | 0,4998 | 0,4998 | 0,4998 | 0,4998 | 0,4998 | 0,4998 | 0,4998 | 0,4998 | 0,4998 |
| 3,6 | 0,4998 | 0,4998 | 0,4998 | 0,4999 | 0,4999 | 0,4999 | 0,4999 | 0,4999 | 0,4999 | 0,4999 |
| 3,7 | 0,4999 | 0,4999 | 0,4999 | 0,4999 | 0,5000 | 0,5000 | 0,5000 | 0,5000 | 0,5000 | 0,5000 |

# TABLE 4: Distribution de $Z$: $N(0 ; 1)$

Valeur tabulée: $P[Z > z]$

| $z$ | 0,00 | 0,01 | 0,02 | 0,03 | 0,04 | 0,05 | 0,06 | 0,07 | 0,08 | 0,09 |
|---|---|---|---|---|---|---|---|---|---|---|
| 0,0 | 0,5000 | 0,4960 | 0,4920 | 0,4880 | 0,4840 | 0,4801 | 0,4761 | 0,4721 | 0,4681 | 0,4641 |
| 0,1 | 0,4602 | 0,4562 | 0,4522 | 0,4483 | 0,4443 | 0,4404 | 0,4364 | 0,4325 | 0,4286 | 0,4247 |
| 0,2 | 0,4207 | 0,4168 | 0,4129 | 0,4090 | 0,4052 | 0,4013 | 0,3974 | 0,3936 | 0,3897 | 0,3859 |
| 0,3 | 0,3821 | 0,3783 | 0,3745 | 0,3707 | 0,3669 | 0,3632 | 0,3594 | 0,3557 | 0,3520 | 0,3483 |
| 0,4 | 0,3446 | 0,3409 | 0,3372 | 0,3336 | 0,3300 | 0,3264 | 0,3228 | 0,3192 | 0,3156 | 0,3121 |
| 0,5 | 0,3085 | 0,3050 | 0,3015 | 0,2981 | 0,2946 | 0,2912 | 0,2877 | 0,2843 | 0,2810 | 0,2776 |
| 0,6 | 0,2743 | 0,2709 | 0,2676 | 0,2643 | 0,2611 | 0,2578 | 0,2546 | 0,2514 | 0,2483 | 0,2451 |
| 0,7 | 0,2420 | 0,2389 | 0,2358 | 0,2327 | 0,2296 | 0,2266 | 0,2236 | 0,2206 | 0,2177 | 0,2148 |
| 0,8 | 0,2119 | 0,2090 | 0,2061 | 0,2033 | 0,2005 | 0,1977 | 0,1949 | 0,1922 | 0,1894 | 0,1867 |
| 0,9 | 0,1841 | 0,1814 | 0,1788 | 0,1762 | 0,1736 | 0,1711 | 0,1685 | 0,1660 | 0,1635 | 0,1611 |
| 1,0 | 0,1587 | 0,1562 | 0,1539 | 0,1515 | 0,1492 | 0,1469 | 0,1446 | 0,1423 | 0,1401 | 0,1379 |
| 1,1 | 0,1357 | 0,1335 | 0,1314 | 0,1292 | 0,1271 | 0,1251 | 0,1230 | 0,1210 | 0,1190 | 0,1170 |
| 1,2 | 0,1151 | 0,1131 | 0,1112 | 0,1093 | 0,1075 | 0,1056 | 0,1038 | 0,1020 | 0,1003 | 0,0985 |
| 1,3 | 0,0968 | 0,0951 | 0,0934 | 0,0918 | 0,0901 | 0,0885 | 0,0869 | 0,0853 | 0,0838 | 0,0823 |
| 1,4 | 0,0808 | 0,0793 | 0,0778 | 0,0764 | 0,0749 | 0,0735 | 0,0721 | 0,0708 | 0,0694 | 0,0681 |
| 1,5 | 0,0668 | 0,0655 | 0,0643 | 0,0630 | 0,0618 | 0,0606 | 0,0594 | 0,0582 | 0,0571 | 0,0559 |
| 1,6 | 0,0548 | 0,0537 | 0,0526 | 0,0516 | 0,0505 | 0,0495 | 0,0485 | 0,0475 | 0,0465 | 0,0455 |
| 1,7 | 0,0446 | 0,0436 | 0,0427 | 0,0418 | 0,0409 | 0,0401 | 0,0392 | 0,0384 | 0,0375 | 0,0367 |
| 1,8 | 0,0359 | 0,0351 | 0,0344 | 0,0336 | 0,0329 | 0,0322 | 0,0314 | 0,0307 | 0,0301 | 0,0294 |
| 1,9 | 0,0287 | 0,0281 | 0,0274 | 0,0268 | 0,0262 | 0,0256 | 0,0250 | 0,0244 | 0,0239 | 0,0233 |
| 2,0 | 0,0228 | 0,0222 | 0,0217 | 0,0212 | 0,0207 | 0,0202 | 0,0197 | 0,0192 | 0,0188 | 0,0183 |
| 2,1 | 0,0179 | 0,0174 | 0,0170 | 0,0166 | 0,0162 | 0,0158 | 0,0154 | 0,0150 | 0,0146 | 0,0143 |
| 2,2 | 0,0139 | 0,0136 | 0,0132 | 0,0129 | 0,0125 | 0,0122 | 0,0119 | 0,0116 | 0,0113 | 0,0110 |
| 2,3 | 0,0107 | 0,0104 | 0,0102 | 0,0099 | 0,0096 | 0,0094 | 0,0091 | 0,0089 | 0,0087 | 0,0084 |
| 2,4 | 0,0082 | 0,0080 | 0,0078 | 0,0075 | 0,0073 | 0,0071 | 0,0069 | 0,0068 | 0,0066 | 0,0064 |
| 2,5 | 0,0062 | 0,0060 | 0,0059 | 0,0057 | 0,0055 | 0,0054 | 0,0052 | 0,0051 | 0,0049 | 0,0048 |
| 2,6 | 0,0047 | 0,0045 | 0,0044 | 0,0043 | 0,0041 | 0,0040 | 0,0039 | 0,0038 | 0,0037 | 0,0036 |
| 2,7 | 0,0035 | 0,0034 | 0,0033 | 0,0032 | 0,0031 | 0,0030 | 0,0029 | 0,0028 | 0,0027 | 0,0026 |
| 2,8 | 0,0026 | 0,0025 | 0,0024 | 0,0023 | 0,0023 | 0,0022 | 0,0021 | 0,0021 | 0,0020 | 0,0019 |
| 2,9 | 0,0019 | 0,0018 | 0,0018 | 0,0017 | 0,0016 | 0,0016 | 0,0015 | 0,0015 | 0,0014 | 0,0014 |
| 3,0 | 0,0013 | 0,0013 | 0,0013 | 0,0012 | 0,0012 | 0,0011 | 0,0011 | 0,0011 | 0,0010 | 0,0010 |
| 3,1 | 0,0010 | 0,0009 | 0,0009 | 0,0009 | 0,0008 | 0,0008 | 0,0008 | 0,0008 | 0,0007 | 0,0007 |
| 3,2 | 0,0007 | 0,0007 | 0,0006 | 0,0006 | 0,0006 | 0,0006 | 0,0006 | 0,0005 | 0,0005 | 0,0005 |
| 3,3 | 0,0005 | 0,0005 | 0,0005 | 0,0004 | 0,0004 | 0,0004 | 0,0004 | 0,0004 | 0,0004 | 0,0003 |
| 3,4 | 0,0003 | 0,0003 | 0,0003 | 0,0003 | 0,0003 | 0,0003 | 0,0003 | 0,0003 | 0,0003 | 0,0002 |
| 3,5 | 0,0002 | 0,0002 | 0,0002 | 0,0002 | 0,0002 | 0,0002 | 0,0002 | 0,0002 | 0,0002 | 0,0002 |
| 3,6 | 0,0002 | 0,0002 | 0,0002 | 0,0001 | 0,0001 | 0,0001 | 0,0001 | 0,0001 | 0,0001 | 0,0001 |
| 3,7 | 0,0001 | 0,0001 | 0,0001 | 0,0001 | 0,0000 | 0,0000 | 0,0000 | 0,0000 | 0,0000 | 0,0000 |

# TABLE 5: Distributions du khi-carré

Valeur tabulée: le nombre $x$ tel que $P[X > x] = \alpha$

où $X$: $\chi_\nu^2$

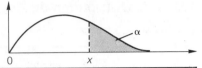

| $\nu$ \ $\alpha$ | 0,995 | 0,99 | 0,975 | 0,95 | 0,9 | 0,8 | 0,7 | 0,6 | 0,5 | 0,4 | 0,3 | 0,2 | 0,1 | 0,05 | 0,025 | 0,01 | 0,005 |
|---|---|---|---|---|---|---|---|---|---|---|---|---|---|---|---|---|---|
| 1 | 0,000 | 0,000 | 0,001 | 0,004 | 0,016 | 0,064 | 0,148 | 0,275 | 0,455 | 0,708 | 1,074 | 1,642 | 2,706 | 3,841 | 5,024 | 6,635 | 7,879 |
| 2 | 0,010 | 0,020 | 0,051 | 0,103 | 0,211 | 0,446 | 0,713 | 1,022 | 1,386 | 1,833 | 2,408 | 3,219 | 4,605 | 5,991 | 7,378 | 9,210 | 10,597 |
| 3 | 0,072 | 0,115 | 0,216 | 0,352 | 0,584 | 1,005 | 1,424 | 1,869 | 2,366 | 2,946 | 3,665 | 4,642 | 6,251 | 7,815 | 9,348 | 11,345 | 12,838 |
| 4 | 0,207 | 0,297 | 0,484 | 0,711 | 1,064 | 1,649 | 2,195 | 2,753 | 3,357 | 4,045 | 4,878 | 5,989 | 7,779 | 9,488 | 11,143 | 13,277 | 14,860 |
| 5 | 0,412 | 0,554 | 0,831 | 1,145 | 1,610 | 2,343 | 3,000 | 3,655 | 4,351 | 5,132 | 6,064 | 7,289 | 9,236 | 11,070 | 12,832 | 15,086 | 16,750 |
| 6 | 0,676 | 0,872 | 1,237 | 1,635 | 2,204 | 3,070 | 3,828 | 4,570 | 5,348 | 6,211 | 7,231 | 8,558 | 10,645 | 12,592 | 14,449 | 16,812 | 18,548 |
| 7 | 0,989 | 1,239 | 1,690 | 2,167 | 2,833 | 3,822 | 4,671 | 5,493 | 6,346 | 7,283 | 8,383 | 9,803 | 12,017 | 14,067 | 16,013 | 18,475 | 20,278 |
| 8 | 1,344 | 1,646 | 2,180 | 2,733 | 3,490 | 4,594 | 5,527 | 6,423 | 7,344 | 8,351 | 9,524 | 11,030 | 13,362 | 15,507 | 17,535 | 20,090 | 21,955 |
| 9 | 1,735 | 2,088 | 2,700 | 3,325 | 4,168 | 5,380 | 6,393 | 7,357 | 8,343 | 9,414 | 10,656 | 12,242 | 14,684 | 16,919 | 19,023 | 21,666 | 23,589 |
| 10 | 2,156 | 2,558 | 3,247 | 3,940 | 4,865 | 6,179 | 7,267 | 8,295 | 9,342 | 10,473 | 11,781 | 13,442 | 15,987 | 18,307 | 20,483 | 23,209 | 25,188 |
| 11 | 2,603 | 3,054 | 3,816 | 4,575 | 5,578 | 6,989 | 8,148 | 9,237 | 10,341 | 11,530 | 12,899 | 14,631 | 17,275 | 19,675 | 21,920 | 24,725 | 26,757 |
| 12 | 3,074 | 3,571 | 4,404 | 5,226 | 6,304 | 7,807 | 9,034 | 10,182 | 11,340 | 12,584 | 14,011 | 15,812 | 18,549 | 21,026 | 23,337 | 26,217 | 28,299 |
| 13 | 3,565 | 4,107 | 5,009 | 5,892 | 7,042 | 8,634 | 9,926 | 11,129 | 12,340 | 13,636 | 15,119 | 16,985 | 19,812 | 22,362 | 24,736 | 27,688 | 29,819 |
| 14 | 4,075 | 4,660 | 5,629 | 6,571 | 7,790 | 9,467 | 10,821 | 12,079 | 13,339 | 14,685 | 16,222 | 18,151 | 21,064 | 23,685 | 26,119 | 29,141 | 31,319 |
| 15 | 4,601 | 5,229 | 6,262 | 7,261 | 8,547 | 10,307 | 11,721 | 13,030 | 14,339 | 15,733 | 17,322 | 19,311 | 22,307 | 24,996 | 27,488 | 30,578 | 32,801 |
| 16 | 5,142 | 5,812 | 6,908 | 7,962 | 9,312 | 11,152 | 12,624 | 13,983 | 15,338 | 16,780 | 18,418 | 20,465 | 23,542 | 26,296 | 28,845 | 32,000 | 34,267 |
| 17 | 5,697 | 6,408 | 7,564 | 8,672 | 10,085 | 12,002 | 13,531 | 14,937 | 16,338 | 17,824 | 19,511 | 21,615 | 24,769 | 27,587 | 30,191 | 33,409 | 35,718 |
| 18 | 6,265 | 7,015 | 8,231 | 9,390 | 10,865 | 12,857 | 14,440 | 15,893 | 17,338 | 18,868 | 20,601 | 22,760 | 25,989 | 28,869 | 31,526 | 34,805 | 37,156 |
| 19 | 6,844 | 7,633 | 8,907 | 10,117 | 11,651 | 13,716 | 15,352 | 16,850 | 18,338 | 19,910 | 21,689 | 23,900 | 27,204 | 30,143 | 32,852 | 36,191 | 38,582 |
| 20 | 7,434 | 8,260 | 9,591 | 10,851 | 12,443 | 14,578 | 16,266 | 17,809 | 19,337 | 20,951 | 22,775 | 25,038 | 28,412 | 31,410 | 34,170 | 37,566 | 39,997 |
| 21 | 8,034 | 8,897 | 10,283 | 11,591 | 13,240 | 15,445 | 17,182 | 18,768 | 20,337 | 21,991 | 23,858 | 26,171 | 29,615 | 32,671 | 35,479 | 38,932 | 41,401 |
| 22 | 8,643 | 9,542 | 10,982 | 12,338 | 14,041 | 16,314 | 18,101 | 19,729 | 21,337 | 23,031 | 24,939 | 27,301 | 30,813 | 33,924 | 36,781 | 40,289 | 42,796 |
| 23 | 9,260 | 10,196 | 11,689 | 13,090 | 14,848 | 17,186 | 19,021 | 20,690 | 22,337 | 24,069 | 26,018 | 28,429 | 32,007 | 35,173 | 38,076 | 41,638 | 44,181 |
| 24 | 9,886 | 10,856 | 12,401 | 13,848 | 15,659 | 18,062 | 19,943 | 21,652 | 23,337 | 25,106 | 27,096 | 29,553 | 33,196 | 36,415 | 39,364 | 42,980 | 45,559 |
| 25 | 10,520 | 11,524 | 13,120 | 14,611 | 16,473 | 18,940 | 20,867 | 22,616 | 24,337 | 26,143 | 28,172 | 30,675 | 34,382 | 37,652 | 40,647 | 44,314 | 46,928 |
| 26 | 11,160 | 12,198 | 13,844 | 15,379 | 17,292 | 19,820 | 21,792 | 23,579 | 25,336 | 27,179 | 29,246 | 31,795 | 35,563 | 38,885 | 41,923 | 45,642 | 48,290 |
| 27 | 11,808 | 12,879 | 14,573 | 16,151 | 18,114 | 20,703 | 22,719 | 24,544 | 26,336 | 28,214 | 30,319 | 32,912 | 36,741 | 40,113 | 43,194 | 46,963 | 49,645 |
| 28 | 12,461 | 13,565 | 15,308 | 16,928 | 18,939 | 21,588 | 23,647 | 25,509 | 27,336 | 29,249 | 31,391 | 34,027 | 37,916 | 41,337 | 44,461 | 48,278 | 50,993 |
| 29 | 13,121 | 14,256 | 16,047 | 17,708 | 19,768 | 22,475 | 24,577 | 26,475 | 28,336 | 30,283 | 32,461 | 35,139 | 39,087 | 42,557 | 45,722 | 49,588 | 52,336 |
| 30 | 13,787 | 14,953 | 16,791 | 18,493 | 20,599 | 23,364 | 25,508 | 27,442 | 29,336 | 31,316 | 33,530 | 36,250 | 40,256 | 43,773 | 46,979 | 50,892 | 53,672 |

Interpolation linéaire « avec précaution » en $\alpha$

Pour $\nu > 30$, $\quad x \simeq \dfrac{1}{2}\,[z + \sqrt{2\nu - 1}\,]^2$

*Source.*— Jean Laborde, *Tables statistiques et financières*, Dunod, Paris, 1971, table S4.

# TABLE 6: Distributions T de Student

Valeur tabulée: le nombre $t$ tel que $P[T > t] = \alpha$

où $T$: $\mathrm{T}_\nu$

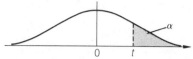

| $\alpha$ $\nu$ | 0,45 | 0,4 | 0,35 | 0,3 | 0,25 | 0,2 | 0,15 | 0,1 | 0,05 | 0,04 | 0,03 | 0,025 | 0,02 | 0,01 | 0,005 |
|---|---|---|---|---|---|---|---|---|---|---|---|---|---|---|---|
| 1 | 0,158 | 0,325 | 0,510 | 0,727 | 1,000 | 1,376 | 1,963 | 3,078 | 6,314 | 7,916 | 10,579 | 12,706 | 15,894 | 31,820 | 63,656 |
| 2 | 0,142 | 0,289 | 0,445 | 0,617 | 0,817 | 1,061 | 1,386 | 1,886 | 2,920 | 3,320 | 3,896 | 4,303 | 4,849 | 6,965 | 9,925 |
| 3 | 0,137 | 0,277 | 0,424 | 0,584 | 0,765 | 0,978 | 1,250 | 1,638 | 2,353 | 2,605 | 2,951 | 3,182 | 3,482 | 4,541 | 5,841 |
| 4 | 0,134 | 0,271 | 0,414 | 0,569 | 0,741 | 0,941 | 1,190 | 1,533 | 2,132 | 2,333 | 2,601 | 2,776 | 2,999 | 3,747 | 4,604 |
| 5 | 0,132 | 0,267 | 0,408 | 0,559 | 0,727 | 0,920 | 1,156 | 1,476 | 2,015 | 2,191 | 2,422 | 2,571 | 2,756 | 3,365 | 4,032 |
| 6 | 0,131 | 0,265 | 0,404 | 0,553 | 0,718 | 0,906 | 1,134 | 1,440 | 1,943 | 2,104 | 2,313 | 2,447 | 2,612 | 3,143 | 3,707 |
| 7 | 0,130 | 0,263 | 0,402 | 0,549 | 0,711 | 0,896 | 1,119 | 1,415 | 1,895 | 2,046 | 2,241 | 2,365 | 2,517 | 2,998 | 3,499 |
| 8 | 0,130 | 0,262 | 0,399 | 0,546 | 0,706 | 0,889 | 1,108 | 1,397 | 1,860 | 2,004 | 2,189 | 2,306 | 2,449 | 2,896 | 3,355 |
| 9 | 0,129 | 0,261 | 0,398 | 0,543 | 0,703 | 0,883 | 1,100 | 1,383 | 1,833 | 1,973 | 2,150 | 2,262 | 2,398 | 2,821 | 3,250 |
| 10 | 0,129 | 0,260 | 0,397 | 0,542 | 0,700 | 0,879 | 1,093 | 1,372 | 1,812 | 1,948 | 2,120 | 2,228 | 2,359 | 2,764 | 3,169 |
| 11 | 0,129 | 0,260 | 0,396 | 0,540 | 0,697 | 0,876 | 1,088 | 1,363 | 1,796 | 1,928 | 2,096 | 2,201 | 2,328 | 2,718 | 3,106 |
| 12 | 0,128 | 0,259 | 0,395 | 0,539 | 0,695 | 0,873 | 1,083 | 1,356 | 1,782 | 1,912 | 2,076 | 2,179 | 2,303 | 2,681 | 3,055 |
| 13 | 0,128 | 0,259 | 0,394 | 0,538 | 0,694 | 0,870 | 1,079 | 1,350 | 1,771 | 1,899 | 2,060 | 2,160 | 2,282 | 2,650 | 3,012 |
| 14 | 0,128 | 0,258 | 0,393 | 0,537 | 0,692 | 0,868 | 1,076 | 1,345 | 1,761 | 1,888 | 2,046 | 2,145 | 2,264 | 2,625 | 2,977 |
| 15 | 0,128 | 0,258 | 0,393 | 0,536 | 0,691 | 0,866 | 1,073 | 1,341 | 1,753 | 1,878 | 2,034 | 2,131 | 2,249 | 2,603 | 2,947 |
| 16 | 0,128 | 0,258 | 0,392 | 0,535 | 0,690 | 0,865 | 1,071 | 1,337 | 1,746 | 1,869 | 2,024 | 2,120 | 2,235 | 2,584 | 2,921 |
| 17 | 0,128 | 0,257 | 0,392 | 0,534 | 0,689 | 0,863 | 1,069 | 1,333 | 1,740 | 1,862 | 2,015 | 2,110 | 2,224 | 2,567 | 2,898 |
| 18 | 0,127 | 0,257 | 0,392 | 0,534 | 0,688 | 0,862 | 1,067 | 1,330 | 1,734 | 1,855 | 2,007 | 2,101 | 2,214 | 2,552 | 2,878 |
| 19 | 0,127 | 0,257 | 0,391 | 0,533 | 0,688 | 0,861 | 1,066 | 1,328 | 1,729 | 1,850 | 2,000 | 2,093 | 2,205 | 2,539 | 2,861 |
| 20 | 0,127 | 0,257 | 0,391 | 0,533 | 0,687 | 0,860 | 1,064 | 1,325 | 1,725 | 1,844 | 1,994 | 2,086 | 2,197 | 2,528 | 2,845 |
| 21 | 0,127 | 0,257 | 0,391 | 0,532 | 0,686 | 0,859 | 1,063 | 1,323 | 1,721 | 1,840 | 1,988 | 2,080 | 2,189 | 2,518 | 2,831 |
| 22 | 0,127 | 0,256 | 0,390 | 0,532 | 0,686 | 0,858 | 1,061 | 1,321 | 1,717 | 1,835 | 1,983 | 2,074 | 2,183 | 2,508 | 2,819 |
| 23 | 0,127 | 0,256 | 0,390 | 0,532 | 0,685 | 0,858 | 1,060 | 1,319 | 1,714 | 1,832 | 1,978 | 2,069 | 2,177 | 2,500 | 2,807 |
| 24 | 0,127 | 0,256 | 0,390 | 0,531 | 0,685 | 0,857 | 1,059 | 1,318 | 1,711 | 1,828 | 1,974 | 2,064 | 2,172 | 2,492 | 2,797 |
| 25 | 0,127 | 0,256 | 0,390 | 0,531 | 0,684 | 0,856 | 1,058 | 1,316 | 1,708 | 1,825 | 1,970 | 2,060 | 2,167 | 2,485 | 2,787 |
| 26 | 0,127 | 0,256 | 0,390 | 0,531 | 0,684 | 0,856 | 1,058 | 1,315 | 1,706 | 1,822 | 1,967 | 2,056 | 2,162 | 2,479 | 2,779 |
| 27 | 0,127 | 0,256 | 0,389 | 0,531 | 0,684 | 0,855 | 1,057 | 1,314 | 1,703 | 1,819 | 1,963 | 2,052 | 2,158 | 2,473 | 2,771 |
| 28 | 0,127 | 0,256 | 0,389 | 0,530 | 0,683 | 0,855 | 1,056 | 1,313 | 1,701 | 1,817 | 1,960 | 2,048 | 2,154 | 2,467 | 2,763 |
| 29 | 0,127 | 0,256 | 0,389 | 0,530 | 0,683 | 0,854 | 1,055 | 1,311 | 1,699 | 1,814 | 1,957 | 2,045 | 2,150 | 2,462 | 2,756 |
| 30 | 0,127 | 0,256 | 0,389 | 0,530 | 0,683 | 0,854 | 1,055 | 1,310 | 1,697 | 1,812 | 1,955 | 2,042 | 2,147 | 2,457 | 2,750 |
| 35 | 0,127 | 0,255 | 0,388 | 0,529 | 0,682 | 0,852 | 1,052 | 1,306 | 1,690 | 1,803 | 1,944 | 2,030 | 2,133 | 2,438 | 2,724 |
| 40 | 0,126 | 0,255 | 0,388 | 0,529 | 0,681 | 0,851 | 1,050 | 1,303 | 1,684 | 1,796 | 1,936 | 2,021 | 2,123 | 2,423 | 2,704 |
| 45 | 0,126 | 0,255 | 0,388 | 0,528 | 0,680 | 0,850 | 1,049 | 1,301 | 1,679 | 1,791 | 1,929 | 2,014 | 2,115 | 2,412 | 2,690 |
| 50 | 0,126 | 0,255 | 0,388 | 0,528 | 0,679 | 0,849 | 1,047 | 1,299 | 1,676 | 1,787 | 1,924 | 2,009 | 2,109 | 2,403 | 2,678 |
| 55 | 0,126 | 0,255 | 0,387 | 0,527 | 0,679 | 0,848 | 1,046 | 1,297 | 1,673 | 1,784 | 1,920 | 2,004 | 2,104 | 2,396 | 2,668 |
| 60 | 0,126 | 0,254 | 0,387 | 0,527 | 0,679 | 0,848 | 1,045 | 1,296 | 1,671 | 1,781 | 1,917 | 2,000 | 2,099 | 2,390 | 2,660 |
| ∞ | 0,126 | 0,253 | 0,385 | 0,524 | 0,674 | 0,842 | 1,036 | 1,282 | 1,645 | 1,751 | 1,881 | 1,960 | 2,054 | 2,326 | 2,576 |

Interpolation linéaire « avec précaution » en $\alpha$ et « légitime » en $\nu$ (au-delà de 30)

*Source.*— Jean Laborde, *Tables statistiques et financières*, Dunod, Paris, 1971, table S5.

# Index

# C

# D

# E